LAROUSSE

Embarazo

LAROUSSE

EDICIÓN ORIGINAL

DIRECCIÓN DE LA PUBLICACIÓN
Carola Strang

DIRECCIÓN EDITORIAL
Carole Bat

COORDINACIÓN EDITORIAL
Tatiana Delesalle, Martine Rousso
y la colaboración de Élisabeth Andréani
en la preparación del texto

LECTURA Y CORRECCIÓN
Annick Valade, Madeleine Biaujeaud, Édith Zha

DIRECCIÓN DE ARTE
Emmanuel Chaspoul
con la colaboración de Cynthia Savage

CONCEPCIÓN GRÁFICA
Sarbacane, Catherine Le Troquier

MAQUETACIÓN
Catherine Le Troquier

ICONOGRAFÍA
Valérie Perrin, Anne Mansior, Catherine Le Troquier

PRODUCCIÓN
Annie Botrel

ILUSTRACIONES
Laurent Blondel

EDICIÓN EN ESPAÑOL

DIRECCIÓN EDITORIAL
Jordi Induráin, Tomás García

EDICIÓN
Enrique Vicién,
Luis Ignacio de la Peña

TRADUCCIÓN
Imma Estany, Rosó Gorgori

LECTURA Y CORRECCIÓN
Paloma Blanco, Olga Wunderlich

MAQUETACIÓN Y PREIMPRESIÓN
dos més dos edicions S.L.

DISEÑO DE CUBIERTA
Estudi Colomer

FOTOGRAFÍAS
realizadas para Larousse por Baptiste Lignel y Hervé Gyssels,
salvo las que se mencionan en p. 415

Queremos mostrar nuestro agradecimiento a la Dra. M. J. Cerqueira y al Dr. Adolfo Quiles Hill, del hospital
universitario Vall d'Hebrón de Barcelona y a las personas mencionadas en la página 415

Este libro pretende informar a todas las personas interesadas en conocer mejor las circunstancias que rodean
a su embarazo pero su lectura, en ningún caso, puede sustituir los consejos de un médico.

Esta obra se ha realizado bajo la dirección de

Dra. Anne Théau
Ginecóloga obstetra (maternidad Saint-Vincent-de-Paul, París)

con la participación de

Corinne Antoine, *psicóloga clínica*

Dr. Denis Bardou, *facultativo* (hôpital Esquirol, Saint-Maurice)
(glosario médico del embarazo)

Dr. Roger Bessis, *médico ecografista*
(ecografías fetales)

Christine Berteaux, *asesora en lactancia*

Dra. Anne Cléry Henry, *ginecóloga obstetra*
(hospital Joseph-Ducoing, Toulouse)
(glosario médico del embarazo)

Catherine Clop-Cordesse, *comadrona*
(acupuntura)

Dr. Dominique Decant-Paoli, *psiquiatra infantil, psicoanalista,*
haptopsicoterapeuta (El punto de vista del bebé)

Dra. Catherine Gueguen, *pediatra, haptoterapeuta*

Claudia Kohn, *osteópata*

Benoît Le Goedec, *comadrón*
(El punto de vista del padre)

Martine Lochin, *comadrona*

Dominique Trinh Dinh, *comadrona*
(reeducación del perineo)

Han contribuido también con sus aportaciones:
Élisabeth Andréani, Véronique Blocquaux, Agnès Gualtieri,
Pierre Kanter, Céline Lavignette, Sophie Senart

El editor quiere agradecer especialmente a:

el **profesor Jacques Lepercq,** *facultativo hospitalo-universitario,*
servicio de Ginecología y Obstetricia (maternidad Saint-Vincent-de-Paul) y su equipo

la **Dra. Marie-Claude Bertière,** *médico nutricionista*

la **Dra. Chantal Chemla**, *médico homéopata*

y *Assistance Publique-Hôpitaux de Paris (AP-HP)*
por haber autorizado la realización de las imágenes captadas en el hospital Cochin-Saint-Vincent-de-Paul

En la edición en español han colaborado además:

REVISIÓN GENERAL Y ADAPTACIÓN ESPAÑOLA E HISPANOAMERICANA

la **Dra. Mercè Piera,** *médico*

Rosa María Sales, *comadrona*

REVISIÓN GENERAL Y PRÓLOGO

la **Dra. María José Cerqueira,** *obstetra*

el **Dr. Adolfo Quiles Hill,** *pediatra*

Prólogo

E sta obra es fruto del trabajo conjunto de un grupo de expertos dirigido por la doctora **Anne Théau**, obstetra, que a su experiencia profesional añade su condición de madre de varios niños. Colaboran un ecografista, un formador de comadronas, un comadrón, una formadora en haptonomía, una consejera en lactancia... Un libro en el que nos transmiten su experiencia profesional y el amor por su profesión. Los autores nos brindan la aproximación a esa mujer emocionada, atrapada a veces en sus dudas. A la propia mujer embarazada la ayudan a entender la complejidad de las transformaciones que está notando en su anatomía y en su fisiología y le enseñan también a acercarse física y emocionalmente a su futuro hijo, a su compañero o a su hijo anterior, a compartir con ellos sus inquietudes y las incidencias de esta maravillosa aventura de la vida. Nos brindan información detallada del proceso promoviendo siempre el sentido común, la prudencia y la tolerancia.

El proceso del embarazo y el parto es una de las aventuras más apasionantes que ocurren a diario en la naturaleza. De la unión del espermatozoide con el óvulo se produce una sola célula, que entra en una carrera de multiplicación y desarrollo de tal magnitud que permite que 40 semanas después vea la luz un nuevo organismo con más de 50 billones de células y que haya multiplicado su peso inicial más de un millón de veces. En ningún momento a lo largo de la vida se vuelve a dar una transformación semejante.

Este nuevo ser no es autónomo. Necesita de soporte constante para poder desarrollarse, para poder crear tejidos, órganos, para crecer. Todo esto lo hace la madre. Su cuerpo se convierte en una fabulosa fábrica donde todos y cada uno de los departamentos se orientan en una dirección común: la elaboración y mantenimiento de una nueva vida. En la madre cambia desde la composición de la sangre hasta su volumen, desde la disposición de los órganos hasta su funcionamiento, desde la postura corporal hasta el estado emocional. Todo está programado para favorecer el mejor ambiente interno posible que permita que el útero continúe siendo la mejor incubadora que hayamos podido imaginar.

Todo lo que rodea al embarazo y a las mujeres embarazadas fue durante milenios un mundo mágico del que poco o nada se conocía. El nacimiento estaba también confinado al área de lo femenino y la ciencia se ocupaba de otras cuestiones. Los médicos empezaron a asistir al parto en el siglo XVIII y la mayor parte de lo que hoy sabemos y de lo que hacemos, proviene de conocimientos adquiridos en los últimos cien años. Aunque continuamos sin poder responder a muchas preguntas, entendemos parte del proceso. Y, sobre todo, somos capaces de identificar hechos anómalos, que amenazan el resultado final esperado, y actuar sobre ellos.

La Obstetricia es la parte de la medicina que se ocupa del embarazo y del parto. Es una palabra de origen latino que significa *"estar delante"* y la "obstetrix" era la mujer que asistía al parto. Éste continúa siendo el espíritu fundamental de obstetras y comadronas. Son los profesionales que acompañan a la embarazada en la aventura, los que conocen la información a la que nos permite acceder la ciencia, los que pueden dar respuesta a muchos de los interrogantes que despiertan en la gestante los cambios percibidos en el organismo, los que pueden evaluar riesgos y disponen de técnicas para identificar y tratar complicaciones. Pero son, sobre todo, los que observan y esperan, los que saben que, siempre que todo transcurra con normalidad, hay que dejar hacer a la naturaleza en un proceso donde los verdaderos protagonistas son la madre y el hijo, la embarazada y el feto.

Éste es, sin duda, un libro completo, porque en sus más de cuatrocientas páginas se informa exhaustivamente sobre el proceso del embarazo, de las exploraciones que se realizan, se analizan los cambios que se producen en la mujer, trata del día a día a lo largo del embarazo haciendo también referencia a las incomodidades y las molestias; habla del parto y de la estancia en la maternidad, de la lactancia y sus peculiaridades... se aproxima al comportamiento de la madre, del padre y otros familiares respondiendo a las preguntas de unos y otros; se refiere a la vuelta a casa y orienta sobre el manejo y la alimentación del bebé. Es un libro didáctico, porque presenta infinidad de orientaciones y consejos oportunos que pueden ser de gran utilidad durante el embarazo, en el curso del parto, en la clínica y cuando la madre esté en casa; que trata a la mujer en esta fase de su vida como lo que es: una adulta informada que necesita completar esa información y que tiene la imperiosa necesidad de conseguir seguridad sin crear alarmas injustificadas; también lo es por la presencia de un diccionario en el que se ha dado entrada a los conceptos médicos más profesionales que, sabiamente, han sido sustraídos del texto. Y también, por una admirable colección de fotos: unas ilustrando con ternura el universo familiar de la embarazada y de la nueva madre, otras escenificando consejos y esquemas prácticos.

Finalmente, es un libro muy ameno por su atractiva composición y por el uso de un lenguaje que resulta accesible a todos pero que guarda siempre el rigor indispensable.

Los días que siguen al parto no constituyen precisamente el mejor momento de una mujer. La madre intenta descansar, recuperarse... orientarse sobre un montón de cosas y tener claras algunas otras. Pero las visitas se producen de modo continuo e intempestivo y emiten sin cesar información miscelánea no siempre afortunada. Como dice la autora, "las explicaciones de vuestro entorno tal vez no sean siempre completas ni objetivas". En efecto, llevados por la ternura o por un mecanismo reductivo que les impulsa a ver a la madre como un ser indefenso, cada vez que la nueva madre hace una afirmación sobre los cuidados de su hijo, sobre la lactancia, sobre el llanto del bebé... alguien del entorno suscita la duda: "¿Sí? ¿Quieres decir...?" Pues bien, este libro enseña a la madre a manejarse con seguridad abordando debidamente informada la llegada del bebé, la lactancia y su inclusión en el medio familiar rechazando esquemas encorsetados. La madre, en razón de sus compromisos laborales y debidamente orientada por los profesionales, decidirá cuánto tiempo dará el pecho y cuándo iniciará la alimentación complementaria o cuándo y cómo introducirá la lactancia complementaria o la artificial. Éste es un derecho inalienable de una mujer. Ella necesita orientación, ayuda y apoyo. Sabe que la lactancia materna es la mejor opción para alimentar a su bebé: expertos en nutrición la recomiendan como exclusiva por lo menos hasta los tres meses de vida.

No hay nada rígido ni dogmático en este libro y sí mucho entusiasmo por esa entrañable experiencia que es el nacimiento de un hijo, por la familia humana, por la mujer que decide libremente su embarazo y por ese compañero al que se pide que se implique en el cuidado de la madre y del bebé. (Alguien dirá que no hay que ser demasiado optimista: pese a que muchos padres ayudan de verdad, encuestas recientes informan de que la incorporación de los otros padres a las variadas labores del hogar no pasa de ser una propuesta teórica.) Y, por supuesto, entusiasmo por el bebé, por ese nuevo ser sorprendente y adorable que te siente, te mira, te sonríe, que te quita el sueño pero te llena de vida, que cada día sabe hacer algo nuevo, que luego se convierte en un "pequeño antropólogo" que estudia tus reacciones, conoce tus costumbres y debilidades, que interfiere en tu vida y te manipula de manera descarada... Lo das todo por bien empleado cuando paga tu cariño con una mirada atenta, una sonrisa o unas palmadas.

Deseamos que, como dice la autora, "este libro sea vuestro compañero de ruta para esta aventura única".

Dra. María José Cerqueira, obstetra
Dr. Adolfo Quiles, pediatra

Sumario

Ser madre

Tú y tu bebé
mes a mes

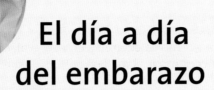

El día a día del embarazo

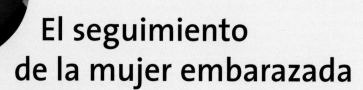

El seguimiento de la mujer embarazada

El parto
y el nacimiento

La estancia
en la maternidad

La vuelta
a casa

Diccionario médico y dietario del embarazo

El punto de vista del padre

El hombre, aunque de una manera bien distinta, vive también su propio embarazo, se hace preguntas y, en cierto modo, espera. Aquí se recogen los apartados que, dentro de cada capítulo, están dedicados a él.

Ser madre

- Antes de esperar un hijo
- ¿Estaré embarazada?
- Primeros cuidados y precauciones
- Embarazos especiales
- Vencer la infertilidad
- Antes de ser padre

Antes de esperar un hijo

Entre el deseo consciente e inconsciente • Nociones de reproducción • Cómo calcular la fecha de ovulación • ¿Niño o niña? • Consultar al médico o al ginecólogo antes de la concepción • Qué hacer cuando se sigue un tratamiento para la diabetes o la epilepsia • Dejar de fumar

La idea del hijo

Dar vida a un nuevo ser es el acto más sencillo y al mismo tiempo el más extraordinario que pueda existir. Desde siempre, los hombres y las mujeres han tenido hijos sin preguntarse necesariamente acerca del significado de este deseo. Y es que pese a ser algo natural, la maternidad no siempre es fácil de explicar cuando buscamos sus motivaciones conscientes o inconscientes.

▶ Del deseo al proyecto compartido

« A lo largo de mi vida he tenido varias historias de amor, pero desde que conocí a Pedro supe que quería tener un hijo. Fue así de sencillo». ¿El deseo de tener hijos es una prolongación natural de la pareja, o es algo innato e ineludible?

En efecto, el primer encuentro suele ser decisivo. Muchas mujeres coinciden en decir que su deseo de ser madres surgió de repente, cuando conocieron al hombre al que vieron como futuro padre de sus hijos. Pero cuando el amor cimienta la pareja, el deseo de tener un hijo no sólo surge de la mujer, sino que suele ser un proyecto común que une a dos personas, en el que cada una de ellas alimenta su deseo en el del otro. Tener un hijo es una manera más intensa de vivir este amor y darle aún más fuerza, en un acto en el que la dimensión temporal adquiere todo su sentido.

El fruto de una decisión • Hablar del deseo de tener un hijo significa antes que nada hablar de la fuerza del impulso universal que conduce a la procreación, independientemente de cada situación concreta. Sin embargo, hoy en día, gracias a los métodos anticonceptivos, es posible controlar este deseo —por lo menos aparentemente— e integrarlo en un «plan de vida» acorde a los ideales sociales y familiares de cada pareja.

De este modo, el deseo se concreta en el momento que se considera más apropiado. Una pareja puede decidir tener hijos cuando el hombre haya encontrado un trabajo estable o después de haber comprado una casa juntos. También es posible que una mujer considere que ha llegado «el momento» cuando siente que ha alcanzado la madurez o el equilibrio necesarios en su vida. Una vez existe este proyecto de concepción, la pareja puede tomar la decisión de abandonar el método anticonceptivo que esté usando (si es el caso) y empezar a hacer planes para su futura vida.

▶ El componente inconsciente

En el deseo consciente suelen «filtrarse» aspectos inconscientes. A partir del momento en que una mujer decide tener un hijo, inevitablemente sus sueños y sus pensamientos giran en torno a una serie de imágenes.

El reencuentro con la propia infancia • El hijo es una presencia soñada en el inconsciente de la mujer desde los primeros años de vida, mucho antes de que su cuerpo esté preparado fisiológicamente para ser madre. La mujer adulta, que desde pequeña ya se veía como futura madre, sigue llevando en su interior la imagen de este hijo soñado en la infancia.

«Ya de pequeña quería tener tres hijos, como mi madre. Incluso tengo la impresión de haber sido programada, ya que este deseo desapareció tras el nacimiento de mi primer hijo y desde entonces no he vuelto a sentirlo con la misma intensidad.» Las fantasías asociadas al deseo de tener un hijo tienen su origen en la infancia y suelen estar alimentadas por deseos ambiguos. El deseo de ser madre nace del propio pasado, cuando se fue niña, que la mujer intenta recuperar a través de la maternidad.

Hoy en día, el proyecto de tener un hijo suele ser fruto de una reflexión en pareja, no exenta de aspectos inconscientes.

¿Cuándo quedaré embarazada?

El plazo medio que transcurre hasta la concepción de un hijo es de unos seis meses, pero esto sólo es un punto de referencia: algunas parejas conciben en el primer ciclo menstrual, y otras tardan cerca de dos años. Esta espera no depende del método anticonceptivo utilizado hasta el momento, sino de una serie de factores (ver p. 46) como la suerte, la fertilidad propia y de la pareja, y la edad — en efecto, la fertilidad de la mujer disminuye a partir de los 30 años, y más a partir de los 35, con el consiguiente prolongamiento del período de espera.

La relación con los propios padres • Para la mujer, el deseo de tener un hijo equivale al deseo de ser madre. Pero el cambio de la condición de hija a la de madre es complejo, pues en el momento en que surge el deseo de tener un hijo, la mujer suele replantearse los vínculos que la unen a sus padres. De este modo, deseará parecerse a su madre o, por el contrario, ser totalmente diferente a ella, y formar una familia parecida o diferente a la suya.

Según el psicoanalista Serge Lebovici, «en la mujer, el deseo de ser madre se remonta a su infancia, a las fantasías que alimentaron la rivalidad con su propia madre, su odio y su envidia hacia los padres, además de sus propios conflictos edípicos.» La tirantez en las relaciones entre madre e hija, mezcla de admiración y de

El deseo de tener un hijo y el período de gestación constituyen dos etapas que preparan de forma diferente para ser madre.

odio, que podría haberse olvidado en la edad adulta, suele reaparecer con fuerza cuando la mujer desea tener un hijo. Todos albergamos deseos inconscientes y contradictorios que pueden ser violentos e incluso terribles, pero no siempre somos conscientes de ellos pese a que determinan una parte de nuestras vidas. Estos deseos reaparecen de forma encubierta en momentos decisivos de la vida.

El primer embarazo puede favorecer en la mujer una búsqueda de las actitudes que su madre tuvo hacia ella. Incluso se podría decir que la futura madre espera el relevo materno para poder ejercer a su vez como madre. En el fondo, el camino hacia la maternidad implica sentirse «autorizada» por la propia madre para ocupar un rol que hasta entonces era el suyo.

▶ El niño «imaginario»

El deseo de tener un hijo suele proyectarse en una representación imaginaria del niño o de la niña, del nombre que recibirá, de sus rasgos físicos. Desde el momento en que la mujer desea ser madre, atribuye una determinada realidad al bebé, de modo que éste ya existe antes de su concepción física; se trata del aspecto consciente del deseo. Durante el embarazo, la futura madre proyecta sus sueños, sus deseos y sus ambiciones sociales y educativas en una especie de niño/a ideal y perfecto al que atribuye todas las cualidades: «mi hija será una gran pianista...», «mi hijo será deportista...». Esto es completamente normal y saludable, ya que esta imagen idealizada constituye la base sobre la cual crecerá el amor por el futuro hijo.

Después del nacimiento, la sustitución del niño imaginario por el niño real puede ser difícil e incluso dolorosa. La madre puede sentirse decepcionada por haber tenido un niño y no la niña que deseaba, o por el aspecto físico del recién nacido, pero nada de esto significa que sea una «mala madre». La relación que se establece a partir del nacimiento, y que ya existía desde la concepción, será la que cree el vínculo afectivo mutuo.

Un deseo a veces ambiguo

Cuando una mujer espera un hijo, el aspecto fisiológico se sitúa entre el consciente y el inconsciente. El hecho de estar embarazada es la materialización del deseo inicial de tener un hijo, pero la realidad del embarazo (o de su interrupción) también depende de factores psíquicos. Pasar del deseo de tener un hijo a la maternidad no es tan sencillo.

¿Desear o querer? • Desear no es lo mismo que querer, aunque sean nociones similares. Hoy en día hay una tendencia generalizada entre las mujeres a querer «programar» al máximo la maternidad. Sin embargo, esta determinación no se adapta necesariamente a la naturaleza: la concepción es un claro ejemplo de que la decisión no siempre va acompañada de un resultado inmediato. Muy pocas veces la afirmación «tendré un hijo cuando yo quiera» suele hacerse realidad. El embarazo puede llegar en el momento menos pensado, lo que significa que es imposible controlarlo absolutamente todo.

El deseo de estar embarazada y el deseo de criar a un hijo • El deseo del embarazo no siempre coincide con el deseo de tener un hijo. Una mujer puede desear ver crecer su vientre pero no necesariamente tener ganas de que nazca el hijo que lleva dentro. En este caso, el embarazo es una especie de prueba de que no es estéril: más que un verdadero deseo de ser madre, se trata de una necesidad física de sentirse mujer y de mostrarse como tal. De forma más general, el deseo de tener un hijo puede venir a colmar deseos muy variados y profundos que en muchos casos no tienen nada que ver con las ganas de ser madre o de criar a un hijo; podría tratarse, por ejemplo, de una forma de asegurar la descendencia de la familia o incluso de pagar una especie de «deuda» moral hacia los propios padres.

Sean cuales sean tus motivaciones más íntimas, con el embarazo empieza una nueva etapa de nueve meses durante los cuales podrás prepararte para ser madre.

Lo que has de saber sobre la concepción

La formación de un nuevo ser humano es el fruto del encuentro entre dos células concretas: una femenina y otra masculina. Antes de explicar cómo se produce este encuentro, veremos cuáles son los principales órganos encargados de la función reproductora.

Los órganos genitales masculinos

Los órganos genitales del hombre son los testículos, que en función de unos ciclos regulares de 120 días fabrican las células sexuales o espermatozoides. Estas células se desarrollan en los tubos seminíferos que contiene cada testículo y pasan por unos largos conductos hasta llegar a las vesículas seminales, que se encuentran a ambos lados de la próstata (ver esquema p. 18). A partir de la pubertad, el cuerpo masculino produce miles de espermatozoides. Durante la eyaculación, el pene expulsa hacia el exterior los espermatozoides contenidos en el esperma, que una vez depositados en la vagina de la mujer ascienden hasta el útero, donde pueden sobrevivir entre dos y tres días.

El aparato reproductor femenino

El útero, las trompas de Falopio y los ovarios son los tres principales órganos genitales femeninos directamente responsables de la reproducción (ver esquema p. 18). De forma general, están sometidos a la acción del hipotálamo y de la hipófisis, dos glándulas que se encuentran en la base del cerebro y que regulan, entre otros, las hormonas producidas por los ovarios (los estrógenos y la progesterona).

Los ovarios • La principal función de los ovarios es ovular. Estas dos pequeñas glándulas en forma de almendra que se encuentran a ambos lados del útero contienen entre 300 000 y 400 000 células sexuales femeninas, los óvulos u ovocitos. Cada uno de estos óvulos está envuelto por un

Aparato genital femenino

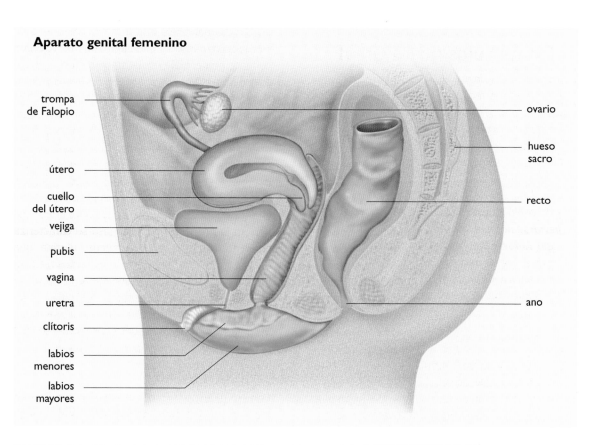

- trompa de Falopio
- útero
- cuello del útero
- vejiga
- pubis
- vagina
- uretra
- clítoris
- labios menores
- labios mayores
- ovario
- hueso sacro
- recto
- ano

Aparato genital masculino

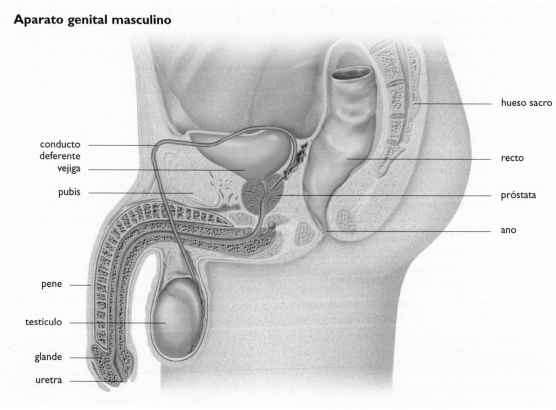

- conducto deferente
- vejiga
- pubis
- pene
- testículo
- glande
- uretra
- hueso sacro
- recto
- próstata
- ano

Los folículos de De Graaf

*Durante siglos, los especialistas forjaron extravagantes teorías sobre la concepción del ser humano, pero los avances de la medicina en el siglo XVII permitieron comprender mejor todos estos mecanismos. **Reinier de Graaf (1641-1673)** fue quien adoptó el término* ovario *para lo que hasta entonces se conocía con el nombre de «testículo femenino» y describió las vesículas que actualmente llevan su nombre. Más tarde, en ese mismo siglo, **Antonie Van Leeuwenhoek,** inventor de los primeros microscopios, fue el primero en descubrir los espermatozoides, sin imaginarse todavía cuál era su función.*

folículo que, a su vez, se encuentra dentro del tejido del ovario. Desde la pubertad hasta la menopausia, y en función de unos ciclos que duran una media de 28 días, cada uno de los ovarios produce, alternativamente, un óvulo fecundable que una vez fecundado recibe el nombre de *huevo* o *cigoto*.

Las trompas de Falopio • Son los canales que conectan los ovarios con el útero y que cada mes reciben el óvulo procedente del ovario.

El útero • Este músculo hueco recubierto por una mucosa es el encargado de albergar el huevo que se convertirá en embrión y posteriormente en feto durante los nueve meses del embarazo. El cuello uterino es la parte más estrecha, se encuentra en la base del útero y es el conducto por el que entran los espermatozoides depositados en la vagina en el momento de la eyaculación. También es el canal por el que sale el bebé durante el parto.

El ciclo femenino y la ovulación

La ovulación se produce cuando el ovario, y más en concreto el folículo, libera un óvulo que retiene la trompa de Falopio, en la que eventualmente podrá ser fecundado. Todo esto se produce en menos de un día. La fase precedente es la llamada *preovulatoria*, y la posterior, la *postovulatoria*.

Fase preovulatoria • Es la fase durante la cual uno de los folículos aparece en la superficie del ovario, donde «madura» progresivamente. Empieza el primer día de la menstruación, que también es el

primer día del ciclo, y su duración media es de 14 días, pero puede ser más larga o más breve según la duración del ciclo menstrual. En efecto, no todas las mujeres tienen ciclos de 28 días ni ciclos regulares. También es posible que algunos ciclos se desarrollen sin ovulación, con lo cual determinar los días más fecundos no siempre es tarea fácil.

Fase postovulatoria • Es la fase posterior a la ovulación y dura cerca de 14 días. Cuando el óvulo no es fecundado, se deshace y desaparece. A su vez, el folículo que ha producido el óvulo se transforma en un cuerpo amarillo, una glándula temporal que secreta la progesterona. Esta fase se caracteriza por la transformación de la mucosa uterina, que cuando no alberga ningún óvulo fecundado se desprende para poder ser eliminada; así es como se produce la menstruación y empieza el nuevo ciclo. Por el contrario, cuando un óvulo se implanta en el útero, la mucosa sigue desarrollándose, lo cual explica la ausencia de la menstruación.

La fecundación

Corresponde a la unión de una célula reproductora masculina y otra femenina: los gametos (del griego *gamos*, que significa «matrimonio»), que corresponden al espermatozoide y al óvulo. La fecundación tiene lugar en una de las trompas de Falopio y da origen a la primera célula embrionaria humana, el huevo. Si el óvulo (que mide unos diez milíme-

El método Ogino

*Practicado por muchas parejas en la década de 1960, consiste en evitar el coito durante el período de fecundidad de la mujer. Este período se calcula del siguiente modo: teniendo en cuenta que la ovulación se produce en el 14º día del ciclo, que los espermatozoides pueden sobrevivir tres días dentro de la trompa uterina, que el óvulo es fecundable durante dos días, y que conviene dejar un día de margen antes y después, se puede determinar que el período fértil se sitúa entre los días 10 y 17 del ciclo. Pero la realidad demuestra que los ciclos menstruales no siempre son regulares y la eficacia del método de **Ogino-Knaus** es más que dudosa.*

Cómo calcular la fecha de la ovulación

Saber cuáles son los días más fértiles del ciclo reproductivo no siempre es fácil. Cuando los ciclos son regulares, este período puede establecerse a partir de una curva térmica. Si éste no es el caso, pueden buscarse otros indicadores o realizar pruebas de ovulación.

La curva térmica de un ciclo menstrual normal es difásica, es decir, consta de dos fases que, a su vez, se caracterizan por una actividad hormonal y por una temperatura específica del cuerpo. En la primera fase, la temperatura suele ser baja, situándose entre los 36,5 °C y los 36,8 °C, mientras que en la segunda fase es más alta y supera los 37 °C. Esta segunda fase dura unos 14 días y acaba con un descenso térmico que se produce antes de la menstruación, excepto en caso de embarazo. El período fértil dura pocos días y precede al aumento térmico. Una temperatura extremadamente variable a lo largo del ciclo indica una falta de ovulación.

Medición de la temperatura basal

La diferencia de temperatura entre las dos fases del ciclo es lo que permite calcular el período fértil, que coincide con el día de la ovulación e incluye los dos o tres días anteriores, puesto que el espermatozoide vive una media de 72 horas dentro del útero. El principio es sencillo pero requiere constancia: es necesario tomarse la temperatura (vía rectal) cada mañana antes de levantarse, a la misma hora, y anotarla en un gráfico (que encontrarás en las farmacias). Al final del ciclo se obtiene una curva que, salvo excepciones, y a pesar de las ligeras variaciones que pueda haber entre un día y otro, mostrará un período de temperaturas bajas antes de la ovulación (en torno a los 36,7 °C, por ejemplo), seguido de una fase de temperaturas altas (superiores a los 37 °C). Para que el método sea eficaz, debe repetirse a lo largo de varios ciclos. De este modo, se comprueba que la ovulación se produce el último día antes del aumento de la temperatura y, por lo tanto, aparece posteriormente. Cuando los ciclos son regulares, al cabo de unos meses es posible saber el día exacto de la ovulación; de lo contrario, el método no será de gran utilidad.

Otros indicadores de la ovulación

En algunas mujeres, la ovulación va acompañada de un ligero **dolor en el bajo vientre**, a la altura del ovario derecho o izquierdo. Algo que se manifiesta en todas las mujeres es el cambio en la consistencia del **moco cervical** que se encuentra en la vagina. Para explicarlo de forma sencilla, el moco cervical es la sustancia que facilita el desplazamiento de los espermatozoides. El que se produce al principio del ciclo por efecto de los estrógenos es opaco y espeso; en los tres o cuatro días anteriores a la ovulación se vuelve más transparente, forma hilos y es muy similar a la clara del huevo. Para controlar las variaciones del moco cervical, es preciso tomar una muestra y observar su consistencia estirándolo entre los dedos índice y pulgar: observaremos que el moco vuelve a espesarse tras la ovulación.

Existen las **pruebas de ovulación**, que pueden adquirirse en las farmacias y que permiten determinar el período de fertilidad (el principio y el final) a partir de muestras de orina. Su resultado es bastante fiable.

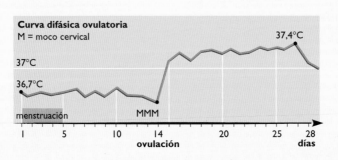

Curva difásica ovulatoria
M = moco cervical
37,4°C
37°C
36,7°C
menstruación
MMM
1   5   10   14   20   25   28
ovulación   días

tros) está fecundado, tiene suficientes reservas para sobrevivir hasta implantarse en el útero. Está formado por 23 cromosomas y no puede desplazarse por sí mismo, sino que necesita la ayuda de los cilios y de los movimientos musculares de la trompa para moverse lentamente en este medio.

Por su parte, los espermatozoides tienen movilidad y capacidad para fecundar. Constan de una cabeza y de una cola que les permite desplazarse y, al igual que los óvulos, contienen 23 cromosomas. Son bastante más pequeños que los óvulos y avanzan a una velocidad de 2 a 3 milímetros por minuto. Entran por la vagina en el momento de la eyaculación y penetran en el útero a través del cuello uterino hasta llegar a la trompa de Falopio, donde se encuentra el óvulo.

De los 120 a 300 millones de espermatozoides depositados en la vagina, sólo unos cientos alcanzarán el óvulo y llegarán a rodearlo, y sólo uno penetrará la superficie de la célula femenina. Una vez dentro, perderá la cola que le servía para desplazarse.

De camino al útero

Una vez en la trompa de Falopio, el núcleo del espermatozoide se fusiona con el óvulo para formar el cigoto. En este momento se unen los 46 cromosomas (23 de la célula masculina y 23 de la femenina) y ya se definen el sexo y las características genéticas del futuro bebé. El huevo resultante se desplaza hacia el útero y, en los 3 o 4 días que dura el trayecto, las células iniciales empiezan a multiplicarse. Cuando llega a su destino, se ha convertido en una masa de células conocida con el nombre de *mórula* por su parecido con una mora (*morula* en latín). La fijación del huevo en la pared del útero es lo que se conoce con el nombre de *implantación*.

La implantación

Cuando el huevo entra en el útero, en el cuarto día, consta de 16 células; al séptimo día se fija en la mucosa uterina. Las células centrales crecen y forman el botón embrionario (el futuro embrión), mientras que las externas forman el envoltorio o corion, que contiene una cavidad llena de líquido. Debido a la influencia de las hormonas ováricas —los estrógenos y principalmente la progesterona—, la mucosa uterina se espesa tras la ovulación, irrigada por numerosos vasos sanguíneos y enriquecida con sustancias nutritivas. Una vez dentro de la mucosa, el huevo consolida su implantación y sigue creciendo durante nueve meses.

De la calidad de la implantación dependerá la forma como se desarrolle posteriormente el embarazo. En efecto, esta etapa inicial es la que determina los vínculos que se establecerán entre el huevo y el cuerpo de la madre, que permiten los intercambios vitales para el crecimiento del embrión y posterior feto. En caso de una implantación irregular, se verán afectados los intercambios entre la madre y el feto a través de la placenta.

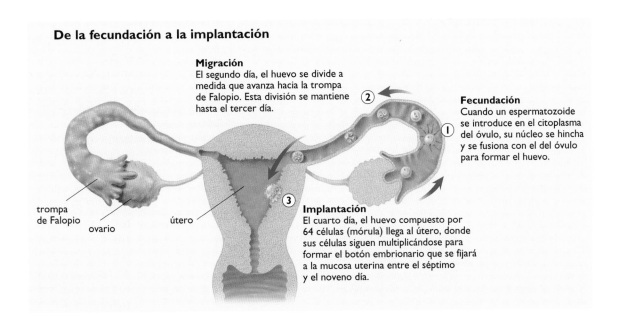

De la fecundación a la implantación

Migración
El segundo día, el huevo se divide a medida que avanza hacia la trompa de Falopio. Esta división se mantiene hasta el tercer día.

Fecundación
Cuando un espermatozoide se introduce en el citoplasma del óvulo, su núcleo se hincha y se fusiona con el del óvulo para formar el huevo.

trompa de Falopio

ovario

útero

Implantación
El cuarto día, el huevo compuesto por 64 células (mórula) llega al útero, donde sus células siguen multiplicándose para formar el botón embrionario que se fijará a la mucosa uterina entre el séptimo y el noveno día.

Genética y herencia

Cada célula del cuerpo humano contiene 46 cromosomas que determinan todas nuestras características genéticas: 23 cromosomas proceden del óvulo de la madre y 23 cromosomas del espermatozoide del padre. Durante la fecundación, los cromosomas se agrupan de dos en dos para formar el núcleo de la primera célula. Cada cromosoma es fruto de una compleja combinación genética, lo que significa que la transmisión de una u otra característica del padre o de la madre es una cuestión de azar.

▶ Nociones básicas

La genética, que es la ciencia de la herencia biológica, estudia la transmisión de las características hereditarias (por ejemplo, el color de la piel). Para comprender sus mecanismos es necesario adentrarse en una dimensión minúscula, hasta llegar al núcleo de la célula.

Los cromosomas están compuestos por ADN • El núcleo de cada célula alberga el conjunto de la herencia genética, que es única en cada persona, y está formado por 46 cromosomas agrupados en pares. La forma de un cromosoma es similar a la de una X o dos palos cruzados cuyos brazos constituyen una molécula de ADN (ácido desoxirribonucleico).

Los genes son segmentos de ADN • El ADN es una molécula en forma de doble hélice, algunos

de cuyos segmentos son los genes. El ser humano posee cerca de 35 000 genes diferentes que determinan una parte de los rasgos principales de cada persona, como mínimo los hereditarios. El conjunto de todos estos genes constituye el genoma humano.

La transmisión de la herencia • Al igual que las demás células del cuerpo humano, la célula sexual (el óvulo en la mujer y el espermatozoide en el hombre) está formada por cromosomas cuyo ADN contiene miles de genes. Su particularidad es que sólo contiene 23 cromosomas que, durante la fecundación, se agrupan en pares para formar la primera célula con 46 cromosomas del ser humano. Cada par está compuesto por un cromosoma paterno y otro materno.

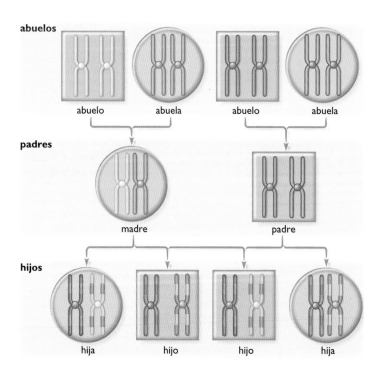

abuelos

abuelo   abuela   abuelo   abuela

padres

madre   padre

hijos

hija   hijo   hijo   hija

La transmisión de la herencia
Teniendo en cuenta que los cromosomas se agrupan en pares, un mismo progenitor puede transmitir cualquiera de los dos cromosomas de cada par a su hijo (en el dibujo, el azul y el rojo corresponden al padre, y el amarillo y el verde a la madre). Además, la división celular que genera esta distribución va precedida de una combinación de genes durante la cual se produce una profunda reorganización de los cromosomas. Esto explica las diferencias tan grandes que pueden existir entre los hijos de una misma pareja.

◗ ¿Se parecerá a mí?

La mitad de la herencia genética de un bebé procede del padre, y la otra mitad de la madre, pero esto no significa que el hijo deba parecerse a partes iguales al padre y a la madre. En efecto, tanto en la mujer como en el hombre, la formación de las células sexuales constituye una verdadera mezcla genética de la que pueden resultar miles de posibilidades. De este modo, un hijo es la versión reformulada de los genes del padre y de la madre, lo que explica que pueda parecerse muy poco a uno de sus progenitores, o que exista muy poco parecido entre los hermanos de una misma familia.

Genes recesivos y genes dominantes • En líneas generales, podemos decir que cada gen define un rasgo concreto del individuo, cuya función puede ser, por ejemplo, determinar el color de los ojos o definir la forma de las orejas. Dentro de cada par de cromosomas existen dos ejemplares de cada gen: el del padre y el de la madre. Estos genes equivalentes, que reciben el nombre de *alelos*, no siempre son idénticos: los genes (o alelos) dominantes son los que se imponen sobre los genes (o alelos) recesivos. Observemos, por ejemplo, lo que sucede con el gen que determina el color de los ojos: si tú das un alelo «ojos azules» a tu hijo y su padre le da un alelo «ojos marrones», tendrá los ojos marrones, ya que el gen «ojos marrones» es dominante respecto al gen recesivo «ojos azules». Y así, sucesivamente.

◗ ¿Niño o niña?

En una persona de sexo femenino, el par de cromosomas que determina el sexo está formado por dos cromosomas idénticos, XX, mientras que en una persona de sexo masculino está constituido por dos cromosomas de forma y tamaño diferentes, los cromosomas XY. Todos los óvulos de la mujer llevan un cromosoma X, mientras que en el hombre, la mitad de los espermatozoides llevan X y la otra mitad Y.

En el momento de la fecundación, el sexo del futuro bebé viene determinado por el tipo de espermatozoide que fecunda el óvulo: si el espermatozoide es del tipo X, el bebé será niña, y si es Y, será un niño. La combinación XX corresponde a las niñas, y la XY, a los niños. Esto significa que el sexo del futuro bebé viene determinado por el padre… y por el azar. La lógica indica que deberían nacer el mismo porcentaje de niños que de niñas, un 50% de cada uno, pero lo cierto es que, de manera inexplicable, nacen más niños, unos 105 por cada 100 niñas.

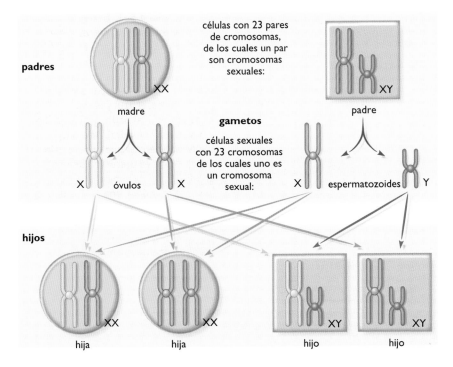

células con 23 pares de cromosomas, de los cuales un par son cromosomas sexuales:

padres

madre

padre

gametos

células sexuales con 23 cromosomas de los cuales uno es un cromosoma sexual:

X | óvulos | X

X | espermatozoides | Y

hijos

hija

hija

hijo

hijo

La determinación del sexo

Las células sexuales de la mujer contienen un único tipo de cromosoma sexual, el cromosoma X, mientras que en el hombre poseen un cromosoma X y un cromosoma Y. El azar es el responsable de que aproximadamente la mitad de los bebés reciban un cromosoma X de su padre y sean niñas (con el par de cromosomas sexuales XX) y que aproximadamente la otra mitad reciban un cromosoma Y y sean niños (con el par de cromosomas sexuales XY).

Prepararse para el futuro embarazo

Actualmente, la concepción de un hijo es más el fruto de una decisión que del azar. Desear un hijo significa, por lo general, «programar» el embarazo. Una vez tomada la decisión, hay que interrumpir el método anticonceptivo, pero antes de hacerlo conviene consultar al médico para informarse y determinar el estado de salud para evitar posibles problemas.

▶ ¿Es necesario ir al médico antes de estar embarazada?

La decisión está tomada: los futuros padres se sienten preparados para tener un hijo y criarlo. Si utilizan un método anticonceptivo, ha llegado el momento de interrumpirlo. En este caso, es aconsejable hacer una visita al ginecólogo o al médico de cabecera.

Antes de dejar de tomar la píldora o de interrumpir cualquier otro método anticonceptivo, el médico pedirá un análisis para determinar la inmunidad de la futura madre a la rubéola y a la toxoplasmosis, dos enfermedades que, en el transcurso del embarazo, podrían tener graves consecuencias en el desarrollo del feto. Si eres fumadora, el médico podrá aconsejarte sobre la mejor forma de dejar el tabaco. Finalmente, es posible que te recete ácido fólico, una vitamina conocida por su capacidad de prevenir determinadas anomalías del feto. Otras cuestiones que puedes consultar con tu médico son las relacionadas con tratamientos regulares o enfermedades crónicas.

▶ Exámenes preventivos

La prueba de la rubéola • Sirve para determinar si ya has contraído la enfermedad. En caso afirmativo, no hay ningún problema, ya que la rubéola se padece una sola vez en la vida. Si nunca la has tenido, podrás vacunarte, pero cuidado: es imprescindible hacerlo mientras estés usando un método anticonceptivo eficaz, ya que la vacuna está totalmente contraindicada en mujeres embarazadas. Si esto no fuera posible, deberás hacerte regularmente las pruebas al principio del embarazo, una vez al mes y hasta el cuarto mes, puesto que la enfermedad, que es benigna en los niños, es peligrosa para el feto hasta pasado el cuarto mes de gestación.

La prueba de la toxoplasmosis • Su finalidad es determinar si estás inmunizada contra esta enfermedad, que también presenta riesgos de malformación para el feto. En caso de que no seas inmune, el médico te dará consejos preventivos en materia de higiene, sobre todo alimentaria, y sabrás qué precauciones debes tomar si convives con gatos (ver p. 103). En los siguientes meses del embarazo deberán hacerte nuevas pruebas para detectar una posible infección.

La prueba del VIH • Pese a no ser obligatoria, es muy recomendable hacerse la prueba teniendo en cuenta las graves consecuencias que podría tener la transmisión del virus del sida de la madre al feto. Así pues, es importante que te asegures de la ausencia del virus aunque no pertenezcas a ninguno de los llamados «grupos de riesgo», lo que significa, por ejemplo, que nunca has recibido una transfusión de sangre y que siempre has practicado el sexo de forma segura (utilizando el preservativo).

▶ ¿Para qué sirve el ácido fólico?

Se ha demostrado que el consumo diario de 0,4 a 1 miligramo de ácido fólico antes del embarazo reduce en gran medida la aparición de determinadas malformaciones en el sistema nervioso del feto. Por esta razón, los médicos aconsejan

El inventor de la píldora

Tras realizar varias investigaciones sobre la fecundación in vitro *en los conejos, en 1956* **Gregory Pincus** *creó la que se conoce como la primera píldora anticonceptiva. La píldora empezó comercializándose en los Estados Unidos para aliviar los dolores menstruales, pero unos años más tarde, en 1960, fue autorizado su uso como anticonceptivo. Durante el último tercio del s. xx, el uso de la píldora fue extendiéndose por todo el mundo y en la actualidad es uno de los métodos anticonceptivos más utilizados.*

la ingesta de folatos (vitamina B9) tres meses antes de la concepción y durante los tres primeros meses del embarazo.

Los riesgos son mayores cuando se sigue un tratamiento antiepiléptico o si anteriormente se ha concebido un feto con alguna anomalía (anencefalia o espina bífida). En estos casos, el ácido fólico se prescribe en forma de comprimidos de 5 mg al día que deberán tomarse varias semanas antes y después de la concepción. Para las demás mujeres, las dosis recomendadas son inferiores y puede ser suficiente con aumentar el consumo de verduras de hojas verdes y de cítricos. En cualquier caso, lo mejor es consultarlo con el médico.

¿Y si dejo de fumar antes del embarazo?

Sin duda sabrás que el tabaco provoca el aumento del riesgo de aborto espontáneo y de retraso del crecimiento intrauterino (RCIU). También puede ser el responsable de que el bebé sea más sensible a las infecciones y enfermedades respiratorias, además de disminuir la fertilidad.

Pero si eres fumadora, ya sabrás que no siempre es fácil dejar el tabaco. Lo mejor es afrontar el problema cuanto antes para poder disponer de todos los tratamientos posibles, incluyendo determinados medicamentos que ayudan a dejar de fumar pero que están contraindicados en las mujeres embarazadas. Una vez más, el consejo de tu médico será de gran ayuda a la hora de escoger el método más adecuado.

Cuando se sigue un tratamiento regular

Consultar a un médico antes de interrumpir el método anticonceptivo es especialmente aconsejable en el caso de mujeres que sufren alguna enfermedad crónica o que siguen algún tratamiento de forma regular. Esto es muy habitual en los casos de epilepsia y diabetes, pero también cuando se sufren problemas cardiovasculares como la hipertensión. La visita al médico permitirá evaluar las posibles consecuencias de estas enfermedades en el embarazo y prevenir los riesgos que podríais correr tú y tu bebé. Las soluciones no tienen por qué ser complicadas, pero deben tenerse en cuenta antes del embarazo.

En general, lo mejor es consultar al médico siempre que se tome un medicamento de forma

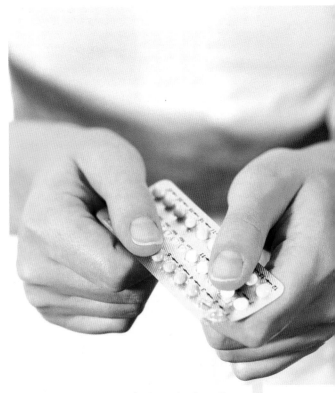

Antes de interrumpir cualquier método anticonceptivo, lo más aconsejable es consultar al médico, en particular si existen determinados antecedentes.

más o menos prolongada, aunque se tome para aliviar pequeñas molestias (como el uso de cortisona para tratar una alergia, por ejemplo).

Diabetes y epilepsia • Si sufres alguna de estas dos enfermedades, el médico adaptará tu tratamiento y te dará algunos consejos. En efecto, muchos medicamentos pueden ser peligrosos para el embrión, sobre todo la mayoría de los antidiabéticos orales (en comprimidos) y algunos antiepilépticos. Además, una mujer diabética deberá planificar su embarazo para evitar un elevado nivel de glucosa en el momento de la concepción. Si la glucemia es demasiado elevada, aumenta el riesgo de malformación en el feto. Para la epilepsia se aconsejará tomar un solo medicamento.

Todo esto no significa necesariamente que existan más problemas en el embarazo de una mujer diabética o epiléptica. Lo más importante es consultar al diabetólogo o al neurólogo antes de quedar embarazada, de modo que se den las condiciones óptimas y disminuyan los riesgos para la mujer y para el futuro bebé.

¿Estaré embarazada?

¿Cómo puedo saber si estoy embarazada? • ¿Es un indicio el retraso de la menstruación? • ¿Es eficaz el control de la temperatura basal? • Cómo saber la fecha de la concepción • Cómo calcular la fecha probable de parto • ¿Qué diferencia existe entre el cálculo en meses y el cálculo en semanas? • La fiabilidad de las distintas pruebas de embarazo • Anunciar el embarazo

Los primeros indicios del embarazo

Las primeras semanas del embarazo no siempre van acompañadas de náuseas, de fatiga o de una clara hinchazón de los senos. Más que estos síntomas aleatorios que sufren algunas mujeres, lo más revelador, aunque no se trate de una prueba definitiva, es el retraso de la menstruación.

Náuseas y otros indicios

Algunas mujeres te dirán que lo supieron desde el principio, que fue como una intuición inexplicable, casi una certeza. Pero también es muy probable que no tengas ningún presentimiento similar e incluso que no experimentes ninguno de los síntomas tradicionalmente asociados al embarazo: náuseas, hinchazón de los senos, necesidad de dormir más, fatiga, mayor emotividad… Todo esto varía de una mujer a otra. Algunas mujeres pierden el apetito o aborrecen determinados alimentos u olores, mientras que otras tienen antojos; algunas sufren estreñimiento, mientras que otras necesitan orinar con mayor frecuencia. La lista de los posibles efectos físicos sería interminable, pero desde el punto de vista médico, ninguna de estas manifestaciones, por sí sola o asociada a otras, garantiza que estés embarazada. Del mismo modo, la ausencia de estos indicios no significa que no lo estés. Así pues, se impone la prudencia, ya que el hecho de escuchar a nuestro cuerpo no significa que no podamos caer en un error de interpretación.

El retraso de la menstruación

El primer signo del embarazo suele ser el retraso de la menstruación, aunque no siempre sea fácil de determinar, especialmente en el caso de ciclos menstruales irregulares. Además, un retraso no significa necesariamente que se esté embarazada, pues los ciclos menstruales pueden alterarse o interrumpirse como consecuencia de un choque emocional, en el transcurso de una enfermedad e incluso debido a cambios climáticos o en el modo de vida. La proximidad de la menopausia o el seguimiento de determinados tratamientos son factores que pueden provocar un retraso.

Aumento de la temperatura

Los indicios más inequívocos del embarazo son la ausencia de la menstruación en la fecha esperada y el hecho de que la temperatura corporal se mantenga estable por encima de los 37 °C. En efecto, la temperatura varía en función de las distintas fases del ciclo menstrual y vuelve a bajar justo antes de la menstruación. En cambio, cuando una mujer está embarazada, la temperatura se mantiene elevada de forma continua.

Si nunca has utilizado el método de la temperatura basal (ver p. 20), el uso puntual del termómetro no te será de gran ayuda, ya que para conocer las distintas fases y saber cuándo es más alta la temperatura es necesario establecer una curva térmica día a día y durante varios ciclos menstruales. Sin este control de la temperatura, lo más eficaz es hacerse un test de embarazo.

Si tomas la píldora

El hecho de haber tomado la píldora no influye en el período de espera antes de quedarse embarazada, sino que es el mismo auque se han utilizado otros métodos anticonceptivos, como por ejemplo el dispositivo intrauterino (DIU). Por otro lado, es aconsejable que acabes el blíster de píldoras y no lo dejes a medias. Es posible que al principio se produzca una cierta alteración de los ciclos que no tiene por qué dificultar la concepción. Por lo general, tras el primer ciclo todo vuelve a la normalidad, pero si la amenorrea (ausencia de la menstruación) se prolongara durante más de tres meses, lo mejor es consultar al médico.

Del presentimiento a la certeza

Existen distintos métodos para corroborar un embarazo: las pruebas de venta en farmacias, los análisis realizados en laboratorios o la visita al médico, quien podrá confirmarte la buena noticia. Para no tener que esperar hasta el retraso de la menstruación y confirmar el embarazo lo antes posible, lo más aconsejable es hacerse un análisis de sangre.

Las pruebas de embarazo de venta en farmacias

Las pruebas que pueden adquirirse en las farmacias se basan en un análisis de orina. Se venden sin receta médica y en envases que contienen los accesorios adecuados. Su utilización es muy sencilla, siempre que se sigan bien las indicaciones. Por lo general, es necesario recoger unas gotitas de orina en un pequeño recipiente, si es posible por la mañana, después de levantarse, y mojar el dispositivo del test en esta muestra de orina. El resultado, que aparece al cabo de pocos minutos, sólo es del todo fiable cuando es positivo. Aunque el resultado sea negativo, es posible que estés embarazada y que el test no lo refleje porque se ha hecho demasiado pronto, porque su sensibilidad es demasiado baja o porque se haya realizado con una orina poco concentrada que ha alterado el resultado. En este caso, no te desilusiones antes de tiempo: es mejor dejar pasar unos días, repetir la prueba o incluso consultar al médico.

Análisis de sangre en laboratorio

La única prueba fiable al cien por cien es la que se realiza en el laboratorio a partir de una muestra de sangre. Este análisis suele ser prescrito por el médico, pero nada te impide solicitarlo tú misma siempre que corras con los gastos. Si estás embarazada, los análisis mostrarán la presencia de una hormona que sólo se segrega durante el embarazo: la hormona gonadotropina coriónica (hCG), inicialmente fabricada por el huevo, más tarde por el trofoblasto (la futura placenta) y finalmente por la propia placenta. Su función todavía es poco conocida, pero se sabe que es esencial en las primeras semanas del embarazo, ya que permite que una glándula temporal, el cuerpo amarillo, continúe fabricando progesterona y, de este modo, el embrión se mantenga en el útero.

El análisis de sangre permite diagnosticar el embarazo en un estadio precoz (a los ocho días), antes de que se produzca el retraso en la menstruación. El resultado puede ir acompañado de una cifra que no es indicativa de la fecha del embarazo.

◗ Una primera visita al médico

El médico podrá comprobar si estás embarazada tras las primeras semanas de amenorrea (cerca de un mes y medio, es decir, a la segunda falta). El examen médico permite constatar cambios en el volumen, la consistencia y la forma del útero que tú no podrás percibir: el cuello del útero está cerrado, tiene un tono lila y presenta poco moco cervical. Otra prueba que confirmará su diagnóstico es la hinchazón de los senos y el oscurecimiento de las areolas, cuyas pequeñas pro-

Las pruebas de embarazo ofrecen una respuesta inmediata, pero el único resultado fiable al cien por cien es el de un análisis de sangre.

tuberancias (los tubérculos de Montgomery) pueden hacerse más prominentes durante el primer trimestre. Si todavía no te has hecho ningún análisis, el médico podrá pedirlo para confirmar tu embarazo o solicitará directamente una ecografía.

◗ ¿Lo digo o espero?

Sin duda el primero en saber la noticia será el padre, aunque a veces esto pueda ser más complicado de lo que parece (ver p. 52-54). La familia y los amigos lo sabrán más pronto o más tarde y en un orden variable. La decisión de cuándo y a quién decirlo es estrictamente personal: cada uno decide en función de sus posibles deseos, de sus hábitos familiares, de la naturaleza de las relaciones con sus allegados, de la distancia geográfica, y tal vez incluso de la edad.

Cada cual a su tiempo • Hay mujeres que necesitan anunciar su embarazo lo antes posible. Otras prefieren guardar el secreto con gran celo durante un tiempo y sólo compartirlo con el hombre de su vida. Y otras que han pasado por la mala experiencia de un aborto anterior prefieren esperar hasta el final del tercer mes para anunciarlo, una vez superada la fase de mayor riesgo. Por otro lado, no olvidemos que el hombre también tiene sus propias preferencias sobre a quién y cuándo comunicarlo.

Las reacciones de familiares y amigos serán de lo más variado. Puede ser que te sientas decepcionada ante la indiferencia de una amiga íntima, o agobiada por el entusiasmo de tus suegros y la avalancha de consejos que te espera. En cualquier caso, la noticia no dejará indiferentes a tus allegados y será fuente de distintas reacciones que escapan a tu control. Incluso es posible que te sorprenda la reacción del futuro padre, para bien o para mal, y en el caso de que él no deseara tener un hijo, el momento de la verdad será aún más delicado. Pero, una vez más, depende de ti encontrar la mejor manera de decírselo.

Decírselo a los niños • Si en la familia ya hay niños, no tardarán en darse cuenta de que «algo pasa». Incluso cuando son pequeños, los pediatras recomiendan no dejar lugar a las dudas y decirles lo antes posible que «en la barriga de mamá está creciendo un bebé». Hacerles partícipes del embarazo evitará que puedan sentirse excluidos (ver p. 140).

¿Cuándo nacerá?

Existen dos métodos para calcular el final del embarazo, es decir, la fecha probable del parto. Puedes basarte en la fecha de la concepción o, lo más fácil, en el primer día de tu última menstruación (para lo cual puedes utilizar la tabla de las páginas 30 y 31). Si desconoces ambas fechas, puedes hacerte una ecografía entre la sexta y la octava semana.

El cálculo en semanas

Es el método empleado por los médicos que calculan en «semanas de falta de la menstruación» (o semanas de amenorrea) utilizando una pequeña rueda y con la ayuda de un calendario (ver p. 30 y 31). Basta con sumar 41 semanas a la fecha de tu última menstruación. Si, por ejemplo, tuviste la última regla el 1 de mayo, en teoría el bebé debería nacer el 11 de febrero, es decir, 41 semanas después. Sin embargo, es posible que haya ligeras diferencias en función de la rueda utilizada por el médico.

Existe otro método que consiste en añadir 39 semanas a la fecha de la concepción, pero sólo es útil cuando se conoce la fecha de ovulación, que en teoría corresponde al día 14 de un ciclo de 28 días, al día 21 de un ciclo de 35 días, y al día 8 de un ciclo de 22 días, teniendo en cuenta que el ciclo empieza el primer día de la menstruación. Por lo general, sólo las mujeres que tienen ciclos regulares y utilizan el método de la temperatura basal (ver p. 20) son capaces de establecer de forma precisa el día de la concepción. En los demás casos, y en especial si se ha dejado de tomar la píldora, el cálculo no resulta tan sencillo.

El cálculo en meses

En la práctica, se suele distinguir entre el cálculo en semanas y el cálculo en meses. Las semanas suelen emplearse para calcular la duración de la amenorrea, puesto que se sabe con certeza la fecha de la última menstruación. En contrapartida, el cálculo en meses suele utilizarse para determinar la edad del feto (o la duración del embarazo) y permite establecer a posteriori la fecha de la concepción. Existe una diferencia de dos semanas entre ambos cálculos: seis semanas de amenorrea «corresponden» a un mes de embarazo.

El cálculo a través de la ecografía

Si has olvidado la fecha de tu última menstruación y tampoco sabes el día de la concepción, siempre puedes recurrir a la ecografía, que realizada entre la sexta y la octava semana permite al médico establecer el inicio del embarazo (con unos tres días de margen) gracias a las medidas del embrión. Para ello, es necesario que te realicen una primera ecografía, o prueba de ultrasonidos, antes de la fecha prevista (ver p. 167), ya que a partir del tercer mes no es posible determinar con la misma exactitud la edad del feto (varía más o menos en una semana).

Correspondencia entre semanas y meses

	Fecha de la última menstruación	Inicio del embarazo	Fecha prevista de la menstruación									Fecha probable de parto
		Ovulación										
		Fecundación										
Días del ciclo	0	14 días	28 días									
Semanas de amenorrea (SA)	0	2 SA	4 SA	6 SA	10 SA	15 SA	20 SA	24 SA	28 SA	32 SA	37 Sa	41 SA
Meses de embarazo (cumplidos)		0	2 semanas	1 mes	2 meses	3 meses	4 meses	5 meses	6 meses	7 meses	8 meses	9 meses

Calcula la fecha del parto

Enero	Octubre	Febrero	Noviembre	Marzo	Diciembre	Abril	Enero	Mayo	Febrero	Junio	Marzo
1	14	1	14	1	12	1	12	1	11	1	14
2	15	2	15	2	13	2	13	2	12	2	15
3	16	3	16	3	14	3	14	3	13	3	16
4	17	4	17	4	15	4	15	4	14	4	17
5	18	5	18	5	16	5	16	5	15	5	18
6	19	6	19	6	17	6	17	6	16	6	19
7	20	7	20	7	18	7	18	7	17	7	20
8	21	8	21	8	19	8	19	8	18	8	21
9	22	9	22	9	20	9	20	9	19	9	22
10	23	10	23	10	21	10	21	10	20	10	23
11	24	11	24	11	22	11	22	11	21	11	24
12	25	12	25	12	23	12	23	12	22	12	25
13	26	13	26	13	24	13	24	13	23	13	26
14	27	14	27	14	25	14	25	14	24	14	27
15	28	15	28	15	26	15	26	15	25	15	28
16	29	16	29	16	27	16	27	16	26	16	29
17	30	17	30	17	28	17	28	17	27	17	30
18	31	18	1	18	29	18	29	18	28	18	31
19	1	19	2	19	30	19	30	19	1	19	1
20	2	20	3	20	31	20	31	20	2	20	2
21	3	21	4	21	1	21	1	21	3	21	3
22	4	22	5	22	2	22	2	22	4	22	4
23	5	23	6	23	3	23	3	23	5	23	5
24	6	24	7	24	4	24	4	24	6	24	6
25	7	25	8	25	5	25	5	25	7	25	7
26	8	26	9	26	6	26	6	26	8	26	8
27	9	27	10	27	7	27	7	27	9	27	9
28	10	28	11	28	8	28	8	28	10	28	10
29	11			29	9	29	9	29	11	29	11
30	12			30	10	30	10	30	12	30	12
31	13			31	11			31	13		
Enero	Noviembre	Febrero	Diciembre	Marzo	Enero	Abril	Febrero	Mayo	Marzo	Junio	Abril

En las columnas que contienen un solo mes, busca la fecha del primer día de tu última menstruación (el 1 de enero, por ejemplo). La cifra en negrita que aparece a la derecha (en este caso, el 14 de octubre) corresponde a la fecha probable de parto (en los ciclos de 28 días).

Julio	Abril	Agosto	Mayo	Septiembre	Junio	Octubre	Julio	Noviembre	Agosto	Diciembre	Septiembre
1	13	1	14	1	14	1	14	1	14	1	13
2	14	2	15	2	15	2	15	2	15	2	14
3	15	3	16	3	16	3	16	3	16	3	15
4	16	4	17	4	17	4	17	4	17	4	16
5	17	5	18	5	18	5	18	5	18	5	17
6	18	6	19	6	19	6	19	6	19	6	18
7	19	7	20	7	20	7	20	7	20	7	19
8	20	8	21	8	21	8	21	8	21	8	20
9	21	9	22	9	22	9	22	9	22	9	21
10	22	10	23	10	23	10	23	10	23	10	22
11	23	11	24	11	24	11	24	11	24	11	23
12	24	12	25	12	25	12	25	12	25	12	24
13	25	13	26	13	26	13	26	13	26	13	25
14	26	14	27	14	27	14	27	14	27	14	26
15	27	15	28	15	28	15	28	15	28	15	27
16	28	16	29	16	29	16	29	16	29	16	28
17	29	17	30	17	30	17	30	17	30	17	29
18	30	18	31	18	1	18	31	18	31	18	30
19	1	19	1	19	2	19	1	19	1	19	1
20	2	20	2	20	3	20	2	20	2	20	2
21	3	21	3	21	4	21	3	21	3	21	3
22	4	22	4	22	5	22	4	22	4	22	4
23	5	23	5	23	6	23	5	23	5	23	5
24	6	24	6	24	7	24	6	24	6	24	6
25	7	25	7	25	8	25	7	25	7	25	7
26	8	26	8	26	9	26	8	26	8	26	8
27	9	27	9	27	10	27	9	27	9	27	9
28	10	28	10	28	11	28	10	28	10	28	10
29	11	29	11	29	12	29	11	29	11	29	11
30	12	30	12	30	13	30	12	30	12	30	12
31	13	31	13			31	13			31	13
Julio	Mayo	Agosto	Junio	Septiembre	Julio	Octubre	Agosto	Noviembre	Septiembre	Diciembre	Octubre

Primeros cuidados y precauciones

Escoger el hospital • Elegir un seguimiento más o menos medicalizado • El consejo de los demás • ¿Qué diferencia existe entre un ginecólogo y una comadrona? • Precauciones necesarias desde el principio del embarazo • Dejar de fumar

La elección del hospital

Cuando la curva del vientre apenas se insinúa, el parto parece algo todavía muy lejano. Sin embargo, es el momento de decidir dónde vas a dar a luz para inscribirte lo antes posible. Tómate el tiempo necesario para hablarlo con tu compañero, tus amigas y, evidentemente, con tu médico. Es importante que el hospital que escojas te transmita confianza y seguridad durante el embarazo.

La inscripción en el hospital

La inscripción en el hospital es algo prioritario. En las grandes ciudades, los hospitales suelen estar bastante saturados; además, cuando se trata de hospitales muy solicitados, las futuras madres se inscriben lo antes posible para asegurarse de que serán atendidas durante el parto. Si estás en lista de espera, lo mejor es que seas precavida y te inscribas a la vez en otro hospital.

Análisis de los distintos factores

La proximidad • Al margen de otras consideraciones, como la elección de un centro público o privado, es importante que se elija un hospital cerca del lugar donde se reside. De hecho, la distancia es uno de los principales factores a tener en cuenta, pues cuando empiezan las contracciones es preferible no tener que recorrer un trayecto de una hora en coche, algo que sin duda no contribuirá a calmar el dolor. Aparte del estrés que pueda provocar un trayecto largo en el día D, el hecho de que el hospital esté cerca tiene otras ventajas.

Antes del parto, la cercanía del hospital evita desplazamientos largos para acudir a las visitas obligatorias. Tras el nacimiento del bebé, un trayecto corto evitará que el padre pierda tiempo en idas y venidas, especialmente cuando hay otros hijos en la familia. El tiempo que se ahorre en desplazamientos podrá dedicarlo a estar contigo y con el bebé.

El equipo médico • La elección suele realizarse en función de varios criterios y de la propia personalidad: puede ser que quieras o necesites estar rodeada de personal médico, o que prefieras un centro más reducido en lugar de un gran complejo hospitalario, o que tu prioridad sea disfrutar de cierto confort. Lo cierto es que en un hospital donde se produzcan muchos partos —algo que de entrada transmite cierta seguridad—, es más probable que el personal médico no pueda dedicar tanto tiempo a las jóvenes madres y a responder a todas las dudas que les asaltan, especialmente después del parto. Recibir los consejos adecuados sobre la lactancia (si optas por este tipo de alimentación) y los primeros cuidados del bebé es algo reconfortante que te permitirá regresar a casa con el bebé con mayor tranquilidad. En este sentido, en los centros más pequeños el personal sanitario suele tener mayor disponibilidad.

Actualmente, la mayoría de los hospitales de la red sanitaria pública disponen de anestesia epidural como técnica para reducir el dolor durante el parto. Si deseas que te administren esta anestesia, asegúrate de que el hospital que has elegido dispone de la misma y de un anestesista que esté presente de forma permanente o cuya presencia pueda requerirse.

Duración de la estancia • No está de más informarse sobre la estancia media después del parto, ya que ésta varía de un centro a otro. Cuando el índice de ocupación del hospital es elevado, la estancia suele ser más corta, de unos tres días. En centros más pequeños, la estancia de la madre suele ser de unos cuatro días como mínimo después del parto.

La preparación para el parto • Las clases de preparto se imparten tanto en los centros públicos como en los privados y pueden ser de distinta naturaleza. Una vez más, la elección de un tipo u otro de preparación es personal. Por un lado, existe la preparación para el parto sin dolor o psicoprofilaxis, enfocada a reducir la ansiedad y a disminuir las tensiones en el momento del parto, a aprender a relajarse y a respirar. Por otro lado, la preparación basada en la sofrología enseña a relajarse a través de la respiración y a «visualizar» las distintas partes del cuerpo para colaborar activamente durante el parto.

Algunos centros ofrecen cursos de canto prenatal, que se basan en el trabajo respiratorio del canto, la práctica de distintas vocalizaciones y la utilización de sonidos graves para reducir el dolor. Por último, la haptonomía se basa en el establecimiento de una relación efectiva entre la madre, el padre y el futuro bebé a través de un contacto particular. Así pues, resulta importante saber qué

Cuando se vive en una zona rural, lo mejor es optar por el hospital más cercano y evitar así desplazamientos largos el día D.

tipo de preparación para el parto ofrece el hospital donde decidas dar a luz.

Una cuestión de confort • Posiblemente preferirás dar a luz en una clínica privada si una de tus prioridades es tener baño y ducha privados en la habitación, o si te incomoda la idea de tener que compartir la habitación y, por lo tanto, el llanto de otro bebé y las visitas que reciba tu compañera. Un centro privado dispone de más habitaciones individuales que un hospital público, el cual, lógicamente, deberá reservarlas para las mujeres que sufren algún tipo de complicación en el parto.

Tus propias inquietudes • ¿El padre podrá asistir al parto en caso de cesárea? ¿Los horarios de visita son estrictos? ¿Podré cuidar del bebé en la habitación —equipada con un cambiador— o tendré que ir al nido? Puedes informarte sobre todos estos detalles y, además, averiguar si se practica alguna modalidad específica de parto, como el parto acuático o el parto en cuclillas.

Por último, puedes preguntar si es posible visitar la maternidad antes del parto, pues ver el lugar donde darás a luz puede ser tranquilizador. Además, es bastante habitual que los hospitales ofrezcan estas visitas, en las que se suele entregar a los futuros padres una pequeña guía con informaciones complementarias.

¿Quién puede aconsejarme a la hora de elegir? • La persona más indicada para aconsejarte es tu ginecólogo; lo más habitual es que te proponga dar a luz en el hospital que él tenga asignado. Pero también te aconsejará sobre los centros y los compañeros con los que suele trabajar.

No dudes en hacer todas las preguntas necesarias en el propio hospital. Del mismo modo, pregunta a las amigas o conocidas que ya hayan dado a luz en ese mismo centro en el que estás interesada.

La importancia del desarrollo del embarazo

La comadrona, como personal de enfermería especializado en atender a las mujeres en el seguimiento de los preliminares del parto y una vez nacido el bebé, desempeña un papel esencial de asesoramiento y apoyo de la mujer, así como para controlar que todo se desarrolle con normalidad. En los hospitales es el médico, acompañado de la comadrona, el que asiste el parto mientras que en las casas de partos (ver p. 36), son las propias comadronas las que practican el parto.

La clasificación de las maternidades en niveles del I al III es general, y las diferencias en estructura (la existencia o no de un servicio de neonatología) suelen ser más o menos las mismas en todos los países.

Nivel I, II o III • Las maternidades se clasifican en tres niveles.

Las de nivel I se encargan de los partos sencillos en los que no se prevé ningún tipo de complicación. Estos servicios no atienden nacimientos

Un médico pionero

*El francés **Jean-Louis Baudelocque** (1745-1810) convirtió la obstetricia en disciplina científica y la introdujo como materia de enseñanza en la universidad, describió detalladamente el proceso del parto y no dudó en recomendar el uso de fórceps y la cesárea en determinados casos. En 1802 creó una maternidad en Port-Royal (París) y abrió una escuela de comadronas.*

prematuros y suelen contar con estructuras más bien pequeñas.

Las maternidades de nivel II disponen de una unidad de neonatología y están destinadas a los embarazos de riesgo, entre ellos los embarazos múltiples.

Por último, las maternidades de nivel III están dotadas de una unidad de reanimación neonatal para los recién nacidos que presentan complicaciones graves, muchas veces relacionadas con nacimientos prematuros que se producen durante el séptimo mes. Estas maternidades se encargan de los embarazos conocidos como «patológicos» y, además, en Europa disponen de «unidades de neonatología» (ver p. 261), destinadas a evitar que los padres estén separados del recién nacido cuando éste debe permanecer hospitalizado.

Cuando la elección depende de aspectos médicos • La evolución estrictamente médica de tu embarazo puede ser un factor determinante a la hora de escoger el centro hospitalario. Si todo transcurre dentro de la más absoluta normalidad y no esperas ni gemelos ni trillizos, puedes dar a luz en un centro público o privado de los niveles I o II. En caso contrario, tu ginecólogo podrá aconsejarte, durante las primeras visitas o en función de la evolución de tu embarazo, sobre el centro que, desde un punto de vista estrictamente médico, puede atenderte mejor y garantizar que el bebé reciba todos los cuidados necesarios, incluso en caso de que surjan complicaciones.

Si ya has tenido complicaciones en alguno de tus anteriores embarazos, tú misma no dudarás en optar por una maternidad catalogada como de nivel III.

Dar a luz en casa

La elección de dar a luz en casa es muy poco habitual en España: menos del 1% de las mujeres optan por esta práctica. El parto en casa tiene sus defensores y sus detractores. Para los primeros, el entorno familiar, la presencia de los seres más queridos, y la comodidad y la intimidad del hogar permiten que la mujer alumbre en un clima de serenidad absoluta, siempre que esté dispuesta a prescindir de la anestesia epidural. Además, la parturienta mantiene un estrecho vínculo con la comadrona desde el principio del embarazo hasta después del parto.

Los detractores de esta práctica opinan que los riesgos asociados superan cualquier posible ventaja. Es cierto que a veces puede haber complicaciones, por mínimas que sean, y que en casa no es posible contemplar la posibilidad de practicar una cesárea ni técnicas de reanimación. Así pues, es importante tener en cuenta los aspectos médicos y, en todos los casos, consultar con el médico acerca de la posibilidad de dar a luz en casa.

Cuestiones prácticas • Si has optado por el parto en casa, deberás escoger a una comadrona o un médico que realice este tipo de partos, que no viva demasiado lejos de tu casa y que esté en contacto con un ginecólogo o con una maternidad adonde puedan trasladarte rápidamente en caso de que surjan problemas. Lo más prudente es que te inscribas en el hospital más cercano, en previsión de posibles complicaciones, hacia el final del embarazo. Asimismo, es aconsejable realizar visitas prenatales y acudir a sesiones de preparación al parto con el profesional médico que te asistirá. Finalmente, debes saber que la sanidad pública, por ejemplo la española, no cubre el coste de este tipo de partos.

Los Países Bajos: un modelo único • A diferencia de otros países europeos, el parto en casa es una práctica habitual en los Países Bajos, donde se realiza con gran rigor y siempre que se cumplan determinadas condiciones geográficas y sanitarias. Sólo pueden optar a esta modalidad de parto las mujeres que no tengan antecedentes médicos particulares (que no hayan pasado por un parto difícil, por ejemplo) y cuyo embarazo se desarrolle en condiciones normales. Además, deben tener un hospital cerca de su domicilio (a menos de 30 minutos de trayecto) para que, en caso de cualquier complicación, la madre o el niño puedan ser trasladados rápidamente a dicho centro sanitario.

Situación del parto en casa en España • Solamente el 0,07% de las mujeres que dan a luz en España lo hace en casa. Este bajísimo porcentaje puede explicarse por la desinformación tanto de las propias mujeres como del personal sanitario, que ven esta opción como peligrosa, y por tener que asumir su coste, al tratarse de una opción que no está cubierta por la Seguridad Social. Actualmente, existen en España varios colectivos dedicados a la preparación del parto en el propio hogar o en centros que ofrecen un entorno íntimo junto a una atención personalizada durante el parto.

¿Hospital público o privado?, una cuestión económica

En general, la seguridad social corre con todos los gastos, excepto los derivados de preferencias personales (habitación individual, teléfono, televisión), que pueden estar cubiertos por algunas mutuas médicas privadas de seguros. En el sector privado, y en función del tipo de clínica, los costes pueden ser muy elevados. En muchos países, si se acude a clínicas concertadas, los costes de la estancia están totalmente cubiertos por la seguridad social de acuerdo con una tarifa estipulada, y los demás gastos relacionados con las preferencias personales corren a tu cargo. De todos modos, si tienes contratado un seguro médico, infórmate acerca de la posibilidad de reembolso cuando se superan los gastos estipulados del tocólogo (lo que suele suceder en las clínicas privadas) o los del anestesista, si has optado por el uso de la anestesia epidural. En caso de que no tengas seguro médico y quieras que te atiendan en una clínica privada, los gastos correrán a tu cargo en su totalidad.

Las casas de partos

Las casas de partos están pensadas para las embarazadas que prefieren dar a luz en un entorno más íntimo y menos medicalizado. Este tipo de centros existe en varios países.

Las primeras casas de partos se crearon en EE.UU. hace unos treinta años, y posteriormente en Quebec, Alemania y Suiza. Actualmente, estas maternidades especiales existen en un número muy variable en países como Austria, Inglaterra, Italia, España y Bélgica.

El porqué de las casas de partos

Cada país describe de una determinada forma lo que son las casas de partos, pero por lo general siempre se trata de un lugar en el que pueden dar a luz de forma «natural» aquellas mujeres cuyo embarazo no presenta ningún tipo de problema, es decir, la mayoría de ellas. La idea es respetar al máximo la fisiología en unas condiciones similares a las que se crearían en un parto en casa (naturalmente, con todas sus ventajas y sus inconvenientes). Esto equivale a poder alumbrar en la postura deseada, ya sea en cuclillas, sentada, tumbada e incluso en una bañera de agua tibia.

Cómo funcionan

La mayoría de las veces, el seguimiento que se lleva a cabo en las casas de partos es personalizado y abarca todos los aspectos del embarazo. La persona encargada como profesional sanitaria de realizar este seguimiento hasta después del parto es la comadrona. Los medios técnicos de los que disponen estos centros son bastante limitados: por ejemplo, no es posible utilizar la anestesia epidural ni la general. Los únicos actos médicos que se pueden practicar son los administrados por una comadrona que disponga de material (entre otros, un monitor o cardiotacógrafo, y material de perfusión y de sutura para una posible episiotomía). Después del nacimiento, la madre y el bebé suelen regresar a casa en menos de veinticuatro horas y la comadrona se encarga de realizar un segui-miento domiciliario, aunque estas modalidades varían en función del centro.

La seguridad en el parto

Lógicamente, no todas las madres pueden dar a luz en casas de partos. En caso de que se detecte la más mínima patología, ya sea en la madre o en el bebé, el parto debe realizarse en un hospital. Del mismo modo, en caso de que surja cualquier problema en el momento del alumbramiento, la parturienta es trasladada inmediatamente a un centro donde pueda recibir todos los cuidados necesarios. Esto explica que las casas de partos se encuentren siempre cerca de hospitales bien equipados y trabajen siempre en colaboración con otros facultativos y centros sanitarios. En muchos países, las casas de partos son una alternativa para las madres que desean dar a luz en casa pero viven demasiado lejos de un hospital para que esto sea posible.

La situación en España

La asociación española «Nacer en Casa» ofrece la posibilidad de preparar a los futuros padres durante el embarazo y atender el parto en el propio domicilio, así como en algunas clínicas. Algunos de estos centros cuentan, en caso de emergencia, con la colaboración de las maternidades y de los hospitales públicos más cercanos. Si se desea dar a luz en una casa de partos o en el propio domicilio, también se puede acudir a los colegios profesionales del personal sanitario que ofrece estos servicios (comadronas y ginecólogos). Si bien este tipo de iniciativas son bien acogidas por un amplio sector de profesionales y usuarias, estos centros requieren un reconocimiento de su estatus jurídico, por ejemplo, a efectos de poder dotarse de una adecuada cobertura de seguros.

¿Quién se encargará de mi seguimiento?

Los dos especialistas que pueden realizar el seguimiento de una embarazada hasta el parto y durante las semanas posteriores al nacimiento son el ginecólogo obstetra o tocólogo y la comadrona. En general, la comadrona se encarga sólo de ciertos aspectos durante el embarazo y en las fases previa y posterior al parto; el tocólogo u obstetra cumple una función clave durante el parto y más aún si surge algún problema.

La comadrona, tu compañera casi en todo momento

En Europa, las comadronas, parteras o matronas (y se expresa en femenino porque un 99% de las personas que ejercen esta profesión son mujeres) tienen una formación médica que les autoriza a llevar a cabo una función especializada, ya que su profesión es una especialización de enfermería.

La comadrona asiste a la embarazada antes del parto, a través de la formación que imparte en los cursos de preparación maternal, en los que informa a la futura madre de todo lo que sucederá en los meses siguientes, así como del modo en que debe proceder en el hospital y durante el parto, con un carácter eminentemente práctico, para que ésta pierda el miedo, incluso ante algo tan impactante como los constantes cambios físicos que se producen en su cuerpo. También asiste a la embarazada en los momentos previos al parto, bajo la supervisión de un ginecólogo, de forma que será ella quien te acompañe cuando se esté llevando a cabo esta preparación; te hará un tacto, se encargará de vigilar la dilatación del útero, y también será quien avise al ginecólogo si aprecia que durante el parto fuera necesario el uso de fórceps o practicar una cesárea.

Después del parto, durante el puerperio, también es la comadrona la persona encargada de atenderte, de darte los primeros consejos y de auxiliarte. Será quien te instruya acerca de cómo debes afrontar diversos aspectos en la práctica, como por ejemplo la lactancia del bebé.

El tocólogo, un especialista en partos

En España, los ginecólogos son especialistas tanto en la parte de la medicina que trata de las enfermedades propias de la mujer, como en la que se ocupa de la gestación, el parto y el puerperio.

Cualquier ginecólogo puede encargarse de hacer el seguimiento de tu embarazo y, además, si así lo quieres, también será quien te asista durante el parto.

El seguimiento por parte de este profesional empieza durante las primeras semanas del embarazo y acaba en los días posteriores al parto. El tocólogo u obstetra es quien debe intervenir en caso de que surja cualquier problema médico: el tratamiento de todos los problemas que puedan afectar al feto y a la madre, al igual que cualquier dificultad que pueda surgir durante el parto. El tocólogo también es la persona que se encarga de los embarazos que no presentan complicaciones, que son la mayoría.

¿Puedo escoger?

La libre elección de médico está reconocida en España. De este modo, si previamente has pasado por un embarazo o un parto difíciles, o en caso de que sufras una enfermedad grave, lo más probable

Es esencial confiar en el profesional que realice el seguimiento de tu embarazo, ya sea un ginecólogo o una comadrona.

es que quieras que te asignen al médico que te atendió en otras ocasiones para que te atienda durante el transcurso del embarazo y en el parto; al igual que en el caso de que todo se hubiera desarrollado con normalidad. Si bien la tendencia es que la futura madre sea atendida en el centro de salud que corresponde al área geográfica donde reside, también puedes optar por que te asista durante el parto un profesional que trabaje en un hospital determinado, porque te dé confianza su reconocimiento profesional o porque haya asistido a alguna familiar o amiga que te lo ha recomendado.

Las primeras precauciones

Al principio, los cambios en la vida de una embarazada son sobre todo psicológicos, ya que desde el punto de vista práctico la vida sigue igual. Es posible seguir practicando deporte, comer de todo, salir por la noche... Los únicos posibles inconvenientes son los relacionados con el consumo de tabaco y alcohol.

▶ Algunos principios básicos

El inicio del embarazo no implica grandes transformaciones en la vida diaria, pero si además no pierdes de vista algunos principios básicos y duermes o descansas siempre que lo necesites, todo irá como la seda para ti y para el feto.

Los medicamentos • ¡Se acabó automedicarse! Ésta es la primera regla de oro que debes cumplir. A partir de ahora, no puedes tomar ningún comprimido ni medicamento si no es por prescripción médica. Incluso los que parecen más inofensivos, como la aspirina, los jarabes para la tos o las cremas pueden tener consecuencias negativas. No es que haya que dejar de medicarse, sino que hay que tener en cuenta en todo momento los consejos del médico.

El deporte • El embarazo no implica en absoluto sedentarismo, pero sí conviene evitar aquellos deportes con los que puedas sufrir una caída o un golpe violento, o con los que pueda faltarte el oxígeno, como por ejemplo el buceo, el esquí alpino, la bicicleta todo terreno o los deportes de combate. Aparte de estas excepciones, tienes muchas posibilidades entre las que elegir (ver p. 87). Si lo tuyo es el deporte, por lo general podrás seguir con tu práctica deportiva habitual, pero es importante que antes consultes a tu médico.

Los productos tóxicos • El riesgo de inhalar productos tóxicos en la actividad cotidiana es muy bajo. Basta con evitar el contacto con las pinturas o los pesticidas. Por eso deberás tener especial cuidado si trabajas en un sector en el que se manipulen pinturas o productos químicos. Si éste es tu caso, no dudes en preguntar al médico de tu empresa sobre la posibilidad de cambiar temporalmente de lugar de trabajo dentro de la misma compañía (ver p. 119).

▶ El consumo de tabaco, alcohol y drogas

Si fumas o tomas bebidas alcohólicas, aunque sólo sea de vez en cuando, el inicio del embarazo puede ser el momento idóneo para dejar ambas cosas, tal como te aconsejará cualquier médico. Naturalmente, la decisión es tuya, pero debes tener en cuenta las posibles repercusiones que tiene para el feto. El alcohol influye negativamente en su desarrollo y, en el peor de los casos, puede derivar en un síndrome de alcoholismo fetal que podría ser la causa de problemas mentales (ver p. 120). Por su parte, el tabaco y el cannabis aumentan los riesgos de infección o de enfermedades respiratorias después del nacimiento, mientras que la cocaína y otras drogas duras pueden provocar complicaciones peligrosas y crear dependencia en el recién nacido (ver p. 183).

El alcohol • Durante el embarazo conviene suprimir totalmente el consumo de alcohol, aunque sea en cantidades pequeñas. No olvides que siempre que tú bebas, el feto también lo hará, con la diferencia de que su organismo no dispone de los mismos filtros que el tuyo, ya que el hígado todavía no se ha desarrollado. En el primer

Los médicos desaconsejan el consumo de alcohol y tabaco durante el embarazo, ya que ambos pueden tener consecuencias perjudiciales para el feto.

trimestre, sobre todo, el alcohol puede ser la causa de malformaciones en el feto. Si crees que te va a resultar muy difícil prescindir de tu copita de vino o de tu vermut diarios, no tengas reparos en comentárselo a tu médico. La dependencia puede surgir de forma insidiosa, y existe el riesgo de que el feto también se habitúe al alcohol.

El tabaco • Con suerte, puede ser que las náuseas de los primeros meses de gestación te hagan aborrecer el tabaco y te ayuden a dejar de fumar. Sin embargo, la mayoría de las veces, y aunque la mujer esté convencida de que es una decisión acertada, lo más probable es que dejar el tabaco requiera grandes dosis de voluntad. Si éste es tu caso, puedes recurrir al consejo de tu médico o al de un centro especializado e informarte sobre los distintos métodos para dejar de fumar. Incluso algunos sustitutos de la nicotina, como los parches, son aptos para las embarazadas, siempre bajo las indicaciones del médico. Aparte de la ayuda

que puedan ofrecerte estos métodos, deberás aplicar toda una serie de trucos que te ayudarán a mantenerte firme en tu decisión, como por ejemplo beber un vaso de agua siempre que te apetezca encender un cigarrillo o salir a pasear unos minutos, sin contar con que, naturalmente, todo esto resulta más fácil en un entorno de no fumadores.

¿Qué debo comer?

No existe ninguna dieta específica para embarazadas. Lo mejor es comer de todo y evitar saltarse comidas (ver p. 104-107) y, sobre todo, evitar cualquier tipo de carencia. Algunas categorías de alimentos son especialmente importantes durante el embarazo, como por ejemplo los productos lácteos y las proteínas animales (carne, pescado y huevos). Si sólo comes este tipo de alimentos de vez en cuando, no estará de más hacer un pequeño esfuerzo para aumentar su consumo, al igual que el de fruta, verdura, materias grasas, féculas y cereales.

Tu organismo también necesitará mayores dosis de hierro, ácido fólico, calcio y vitamina D. Esto no significa que debas ingerirlos necesariamente en forma de comprimidos (algo que, en todo caso, deberá prescribir tu médico), sino que puedes obtenerlos a partir del consumo de distintos alimentos: el hierro está presente en la carne y las legumbres; el calcio, en los productos lácteos; el ácido fólico, en los huevos y la verdura; la vitamina D, en el pescado azul... Lo más recomendable al principio del embarazo es comer de todo y no excluir ningún tipo de alimento.

Prevenir no está de más • Una medida preventiva durante el embarazo consiste en prestar una mayor atención a la higiene alimentaria para evitar la toxoplasmosis (si no estás inmunizada, consulta la p. 176) y la listeriosis. Para ello es necesario lavar bien la fruta y la verdura, mantener el frigorífico limpio, y comer carne, pescado y marisco bien cocidos. En cuanto a la toxoplasmosis, se recomienda evitar el contacto con los gatos o, como mínimo, con sus excrementos. Éstos son los consejos básicos, pero si optas por una prevención máxima, como medidas complementarias puedes retirar la corteza de los quesos y evitar el consumo de leche sin pasteurizar, de cereales germinados como la soja, de charcutería al corte, de picadillo e incluso de productos con gelatina. Pero lo cierto es que, hoy en día, la listeriosis es una enfermedad infecciosa muy poco frecuente.

Los efectos del dietilestilbestrol

El dietilestilbestrol (DES), una hormona de síntesis que se comercializó con el nombre de Distilbene®, se prescribió entre 1950 y 1977 a numerosas mujeres embarazadas para prevenir el aborto espontáneo, hasta que se descubrieron sus efectos perjudiciales para el feto.

Muchos de los niños y niñas que sufrieron la exposición al dietilestilbestrol estando en el útero materno, presentan actualmente anomalías en los órganos genitales. En el peor de los casos, algunas mujeres sufren problemas de fertilidad e incluso han desarrollado cáncer de vagina. Las que se conocen con el nombre de «hijas DES» emprendieron acciones judiciales a principios de la década de 1990, pero tuvieron que esperar hasta mayo de 2002 para que se celebrara el primer juicio, en el que se determinó la «responsabilidad sin culpa» de UCB Pharma, la principal empresa que comercializaba el producto en Francia.

¿Cuáles son los posibles efectos del dietilestilbestrol durante el embarazo?

Se calcula que unas 80 000 mujeres francesas estuvieron expuestas al dietilestilbestrol durante el embarazo de su madre. Pertenecen a la generación de mujeres nacidas entre 1950 y 1977, año en que el medicamento se retiró del mercado. Por lo general, entre estas mujeres se ha observado un mayor riesgo de embarazo extrauterino, parto prematuro y aborto hasta el sexto mes, si bien estos problemas no se producen de forma sistemática. Si naciste entre 1964 y 1974, lo mejor es que preguntes a tu madre si tomó hormonas en las primeras semanas del embarazo. Aunque ella no se acuerde del nombre del medicamento, puedes descubrirlo a través de su farmacia o del que fue su médico en aquella época.

Precauciones médicas

En caso de que tu madre hubiera tomado dietilestilbestrol, informa a tu ginecólogo para que realice un control más estricto y pueda asegurarse de que no se produce un embarazo extrauterino, pues una intervención a tiempo puede evitar una rotura de la trompa y el riesgo de hemorragia interna. Asimismo, podrá determinar el riesgo de aborto espontáneo o de parto prematuro comprobando regularmente el estado del cuello del útero y, mediante una ecografía, saber su longitud exacta.

Si las alteraciones del cuello uterino son demasiado importantes al principio del embarazo, el ginecólogo podrá efectuar un cerclaje, operación que consiste en cerrar el cuello del útero mediante sutura utilizando anestesia general. Esta intervención, que permite que el embarazo llegue a buen término, sólo requiere dos días de hospitalización. Por tu parte, no dudes en informar al médico lo antes posible sobre cualquier síntoma que te parezca anormal, como por ejemplo pérdidas de sangre o dolor en el bajo vientre.

Concienciación sobre los problemas relacionados con el dietilestilbestrol

Desde la resolución del primer juicio, ha aumentado el número de acciones judiciales por parte de afectados que buscan una compensación por los daños sufridos.

Paralelamente, se ha realizado una campaña informativa entre los médicos con el objetivo de facilitar el seguimiento de este tipo de embarazos.

Por ejemplo, en Francia hay una asociación, la Red DES (Réseau DES), que trabaja en pro de los afectados y que lucha por conseguir que la seguridad social asuma unas bajas laborales que en algunos casos cubren todo el período del embarazo, aunque por el momento sus acciones no han obtenido los resultados esperados.

Asimismo, se están llevando a cabo estudios de evaluación sobre posibles tratamientos de las anomalías provocadas por el dietilestilbestrol. Es posible que en el futuro se desarrollen otros estudios que permitan obtener más información sobre los efectos de esta hormona de síntesis, ya que todavía quedan muchos interrogantes por resolver.

Embarazos especiales

> *¿Por qué cada vez hay más gemelos? • ¿Qué tipo de seguimiento requieren los embarazos múltiples? • Madres cada vez más tarde • El control del embarazo a los 40 • Los riesgos de ser madre demasiado joven*

Gemelos, trillizos y cuatrillizos

Aunque no se puede hablar de un verdadero fenómeno social, lo cierto es que en los últimos años ha aumentado significativamente el número de embarazos múltiples, que hoy en día ya representan el 1% del total de embarazos. Debido al mayor riesgo de complicaciones, las mujeres que esperan más de un hijo requieren un seguimiento más estricto que el del resto de las embarazadas.

▶ Embarazos múltiples cada vez más frecuentes

Dar a luz a gemelos era algo excepcional en la década de 1970, por no hablar de trillizos. Entre los pocos casos que había, la mayoría contaban con antecedentes familiares. En cambio, hoy en día, el 1% de los embarazos son múltiples (gemelos, trillizos, cuatrillizos...). La razón de este incremento se encuentra en las técnicas de reproducción asistida (RA). La posibilidad de un embarazo múltiple es del 20% cuando se recurre a la RA, algo cada vez más frecuente teniendo en cuenta que la maternidad cada vez se retrasa más y que la fertilidad disminuye con la edad.

▶ ¿Cuándo se sabe?

El diagnóstico es claro a partir de la primera ecografía, que muestra la presencia de varios sacos gestacionales en el útero. En uno de cada tres casos, un espermatozoide fecunda un óvulo que se separa en dos, lo que da lugar a un embarazo univitelino o monocigótico y, posteriormente, al nacimiento de

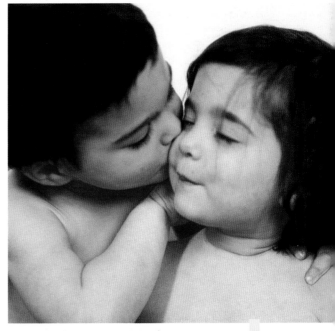

Los mellizos no comparten los mismos genes. Esto significa que pueden ser de distinto sexo y no parecerse más que cualquier otro par de hermanos.

gemelos. Cuando se produce la fecundación de dos óvulos, el embarazo es bivitelino o dicigótico y la mujer espera mellizos o gemelos no iguales. Posteriormente, el médico o la comadrona constatan que, efectivamente, el útero es demasiado voluminoso para albergar un solo feto.

▶ Un seguimiento especial

Los embarazos múltiples requieren un seguimiento más estricto. Frecuentemente, la mujer da a luz antes de los 8 meses (ver p. 178), y con el nacimiento prematuro aumenta el riesgo de hipotrofia, que implica un peso del bebé inferior al normal. Además, la futura madre deberá tomar precauciones de forma más rigurosa y hacer mucho reposo. Por otro lado, una mujer que espera más de un bebé tiene derecho a una baja por maternidad más prolongada (en España, de 18 semanas para gemelos y de 20 semanas para trillizos).

Existen varias asociaciones cuyo objetivo es dar apoyo a las futuras madres y aconsejarlas en todo lo que puedan necesitar (ayuda domiciliaria por parte de estudiantes de comadrona o enfermería) y en la elección de material de puericultura específico. En España existe la asociación AMAPAMU, creada en la Comunidad de Madrid en 1999, y en Latinoamérica funciona la «Asociación de nacimientos múltiples».

¿Gemelos o mellizos?

Estas dos palabras, que pueden parecer equivalentes, en realidad no lo son, ya que corresponden a dos realidades biológicas distintas. Los gemelos monocigóticos o univitelinos son el resultado de la fecundación de un solo óvulo por un único espermatozoide. Posteriormente, el huevo se divide en dos y los fetos pueden desarrollarse en un solo saco amniótico o en dos, mientras que la placenta puede ser la misma. Los gemelos tendrán la misma herencia genética, el mismo sexo, y se parecerán como dos gotas de agua; de ahí que se denominen «gemelos idénticos». Los gemelos dicigóticos o bivitelinos se conocen con el nombre de mellizos y son producto de la fecundación de dos óvulos por parte de dos espermatozoides durante el mismo ciclo menstrual. Cada feto se desarrolla en su propio saco amniótico y en su propia placenta. La herencia genética es totalmente diferente, lo que explica que los bebés no sean necesariamente del mismo sexo y que se parezcan como cualquier otro par de hermanos. Los mellizos también se conocen con el nombre de «gemelos fraternos».

El embarazo después de los 40

El embarazo a partir de los 40 años constituye una tendencia generalizada en los países occidentales, ya que por distintas razones las mujeres deciden tener hijos cada vez más tarde. El inconveniente de aplazar la maternidad es que las condiciones no son las mismas que en las madres más jóvenes y, por lo tanto, el seguimiento también es diferente y requiere mayores cuidados.

▶ El embarazo en la mujer madura

La edad media de la maternidad ha aumentado considerablemente en los últimos años en España: mientras que en 1975 se situaba en los 28,8 años, en 2002 ya era de 30,8 años. Paralelamente, en un período de diez años se ha duplicado el número de mujeres que dan a luz después de los 40: actualmente, 21 000 bebés tienen madres que superan los 40 años, lo que representa el 2,8% de los naci-

mientos. Esta tendencia se ha visto favorecida por los avances médicos y biológicos. Pero lo cierto es que tener un hijo no es tan fácil después de los 40, ya que la edad es un factor determinante en la fecundad, que disminuye a partir de los 20 años y es prácticamente nula después de los 45.

Muchas de las mujeres que desean ser madres a esta edad han cambiado de pareja recientemente. Es posible que después de años de convivencia se produzca una separación o un divorcio, y que con el inicio de otra relación surja el deseo de tener un hijo para consolidar el nuevo núcleo familiar. También es frecuente el caso de mujeres que dan prioridad a su carrera profesional: éstas maduran durante más tiempo el proyecto de ser madres, que se convierte en la culminación de una vida en pareja plenamente consolidada.

Actualmente, es posible prevenir los problemas asociados al embarazo en una edad más avanzada y detectar posibles patologías a través de la ecografía, la amniocentesis y un seguimiento médico más estricto. Esto no evita que las madres se sientan angustiadas por el hecho de que el tiempo actúa en su contra: si su embarazo no llega a buen término lo antes posible, probablemente no puedan pensar en la posibilidad de un segundo hijo. Por otro lado, la estabilidad de la que gozan estas mujeres en el ámbito profesional, material y afectivo contribuye a que sean madres muy dedicadas.

▶ Un mayor control médico

Los embarazos a los 40 años son directamente transferidos a un especialista, al igual que otros embarazos de riesgo, y la futura madre es objeto de un seguimiento más estricto para evitar riesgos que se acentúan con la edad. El médico deberá controlar, por ejemplo, la posibilidad de hipertensión arterial, que es más frecuente a partir de cierta edad y que puede ser perjudicial tanto para la futura madre como para el bebé, o el riesgo de diabetes gestacional.

Asimismo, la posibilidad de aborto espontáneo es más elevada en las mujeres que superan los 40. En España, a partir de los 35 años se aconseja de forma sistemática la realización de la amniocentesis (cubierta por la seguridad social), que permite detectar el síndrome de Down (trisomía 21) en el feto. La frecuencia de anomalías cromosómicas en el feto aumenta con la edad materna: el síndrome de Down, por ejemplo, afecta a uno de cada ochenta embarazos entre los 40 y los 44 años.

Por otro lado, es posible que el parto sea más largo porque el útero se contrae con menos facilidad, lo que provoca un aumento del número de cesáreas, tres veces más alto en relación con los embarazos antes de los 40 años. Por lo general, el nacimiento del bebé también se adelanta —se duplica el número de bebés prematuros— y su peso medio suele ser inferior. Por último, el periné de una mujer madura no se recupera con la misma facilidad que el de una mujer más joven: la mitad de las mujeres de más de 40 años sufren incontinencia urinaria seis meses después del parto, por lo que es importante participar en sesiones de reeducación del periné.

Es cierto que las mujeres que superan los 40 años pueden tener embarazos más complicados, pero esto no significa en absoluto que no puedan tener hijos, sino que deben someterse a un estricto control médico y seguir las indicaciones de los especialistas.

El control más estricto al que deben someterse las embarazadas de más de 40 años no significa que no puedan vivir su embarazo con normalidad.

Futura mamá y todavía adolescente

Los embarazos precoces, que en un primer momento son ocultados, plantean problemas no siempre fáciles de resolver cuando no se cuenta con el apoyo moral y material de la familia y de la sociedad en general. Deseados o no, estos embarazos exponen a las futuras madres a una serie de riesgos asociados a su juventud. Alrededor de 18 000 menores de 19 años quedan embarazadas cada año en España. Más de la mitad optan por una interrupción voluntaria del embarazo; las que desean ser madres o deciden tener el hijo representan uno de cada cincuenta nacimientos.

▶ El deseo de tener un hijo como búsqueda de un estatus

Los embarazos adolescentes no son exclusivos de ningún medio social, pero son más frecuentes en entornos familiares y sociales difíciles. La falta de información o la imposibilidad de acceder a métodos anticonceptivos favorece este tipo de embarazos; pero también es cierto que en algunos casos se trata de embarazos deseados. En efecto, para una adolescente, el hecho de tener un hijo puede ser una oportunidad para acceder a un estatus y a un lugar en la sociedad que le permitan sentirse valorada.

El primero de los problemas que se plantean es dar la noticia a los padres, aunque éstos admitan la posibilidad de que su hija mantenga relaciones sexuales. Algunas de estas jóvenes tienen pareja, mientras que otras mantienen una relación más bien inestable con el padre del niño. Las reacciones varían de una familia a otra, y pueden ir desde el apoyo, que será de gran ayuda para la futura madre, hasta el rechazo por miedo al escándalo.

El riesgo de quedarse sola • Fuera del entorno familiar, la maternidad representa un acto de gran trascendencia que puede contribuir a la estabilidad de la adolescente. Sin embargo, las realidades materiales y las responsabilidades que tendrá que asumir pueden alejarla de las personas de su edad.

Lo más difícil son los meses que siguen al parto. Si la relación con el padre se mantiene, los jóvenes tendrán que adaptarse como cualquier otra pareja a la presencia del bebé. Además de las alteraciones que sufre el cuerpo de la joven tras el parto (aumento de peso, estrías, episiotomía...), surgen otros problemas. La interrupción de la escolaridad y las dificultades para encontrar trabajo o reincorporarse al mercado laboral se suman a la falta de formación y a la dedicación que requiere el cuidado del hijo. El padre, aun en el caso de que esté presente, no siempre es capaz de contribuir eficazmente a la resolución de estos problemas.

Pese a todo, según estudios realizados en la década de 1990, la evolución de estas jóvenes madres es positiva siempre que coincidan determinados factores: la continuación de los estudios, el apoyo de la familia y un buen control de la fertilidad.

La negación del embarazo

La negación del embarazo implica el no reconocimiento inconsciente de un embarazo después del primer trimestre, que puede prolongarse hasta el momento del parto e incluso incluirlo (en cuyo caso se habla de «negación total» o «negación absoluta»). Afecta sobre todo a adolescentes que proceden de un entorno familiar caracterizado por la falta de comunicación y, en algunos casos, por traumas sexuales (incesto y otros tabúes). Es importante distinguir entre la negación del embarazo y los casos en los que la joven, consciente de su estado, lo disimula, muchas veces por miedo a la reacción de su familia. La negación del embarazo implica un rechazo de la realidad y la negación de los cambios que experimenta el cuerpo, que a menudo se justifican con distintas razones (el aumento de peso es la consecuencia del exceso de apetito, los movimientos en el vientre se interpretan como espasmos, etc.). Estas mujeres «descubren» que están embarazadas durante una visita al médico, muchas veces hacia el final del embarazo, y en casos excepcionales, cuando se producen las contracciones uterinas del parto. Después del nacimiento del bebé, es importante que la madre reciba tratamiento psicológico y terapéutico.

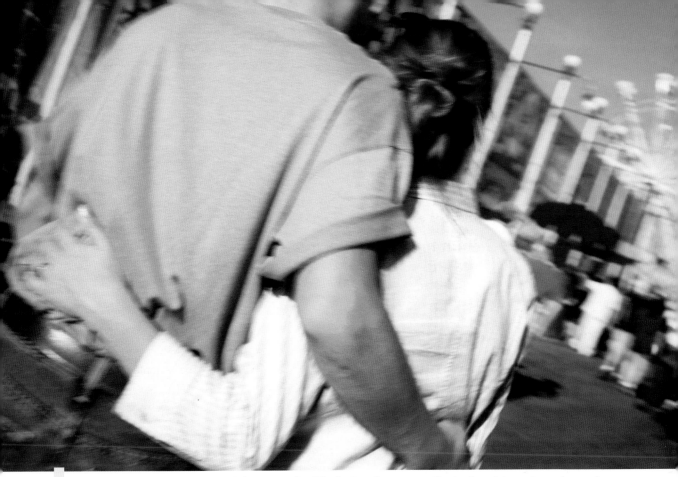

Hablar con los padres suele ser una de las principales dificultades a las que se enfrentan las adolescentes embarazadas.

El seguimiento médico

Las adolescentes no suelen ser plenamente conscientes de los riesgos asociados al embarazo y, en consecuencia, raramente se someten a un seguimiento médico regular. En algunos casos, acuden a la consulta del médico cuando su embarazo ya se encuentra en una fase bastante avanzada, por lo que no pueden beneficiarse de todas las medidas de diagnóstico y prevención.

Riesgos del embarazo • A causa de su edad, las madres adolescentes están más expuestas a determinados riesgos, como la preeclampsia o toxemia del embarazo, que se manifiesta con hipertensión y edemas, y que puede ser perjudicial para la madre y para el bebé (ver p. 187). También son frecuentes la hipotrofia del feto (bajo peso del bebé) y el parto prematuro, ya que el organismo de la madre aún no ha alcanzado la madurez. La situación puede agravarse por el consumo de tabaco y alcohol, o por la anemia derivada de una alimentación poco equilibrada.

Como contrapartida, el 94% de las adolescentes tienen partos normales.

Apoyo postparto

La asimilación del embarazo y del parto, así como la aparición del sentimiento maternal, constituyen etapas difíciles. La realidad como madre de un bebé y la relación con el padre del niño suelen estar lejos de lo que en un principio una madre adolescente puede imaginarse. Por otro lado, esto no impide que, como adolescente, desee vivir esta etapa de su vida como los jóvenes de su edad.

Muchas de estas adolescentes desconocen la existencia de ayudas sociales de las que puede beneficiarse. Los servicios sociales deben ser los encargados de informar acerca de estas ayudas, en particular durante el seguimiento de su embarazo. Los centros de acogida para madres adolescentes pueden ser una solución para las jóvenes que carecen del apoyo de otras personas. Para evitar problemas mayores en la relación madre-hijo y el riesgo de desinserción social, es importante que las madres adolescentes puedan acceder lo antes posible al conjunto de los mecanismos de ayuda a los que tenga derecho.

Vencer la infertilidad

¿A qué se deben los problemas de concepción? • Posibles causas funcionales en el hombre y en la mujer • ¿Qué es un estudio de esterilidad? • Tratamientos convencionales de reproducción asistida • La alternativa de la adopción

¿Por qué no me quedo embarazada?

Que una pareja no consiga tener un hijo tan pronto como desearía no significa necesariamente que sea estéril, pues el tiempo de espera varía de una pareja a otra. Pero en algunos casos, la dificultad en la concepción puede deberse a causas funcionales u orgánicas. Cuando la espera se hace demasiado larga, la realización de un estudio de esterilidad permite determinar estas causas. La duración de este estudio, en el que la pareja se somete a distintos exámenes médicos, suele ser variable.

▶ ¿Dificultades para concebir o esterilidad?

Aproximadamente una de cada seis parejas acude al médico porque no logra concebir un hijo. En realidad, sólo un número muy reducido de estas parejas es estéril, es decir, «incapaz de reproducirse». Las situaciones son muy diversas. En algunos casos existe una disfunción física que puede o no ser resuelta. Si es posible, el médico prescribe un tratamiento adecuado para la pareja y, como último recurso, la aplicación de una técnica de reproducción asistida.

Algunas parejas, en cambio, simplemente necesitan más tiempo que otras para concebir un hijo, a veces incluso porque su deseo no está exento de un miedo o de un rechazo inconscientes, o porque son poco fértiles (subfertilidad), ya que la fertilidad varía de una persona a otra. Hasta que finalmente llega el bebé.

La fertilidad varía en función de la persona... • La «fecundabilidad» o probabilidad de conseguir un embarazo dentro de un ciclo menstrual se sitúa en torno al 25% para las parejas fértiles, lo que significa que tienen una probabilidad entre cuatro de concebir en cada ciclo. Pero esta fecundabilidad a veces no supera el 10% o ni siquiera lo alcanza. Este dato refleja las diferencias que existen entre las distintas personas.

...y de la edad, el peso y el estrés • Varios factores contribuyen a que una mujer pueda quedarse embarazada en un período de tiempo más o menos corto. El más decisivo es la edad, ya que la fecundidad femenina disminuye a partir de los 30 años y en especial a partir de los 35. La obesidad también puede intervenir en el atraso del embarazo, al igual que una pérdida brusca de peso (de entre el 10% y el 15% del peso habitual). En casos extremos como los de anorexia, caracterizada por un rechazo a la comida, es posible que la ovulación no se produzca e incluso que se interrumpa la menstruación. El estrés también tiene repercusiones negativas, entre otras razones porque provoca una disminución del deseo y altera la vida sexual. Finalmente, conviene no olvidar los efectos perniciosos del tabaco, tanto en la fecundidad femenina como en la masculina.

Causas fisiológicas

Cuando la infertilidad de una pareja es de tipo fisiológico, en un 40% de los casos se debe a la mujer, en un 40% al hombre, y en un 20% a ambos.

Infertilidad femenina • En uno de cada tres casos, el problema está asociado a desórdenes en la ovulación; en uno de cada cuatro, se debe a una alteración de las trompas (patología tubaria) que puede tener su origen en una endometriosis o en una infección anterior no curada. En casos menos frecuentes, es posible que la presencia de un pólipo o de un fibroma en el útero impida la implantación del huevo, o que la composición del moco cervical evite la penetración de los espermatozoides, cuando su función es precisamente facilitarla.

Infertilidad masculina • El problema siempre está asociado a los espermatozoides. Puede tratarse de la ausencia de espermatozoides en el semen (azoospermia) por un problema de producción en los testículos o de circulación a través de los conductos deferentes. A veces los espermatozoides son demasiado escasos (oligospermia), tienen poca movilidad (astenospermia) o existen demasiadas formas anormales (teratospermia). Además, muchas veces estas anomalías están relacionadas.

La fertilidad, cosa de dos • En una pareja, la óptima fertilidad de uno de los miembros puede compensar la baja fertilidad del otro. Esto explica que un hombre cuyos espermatozoides sean escasos o tengan poca movilidad pueda concebir un hijo con una mujer cuyo moco cervical facilite en gran medida el desplazamiento de estos espermatozoides. Del mismo modo, mujeres con un moco cervical de poca calidad pueden quedar fácilmente embarazadas si los espermatozoides de su compañero son altamente eficaces.

Las dificultades son mayores si el hombre y la mujer son poco fértiles (subfertilidad). Esto explica que una persona pueda tener hijos con una nueva pareja después de años de matrimonio sin lograr concebir un hijo.

¿Cuándo hay que recurrir a un especialista?

Según las estadísticas médicas, existe riesgo de infertilidad cuando después de dos años de sucesivos intentos no se ha conseguido el embarazo. Si se toma este período como referencia, esto es aplicable a la mitad de las parejas. Sin embargo, de manera general, los médicos aceptan iniciar una serie de pruebas (el estudio de esterilidad) tras un año de tentativas fallidas. En las mujeres de más de 35 años, se aconseja acudir al médico incluso antes, pasado un período de seis meses, ya que a partir de esta edad la fertilidad de las mujeres disminuye de forma notable y es importante actuar lo antes posible. En el mejor de los casos, los distintos exámenes muestran que todo es normal y que lograr el embarazo es una cuestión de paciencia. Pero si, por el contrario, se manifiestan evidentes factores de esterilidad, todavía habrá tiempo para aplicar un tratamiento.

Las pruebas del estudio de esterilidad

Un estudio de esterilidad incluye varias pruebas. En primer lugar, el médico comprobará la capacidad de

Fertilidad, esterilidad y subconsciente

En materia de concepción, la medicina no siempre puede responder a todos los interrogantes. Algunas mujeres han constatado con asombro que estaban embarazadas cuando teóricamente no eran fértiles, por ejemplo, en casos de esterilidad asociada a una afección irreversible de las trompas de Falopio, previamente confirmada por exámenes médicos. Por el contrario, otras mujeres acuden al médico porque no logran quedar embarazada pese a que las pruebas no demuestran la existencia de ningún tipo de anomalía y pese a mantener relaciones sexuales de forma regular. Encontramos ejemplos de estas contradicciones en los casos (no poco frecuentes) de mujeres que quedan embarazadas inmediatamente después de haber adoptado a un niño, e incluso a partir del momento en que la pareja recibe la autorización para la adopción.

ovulación de la mujer y el estado del esperma del hombre, medirá la fertilidad de la pareja mediante un test postcoital, y examinará el útero y las trompas a través de una histerografía. Si no hay ninguna anomalía, realizará una laparoscopia para detectar, entre otras causas, una posible endometriosis. La duración de este estudio es variable, pero en todo caso se requieren varias semanas, e incluso meses.

Capacidad de ovulación • La regularidad y la duración de un ciclo menstrual ofrecen información sobre la ovulación. Pero muy pocas mujeres pueden tener ciclos muy regulares sin ovulación. El único método sencillo para obtener información sobre la ovulación es controlar la temperatura basal (ver p. 20 y esquema).

Al cabo de dos o tres ciclos, y tras observar los resultados obtenidos, el médico podrá saber si la ovulación se produce, si es imprevisible o regular. Si hay alguna anomalía, pedirá muestras de sangre (dosis hormonales) en distintos períodos del ciclo para determinar una posible causa hormonal.

Espermograma • Este examen sirve para comprobar el estado del esperma. La muestra se obtiene en un laboratorio especializado después de la masturbación, y su análisis permite determinar la cantidad, la movilidad y la morfología de los espermatozoides. Asimismo, sirve para diagnosticar una posible infección latente.

Test postcoital • Conocido como test de Sims-Hühner, permite evaluar la fecundidad de la pareja. Para que los espermatozoides penetren bien en el cuello del útero, deben reunir dos condiciones: en el hombre, los espermatozoides deben tener movilidad, y en la mujer, el moco cervical debe contribuir a su desplazamiento. Para poder determinar estas condiciones, se toman muestras de secreciones vaginales de la entrada del cuello del útero y se analizan. Este examen, que es indoloro, se realiza durante el período fecundo y al día siguiente de mantener relaciones sexuales.

Histerografía • Es una radiografía del útero y de las trompas de Falopio tras la inyección a través del cuello del útero de un producto opaco a los rayos X, o contraste. El objetivo es detectar una eventual obstrucción que impida el paso de los espermatozoides o del huevo fecundado.

Laparoscopia • Se realiza con anestesia general utilizando un tubo de fibra óptica muy delgado unido a una pantalla de vídeo y unos instrumentos largos que se insertan a través de pequeñas incisiones (de 8 a 10 mm de diámetro). Permite comprobar que el ovocito producido por el ovario no encuentra ningún obstáculo en su desplazamiento hasta la trompa, determina el estado de los ovarios, de las trompas y del útero, y sirve para visualizar, entre otras, las posibles secuelas de una antigua infección no diagnosticada (salpingitis).

El papel de la medicina

Los medicamentos y los tratamientos quirúrgicos son algunos de los métodos habituales que pueden resultar eficaces en el tratamiento de la esterilidad femenina. Para los hombres, en cambio, existen pocas soluciones, excepto el tratamiento de una posible infección o la aplicación de técnicas de reproducción asistida. En este sentido, la medicina ha conseguido verdaderas proezas, pero sería ilusorio pensar que todo es posible.

▶ Desequilibrio entre hombres y mujeres

Cuando el esperma es deficiente, existen pocos tratamientos que resulten realmente eficaces. Muchas veces, la única solución a la esterilidad masculina son las técnicas de reproducción asistida. La esterilidad femenina, en cambio, puede ser tratada más fácilmente a través de la medicina convencional.

Algunos posibles tratamientos • Cuando una mujer no ovula correctamente, el médico puede recetarle un tipo de medicamentos conocidos como «inductores de la ovulación», cuyo objetivo es provocar varias ovulaciones de forma simultánea, lo que implica el riesgo de un embarazo múltiple. En otros casos se puede realizar una intervención quirúrgica para eliminar un fibroma o una endometriosis, o para reparar las trompas de Falopio. Lo cierto es que frecuentemente la esterilidad femenina puede beneficiarse de un tratamiento adecuado cuyos resultados suelen ser positivos, lo cual no significa que su éxito esté garantizado y se produzca el embarazo.

La reproducción asistida

La reproducción asistida engloba las distintas técnicas que permiten a una pareja concebir a un hijo sin mantener relaciones sexuales. A continuación, presentamos algunos de los principales métodos.

Inseminación intrauterina • Consiste en depositar en el útero femenino esperma previamente preparado en el laboratorio. Esta técnica, en la que se utilizan inductores de la ovulación, se utiliza para tratar determinados casos de subfertilidad masculina, insuficiencia del moco cervical y esterilidades mixtas, siempre que la mujer tenga como mínimo una trompa permeable.

Fecundación in vitro (FIV) • Permite unir dentro de una probeta los ovocitos de una mujer cuyos ovarios han sido estimulados mediante inductores de la ovulación (por inyección) y los espermatozoides de su compañero. De los embriones obtenidos, en el útero se transfieren dos o tres como máximo, y el resto se congelan con vistas a una utilización posterior.

Los «bebés probeta»

El primer «bebé probeta» español, Victoria Anna Perea, nació en la Clínica Dexeus de Barcelona el 12 de julio de 1984 gracias al trabajo del equipo médico encabezado por el director del Servicio de medicina de la Reproducción del Institut Dexeus de Barcelona, Pere Barri, y de la jefa de la Sección de Biología, Anna Veiga. Veinte años después, el número conjunto de FIV y ICSI en España es de unos 50 000 ciclos. En América Latina, el primer «bebé probeta», Diana Carolina Méndez, nació en 1985. La Red Latinoamericana de Reproducción Asistida lleva a cabo el seguimiento de este tipo de fecundación, en la que fue pionero el doctor Elkin Lucena Quevedo. Los avances de la investigación incrementan el éxito de este tipo de tratamiento.

Inyección intracitoplásmica de espermatozoides (ICSI) • En España se practica desde mediados de la década de 1990. Su objetivo es paliar graves deficiencias en los espermatozoides, pues basta con inyectar un solo espermatozoide en un ovocito para conseguir la fecundación. Los espermatozoides proceden, bien del esperma obtenido por eyaculación, bien de una muestra tomada del epidídimo o del testículo (mediante intervención). Esta técnica se utiliza en la mitad de las fecundaciones in vitro.

Con intervención de donantes • Cuando es imposible obtener espermatozoides de un hombre estéril, como último recurso, los médicos pueden proponer la inseminación artificial con semen de un donante (IAD). Del mismo modo, cuando una mujer sufre una menopausia precoz o no tiene ovarios, es posible recurrir a la donación de ovocitos, en cuyo caso los embriones se obtienen mediante la fecundación in vitro de los ovocitos de otra mujer con el esperma del hombre.

Los límites de la reproducción asistida

Cuando una pareja se somete a este tipo de tratamientos, el camino suele ser largo y doloroso, especialmente en los casos de reproducción asistida. Cuando las tentativas se repiten sin éxito, inevitablemente se plantean una serie de cuestiones: ¿Hasta dónde queremos llegar? ¿A cuántas pruebas más estamos dispuestos a someternos? ¿Hasta cuándo? Por muy competente que sea el médico, en ningún caso podrá determinar si es posible encontrar la solución a la esterilidad de una pareja.

Además, los rápidos avances de la reproducción asistida plantean una serie de cuestiones delicadas a las que no es fácil responder. Cuando un niño es concebido gracias a la intervención de donantes y uno de sus padres no es el progenitor biológico, ¿hay que decírselo?; y si es así, ¿cómo? ¿Es mejor ocultarlo? ¿Cómo asumen esto los propios padres? Los problemas de filiación no son en absoluto anodinos. Incluso los secretos de familia mejor guardados acaban convirtiéndose en una pesada carga difícil de llevar. Lo cierto es que, hoy en día, ni los médicos ni la sociedad parecen estar realmente preparados para ayudar a los padres a resolver esta clase de problemas e interrogantes que se plantean en el momento de tomar este tipo de decisión. A estas dudas se suman otras de naturaleza aún más íntima.

Antes de ser padre

El deseo más o menos intenso de tener un hijo • El papel esencial de la mujer • Del proyecto personal al proyecto de pareja • ¿Se siente padre desde la noticia del embarazo o más tarde? • Reacciones: de la enorme alegría al deseo de huir

El deseo de tener un hijo, en masculino

La mayoría de los hombres se plantean la paternidad en algún momento de su vida, por lo general cuando la mujer a la que quieren se lo propone. Lo que era un vago deseo empieza a tomar forma para convertirse en un proyecto de vida. Pero este patrón no se repite de forma sistemática, sino que, al igual que en la mujer, el deseo de tener un hijo en el hombre adopta distintas formas, algunas claramente asumidas y otras más ambiguas.

▶ El peso de las ideas preconcebidas

Muchas personas relacionan directamente el amor hacia otra persona con el deseo de tener un hijo. Sin embargo, los matrimonios llamados *de conveniencia* son una muestra de que es posible formar una familia sin la intervención de sentimientos amorosos, cuando el objetivo es perpetuar un nombre o un patrimonio. Por el contrario, algunas parejas no desean tener hijos pese a sentir un gran amor el uno por el otro. Estos dos ejemplos no corresponden a la norma general, pero son perfectamente posibles.

En todo caso, que tu compañera no desee tener un hijo en un futuro inmediato no significa que no te quiera o no te valore lo suficiente. Asociar el amor con el proyecto de tener un hijo es una idea reciente propia de la sociedad occidental, en la que el hijo es «el fruto o la prolongación natural» de un amor compartido. Pero otros factores menos obvios de tipo social, familiar y personal intervienen en el deseo de tener un hijo.

▶ Un deseo permanente...

En algunos hombres, el deseo de tener un hijo se muestra con total evidencia, ya que la paternidad forma parte de su proyecto de vida. Este deseo a veces se manifiesta de forma precoz, desde la infancia, y no se atenúa con el transcurso del tiempo. Al preguntar a estos hombres a qué se debe su deseo de tener hijos, algunos responden que se trata de una necesidad de transmisión o de «prolongación» en otro ser, de dejar constancia de su existencia. Otros afirman que conciben la paternidad casi como un deber natural, una necesidad asociada a su masculinidad y una función que deben desempeñar lo mejor posible a lo largo de su existencia. En muchas culturas, la vida de un hombre o la de una mujer no pueden concebirse sin la existencia de uno o de varios hijos, por razones que pueden ser de tipo social o religioso. Finalmente, hay hombres que ven la paternidad como un factor de desarrollo personal y, simplemente, no se imaginan a sí mismos sin hijos: desean verlos crecer, compartir con ellos toda una serie de experiencias, y por lo general sueñan con tener una gran familia. Cuando no pueden engendrar un hijo, lo adoptan. «Sin hijos, no habría tenido la sensación de vivir», comenta un padre de familia numerosa. En estos casos, la carga afectiva es muy fuerte.

Por lo general, el deseo masculino de tener un hijo incluye todos estos elementos en proporciones variables y de forma más o menos consciente. Es posible que te identifiques con alguno de estos puntos de vista, aunque tu proyecto de ser padre sea el resultado de una relación amorosa y de la vida en pareja.

...o un vago deseo latente

La mayoría de las veces, en las sociedades más prósperas, la mujer es quien manifiesta el deseo de tener un hijo. El deseo de formar una familia suele nacer de una relación amorosa y se hace patente cuando la mujer plantea la cuestión de forma clara. En estos casos, todo empieza con un deseo bastante impreciso que va tomando forma paulatinamente, en ocasiones bajo la discreta presión de los padres o del entorno, que sugieren que «ya va siendo hora».

Sin embargo, sería erróneo afirmar que el hombre se somete ante todo al deseo de la mujer en materia de hijos. En muchos casos, el hecho de tener una vida profesional plena hace que en los hombres el deseo de paternidad ocupe un lugar secundario, pero cuando llega el día en que dicen «sí», significa que aceptan el proyecto de tener un hijo, ya sea con mayor o menor intensidad. En realidad, la mujer no habrá hecho sino despertar un deseo latente, aunque éste a veces sea más social que íntimo.

Tiempo para prepararse • Si no te sientes preparado para ser padre, puede ser que al principio esgrimas una serie de argumentos en contra de este deseo e incluso utilices pretextos como «las guerras y la contaminación» o «las dificultades que depara el futuro». Más adelante, cuando la idea empiece a madurar, te preocuparás por vuestra situación financiera como pareja y por el confort material que desearías proporcionar a tu hijo. En todo caso, necesitarás cierto tiempo para asumir la idea de ser padre y hacer tuyo el proyecto.

Rechazo categórico a ser padre • Sin embargo, también hay hombres que rechazan la idea de ser padres, por mucho que la mujer insista. En este caso, el «no» suele ser rotundo e inmediato. A veces se debe a experiencias personales negativas: los malos tratos o una importante falta de afecto pueden ser escollos importantes para la paternidad. Sin embargo, un hombre que teme maltratar a sus hijos porque él mismo fue maltratado puede ser un padre cariñoso y no violento. El hecho de ser consciente de que podría reproducir estos gestos puede servir para limitar el riesgo, especialmente si se aborda la cuestión antes del nacimiento del hijo y con la ayuda de un psicoanalista o de un psiquiatra, que en ocasiones puedan aconsejar el seguimiento de una terapia. No obstante, a veces el camino hacia la paternidad es bastante más largo.

Entre el deseo de «hacer un hijo» y el proyecto de tener un hijo

Es posible que a lo largo de tu vida hayas experimentado el deseo de dejar embarazada a una mujer. En efecto, el hombre puede experimentar el impulso de fecundar a la mujer amada, sin que

¿Se puede ser buen padre si el bebé no es totalmente deseado?

Según la opinión de especialistas que han estudiado el deseo masculino, la intensidad con la que se desee tener un hijo no influye en las cualidades del futuro padre. Es posible que hombres que inicialmente no manifestaban ningún deseo de ser padres acaben mostrándose entusiasmados con la presencia del bebé y asuman sin dificultad sus responsabilidades. Por otra parte, el hecho de que la mujer decida tener un hijo por iniciativa propia e interrumpa el método anticonceptivo sin informar a su compañero puede ser fuente de problemas. Cuando la mujer actúa sin tener en cuenta una opinión poco favorable de su compañero o incluso un claro rechazo, en la mayoría de los casos la relación de pareja acaba rompiéndose. La reacción de algunos hombres es dejar a la mujer y, en casos extremos, desaparecer para siempre; otros, en cambio, cuidan del hijo y se preocupan por estar a su lado, pero nunca llegan a perdonar a su compañera, de quien se separan.

ello signifique que haya pensado seriamente en la posibilidad de ser padre. Se trata de un deseo vehemente y visceral más propio del impulso amoroso que de una verdadera reflexión. En realidad, no existe un proyecto real de tener un hijo, pero es posible concebirlo a partir de este impulso si los dos miembros de la pareja están de acuerdo. A veces los padres se sienten realizados cuando nace el bebé, pero en otros casos el nacimiento del hijo puede generar un gran desconcierto.

La realidad del bebé • Es posible que después del nacimiento, o un poco antes, el padre experimente un repentino deseo de huir, ya que no se había planteado seriamente la posibilidad de criar a un hijo. Resulta revelador el testimonio de un joven padre,

quien explica que su compañera «se aprovechó de un "sí" lanzado en medio de la excitación de una noche de fiesta» y se arrepiente, dos años después: «Preferiría haber esperado. Ahora tengo que asumir la situación, y aunque quiero a mi hijo, no me siento lo suficientemente comprometido como padre.»

El deseo de tener un hijo suele preceder o acompañar el proyecto real de cuidar de un nuevo ser, pero esta evolución no se produce de forma automática. Lo mejor es tomarse un tiempo para reflexionar, sobre todo si la idea de vivir con un niño genera en tu interior una reacción de rechazo. Entre el deseo y el proyecto de tener un hijo hay una serie de pasos que cada padre deberá seguir (o no) a su propio ritmo.

Cuando el proyecto se hace realidad

Cuando el hombre y la mujer han compartido el deseo de convertirse en padres, la confirmación del embarazo suele ser un momento de gran alegría. A lo largo de las semanas siguientes, este sentimiento crece, se matiza, evoluciona y a veces genera inquietud o distanciamiento. Cada hombre afronta a su manera el camino hacia la paternidad. Además, muchos hombres sólo se sienten padres después del nacimiento.

▶ Una espera más o menos paciente

Cuando la decisión de formar una familia es cosa de dos, cada miembro de la pareja espera de determinada forma, con más o menos serenidad, en función del carácter y la edad de cada uno. Algunas parejas comparten la impaciencia en la espera, y el hombre se muestra tan decepcionado como la mujer con cada nueva menstruación, que confirma que no hay embarazo. La única diferencia es que no lo expresa o lo hace de forma menos evidente, y procura consolar a su compañera. En ocasiones, esta espera esconde la necesidad de confirmar la fecundidad del uno o del otro. Pero conviene no olvidar que es normal tener que esperar hasta seis meses o un año para lograr el embarazo.

No forzar las relaciones sexuales • En principio, lo mejor es no intentar programar las cosas. Es preferible hacer el amor cuando exista deseo. Una sexualidad libre y abierta favorecerá mucho más el embarazo que las relaciones sujetas al

calendario. Si, transcurridos dos años, tu mujer no ha quedado embarazada, podéis pensar en consultar a un médico (ver p. 47). Por lo general, impacientarse con el deseo de tener un hijo genera un clima de desasosiego que no contribuye a mejorar la concepción.

▶ Reacción a la noticia

Los sentimientos que se experimentan ante el anuncio del embarazo son de naturaleza tan íntima, que cada hombre los vive de manera única. Si has esperado con gran ilusión que llegara este momento, sin duda recibirás la noticia con gran alegría. En las semanas siguientes, esta felicidad adquirirá una dimensión más profunda o irá acompañada de otros sentimientos.

De entrada, difícilmente intuirás todo lo que implica la llegada de este nuevo ser, pero muy pronto te darás cuenta de que tu vida va a cambiar, aunque todavía no sepas exactamente de qué modo. Es normal que en estos momentos la

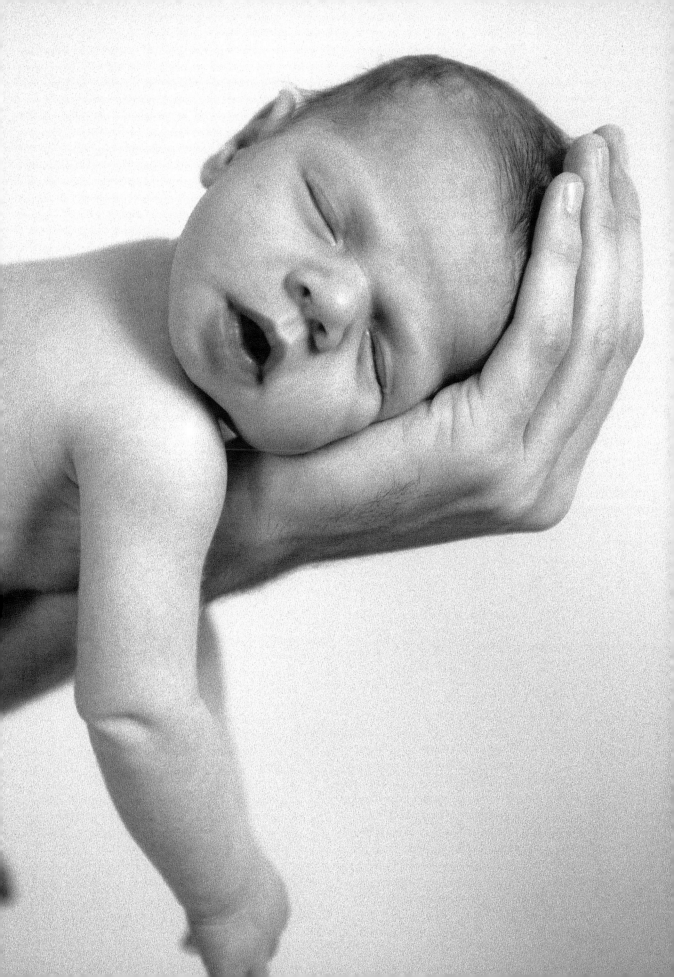

emoción vaya acompañada de inquietud. Empieza el camino hacia la paternidad, que cada hombre vive de una manera particular.

Una vivencia a la medida del deseo • A veces, la noticia del embarazo puede generar un verdadero impacto en el hombre, más que una sensación de felicidad. Por lo general, cuantos más factores externos intervienen en el deseo de tener un hijo (como por ejemplo la presión social), mayor es el riesgo de que los sentimientos estén atenuados. Saber que el niño llegará al cabo de nueves meses resulta más perturbador que aceptar la interrupción del uso de anticonceptivos. Además, algunos hombres se sienten tan desorientados que en cierto modo actúan como si olvidaran la noticia y no la asumen hasta después de unos meses, cuando la silueta de su mujer no deja lugar a dudas.

A cada cual su reacción • Incluso los hombres más ilusionados con la noticia del embarazo a veces se aíslan o, por el contrario, tienden a salir con mayor frecuencia desde el momento en que saben que su mujer espera un hijo. Es su modo de vivir este gran cambio. La futura paternidad remite al propio pasado, a la propia infancia y a los propios padres, y conlleva la evidencia de un futuro diferente.

Con más razón todavía, cuando el proyecto de tener un hijo no responde a un deseo íntimo, el futuro padre puede sentirse tentado a huir, y aunque en realidad no lo haga, tiende a estar menos presente, parece ignorar el estado de su mujer, y busca distracción y seguridad en otro lugar. En ocasiones, el embarazo puede ser fuente de conflictos entre la pareja, conflictos que suelen suavizarse tras el nacimiento del hijo.

Cuando la espera ha sido muy larga • Es posible que se den situaciones muy particulares y delicadas. La noticia del embarazo puede crear un gran desconcierto cuando la pareja ya no tenía esperanzas de lograr el embarazo tras numerosos intentos de fecundación *in vitro*. En este caso, la espera ha sido tan prolongada para ambos, que el deseo inicial en cierto modo ha desaparecido y ha sido sustituido por la necesidad de demostrar que pueden conseguirlo. Las reacciones posibles son muy diversas, y tanto el hombre como la mujer pueden sentirse completamente desamparados ante la llegada de este bebé que ya no esperaban. Cuando esto ocurre, a veces es necesario recurrir a la ayuda de un psicólogo para que la pareja pueda recuperar su proyecto de ser padres.

¿Cuándo me sentiré padre?

«Siento que algo pasa dentro de mí, son sensaciones vagas, pero no me siento padre en absoluto»: el testimonio de este hombre no es un caso aislado, ya que, para muchos hombres, la noticia del embarazo no coincide con la aparición del sentimiento de paternidad. Este desfase entre el «saberse padre» y el «sentirse padre» se prolonga en ocasiones a lo largo de todo el embarazo, y sólo a partir del nacimiento el padre experimentará un gran amor hacia el bebé. La dimensión emocional puede surgir desde las primeras semanas, a lo largo de la gestación o después del nacimiento. Algunos padres no tardan en sentirse diferentes, como si otra persona ya formara parte de su vida, mientras que otros no experimentan ninguna de estas sensaciones pero, en cambio, su actitud demuestra que planifican la forma en que se organizarán en el futuro, por ejemplo limitando los desplazamientos, pensando en la posibilidad de un cambio en el horario laboral, empezando a ahorrar... Cada hombre descubre el sentimiento de paternidad a su ritmo y lo expresa de modo distinto. Asimismo, la ausencia de una emoción consciente no impide que la sensación de ser padre vaya surgiendo progresivamente.

El libro de paternidad

Las costumbres cambian: así lo demuestra el hecho de que, por ejemplo, en Francia, los futuros padres reciban un libro de paternidad. La seguridad social se encarga de enviárselo a partir del momento en que su compañera declara su embarazo. Este libro contiene información sobre el permiso parental y el permiso por paternidad que rige en ese país, y en especial sobre la filiación (el vínculo jurídico que une a los dos progenitores y al hijo). Cuando no se está casado, por ejemplo, es importante saber que la autoridad parental ejercida por el padre no es evidente, sino que requiere la realización de determinados trámites. En caso de que ya se esté informado, este libro no resultará de gran ayuda, pero el solo hecho de que exista ya refleja una evolución importante en el estatus del padre.

Las respuestas a tus preguntas

"Mis ciclos tienen una duración variable. ¿Tendré más dificultades para quedar embarazada?"

El hecho de que tus ciclos no sean regulares no significa que no tengas una ovulación en cada ciclo. En principio, esto no influye necesariamente en el tiempo que necesites para quedarte embarazada. Todo depende del grado de irregularidad de tus ciclos (la variación puede ser de algunos días o de algunas semanas, dependiendo de cada mujer). Sin embargo, el hecho de que tengas ciclos irregulares puede dificultar el cálculo de tu fecha de ovulación. Pero, al fin y al cabo, esto no es tan importante si tenemos en cuenta que muchas mujeres conciben un hijo sin saber cuáles son los días más fértiles del ciclo. ■

"¿Cuándo debo decirle a mi jefe que estoy embarazada?"

Desde un punto de vista legal, sólo estás obligada a informar a tu empresa antes de coger el permiso por maternidad. Esto significa que eres libre de comunicar la noticia de tu embarazo cuando lo consideres oportuno. Del mismo modo, no es obligatorio que informes de tu embarazo durante una entrevista de trabajo. Sin embargo, si comunicas tu estado hacia el final del primer trimestre, podrás beneficiarte de algunas ventajas legales, como los permisos para acudir a las visitas y a los exámenes médicos previstos en el seguimiento de tu embarazo, sin que te descuenten nada del sueldo. Por último, debes saber que, desde un punto de vista legal, tu empleador (o futuro empleador) no tiene derecho a indagar sobre tu embarazo, y menos a despedirte por esta razón (ver Formalidades prácticas, p. 394 y siguientes). ■

"Hace un año que queremos tener un hijo pero no quedo embarazada. ¿Podrían ayudarme los inductores de la ovulación?"

Los inductores de la ovulación son medicamentos que el médico prescribe sólo en casos determinados, en especial cuando una mujer no ovula. Para saber si éste es tu caso, es necesario realizar un estudio de esterilidad que durará varias semanas. Cuando el médico disponga de los resultados de este estudio, podrá determinar si tú o tu compañero tenéis algún problema en particular, y sabréis si está relacionado o no con la ovulación. Es posible que a veces tengáis que esperar hasta uno o dos años antes de conseguir el embarazo, sin que por ello exista ningún tipo de anomalía. Si tienes más de 35 años y la situación te preocupa, puedes consultar a un especialista. ■

"¿Tengo que pedir hora para hacerme una ecografía o prueba de ultrasonidos desde el momento en que sé que estoy embarazada?"

Es cierto que a veces hay un tiempo de espera en los centros especializados en radiología, pero no es necesario pedir hora inmediatamente después de confirmar el embarazo. Basta con calcular que, en el caso de querer acudir a uno de los centros más solicitados, deberás esperar un mes. Si no sabes a qué centro dirigirte, puedes acudir al que otras mujeres te recomienden o, mejor aún, pedir consejo al médico que realice tu seguimiento. Algunos centros tienen más experiencia que otros, ya que se dedican exclusivamente a las ecografías realizadas durante el embarazo. ■

"Mi médico de cabecera se encarga de mi seguimiento ginecológico. ¿Puedo dirigirme a él al principio del embarazo?"

Si no tienes ningún problema de salud en particular, puedes acudir a tu médico de cabecera para confirmar tu embarazo o para la primera consulta. Él podrá derivarte a un ginecólogo obstetra para que se encargue del seguimiento de tu embarazo. Pero si sufres una enfermedad crónica, tienes antecedentes de embarazo extrauterino, tienes más de 40 años o has tenido complicaciones en embarazos anteriores, entonces deberás dirigirte a un ginecólogo o tocólogo desde el principio de tu embarazo. ■

Tú y tu bebé

mes a mes

- Una aventura extraordinaria
- El bebé *in utero*
- Los cambios en la madre
- El futuro padre mes a mes

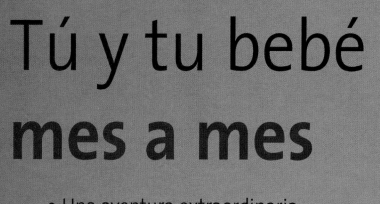

Una aventura extraordinaria

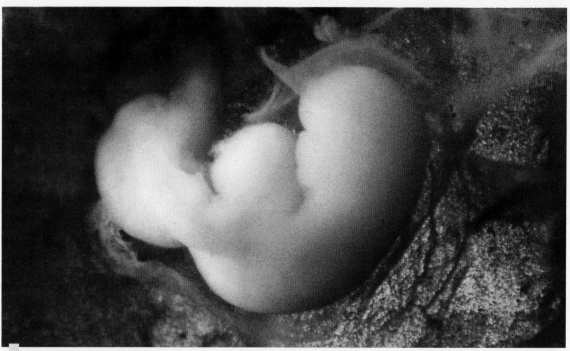

El embrión termina de formarse hacia la cuarta semana de gestación (la sexta semana de amenorrea). Su forma es similar a la de una pequeña habichuela. La prominencia que se observa arriba a la derecha corresponde a la cabeza.

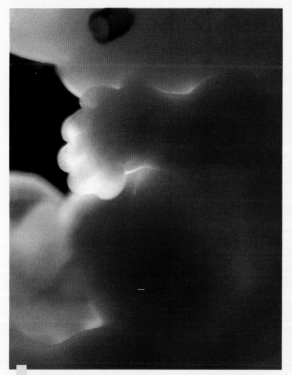

Alrededor de las 7 u 8 semanas de gestación se forman los músculos, los nervios y la médula ósea.

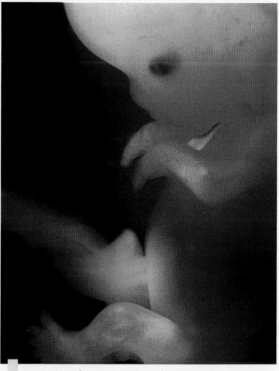

En torno a las 10 semanas de gestación aparecen los principales órganos, que todavía son inmaduros.

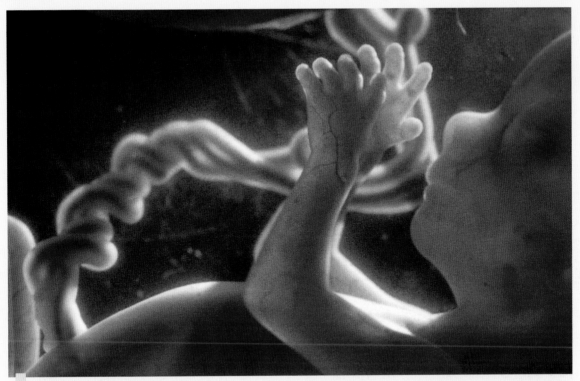

Gracias al cordón umbilical unido a la placenta, el feto (que aquí tiene 4 meses y medio) obtiene de su madre el oxígeno y las sustancias nutritivas que necesita y rechaza los residuos y el gas carbónico, que ella se encargará de eliminar.

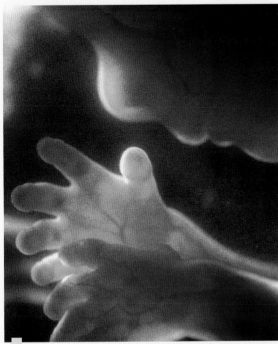

Cuando empiece el sexto mes de gestación, las manos ya estarán formadas y el feto adquirirá el sentido del tacto.

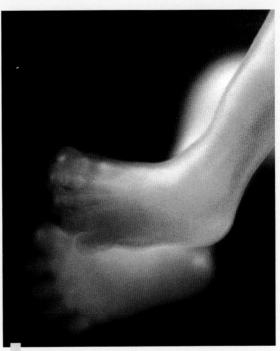

Todos los huesos crecen y se endurecen progresivamente hasta el nacimiento del bebé.

La nariz y la boca ya están claramente perfiladas. Los rasgos faciales del futuro bebé, que aquí apenas tiene 5 meses y medio, empiezan a definirse.

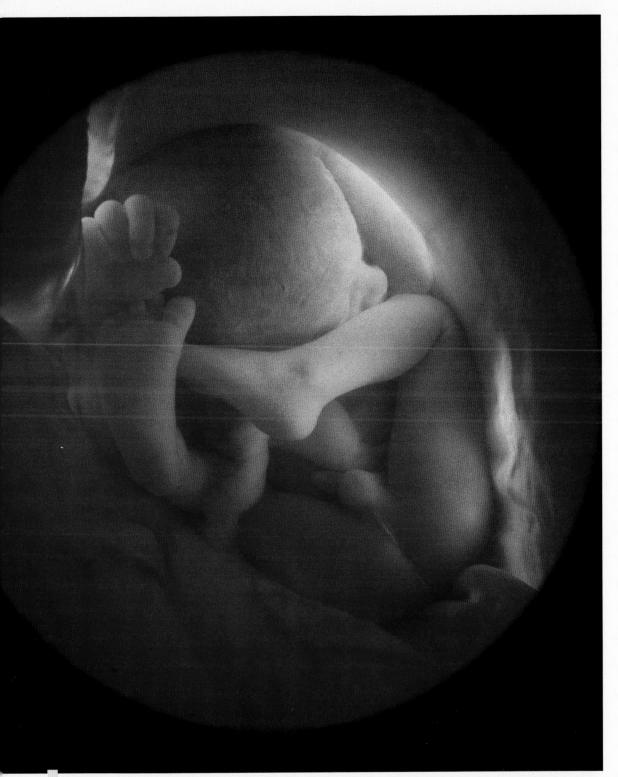

Al octavo mes, el bebé ya ha crecido mucho. Ocupa prácticamente todo el espacio disponible, cada vez está más apretado y se mueve con menos facilidad.

El bebé *in utero*: primeros

Un calendario complejo

E l embrión va creciendo día a día y se prepara para su futura vida. Para que la unión de dos células pueda dar lugar al nacimiento de un ser humano, es necesario que se sucedan miles de operaciones de extrema precisión. Sin embargo, el calendario de esta extraordinaria aventura no responde a un esquema rígido, ya que depende de las fases prenatal y postnatal. Existen unas líneas generales que definen el desarrollo normal, pero cada individuo tiene sus propias características y su dinámica de desarrollo personal. Es posible que un feto desarrolle más rápidamente determinadas funciones y que, en cambio, tarde más en adquirir otras.

Esta variabilidad es un factor que hay que tener en cuenta en el seguimiento del embarazo. Una de las razones por las que se define la prematuridad en función de las 37 semanas de amenorrea es el hecho de que, a partir de ese momento, todos los fetos tienen el grado suficiente de madurez pulmonar. Sin embargo, muchos fetos ya han alcanzado esta madurez algunas semanas antes. Estas diferencias respecto a la norma general representan una dificultad a la hora de establecer un diagnóstico, en particular ecográfico o de ultrasonidos.

Cuando un feto se aleja del desarrollo estándar, no siempre es fácil distinguir entre lo que es una simple particularidad individual o el inicio de una verdadera patología. Una definición demasiado rígida de la norma provocaría un excesivo control médico, mientras que un exceso de tolerancia sería perjudicial para el diagnóstico precoz de patologías fetales. Por esta razón, muchas veces es preferible dejar un margen de observación de unas semanas antes de emitir un diagnóstico negativo.

Nota: Las descripciones embriológicas se realizan en semanas de gestación contadas a partir del inicio efectivo del embarazo. Para un seguimiento del desarrollo en semanas de amenorrea, basta con añadir dos semanas: por ejemplo, la primera semana a la que nos referimos en la página siguiente corresponde a la tercera semana de amenorrea.

Los cambios en la madre

LA MADRE DURANTE EL PRIMER TRIMESTRE. El signo más espectacular del embarazo es la ausencia de la menstruación. Algunas mujeres tienen «falsas menstruaciones», es decir, sangran en el período en el que supuestamente se produciría la menstruación debido a la implantación del huevo.

Los primeros catorce días, mientras esperas la llegada de la menstruación, es probable que no te fijes en algunos pequeños detalles que más tarde te vendrán a la memoria, cuando tengas ante ti el resultado positivo del test de embarazo. Seguramente ya te encontrarás en la tercera o cuarta semana del embarazo cuando se hagan evidentes estos signos, que ya formarán parte de tu vida diaria y la habrán transformado.

Tu cuerpo empieza a cambiar. Tus senos aumentan de volumen, por lo que deberás aplicarles crema hidratante a partir del segundo mes para evitar la aparición de estrías, teniendo en cuenta que en el primer trimestre es cuando más aumentan de tamaño. Los pezones se vuelven más prominentes tras las primeras semanas, la areola se vuelve más oscura, se hincha, y se hacen visibles unas pequeñas protuberancias, los tubérculos de Montgomery. Empiezas a ganar peso, básicamente para acumular reservas de grasas que más

esbozos del embrión

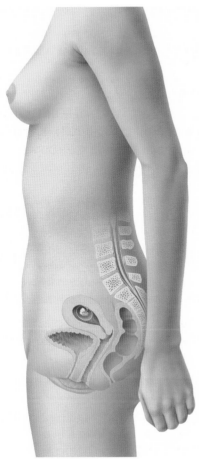

Primer mes: El huevo se fija en la mucosa uterina y se convierte progresivamente en un embrión.

▶ **La primera semana** • **El huevo resultante de la fecundación** del óvulo por el espermatozoide (ver pp. 19 y 21) se desplaza del tercio externo de la trompa uterina hacia la cavidad uterina, donde se implantará. A medida que se desplaza, el huevo empieza a dividirse en varias células.

▶ **La segunda semana** • **El huevo se fija en la mucosa uterina:** es la fase de implantación, que empieza a partir de sexto o del séptimo día, con la llegada del huevo al útero, y acaba a los doce días, cuando se produce el primer atraso de la menstruación.

Dentro del huevo, el «disco embrionario», formado por dos capas de células o láminas, empieza a organizarse: las células se multiplican y se separan hasta conformar una estructura compleja. El huevo tiene un diámetro de cerca de un milímetro.

▶ **La tercera semana** • **Se desarrolla la futura placenta** (ver p. 72), aparecen los primeros esbozos de los vasos sanguíneos y de las células sexuales, y se forma una tercera capa embrionaria. Cada una de estas capas dará lugar a unos tejidos especiales que, a su vez, originarán las demás células y, por consiguiente, todos los órganos. La capa interna (endodermo), por ejemplo, dará origen a los órganos de los aparatos digestivo y respiratorio; el sistema nervioso y los órganos de los sen-

tarde te permitirán obtener la energía necesaria. También es posible, aunque menos frecuente, que pierdas peso; si éste es tu caso, no debes preocuparte, ya que el embrión obtiene de tu cuerpo todo lo que necesita. Tu sentido del olfato está mucho más desarrollado y, del mismo modo que percibes más fácilmente aromas agradables como los de las flores, es posible que otros olores que hasta entonces no te molestaban, por ejemplo los de determinados alimentos, ahora te produzcan náuseas.

Cambios menos evidentes. El útero empieza aumentar de tamaño desde el principio del embarazo. Después del primer mes y medio su tamaño es el de una naranja, y a los tres meses el de un pomelo. Los vasos sanguíneos de la madre se dilatan para poder aportar el alimento necesario al desarrollo del feto, y el volumen de la sangre aumenta, pasando de los 4 a los 5 o 6 litros. Por último, el ritmo cardiaco se acelera y el débito cardiaco aumenta entre un 30% y un 50%. Esto significa que tu corazón late más deprisa, ya que debe bombear más sangre, y todo el sistema cardiovascular se adapta a estos esfuerzos complementarios.

Pueden aparecer algunas molestias que varían de una embarazada a otra e incluso de un embarazo a otro, para sorpresa de la mujer. Estas molestias pueden aparecer en distinto grado o incluso no existir, y entre estos dos extremos puede darse una gran variedad de posibilidades.

Los cambios en la madre

El bebé *in utero*: el embrión

tidos se formarán a partir de la capa externa (ecto-dermo), mientras que la capa media (mesodermo) dará lugar al esqueleto y a los músculos.

▶ **La cuarta semana** • **Corresponde al período de transición** entre la formación del embrión (embriogénesis) y la de los órganos (organogénesis) del futuro bebé. El corazón empieza a latir hacia el vigésimo tercer día, cuando no es más que un pequeño tubo pulsátil.

A partir de ese momento, el embrión adopta una forma más definida: es similar a una habichuela, con unas protuberancias que se convertirán en los miembros. Se desarrollan los primeros esbozos de los órganos. El embrión flota dentro de una cavidad llena de líquido amniótico, el saco amniótico o «bolsa de las aguas», y está unido a la placenta a través del cordón umbilical, que le permite obtener los nutrientes necesarios (ver p. 72).

Al final de este primer mes de desarrollo, el embrión mide unos 5 mm.

▶ **Las semanas quinta y sexta** • **Las cuatro cavidades cardíacas** se separan y el corazón, que ha aumentado de volumen, forma una pequeña protuberancia en la superficie del tórax. Empiezan a constituirse los demás órganos (estómago, intestino, páncreas y aparato urinario) y aparecen los esbozos de los futuros dientes.

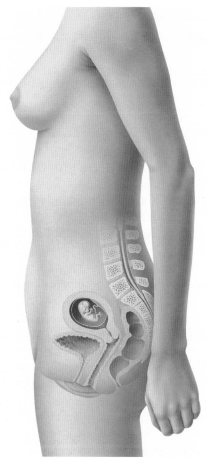

Segundo mes: Aparecen en el embrión todos los órganos, todavía en fase de esbozo.

Es posible que tengas náuseas o vómitos, que te sientas más cansada de lo habitual e incluso agotada, y que un paseo de 5 km en bicicleta te parezca toda una odisea. Durante el día tendrás más ganas de dormir, así que intenta tomarte más tiempo para descansar. Algunas mujeres tienen los senos hinchados, sensibles e incluso doloridos. Dado que el útero oprime la vejiga, quizás necesites orinar con mayor frecuencia e incluso tengas que levantarte por la noche. También puedes padecer vértigos o mareos.

No te desesperes: las náuseas o los vómitos, el malestar y la fatiga duran como máximo hasta el final del primer trimestre. Además, son signos de un desarrollo normal del embarazo.

Por último, es posible que empieces a sufrir estreñimiento, en cuyo caso deberás adoptar algunas medidas dietéticas, como beber dos litros de agua al día o comer ciruelas. Durante este período, no es extraño que tengas la sensibilidad a flor de piel, que te pongas a llorar por cualquier cosa y que no siempre te sientas bien contigo misma.

El bebé empieza a moverse. Durante el primer trimestre no notarás los movimientos de tu hijo porque todavía es demasiado pequeño. A veces, este período se hace eterno. Sabes que estás embarazada, el test de embarazo ha dado positivo, no tienes la menstruación, te sientes cansada y tienes náuseas, pero tu vientre todavía no ha crecido y no sientes ningún movimiento del bebé, todo lo cual puede resultar frustrante. Así pues,

se convierte en feto

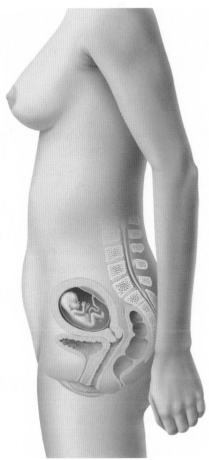

Tercer mes: Se distingue el sexo del futuro bebé, que ahora ya recibe el nombre de «feto».

▶ Las semanas séptima y octava ●

Se forman los dedos de las manos y de los pies, y posteriormente los distintos segmentos de las extremidades. Las glándulas sexuales empiezan a desarrollarse y, paralelamente, se constituyen los músculos, los nervios y la médula ósea. Las partes de la cara empiezan a definirse más claramente: dos pequeños salientes para los ojos, dos cavidades para las orejas y, de momento, una sola abertura para la nariz y la boca.

▶ Las semanas novena y décima ●

Aparecen los riñones y la orina empieza a verterse en el líquido amniótico. El embrión deglute y llena su estómago. Su cerebro consta de dos lóbulos simétricos. El intestino, que había empezado a desarrollarse fuera del vientre, integra ahora la cavidad abdominal.

El rostro del feto es reconocible, pues ya se han definido sus principales rasgos. Aparecen los primeros huesos. Las manos se definen con mayor precisión y el pulgar se separa de los demás dedos.

Los miembros se alargan y pueden moverse por separado. El feto ha empezado a moverse hace semanas, pero sus movimientos son tan leves que la madre todavía no los percibe.

Aparecen los órganos genitales externos, aunque no siempre es fácil distinguir entre el tubérculo genital de una niña y el pene de un niño.

esperas con impaciencia las visitas al médico y la primera ecografía para poder confirmar tu embarazo y para que te digan que todo transcurre con normalidad.

Una mujer que ya ha estado embarazada es capaz de notar antes los movimientos del bebé: a los cuatro meses en el primer embarazo, y a los tres meses y medio o incluso antes en el siguiente. Mantente atenta a tu cuerpo: al principio notarás una especie de burbujeo o ruido intestinal. Las mujeres no tardan en sentir la presencia del futuro bebé, pero no acaban de creerse que se trate de sus movimientos.

LA MADRE DURANTE EL SEGUNDO TRIMESTRE. Este es el período más agradable del embarazo, así que ¡disfrútalo! En el primer trimestre, las náuseas y la fatiga son frecuentes, y en el tercer trimestre impera la sensación de tener un cuerpo enorme. En contrapartida, durante el segundo trimestre te sientes bien, tu vientre se redondea suavemente, y la gente sabe que estás embarazada y se muestra más atenta.

Por fin sientes los movimientos del bebé. El aumento de peso es regular, de 1 kg al mes aproximadamente. Es el momento de hacerse la segunda prueba de ultrasonidos o ecografía, que te permitirá saber el sexo del bebé, si así lo deseas, y de pensar en la preparación para el parto (ver p. 203), especialmente si has optado por la haptonomía.

Los cambios en la madre

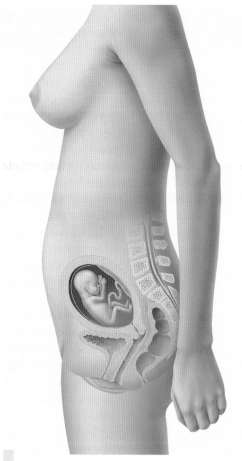

Cuarto mes: Los sentidos del gusto y del tacto prácticamente han alcanzado la madurez.

Acaba el período llamado «embrionario», puesto que ya han aparecido los distintos esbozos de órganos, y el embrión adopta el nombre de «feto». Esta distinción semántica es un tanto artificial, ya que el desarrollo, la organización y la madurez de los distintos órganos es un proceso progresivo y continuo que no finaliza hasta después del nacimiento.

En esta fase se realiza la segunda ecografía, la de las 12 semanas de amenorrea (10 semanas de embarazo), que permite determinar el buen desarrollo de las principales funciones en esta primera etapa. El futuro bebé mide entre 6 y 7 cm desde la cabeza hasta las nalgas y pesa unos 50 g. A juzgar por su aspecto general, se diría que ya es «mayor», pero todavía le quedan muchas semanas de desarrollo antes de poder enfrentarse a la vida exterior.

▶ Los meses tercero, cuarto y quinto • Empieza un período de grandes cambios. En las semanas anteriores se ha asistido a lo que se podría denominar fases de «pedido» y «entrega» de los distintos órganos, algunos de los cuales ya han empezado a funcionar.

Es fácil entender la importancia de este período: del mismo modo que la ausencia de unos simples tornillos puede impedir la construcción de una gran obra arquitectónica, un pequeño fallo en las fases iniciales del desarrollo humano puede tener repercusiones de distinta gravedad.

¿Qué ha pasado con mi cuerpo? El volumen del útero sigue aumentando, con la diferencia de que ahora lo notas y asistes a su desarrollo día a día. Tu silueta cambia. A los cuatro meses, la parte superior del útero llega al ombligo. No te asustes si a lo largo del embarazo tienes abundantes pérdidas vaginales de color blanco, pues es algo totalmente normal. La superficie de los senos muestra abundantes vasos sanguíneos, y la tensión arterial baja ligeramente debido al mayor volumen de sangre y a la dilatación de los vasos sanguíneos. Es posible que tengas calambres, sobre todo durante la noche; para evitarlos, puedes pedir a tu médico que te prescriba un suplemento de vitaminas y minerales.

Las encías se vuelven más sensibles y sangran cuando te cepillas los dientes; no te preocupes, todo volverá a la normalidad después del parto. Siempre puedes consultar a tu dentista habitual. También es posible que aumente la secreción de saliva.

LA MADRE DURANTE EL TERCER TRIMESTRE. Éste es el trimestre más duro físicamente hablando, sobre todo debido al tamaño del bebé (no olvides que al final del embarazo pesa alrededor de 3 kg y mide unos 50 cm), pero cada mujer lo vive de forma distinta. Algunas no sufren ningún malestar y se sienten más felices que nunca estando embarazadas, mientras que otras experimentan todas las molestias que se describen a continuación.

órganos empiezan a funcionar

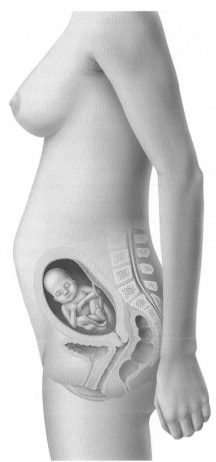

Quinto mes: Las células nerviosas del cerebro se multiplican y todo está en su sitio.

No es lo mismo una alteración en algunas de las células destinadas a formar una pequeña parte del hígado (alteración compensada por el número de estas células) que una alteración en las únicas células que constituirán el nervio óptico. Por suerte, la relativa flexibilidad de los mecanismos de desarrollo permite resolver este tipo de problemas en la mayoría de los casos y, por otro lado, contribuye a la diversidad del ser humano y a la existencia de las pequeñas particularidades que le caracterizan como individuo.

Cada función se constituye progresivamente. Algunos órganos no tardan en adoptar su aspecto definitivo, como por ejemplo las manos, mientras que otros no han acabado de formarse ni siquiera al final del embarazo, como es el caso de los riñones y el cerebro, que requieren un largo proceso de madurez.

Algunos procesos de desarrollo son interactivos: las cavidades cardíacas, por ejemplo, ganan volumen gracias a los flujos sanguíneos que circulan por ellas. Por esta razón los fetos siempre tienen un corazón demasiado «pequeño», lo que les obliga a tener una frecuencia cardiaca muy rápida. Existen más funciones que requieren la intervención de otros elementos: la maduración de los pulmones, por ejemplo, sería ineficaz si el desarrollo de los músculos torácicos no permitiera la respiración. Muy pronto el feto experimenta

El tamaño del útero aumenta de tal modo (hacia el final del embarazo mide unos 32 cm de media) que comprime los órganos adyacentes (el estómago, los intestinos, la vejiga y el diafragma) y obliga a la madre a cambiar sus hábitos.

La pigmentación de la piel se vuelve más oscura en los pezones y en la zona que va del ombligo al pubis. Pueden aparecer estrías, especialmente en el vientre y los muslos.

Las piernas, los tobillos y los pies pueden hincharse debido a la compresión de los vasos sanguíneos. Durante el verano, la hinchazón es mayor. Para aliviar estas molestias, puedes estirar las piernas y ponerlas en alto o estimularlas con chorros de agua fría mientras te duchas. Adapta tu calzado y utiliza zapatos abiertos por detrás para ir cómoda. Las manos también podrían hincharse, así que lo mejor es que te quites los anillos antes de que sea demasiado tarde... Esta hinchazón de las manos provoca a veces la compresión de un nervio que pasa por la muñeca, lo cual no tiene consecuencias importantes, pero puede ser molesto y provocar hormigueos, especialmente durante la noche. Intenta encontrar la posición adecuada, por ejemplo poniendo las manos encima de la almohada para que estén en alto.

Si duermes boca arriba puedes experimentar cierto malestar, ya que la vena cava estará comprimida por el útero. Prueba otra posición en la que te sientas cómoda: duerme sobre el lado derecho o izquierdo y de este modo no comprimirás el vaso sanguíneo.

Los cambios en la madre

El bebé *in utero*: cada vez

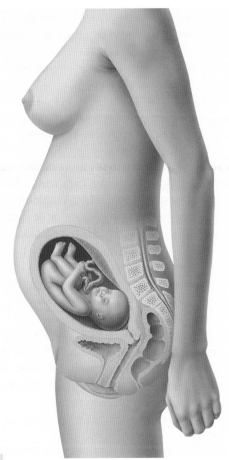

Sexto mes: El feto se mueve mucho y alterna las fases de sueño con las de vigilia.

movimientos respiratorios que permiten el fortalecimiento de estos músculos y la repetición de un acto que más tarde será indispensable.

Afortunadamente, la placenta asegura la mayor parte de las principales funciones vitales, como la aportación de oxígeno y alimento o la eliminación de residuos. De este modo, el feto puede tomarse todo el tiempo necesario para aplicar estas funciones, perfeccionar su funcionamiento y desarrollarse a su propio ritmo.

Durante la segunda ecografía (la que se realiza entre las semanas 18 y 20 de embarazo) los padres pueden ver el que será el aspecto definitivo del feto. En efecto, la única diferencia que puede apreciar un neófito entre la segunda y la tercera ecografía es el aumento de volumen del feto.

Las cavidades cardiacas están claramente definidas, al igual que el sistema de válvulas que controla la distribución de la sangre. Asimismo, se han constituido las diferentes partes del cerebro, cuyo exterior sigue siendo liso.

El feto, cuyos músculos ya se han desarrollado, es capaz de ejecutar movimientos complejos y lo suficientemente enérgicos para que la madre pueda percibirlos. La piel, todavía muy delgada, deja ver los vasos sanguíneos, y la grasa subcutánea sigue siendo escasa. El sentido del tacto se ha desarrollado y los receptores de la sensibilidad cutánea en los dedos ya están activos.

Tu pelvis empieza a ensancharse y se prepara para la salida del bebé, que se coloca en posición de parto, cabeza abajo. No te preocupes si tus pezones segregan calostro (un líquido amarillento y viscoso): es algo totalmente normal, y lo único que puedes hacer es utilizar discos protectores para no manchar el sostén. No presiones el pezón para que salga, ya que podrías provocarte contracciones.

Las actividades más sencillas se vuelven difíciles (arreglarse por la mañana, comer y dormir o desplazarse). Ya no te resulta tan fácil entrar en la bañera y lavarte, y evitas apoyarte en un solo pie por miedo a perder el equilibrio, por lo que prefieres ser precavida y bañarte sentada. Te cuesta vestirte, sobre todo atarte los zapatos, ya que no puedes inclinarte sin topar con el vientre, así que optas por sentarte y poner el pie sobre el muslo contrario. Después de todos estos esfuerzos te incorporas resoplando y necesitas un par de segundos antes de estar totalmente recuperada...

Comes con parsimonia, ya que el bebé ejerce presión en el estómago y no te permite ingerir grandes cantidades de alimento. Incorpórate si a pesar de la moderación en las comidas sientes una presión en el estómago y tienes la sensación de que te cuesta respirar. Algunas embarazadas también sufren ardor de estómago, que puede subir hasta la garganta.

se mueve más

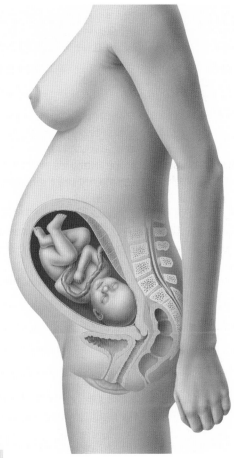

Séptimo mes: El feto oye los ruidos del exterior y puede sobresaltarse, por ejemplo, con un portazo.

Empieza a funcionar el sentido del gusto y el feto se familiariza con el sabor del líquido amniótico en el que flota. En esta fase, este líquido está compuesto esencialmente por orina fetal y permite importantes intercambios.

Al final del quinto mes, el feto ha alcanzado la mitad de su tamaño final: ya mide 25 centímetros, aunque sólo pesa unos 450 gramos.

▶ El sexto mes • **El feto se mueve mucho:** realiza entre 20 y 60 movimientos cada media hora, que pueden variar a lo largo del día, ya que en esta fase alterna los períodos de vigilia y los de sueño, y empieza a reaccionar a los ruidos externos.

El rostro del feto se perfila, las cejas se hacen visibles, las orejas aumentan de tamaño, la forma de la nariz se define más claramente y el cuello se estira. El feto suele chuparse el pulgar y a veces tiene hipo.

Los pulmones ya están bien desarrollados, pero no empiezan a funcionar hasta el final del octavo mes. Si el bebé naciera en esta fase, de forma prematura, tal vez podría sobrevivir, pero las posibilidades serían mínimas.

Mide alrededor de 37 cm y pesa 1 kg.

▶ El séptimo mes • **Los movimientos respiratorios** del feto cada vez son menos desordenados. A partir de ahora ya puede abrir los ojos.

Ya no puedes correr y caminas con dificultad, balanceándote y pasando el peso de tu cuerpo de un pie al otro. Un trayecto corto (para acompañar a tu hijo mayor a la escuela, por ejemplo) se convierte en un verdadero maratón. Para una mujer que se encuentra en los últimos días de su embarazo, «llegar hasta el final de la calle es como ir al fin del mundo».

Del mismo modo, te costará levantarte cuando estés acostada y viceversa. Para incorporarte, ponte primero de lado para no forzar los músculos abdominales, y mantente unos segundos sentada antes de ponerte completamente de pie.

Por último, con frecuencia necesitarás mucho más tiempo del habitual para realizar actividades tan sencillas como fregar platos (estarás demasiado alejada del grifo), bañar a un niño (tendrás que sentarte) o trabajar frente a la computadora (después de una hora o dos necesitarás levantarte).

Duermes mal y te despiertas varias veces durante la noche, ya sea porque necesitas orinar o debido a los movimientos de bebé, aunque no siempre por una razón en concreto. En cualquier caso, nunca debes aguantar las ganas de ir al baño, ya que tener la vejiga llena puede provocar contracciones. La única solución para las horas de sueño perdido es no tener reparos en compensarlas con una siesta durante el día. En realidad, se trata de una preparación para el ritmo de vida que llevarás después del nacimiento del bebé, que te obligará a despertarte frecuentemente durante la noche.

Los cambios en la madre

El estómago y el intestino ya funcionan, y los riñones prácticamente están formados, pero no serán plenamente funcionales hasta después del nacimiento.

El futuro bebé, cuyas orejas adquieren su forma definitiva al final del sexto mes, ya manifiesta su sensibilidad a los sonidos. Así, puede sobresaltarse con el ruido de un portazo, y agitarse o calmarse según la música que escuchen sus padres.

Al final de este mes se realiza la tercera ecografía o prueba de ultrasonidos (la de las 32 semanas de amenorrea o 30 semanas de embarazo).

El feto ha crecido tanto que empieza a estar apretado dentro del útero. Esto explica que sus movimientos sean menos frecuentes hacia el final del séptimo mes.

En esta fase mide unos 42 cm y pesa alrededor de 1,5 kg o incluso más.

▶ **El octavo mes** • **El feto adopta la posición definitiva** para el parto hacia el octavo mes, por lo general con la cabeza hacia abajo y las nalgas hacia arriba. Si esto no fuera así, el ginecólogo podrá intentar darle la vuelta (ver p. 162).

Dependiendo del momento, el feto puede tragar o regurgitar líquido amniótico por la boca o por los orificios nasales. No se trata de un simple ejercicio de preparación para la alimentación bucal: el líquido ingerido circula por todo el tubo diges-

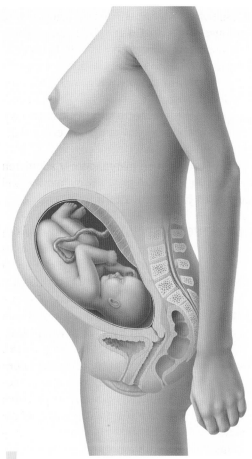

Octavo mes: El feto se coloca en la posición definitiva para el parto y su piel se vuelve más lisa.

Es posible que sufras dolores en los ligamentos (debido a la impregnación hormonal) de la zona del pubis (lo que dificulta el andar), en los lados derecho e izquierdo del bajo vientre e incluso en las costillas. Estos dolores son muy molestos, pero no tienen ninguna repercusión en el bebé. Puede ser que al principio te cueste distinguir entre este dolor y el de las contracciones uterinas si te duele el vientre, pero en realidad la localización del dolor no es la misma: una contracción afecta a todo el útero y, por lo tanto, se sitúa en medio del vientre; al mismo tiempo, tu útero se endurece y se encoge, ya que se «contrae».

En ocasiones, la posición del bebé no es la más cómoda para ti: si está cabeza abajo puedes tener la sensación de tener que andar con las piernas separadas. También es posible que el bebé tenga la cabeza o los pies debajo de tus costillas.

Volverás a sentirte cansada, algunos días o algunos períodos más que otros. Escucha tu cuerpo y descansa, pues el reposo es algo esencial para el buen desarrollo del embarazo. Duerme todo lo que necesites, incluso la siesta aunque no dure más de diez minutos, y acuéstate temprano. Si no te apetece salir por la noche, quédate en casa. Piensa que una mujer embarazada es como un corredor de maratón, teniendo en cuenta toda la energía que necesita para alimentar a su hijo.

«preparativos»

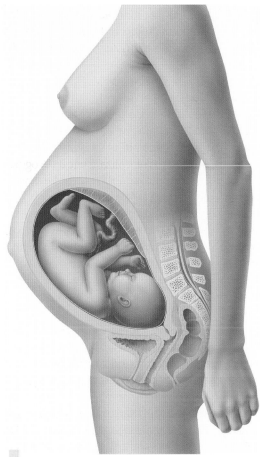

Noveno mes: El bebé puede nacer en cualquier momento, cuando se sienta preparado para salir.

tivo estimulándolo, y algunos de sus componentes contribuyen al desarrollo de los pulmones. El feto orina mucho, de forma proporcional a la cantidad de líquido amniótico que ingiere.

El futuro bebé también se arregla: una fina capa de grasa suaviza su piel y el vello es sustituido por una capa protectora, el unto sebáceo o vérnix caseoso, que a su vez desaparecerá al día siguiente del parto.

Los huesos siguen alargándose y adquieren consistencia. Hacia el final del octavo mes, el futuro bebé ya pesa 2,5 kg y mide 47 cm.

▶ El noveno mes • La piel del bebé es totalmente lisa.
Parte del vérnix caseoso ya se ha desprendido y flota en el líquido amniótico. El cráneo todavía no está del todo osificado: las dos fontanelas, los espacios membranosos que quedan entre los huesos, no se cerrarán hasta unos meses después del nacimiento (ver p. 259).

Ganar fuerzas, aumentar de peso y crecer: éstas serán las principales actividades del futuro bebé durante las dos últimas semanas. Prácticamente no puede moverse, y lo más probable es que salir al exterior sea un alivio. Al final del noveno mes el feto suele medir unos 50 cm y pesa unos 3 kg.

Ya falta poco para el parto, y será el futuro bebé quien determine cuál será el día D.

Algunos días te sentirás en plena forma, relajada, feliz, y al día siguiente, sin más, estarás cansada, taciturna e inquieta. Así es la vida de la embarazada: el crecimiento del bebé no es lineal, sino que más bien es como los peldaños de una escalera que hay que subir, y tu estado de ánimo no es más que el reflejo de las alteraciones que sufre tu cuerpo. Es posible que tu pareja no entienda estos cambios; si es así, tranquilízale explicándole que simplemente estás cansada y necesitas más descanso. Es bueno que tengas a alguien con quien hablar de todas estas sensaciones: una amiga, un familiar o tu médico. Encontrarás el tiempo y el espacio para compartir tus experiencias como embarazada en las clases de preparación para el parto, que empiezan en el último trimestre.

Si este tercer trimestre te resulta largo, sobre todo los últimos días, no olvides que el embarazo es un período efímero y que son tan sólo nueve meses, al lado de toda una vida, así que aprovecha este estado mágico.

El final del embarazo es fuente de numerosas molestias, pero también aporta una serenidad y una alegría inmensas ante la inmediatez de un acontecimiento tan importante como es el nacimiento de tu bebé.

Esperar un hijo es un acto tan íntimo que cada mujer puede hablar de este período de forma única y, desde un punto de vista físico, vivirlo de manera muy distinta a como lo vive cualquier otra mujer. Todos los síntomas descritos en este apartado son posibles y normales, y se corresponderán en mayor o menor medida a la realidad de tu embarazo.

Los cambios en la madre

El saco amniótico y la placenta

Para poder desarrollarse, el futuro bebé necesita «alimento» y oxígeno, y debe eliminar los residuos que genera. Todos estos intercambios vitales tienen lugar en el cuerpo de la madre, al que el feto está unido a través de la placenta y del cordón umbilical.

A medida que gana volumen, el embrión se aleja de la zona de implantación en la pared del útero y, paralelamente, se forma una membrana a su alrededor: la bolsa o fuente de las aguas, que muy pronto se llena de líquido y crece hasta ocupar totalmente el útero hacia la décima semana. Dentro de esta membrana vivirá el bebé, que flotará en el líquido amniótico.

La función del líquido amniótico

El líquido amniótico mantiene el feto a una temperatura constante, le permite moverse y le protege de los golpes y de los microbios que podrían llegar a través de la vagina. También le suministra el agua y las sustancias nutritivas necesarias, que el feto ingiere o absorbe a través de la piel. Cuando el futuro bebé orina, elimina una parte de este líquido, que se renueva permanentemente. La función nutritiva del líquido amniótico es mínima en comparación con la de la placenta (que en latín significa «pastel» o «torta»). En efecto, es esta última la que asegura la mayor parte de los intercambios vitales entre el bebé y la madre, a través del cordón umbilical.

La placenta y el cordón umbilical

El huevo resultante de la fecundación está rodeado de una capa de células llamada *trofoblasto,* que constituirá la futura placenta. Estas células empiezan a formarse en la mucosa uterina, donde proliferan y brotan. Así es como se forma una especie de árbol frondoso cuyas enmarañadas ramas acaban en miles de pequeños brotes que irrigan sangre al feto. Estos brotes se unen a los vasos sanguíneos que nutren el útero de la madre, y los intercambios se producen a ambos lados de la pared de brotes sin que las sangres se mezclen. A partir del tercer mes, la placenta ya está bien delimitada, pero los intercambios con el feto no se establecerán del todo hasta principios del cuarto mes. A partir de ahora crecerá a medida que se desarrolle el útero. Al final del embarazo, la placenta es como un disco esponjoso de unos 20 cm de diámetro y 3 cm de grosor, y pesa entre 500 y 600 gramos. Una de sus caras está conectada al feto a través del cordón umbilical, que contiene dos arterias y una vena umbilicales cuya función es permitir los intercambios entre la madre y el feto.

Intercambios en los dos sentidos

Durante mucho tiempo se pensó que la circulación sanguínea entre el feto y la madre era continua. Más tarde, los fisiólogos demostraron que, por el contrario, la circulación de cada uno de ellos era completamente independiente, y definieron la función de la placenta como la de un filtro especial entre la madre y el feto. Las arterias del útero transportan hasta la placenta la sangre de la madre. Las sustancias nutritivas y el oxígeno que transporta pasan por el filtro placentario y, a través de la vena umbilical, llegan al feto. Por su parte, la sangre del feto llega a la placenta a través de las arterias umbilicales. Esta sangre transporta residuos y gas carbónico, que atraviesan el filtro placentario hasta llegar a la sangre materna. El organismo de la madre es el encargado de eliminarlos, ya que los pulmones del feto no serán funcionales hasta después del nacimiento.

Los intercambios que se producen en la placenta son los relacionados con el oxígeno y el gas carbónico, el agua, las sales minerales y los alimentos. Pero estos intercambios, que no siempre se producen en los dos sentidos, son selectivos; por ello, los minerales y determinadas vitaminas (B y C) atraviesan fácilmente la placenta, mientras que otras vitaminas (A, D, E y K) y los lípidos (grasas) sólo penetran en cantidades muy pequeñas.

La placenta también fabrica unas hormonas necesarias para el buen desarrollo del embarazo.

El futuro padre mes a mes

¿Por qué mi mujer ya no es la misma? • ¿Cómo puedo ayudarla? • Adoptar un nuevo estilo de vida • ¿Puede notar el bebé la presencia del padre? • El contacto a través del vientre materno

Presenciar los cambios en la mujer

Tu pareja ya no es la misma desde las primeras semanas de gestación, aunque aparentemente su cuerpo no haya experimentado ningún cambio. A partir del cuarto mes, y de forma progresiva, su cuerpo empieza a cambiar y se redondea. Como testigo cotidiano de esta evolución, alternarás momentos de inquietud, orgullo, miedo, alegría... Sea cual sea tu reacción, el embarazo seguirá su curso, y lo más importante para tu mujer es que no dejes de mostrarle tu cariño.

▶ El desfase de los primeros meses

Durante los primeros meses apenas percibirás cambios físicos en tu mujer. A veces incluso tendrás la impresión de que todo sigue igual que antes, por lo que te costará hacerte a la idea de que dentro de tu mujer está creciendo un bebé. Sin embargo, en ocasiones existen indicios delatores de la presencia del feto, que varían de una mujer a otra: mareos, cansancio, mayor necesidad de dormir, irritación o momentos pasajeros de llanto (ver p. 63), entre otros. De lo que no cabe duda es de que tu mujer ya siente esta nueva vida en su interior y no puede transmitirte lo que experimenta. Quizás se produzca un pequeño desfase en la pareja por el hecho de que tu mujer tiene la absoluta certeza de que un nuevo ser crece en su interior, mientras que tú apenas percibes esta realidad. Asimismo, estos primeros meses pueden ser fuente de cierta incomprensión entre la pareja.

Cambios de humor • El principio del embarazo no siempre influye en el humor o en el carácter, pero sí es frecuente que la mujer experimente una mayor sensibilidad ante hechos en apariencia insignificantes. Que llore no significa que esté triste, o el hecho de que se irrite con facilidad no significa que esté realmente enfadada; al igual que la risa, todas estas manifestaciones no son más que la expresión de su emoción.

Mucho antes de que su vientre aumente de volumen, la mujer experimenta con intensidad los cambios que se producen en su interior. Sus cambios de humor podrán desconcertarte, pero no olvides que son completamente normales. Por lo general, la mujer suele mostrarse más serena durante el segundo trimestre, pero en ese momento quizás tú también te encuentres más desorientado, ya que hasta entonces no habrás empezado a asimilar la situación. Cada miembro de la pareja deberá mostrarse paciente con el otro durante el embarazo.

▶ ¿Orgulloso de su redondez?

A partir del cuarto mes, asistirás de forma progresiva a los cambios en el cuerpo de tu mujer. Algunos hombres se sienten muy orgullosos de la redondez de su mujer y experimentan un placer muy masculino cuando van a su lado, como si gritaran al mundo entero: «Soy un hombre de verdad, le he hecho un hijo a mi mujer», y con ello vieran confirmada su virilidad. Del mismo modo, algunas mujeres se sienten más femeninas que nunca. Además, estos sentimientos suelen ser recíprocos dentro de la pareja: por lo general, cuanto mejor se siente una mujer con su propio cuerpo, más bonita la encuentra su compañero, y viceversa.

Pero también es posible que la futura madre se sienta extraña en su cuerpo cambiante y sea crítica con su aspecto al ver que su vientre crece tanto que necesita renovar todo el guardarropa, y que sufra con un aumento de peso que le dificulta estar de pie y que es fuente de distintas molestias. Aquí es cuando tu forma de verla será más importante que nunca.

Las tareas domésticas al final del embarazo • En los últimos meses del embarazo, tu mujer requerirá más que nunca tu colaboración en las tareas domésticas, ya que su cuerpo tendrá unos nuevos límites. No podrá levantar objetos pesados ni realizar determinadas tareas, le costará más agacharse y es preferible que evite subirse a una escalera, por lo que puede ser necesario reorganizar el mobiliario. Tienes que ayudarla de distintas formas, lo que a menudo implica un nuevo reparto de las tareas domésticas. Si no encuentras tiempo para hacerlo todo, una buena solución es buscar ayuda externa.

▶ «Mi mujer ya no tiene ganas de salir»

Las parejas a las que les gusta salir a menudo ven cómo cambian esos hábitos al principio del embarazo, ya que ella se sentirá más cansada para soportar largas veladas entre semana y necesitará dormir más horas. Esto suele ocurrir en el primer trimestre y también es muy habitual al final del embarazo, aunque es mucho menos frecuente durante el segundo trimestre.

Esta situación requiere una adaptación temporal de los hábitos. Puedes optar por salir con tus amigos más a menudo, o pensar en activi-

Para que una mujer pueda vivir plenamente el embarazo, más que la solicitud de su compañero necesita su cariño.

dades de ocio con las que ella no se canse tanto. Es posible que se sienta contrariada por el hecho de tener que obedecer a las limitaciones de su cuerpo, algo que la afectará más todavía si tú se lo reprochas. Por otra parte, no debes sentirte obligado a adaptarte continuamente a su ritmo, pues ella también debe entender que necesitas tu propio espacio. Además, si sueles estar a su lado y te muestras atento, lo aceptará con más facilidad, ya que su fatiga, en general, se manifestará en determinados momentos.

¿Un nuevo estilo de vida? • A menudo, aunque la mujer no se sienta muy cansada, prefiere limitar las veladas con amigos entre copas y cigarrillos por el bien del futuro bebé. En efecto, siguiendo los consejos del médico de dejar el tabaco y el alcohol, tu mujer preferirá evitar cualquier tentación. Si en la pareja ambos fuman o suelen beber, será muy importante la ayuda del compañero, dejando a su vez de beber o restringiendo este consumo. Lo ideal es que ambos se propusieran dejar el hábito y se apoyaran mutuamente en este esfuerzo. En este sentido, los consejos del médico serán de gran utilidad.

▶ Si ella se queja a menudo...

Algunas mujeres viven su embarazo sin sufrir ningún tipo de molestia física, mientras que otras suelen tener dolor en el vientre, sufren problemas digestivos o no pueden permanecer mucho tiempo de pie. Los distintos síntomas varían mucho de una mujer a otra.

Estos posibles dolores o molestias suelen manifestarse al principio o al final del embarazo. Cuando se producen en las primeras semanas, algunos hombres no las toman del todo en serio e incluso pueden sentirse irritados; saben que deben apoyar a su compañera, pero aún no se sienten preparados para asumir su papel. Sin embargo, por lo general ellas sólo piden al hombre que entiendan cómo se sienten. La situación suele mejorar hacia el cuarto mes, como muy tarde.

Es cierto que no siempre es fácil responder a las quejas de tu compañera, sobre todo si te agobian. Puede ser que te sientas algo perdido porque no estás seguro de si la situación es normal o si existe algún problema, o porque quieres ayudar pero no sabes cómo. En estos casos, lo mejor es que hables con ella, pues es posible que no se dé cuenta de tu inquietud o perplejidad.

Cuando hay motivos de alerta • En principio, gracias a las visitas regulares al médico, tu mujer sabrá en qué casos necesita acudir con urgencia. Sin embargo, no está de más que adoptes una actitud vigilante. Mantente atento y aconséjale que acuda al médico si, por ejemplo, se pasa el día vomitando, tiene fuertes dolores en el vientre o nunca tiene ganas de hacer nada. Por lo general, la persistencia de un dolor o de una depresión no es buena señal. Sin duda conoces a tu mujer lo suficiente para saber en qué momento no se cuida o se siente demasiado cansada para reaccionar. Si esto sucede, no dudes en acompañarla al médico.

▶ Saber confiar

El hecho de que tu mujer necesite tu ayuda de vez en cuando no significa que el embarazo la convierta en un ser más delicado. Algunas mujeres experimentan una plenitud durante el embarazo que las hace más fuertes y seguras de sí mismas. En la mayoría de los casos, la futura madre, con la ayuda de los consejos de su médico, sabe lo que es bueno para ella y para el niño.

A causa de las obligaciones externas, sobre todo las profesionales, es posible que a veces se esfuerce demasiado, en cuyo caso es bueno que le recuerdes que necesita cuidarse. Sin embargo, por lo general, debes confiar en tu compañera: deja que sea ella quien decida si es capaz o no de realizar determinada actividad; más que tus muestras de diligencia, ella valorará tu amor. Si

Cuando el padre aumenta de peso...

Algunos hombres ganan peso durante el embarazo de su mujer, sufren dolores de espalda no habituales o presentan síntomas similares a los de una mujer embarazada. Esta situación suele provocar una sonrisa divertida o cariñosa en las personas de su entorno, que ven en estos síntomas una muestra de la gran implicación del futuro padre. Los médicos lo denominan síndrome de «incubación», en referencia a un rito propio de algunos pueblos indios americanos, en los que el hombre imita el embarazo y el parto de la mujer con una serie de gestos establecidos, y de este modo se convierte en padre de su hijo ante la sociedad. En Europa, el síndrome de «incubación» se refiere más bien a un deseo muy ambiguo de maternidad en el hombre, un deseo imposible. No se puede decir que sea algo grave, pero lo cierto es que no recibe la suficiente atención ni por parte de la sociedad ni de los médicos. Es posible que, en comparación con los demás, estos hombres experimenten una mayor necesidad de hablar sobre lo que sienten, aunque sólo sea en una visita a solas con el médico. Más que una muestra de la implicación del padre, la «incubación» podría ser una cuestión de identidad.

tienes la sensación de no participar en el embarazo tanto como desearías, recuerda que no se trata de que no hagas nada, sino que estás a su lado.

No obstante, algunos hombres se muestran ansiosos desde el principio hasta el final del embarazo y sienten que la situación les supera. Una manera de tranquilizarse consiste en acudir a alguna de las consultas con el médico, aunque esta ansiedad suele disminuir con mayores dosis de confianza. Es cierto que esto no resulta tan sencillo cuando se vive todo desde fuera, pero no olvides que es ella quien lleva el niño. Como padre no podrás captar toda la esencia del embarazo, y aún menos controlarlo. Tu mujer sentirá que este movimiento de la vida la supera y que ella misma no es omnipotente. Precisamente en esta aceptación reside la clave de su fuerza.

Primeros contactos con el feto

A partir del tercer mes de embarazo, el padre y el niño pueden sentir mutuamente su presencia a través del vientre de la madre. Algunos padres experimentan una gran emoción al poder sentir al bebé con sus dedos, mientras que otros prefieren evitar este tipo de contacto. Cada padre debe actuar libremente, ya que ni estos gestos ni su ausencia influyen en el desarrollo del feto.

▶ El despertar de los sentidos

Actualmente, los médicos disponen de mucha información sobre el feto y su desarrollo antes del nacimiento. Hoy en día sabemos que la madre puede entrar en contacto con el bebé a través de sus pensamientos y emociones cuando le «habla» interiormente. Asimismo, sabemos que el feto es sensible al tacto desde el tercer mes, y a las voces hacia el quinto mes.

Todos estos descubrimientos han propiciado una actitud diferente en los futuros padres. Cada vez son más los hombres que, a veces animados por su mujer o por el médico, «se acercan» al bebé antes de que nazca. En todo caso, debes saber que el bebé nacerá igual de sano aunque no realices estos gestos. Eres tú como padre el que necesitas hacer sentir tu presencia al feto. Esto te permitirá experimentar un placer lleno de emoción, por la satisfacción de disfrutar de un momento de intimidad con tu pareja y tu futuro hijo. También puede servirte para ser más consciente de la existencia del niño.

▶ Hablar con las manos y con la voz

A partir del tercer mes, e incluso antes de que la madre note los movimientos del bebé, éste ya percibe la presión, el peso y el calor de una mano, lo cual significa que ya puedes comunicarte de forma indirecta con él.

No tengas miedo de presionar un poco con la mano • Debes establecer este contacto del modo que lo sientas, pues lo más importante es que seas tú mismo. Basta con poner la mano extendida sobre el vientre para que el feto sienta una presencia. Si quieres, no tengas miedo de presionar ligeramente con la mano para poder tocarlo más de cerca. No le harás daño al bebé, que se agita mucho más cada vez que su madre estornuda y contrae los músculos del abdomen.

Las relaciones padres-hijo

El psiquiatra infantil y psicoanalista **Bertrand Cramer** *trabaja en una unidad de psiquiatría infantil. Sus investigaciones se centran en las relaciones precoces entre padres e hijos y ha llevado a cabo un trabajo pionero en el desarrollo de la psicoterapia madre-bebé. Es autor del libro* De profesión bebé *(1989) y del vídeo* Thérapies mère-enfant *(Terapias madre-hijo) (1994).*

También puedes acariciar el vientre con una mano y con la otra efectuar una ligera presión. Si se lo pides, el médico podrá enseñarte a realizar estos gestos cuando acompañes a tu mujer durante alguna de sus consultas.

De todos modos, el bebé te oye • También puedes establecer contacto con el feto a través de la voz colocándote cerca del vientre de la madre, si te apetece hacerlo. A partir del quinto mes, el bebé oirá tu voz cada vez que hables con su madre, ya que será sensible a los sonidos procedentes del exterior. Si con tu pareja hablas del niño, en realidad ya estás creando un vínculo entre los tres, ya que él percibirá al mismo tiempo las dos voces y la ternura que experimenta la madre.

La haptonomía • Para intensificar estos contactos con el bebé a través del tacto y de la voz, la pareja puede optar por las sesiones de haptonomía (ver p. 195), a las que se asiste a partir del cuarto mes como parte de la preparación para el parto.

▌ Si no tienes ganas de tocar al futuro bebé...

Es posible que sólo tengas la necesidad de estar en contacto con el bebé hacia el final del embarazo, o incluso que este deseo no se presente. Si es así, no te lo reproches, pues de nada sirve un gesto forzado. Las relaciones sensitivas anteriores al parto no influyen en el contacto que mantengas posteriormente con tu hijo. Aunque nunca hayas tocado el feto a través del vientre de tu mujer, el bebé te reconocerá después del parto porque lo cogerás en brazos y te interesarás por él. Sin embargo, es posible que tu compañera malinterprete tu actitud durante el embarazo, y considere indiferencia lo que en realidad

A partir del quinto mes, el bebé es capaz de oír la voz del padre cuando habla con la madre.

puede ser sólo aprensión o cierto reparo. En su deseo de querer compartir sus vivencias contigo, ella puede olvidar que las sensaciones que experimentas cuando tocas su vientre no son tan intensas como las suyas, ya que no eres tú quien lleva el bebé. Para evitar cualquier malentendido, tal vez necesites tranquilizarla, recordarle que tú también esperas, pero a tu manera. Puedes explicárselo o simplemente mostrarle que te sientes feliz con el embarazo.

El «rito» de la primera ecografía

Cada vez son más los hombres que asisten a la primera ecografía. Muchos experimentan una gran emoción al ver el feto, aunque al principio se parezca muy poco a un bebé. Algunos padres afirman que esta prueba de ultrasonidos es lo que les permite tomar conciencia de la verdadera existencia del niño, más que el anuncio de la madre. ¿Podría estar convirtiéndose esta primera ecografía en un rito moderno de iniciación para el padre? Es posible que así sea, pues lo cierto es que, en la práctica, la primera ecografía suele tener más trascendencia para el hombre que para la mujer. Por lo general, la madre no tiene tanta necesidad de ver al bebé, ya que nota su presencia, mientras que para el padre la ecografía es uno de los pocos recursos para percibir la realidad física del que será su hijo.

El día a día
del embarazo

- Guapa y en forma
- Dormir bien durante el embarazo
- La importancia de una buena alimentación
- Precauciones en el embarazo
- Pequeños dolores e incomodidades
- Nuevos vínculos afectivos
- Preparar la llegada del bebé
- Cuando el futuro padre piensa en el mañana

Guapa
y en forma

La belleza de la mujer embarazada • Elegir los productos adecuados de higiene y belleza • ¿Baño o ducha? • El guardarropa de la embarazada • Evitar las estrías y prevenir las manchas del embarazo • ¿Puedo seguir practicando deporte? • Ejercicios para mantenerse en forma

Estar guapa durante el embarazo

Durante el embarazo, a veces estarás espléndida y radiante, y en ocasiones tu cara reflejará el cansancio, tus facciones estarán tensas y tu piel aparecerá más frágil, sin contar que los kilos de más suelen ser difíciles de llevar. Aquí encontrarás algunos consejos y cuidados sencillos que te permitirán vivir estos nueve meses con total serenidad.

▶ El cuidado del cutis

Tal vez hayas observado que durante el embarazo la piel del rostro se embellece, volviéndose más fina y transparente. Los estrógenos tienen la capacidad de dilatar los vasos sanguíneos, con lo cual el cutis se ilumina y adquiere un tono ligeramente rosáceo que le aporta frescura y claridad. Naturalmente, suprimir el tabaco y el alcohol y alimentarse de forma equilibrada contribuyen a su buen aspecto.

Cuidados suaves • Sin embargo, debes saber que las hormonas también resecan la piel. Si la tuya es seca por naturaleza, ha llegado el momento de cambiar los productos para su cuidado. Evita las lociones tónicas con alcohol que pueden resultar agresivas para tu epidermis y aplícate una crema hidratante por la mañana y por la noche. Otra forma de compensar la sequedad es beber abundante agua (2 litros al día, lo que equivale a una botella de litro y medio más el vaso del desayuno). En cuestiones de

maquillaje, puedes hacer lo que te apetezca, pues lo importante es que te sientas guapa. Sólo deberás tener cuidado con los productos perfumados o que contengan alcohol, ya que durante la gestación aumenta el riesgo de desarrollar alergias. Para desmaquillarte, utiliza productos suaves y no astringentes.

La máscara del embarazo: ¡cuidado con el sol! • ¿Te han aparecido manchas de color marrón en la frente, las sienes y los pómulos con los primeros rayos de sol? Se trata del cloasma gravídico o melasma, popularmente conocido como «máscara del embarazo», que afecta al 70% de las mujeres embarazadas a partir del cuarto mes. Las pieles mate son las que más sufren estos cambios de pigmentación, que durante el embarazo se deben a un importante aumento de las hormonas que favorece la síntesis de melanina.

¿Qué se puede hacer para prevenir el cloasma? Naturalmente, en primer lugar hay que evitar la exposición al sol. Aplícate una crema de protección solar total, aunque estés en la ciudad, desde los primeros días de sol. Utiliza gafas de sol y un sombrero de ala ancha cuando la exposición al sol sea mayor. Si a pesar de estas precauciones aparecen las temidas manchas, debes saber que por lo general desaparecen seis meses después del parto. En caso de que persistan, el dermatólogo podrá recetarte una crema despigmentante. Aplicando esta crema sobre las manchas cada noche y utilizando una protección solar durante el día, al cabo de unos meses incluso el cloasma más persistente habrá desaparecido. Este tipo de cremas suelen contener hidroquinona asociada a un corticoide, la vitamina A ácida o los alfa hidroxiácidos (AHA). Después del parto, y una vez despigmentada la piel, evita tomar una píldora anticonceptiva a base de estrógenos (consúltalo con tu ginecólogo).

Cuida y nutre tu cuerpo

Las huellas del embarazo • ¿Te han aparecido unos puntitos rojos en forma de estrella, llamados «arañas vasculares», entre el segundo y el quinto mes? ¿Se han oscurecido las areolas de tus senos o te ha aparecido una línea vertical marrón en medio del vientre? ¿Tus cicatrices se han vuelto oscuras durante el tercer trimestre? Es cierto que el embarazo suele manifestarse de forma menos estética en el cuerpo que en la cara, pero todas estas marcas son normales y desaparecerán unos meses después de dar a luz, cuando ya no te encuentres bajo la influencia de las alteraciones hormonales. Utiliza productos de higiene personal muy suaves, como jabones muy grasos, leche hidratante y aceite de almendras dulces.

El cutis suele estar más radiante durante el embarazo, mientras que el resto de la piel requiere un mayor cuidado y el uso de cremas hidratantes.

Las estrías • Son otra de las incomodidades del embarazo. Estas pequeñas vetas violáceas, y posteriormente blancas, son una lesión de la piel consistente en la rotura de las fibras elásticas de la epidermis debido a un excesivo estiramiento o a una alteración hormonal. Aparecen sobre todo en el vientre, los senos, las caderas, los muslos y las nalgas, suelen ser múltiples y se agrupan formando líneas paralelas que muchas veces adoptan

Un desagradable ataque de acné

Las alteraciones hormonales que sufre tu cuerpo pueden provocar un repentino acceso de acné al principio del embarazo debido a la hipersecreción y a la retención del sebo que no llega a salir por los poros. Las zonas más afectadas son la cara, el pecho y la espalda. En este caso, tu médico te recetará cápsulas de zinc para regular el flujo de sebo, pues éste es el único tratamiento que puedes seguir estando embarazada. Para aumentar su eficacia, deberás seguir unas estrictas normas de higiene y lavarte la cara con un pan dermatológico para pieles sensibles. En cuanto a la alimentación, evita las especias, el café y, naturalmente, las bebidas con alcohol. El acné desaparecerá progresivamente al cabo de unas semanas.

una disposición simétrica. Algunas mujeres tienen más predisposición que otras a las estrías (en función de la elasticidad de la piel). Aunque nunca se ha comprobado la eficacia de las llamadas «cremas preventivas», puedes intentar evitar la aparición de estrías controlando tu peso y aplicándote diariamente crema hidratante en todo el cuerpo. Una piel bien hidratada recupera su elasticidad, se suaviza y se distiende, por lo que es menos probable que se agriete. Además, un *peeling* suave una vez por semana hará que tu piel absorba más fácilmente estos productos hidratantes.

Si después del parto quieres eliminar las marcas más visibles, tu dermatólogo podrá recomendarte un tratamiento con vitamina A ácida, utilizada para combatir el acné, la microdermoabrasión con cristales de aluminio, que atenúa visiblemente las estrías blanquecinas, o el tatuaje, que las tiñe definitivamente.

El cuidado del escote • Durante el embarazo lucirás unos senos generosos y un escote magnífico, pues el aumento de los estrógenos y de la progesterona no tardan en hacerse visibles en el pecho. Dado que estas hormonas aumentan la producción de agua y grasas, debajo de la capa cutánea se forma una especie de almohadilla suplementaria: tus senos se endurecen y aumentan de volumen. Pero ¡cuidado!, el hecho de que tus senos luzcan más que nunca también significa que son mucho más vulnerables. No olvides que el seno no es un músculo, sino que es una glándula envuelta por tejidos conjuntivos y adiposos, por lo que la calidad y la tonicidad de la piel son esenciales para su cuidado.

Para evitar que el peso de tus senos distienda excesivamente la piel, utiliza desde el principio del embarazo un sostén adecuado, de copa profunda y tirantes anchos, y cambia de talla cuantas veces sea necesario a lo largo de estos nueve meses. Para potenciar la tonicidad de la piel utiliza duchas de agua fría, si las soportas bien. En cualquier caso, evita los baños con agua caliente y acuérdate de utilizar una crema de protección total cada vez que vayas a exponerte al sol. Aplícate diariamente una crema hidratante desde la base de los senos hasta el cuello.

Practica la natación de espalda tanto como quieras, pues te ayudará a reforzar los pecto-

Los cuidados del cuerpo

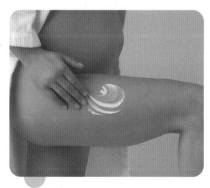

Los muslos

Masajéate los muslos en sentido ascendente mediante movimientos circulares desde dentro hacia fuera utilizando una crema reafirmante o, simplemente, aceite de almendras dulces. Estos masajes te ayudarán a mantener la piel elástica, pero no te hagas demasiadas ilusiones sobre su eficacia a la hora de hacer desaparecer las estrías.

El vientre

Masajea tu vientre con una crema con elastina o con aceite de almendras dulces empezando por el ombligo, en sentido ascendente y hacia los costados.

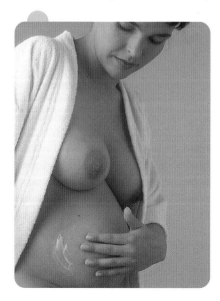

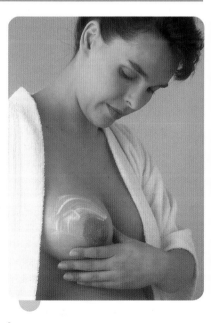

Los senos

Con la palma de la mano, efectúa ligeros masajes subiendo desde el pezón hacia el hombro.

rales, los músculos a los que se unen los ligamentos que sostienen los senos. Aunque su firmeza y su aspecto no vuelvan a ser los mismos después del embarazo (independientemente de si das o no el pecho), puedes seguir teniendo unos bonitos senos.

Prepara los senos para la lactancia • Si has decidido dar el pecho a tu hijo, la frecuencia de las tomas podría dejar algo maltrechos tus pezones. Para prevenir las grietas, unas pequeñas lesiones que pueden resultar muy dolorosas, puedes empezar a tonificar tu piel dos o tres meses antes del parto. Masajéate los senos a diario con aceite de almendras dulces al que previamente hayas añadido unas gotitas de limón, estíralos suavemente y, de este modo, tu piel reaccionará mejor cuando amamantes a tu hijo.

▶ Cómo aliviar las piernas

¿Sientes las piernas pesadas y tienes la desagradable sensación de que se han hinchado desde que estás embarazada? Esto se debe a las alteraciones hormonales, que debilitan los vasos sanguíneos y provocan una disminución de la circulación. No todas las mujeres sufren este tipo de problemas. En realidad, existe un importante factor hereditario que predispone a algunas mujeres: si tu madre tiene mala circulación sanguínea o varices, es probable que tú también sufras de lo mismo.

Piernas ligeras a pesar del embarazo • Aliviar las piernas pesadas no sólo es importante para tu bienestar, sino también para evitar la aparición de varicosidades y de varices. Para reducir las molestias, basta con seguir unos consejos muy sencillos:
• Anda como mínimo media hora al día y practica la natación siempre que puedas.
• Evita un aumento excesivo de peso.
• No permanezcas demasiado tiempo de pie.
• Al sentarte, coloca los pies en un reposapiés (en un banco para los pies o encima de algunos libros) para que las piernas estén en alto.
• Duerme con los pies ligeramente elevados.
• Evita la calefacción desde el suelo.
• Evita los baños o las duchas con agua muy caliente.
• Acaba tus duchas aplicando un chorro de agua fría en las piernas.
• Masajéate las piernas de abajo arriba utilizando un gel con mentol o alcanfor, que te proporcionará una sensación de frescor.

Cabello abundante y uñas fuertes

Tu cabello lucirá bonito y abundante como nunca. Gracias a los efectos de los estrógenos, el embarazo mejora el estado del cabello seco y las puntas abiertas e incluso reduce su caída normal. Sin embargo, puede estropear los cabellos grasos. Si éste es tu caso, deberás lavarte el cabello frecuentemente usando un champú suave y evitar secarlo muy de cerca o con excesivo calor. Después del champú, puedes aplicarte una crema regeneradora para el cuidado capilar. Por lo general, las hormonas del embarazo también tienen un efecto beneficioso en las uñas, que se endurecen y crecen más rápidamente de lo habitual. Si de todos modos estuvieran quebradizas, córtalas a ras; después de dar a luz se harán más sólidas y fuertes. Si tienes por costumbre limarlas y pintarlas, nada te impide seguir haciéndolo.

Si estas precauciones no son suficientes, tu médico podrá aconsejarte sobre el mejor tratamiento: pantis de compresión (eficaces, aunque no siempre fáciles de llevar), medicamentos venotónicos, cremas descongestionantes, etc. Debes saber que después del parto los problemas de edemas desaparecen rápidamente, la mayoría de las veces en una semana.

Combatir la celulitis • La celulitis se debe a la acumulación anormal de grasa en los tejidos adiposos, que se deforman y adoptan un aspecto rugoso (lo que se conoce como «piel de naranja»). Cuando las células están saturadas, la circulación sanguínea es menos fluida. Dado que el embarazo favorece esta saturación, es necesario estimular las células grasas y descongestionar los tejidos para favorecer su drenaje.

El masaje puede contribuir a que los tejidos recuperen parte de su elasticidad; con la ayuda de una crema, un aceite o un gel, masajea tus muslos de abajo arriba. Un consejo: la actividad física (sobre todo andar y realizar ejercicios suaves en la piscina) favorece la circulación sanguínea. No olvides beber mucha agua y controlar tu peso.

Cuestión de gustos y de comodidad

En situaciones «normales», es habitual pensar «no tengo nada que ponerme». Con más razón aún, cuando el cuerpo se transforma semana a semana, sentirse guapa se convierte en un verdadero quebradero de cabeza. Si tienes en cuenta tu comodidad, te sentirás a gusto contigo misma y al mismo tiempo atractiva.

▶ Ante todo, comodidad

La única norma que debes seguir durante el embarazo es escoger ropa y calzado cómodos y con los que no te sientas comprimida. De este modo te sentirás a gusto en tu cuerpo y atractiva de forma natural. A partir de ahí puedes combinar como mejor te guste los accesorios, los fulares, los broches y los collares para que no te resulte monótono repetir las mismas prendas.

Sé práctica de los pies a la cabeza • Al principio podrás seguir usando tu ropa habitual, ya que el aumento de peso apenas será perceptible y tu silueta aún no habrá sufrido grandes cambios. Puesto que tus senos aumentarán de volumen rápidamente, la primera prenda de premamá que comprarás será un sostén con aros que sostenga bien el pecho y sea cómodo. A medida que transcurran las semanas, elegirás blusas más holgadas, suéters anchos y, por qué no, tal vez alguna prenda del futuro papá. La ropa «de arriba» no supone ningún problema, mientras que encontrar ropa «de abajo» siempre es algo más complicado. Por lo general, al final del primer trimestre necesitarás cambiar de talla. Es un buen momento para utilizar faldas y pantalones de cintura elástica. Si quieres usar mallas, elige dos tallas más de la habitual y enrolla cuidadosamente la parte de la cintura sobre tus caderas de modo que la goma no comprima el útero.

¿Ropa de embarazada? • Puede llegar el momento en que te sientas tentada a comprar en alguna tienda especializada. Afortunadamente, hoy la ropa de embarazada ofrece unas líneas muy actuales, por lo que no te verás obligada a recurrir a los clásicos vestidos bordados de color pastel. Además, en los grandes almacenes de ropa encontrarás colecciones desenfadadas que incluyen pantis especiales, pantalones o blusas ajustables. Confía en la experiencia de tus amigas a la hora de decidirte por una opción u otra: ¿botones o elástico?

Ropa interior, medias y pantis • Utiliza ropa interior de algodón para evitar las alergias y las micosis, en particular si alguna vez ya has sufrido este tipo de problemas, ya que los tejidos sintéticos favorecen la proliferación de gérmenes vaginales, sobre todo durante el embarazo.

Evita usar liguero y medias con goma hasta media pierna, pues son poco recomendables para la circulación sanguínea. Lo mejor es optar por los pantis, algunos de los cuales están especialmente diseñados para mujeres embarazadas, aunque también puedes utilizar tu marca habitual siempre que los cortes por la cintura. Si sientes las piernas cansadas o tienes tendencia a las varices, utiliza pantis de compresión; que no te asuste su nombre: hoy en día estos pantis se venden en distintos colores y te proporcionarán una gran comodidad.

No siempre es fácil elegir una falda o unos pantalones adecuados. Cualquier solución será buena siempre que no te sientas comprimida.

El calzado • A medida que avance la gestación, tu centro de gravedad se desplazará y las articulaciones se volverán más frágiles. Si te gusta llevar tacón, puedes continuar haciéndolo siempre que no supere los 3 cm. Los zapatos deben ser anchos. Los de tacón de cuña no te resultarán incómodos, pero debes tener en cuenta que si la suela es demasiado alta tu equilibrio podría ser inestable. Lo ideal es escoger un zapato cómodo que te proporcione un buen equilibrio y que no apriete demasiado, ya que hacia el final del embarazo los pies tenderán a hincharse.

Es mejor que dejes las botas para la próxima temporada, ya que al comprimirte las pantorrillas pueden favorecer la hinchazón de piernas y pies (edemas) e incluso la aparición de varices. Si tu actividad profesional te lo permite, utiliza zapatillas deportivas; además de ser cómodas, están disponibles en una gran variedad de colores, por lo que podrás combinarlas con distintas prendas.

El algodón es el material más indicado cuando los senos están más sensibles.

▶ Algunos consejos para lucir silueta

Las superposiciones ayudan a marcar la silueta: prueba a ponerte, por ejemplo, una camisa larga con un chaleco corto sin mangas, un suéter ancho y corto encima de una camiseta larga y ceñida, o una blusa holgada y desabrochada encima de un vestido.

Para evitar caer en la monotonía, complementa estas prendas con cinturones elásticos o con fulares atados que resalten el vientre. Elige prendas de color, que sientan bien a la cara. Es posible que te sienten de maravilla durante el embarazo colores que nunca antes habías usado. La tendencia actual es usar ropa que marque sin complejos las curvas del vientre. Esto no significa que debas someterte a los designios de la moda, sino que debes seleccionar tu vestimenta en función de tus gustos y de tu silueta. La idea es que todo está permitido, siempre que no te sientas incómoda o comprimida. En invierno o con tiempo húmedo, procura mantener el vientre bien tapado, sobre todo en las últimas semanas del embarazo.

¿Qué sostén debo elegir?

Es muy probable que el sostén sea una de tus primeras compras, ya que los senos aumentan de tamaño desde el principio del embarazo y, a falta de músculo, se dilatan. Por ello es importante que elijas un buen sostén.

• Elige un producto de calidad, cómodo y preferiblemente de algodón.

• Siempre que no te molesten, opta por los aros para una mayor sujeción.

• El sostén debe cubrir todo el seno, debe tener unas copas profundas que separen los senos sin comprimirlos y unos tirantes anchos. De nada te servirá calcular la talla que necesitarás, ya que es muy probable que aumente a lo largo del embarazo. Pruébate el sostén antes de comprarlo para evitar sorpresas.

• Espera hasta el final del embarazo para comprarte un sostén de lactancia y calcula una talla más de la que estés utilizando, pues tus senos podrían aumentar aún más de tamaño.

Las respuestas a tus preguntas

"¿Es más recomendable tomar un baño o es mejor la ducha?"

A pesar de las ideas preconcebidas, el baño no está en absoluto desaconsejado durante el embarazo, ya que está comprobado que tiene un efecto relajante. Si te cuesta conciliar el sueño, como les ocurre a muchas embarazadas, es muy recomendable que tomes un baño por la noche. De todos modos, la ducha también presenta ventajas, ya que tiene un efecto más estimulante. Un detalle importante: utiliza una alfombrilla antideslizante, pues en tu estado una caída resultaría muy inoportuna. Tanto si optas por el baño como por la ducha, no los tomes con agua demasiado caliente porque resulta perjudicial para la circulación. ■

"¿Debo utilizar un producto especial para la higiene íntima?»

De manera general, presta atención a tu higiene íntima, ya que las secreciones vaginales pueden ser más importantes durante el embarazo. Lávate con agua y un jabón normal o ginecológico. Este último, de venta en las farmacias, se presenta en forma de jabón líquido o de polvos para diluir. Elimina los productos ácidos o a base de mercurio, demasiado agresivos para la mucosa vaginal. Ten en cuenta que debes lavarte sólo por la parte exterior y que has de evitar las duchas vaginales, que podrían dañar la mucosa. Utiliza también ropa interior de algodón, fácil de lavar con agua caliente. ■

"¿Puedo seguir depilándome con cera caliente?»

Seguramente ya habrás observado que el vello y el cabello tienden a crecer más rápidamente durante la gestación. La depilación con cera caliente no está prohibida, pero deberás evitarla si tienes problemas de circulación o las piernas cansadas. Utiliza preferentemente cera fría o cremas depilatorias de venta en farmacias (una pequeña prueba previa te permitirá saber si eres alérgica).

Si normalmente te depilas el vello del labio superior, es recomendable que durante un tiempo optes por la decoloración (tomando las mismas precauciones contra las alergias), ya que con cada depilación el vello crece con más fuerza y puede volverse realmente antiestético. ■

"¿Puedo utilizar aceites esenciales durante el embarazo?"

Si los utilizas habitualmente, puedes continuar añadiendo algunas gotitas en tu baño. De lo contrario, lo mejor es que no empieces ahora, ya que durante el embarazo tu piel es mucho más sensible y aumentan los riesgos de alergia. Debes saber que los aceites esenciales nunca se aplican directamente sobre la piel. ■

"Estoy de 4 meses y me gustaría teñirme el cabello, ¿hay algún problema?"

No está contraindicado teñirse durante el embarazo, sobre todo si el tinte no contiene amoníaco. No obstante, es mejor que intentes no abusar de este tipo de tratamientos para conservar al máximo la calidad de tu cabello. Es recomendable que informes de tu estado al peluquero, ya que es posible que tus cabellos no reaccionen del mismo modo durante el embarazo. ■

"El perfume que solía usar me molesta, ¿es normal?"

El aumento de estrógenos durante el embarazo provoca una hipersensibilidad olfativa, lo que significa que tu olfato está más desarrollado y que ahora no soportas olores que antes te resultaban agradables. El perfume podría incluso «estropearse» sobre tu piel debido al aumento de la sudoración. Si éste es tu caso, opta por las colonias, más ligeras que los perfumes. Evita la combinación de perfume y la exposición al sol, que favorece la aparición de manchas. Es mejor que vaporices la colonia o el perfume por todo tu cuerpo una vez vestida. ■

Mantenerse en forma

En principio, embarazo no equivale a inactividad. Sin embargo, esto no significa que debas practicar cualquier tipo de deporte. Si haces caso al sentido común y sigues algunas normas muy sencillas, sabrás cómo mantenerte en forma durante estos nueve meses tan especiales.

¿Cuáles son los beneficios del ejercicio físico?

Vivir plenamente el embarazo también significa sentirte bien en tu cuerpo, que evoluciona a lo largo de los meses, sin tener que cambiar totalmente de hábitos. El objetivo de la actividad física durante estos nueve meses no es desarrollar la musculatura, sino que más bien se trata de mantenerla y adaptarla, trabajar la respiración, activar la circulación sanguínea y el tránsito intestinal, y aliviar las tensiones musculares. Desde el punto de vista del parto, el ejercicio físico aporta un mejor autoconocimiento, confianza en el propio cuerpo, un buen control de la respiración y un gran bienestar. Así pues, lo mejor es realizar una actividad física adaptada, que no sea agotadora y que tenga en cuenta las distintas molestias que podrían presentarse.

Normas básicas

Evita hacer movimientos demasiado bruscos y cargar excesivamente las articulaciones, que con el embarazo se encuentran debilitadas. Lógicamente, necesitarás descansar con mayor frecuencia y evitarás realizar esfuerzos cuando llegue el verano. No te olvides de llevar una alimentación sana y rica en magnesio, pues los calambres son más habituales durante la gestación. Para evitarlos, deberás consumir muchas verduras, frutas y carne. No te olvides de beber bastante agua para prevenir la deshidratación.

Durante el primer trimestre • Aunque te sientas perfectamente en forma, es mejor evitar riesgos inútiles. Esto no significa que debas quedarte en la cama sin atreverte a mover ni un dedo. Si nunca has practicado deporte, no se trata de empezar a hacerlo ahora de forma intensiva con el objetivo ilusorio de mantener una silueta esbelta. Si, por el contrario, ya practicabas una actividad física, puedes continuar realizándola siempre que ésta no sea demasiado agresiva. Lo más probable es que, si gozas de buena salud, el médico te permita prac-

ticar deporte, pero no olvides consultarle antes. Se recomienda evitar la práctica de deportes que produzcan sacudidas (carreras, equitación, salto...), que fuercen demasiado los abdominales (atletismo o escalada) o que aceleren el ritmo cardíaco. Desde el principio del embarazo, tu respiración será más corta y tu corazón latirá más rápido debido al aumento del volumen sanguíneo, incluso antes de que empieces a ganar peso, por lo que tardarás menos en quedarte sin aliento.

A partir del cuarto mes • Cuidado con los deportes en los que exista la posibilidad de una caída (equitación, esquí...), pues hay que tener en cuenta el riesgo añadido de que el desplazamiento del centro de gravedad de tu cuerpo favorece la pérdida del equilibrio. Asimismo, evita deportes que puedan exponerte a un golpe en el

Con el estilo braza (o nado de pecho), evita mantener la cabeza todo el tiempo fuera del agua, porque obliga a arquear demasiado el tronco.

abdomen: los deportes colectivos de pelota, el judo, el karate... Tampoco se aconseja practicar el tenis ni las carreras, que provocan sacudidas demasiado fuertes y son causa de esguinces. Por último, está totalmente desaconsejada la práctica del alpinismo y del buceo, ya sea en apnea o con botella de oxígeno. De todos modos, tú misma sentirás que pierdes movilidad y eliminarás los deportes que requieran desplazamientos rápidos, posiciones encogidas o presión en el vientre.

Elegir el deporte adecuado

Andar • Andar es una de las actividades físicas más aconsejadas, junto con la natación, y puede practicarse durante todo el embarazo, incluso por las menos deportistas. Moverse, oxigenarse y respirar contribuyen a estar en forma y de buen humor. Tampoco se trata de forzarte: si has pasado una hora limpiando la casa o haciendo la compra, no te obligues a salir a andar. Y, lo más importante, no dudes en pararte al menor síntoma de fatiga o de contracciones, ya que muchas mujeres no tardan en experimentar dolor en la parte inferior de la espalda o del vientre cuando andan.

«¡No me gusta el deporte!»

Es cierto que practicar deporte no es algo obligatorio. Son muchas las mujeres que no realizan ninguna actividad física y que, sin embargo, viven plenamente el embarazo y tienen un parto sin problemas. Sin embargo, por lo general, practicar un poco de ejercicio permite hacer más llevaderos los cambios físicos del embarazo. Caminar un poco todos los días (una media hora) es un ejercicio al alcance de cualquier mujer y puede ser útil para entrenar la respiración, tonificar los músculos de las piernas y mejorar el retorno venoso. Cálzate un buen par de zapatos y camina a un ritmo que te haga sentir cómoda, intentando mantener la espalda recta, sin encorvarte, encoger los hombros o arquear el tronco. También puedes optar por la bicicleta estática. De este modo, sin forzarte, podrás trabajar la respiración y las piernas mientras escuchas la radio o tu música preferida.

Natación • La natación es el mejor deporte para las embarazadas, ya que es relajante, mejora la capacidad cardiaca y no provoca dolores articulares. El hecho de colocarse horizontalmente y de no estar sometida a la gravedad son factores importantes. Si te gusta el agua, apreciarás la sensación de ligereza que te proporcionará. Procura ir a una piscina donde el agua no esté demasiado fría, pues el frío podría provocarte contracciones. Infórmate en las piscinas municipales, que suelen ofrecer cursos para las mujeres embarazadas y adaptan la temperatura del agua. Si no practicas ni la braza (o nado de pecho) ni el crol, es mejor que nades de espalda, ya que el estilo braza con la cabeza fuera del agua obliga a arquear demasiado el tronco. Utiliza accesorios para la natación, como los flotadores de espuma o las tablas, y realiza movimientos bastante lentos con la espalda bien recta, que te ayudarán a estirar la espalda y a mover las piernas. Trabaja la respiración para hacerla más lenta y aumentar tu capacidad de resistencia. Finalmente, déjate llevar por el agua y relájate.

Gimnasia suave • Éste es otro tipo de ejercicio aconsejado para las embarazadas y puede combinarse con la preparación para el parto. Si te gusta ir al gimnasio, escoge sesiones de unos veinte minutos dos o tres veces por semana en vez de clases de una hora y elimina las series de abdominales. En casa, no te olvides de calentar durante unos minutos antes de empezar los ejercicios. En cualquier caso, evita los estiramientos violentos, ya que los ligamentos tienden a debilitarse durante el embarazo.

Otras actividades • Si practicas la danza, puedes seguir haciéndolo con moderación, evitando los saltos y el trabajo abdominal. El yoga es un excelente ejercicio, ya que te permitirá concentrarte en tus sensaciones y mantener la flexibilidad y el tono muscular hasta el momento del parto. Naturalmente, las posturas deberán adaptarse a tu estado. Ante todo, se trata de realizar un trabajo de respiración acompañado de movimientos de estiramiento y flexibilidad, y destinados a aliviar los dolores lumbares y de los ligamentos. Ir en bicicleta no está contraindicado, pero es preferible que sea en el campo, en terreno plano y a tu ritmo. Ten en cuenta que en las últimas semanas el volumen de tu vientre puede molestarte.

Estar de pie correctamente

Este ejercicio permite estirar las vértebras y los músculos cervicales. De pie, con los pies separados a la distancia de la cadera, cierra los ojos. Intenta sentir cómo mantienes el equilibrio. Notarás que tu cuerpo oscila ligeramente de atrás hacia delante y de derecha a izquierda. Entonces, imagínate que tienes un vaso encima de la cabeza y que intentas levantarlo hacia arriba sin que se caiga.

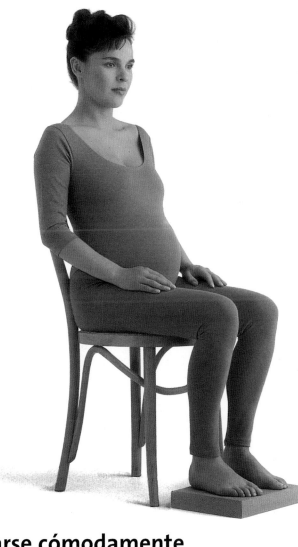

Sentarse cómodamente

Para evitar la ciática, el dolor de espalda y los problemas de circulación sanguínea, cuando estés sentada, sitúa el eje de los muslos en ángulo recto con el de la columna vertebral. Si la silla es demasiado alta, te verás obligada a cruzar las piernas para conseguir el ángulo adecuado, lo cual dificulta la circulación. En este caso, coloca algo debajo de tus pies para que estén más elevados.

Acostarse en el suelo

Cuando estás embarazada, te sientes menos flexible y es posible que el vientre te moleste. A continuación te explicamos la mejor forma de acostarte en el suelo cuando estés de pie. Lo ideal es que esto se convierta en un reflejo. Repite el ejercicio varias veces seguidas y comprobarás lo fácil que resulta.

Variante: La posición acostada de espaldas te puede resultar incómoda e incluso provocarte malestar, en cuyo caso deberás modificarla y acostarte sobre el lado izquierdo. Este posible malestar se debe al peso del feto y al volumen del útero, que comprimen algunos vasos sanguíneos. Sólo el útero ya pesa 1 kg al final del embarazo, el bebé, unos 3 kg, el líquido amniótico, algo más de 1 kg y la placenta, unos 500 g. Con toda esta carga suplementaria, que suma unos 6 kg, no es extraño que la pared de los vasos sanguíneos esté comprimida a pesar de su tonicidad, y que el retorno de la sangre al corazón se vuelva más lento.

1 Agáchate manteniendo la espalda bien recta. De este modo, el peso de tu cuerpo descansará sobre las piernas y no estarás forzando ni la espalda ni los abdominales. Si te resulta difícil agacharte, primero apoya una rodilla en el suelo y después la otra.

2 Una vez de rodillas, apoya ligeramente las nalgas sobre los talones.

3 Siéntate de lado apoyándote en las manos. El eje de tu cuerpo se desplazará suavemente.

4 Acuéstate de lado con cuidado y separa los brazos apoyándote en las manos.

5 Ahora ya puedes acostarte por completo. Dobla los brazos y déjate caer suavemente sobre la espalda.

Relajar la espalda: el ejercicio del puente

Este ejercicio, que combina los beneficios del estiramiento de la columna vertebral con los de balanceo de la pelvis, debe preceder cualquier otro ejercicio en posición acostada. Repítelo cinco veces intentando respetar el ritmo de tu respiración. El objetivo es estirar la columna vertebral, por lo que al final del ejercicio las nalgas se situarán más lejos de los hombros que al principio. La curvatura lumbar desaparecerá o se reducirá visiblemente.

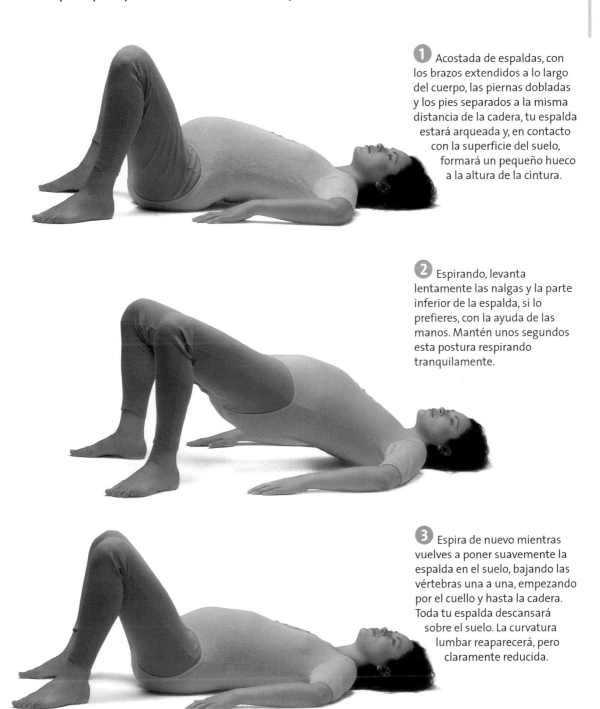

1 Acostada de espaldas, con los brazos extendidos a lo largo del cuerpo, las piernas dobladas y los pies separados a la misma distancia de la cadera, tu espalda estará arqueada y, en contacto con la superficie del suelo, formará un pequeño hueco a la altura de la cintura.

2 Espirando, levanta lentamente las nalgas y la parte inferior de la espalda, si lo prefieres, con la ayuda de las manos. Mantén unos segundos esta postura respirando tranquilamente.

3 Espira de nuevo mientras vuelves a poner suavemente la espalda en el suelo, bajando las vértebras una a una, empezando por el cuello y hasta la cadera. Toda tu espalda descansará sobre el suelo. La curvatura lumbar reaparecerá, pero claramente reducida.

Mover las piernas

Para favorecer la circulación sanguínea en las piernas, puedes hacer este ejercicio de forma regular (preferiblemente después del ejercicio del puente, que sirve para estirar la columna vertebral, ver p. 91). Repite el ejercicio con cada pierna varias veces seguidas.

1 Acostada de espaldas y con las piernas flexionadas, respira libremente.

2 Estira la pierna derecha en vertical. Realiza movimientos circulares con el pie, primero en un sentido y después en el otro. Descansa el pie derecho en el suelo y repite el ejercicio con la pierna izquierda. Si al estirar la pierna hacia arriba sientes dolor o tensión, no te fuerces; coloca el tobillo derecho sobre la rodilla izquierda (o viceversa) y, a continuación, gira el pie como si quisieras dibujar un círculo.

Levantarse por etapas

Incorporándote por etapas evitarás forzar los músculos abdominales o hacer movimientos perjudiciales para la espalda.

1 Acostada en la cama o en el suelo después de hacer ejercicios boca arriba, flexiona las piernas manteniendo los pies planos y ponte de lado.

2 Apóyate en una mano, yérguete sobre el otro codo y ponte a cuatro patas.

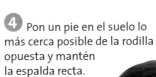

5 Levántate apoyándote en este pie mientras colocas el segundo pie al lado. Una vez incorporada, tu curvatura lumbar será la correcta.

4 Pon un pie en el suelo lo más cerca posible de la rodilla opuesta y mantén la espalda recta.

3 Comprueba que te aguantas firmemente sobre las rodillas y las manos. Acerca las manos a las rodillas.

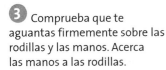

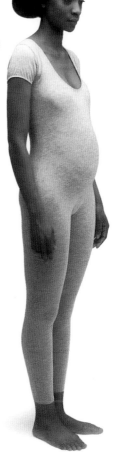

Relajar la nuca

La nuca es una parte del cuerpo en la que se concentran muchas tensiones. Algunos movimientos favorecen la relajación muscular y la circulación sanguínea en esta zona. Antes que nada, colócate en una posición cómoda, por ejemplo, sentada con las piernas cruzadas. Incorpora un poco las nalgas de modo que el eje de los muslos forme un ángulo recto con el de la espalda.

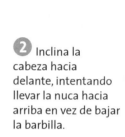 Mantén la espalda erguida y pon las manos en las rodillas. Cierra los ojos si esto te ayuda a concentrarte y a sentir mejor los movimientos. Empieza realizando movimientos de delante hacia atrás.

2 Inclina la cabeza hacia delante, intentando llevar la nuca hacia arriba en vez de bajar la barbilla.

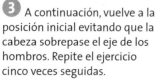 A continuación, vuelve a la posición inicial evitando que la cabeza sobrepase el eje de los hombros. Repite el ejercicio cinco veces seguidas.

4 Ahora mueve la cabeza de derecha a izquierda. Empieza mirando hacia delante y gira la cabeza sin inclinarla.

5 Gira la cabeza hacia el otro lado. Repite el ejercicio cinco veces seguidas. Por último, gira la cabeza y dirige la zona de la oreja derecha hacia arriba. El objetivo es estirar la nuca. Vuelve a la posición inicial y repite el ejercicio con el otro lado.

Masaje de la espalda: el balancín

Este ejercicio, que constituye un verdadero masaje de la espalda, es muy beneficioso para aliviar los dolores lumbares, muy frecuentes al final del embarazo. Se trata de un automasaje que puedes hacerte siempre que lo necesites. Cuando tu vientre aumente de volumen, puedes hacer el ejercicio con las rodillas separadas.

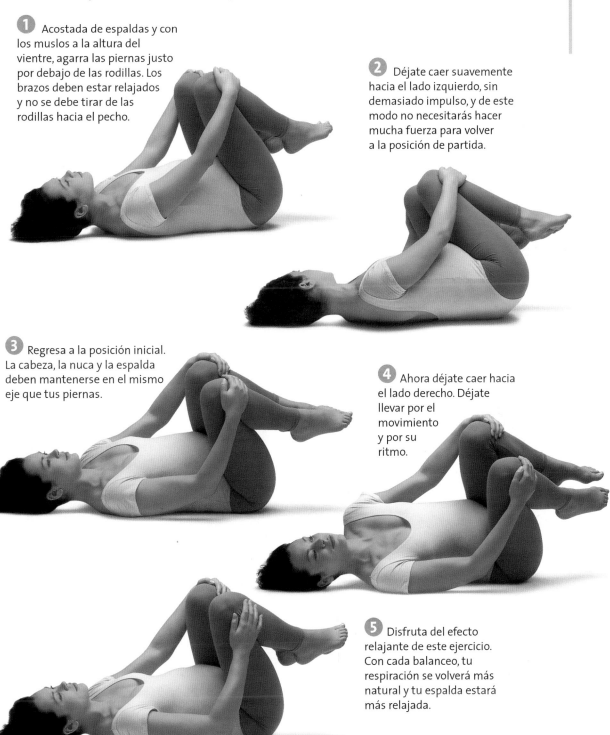

1 Acostada de espaldas y con los muslos a la altura del vientre, agarra las piernas justo por debajo de las rodillas. Los brazos deben estar relajados y no se debe tirar de las rodillas hacia el pecho.

2 Déjate caer suavemente hacia el lado izquierdo, sin demasiado impulso, y de este modo no necesitarás hacer mucha fuerza para volver a la posición de partida.

3 Regresa a la posición inicial. La cabeza, la nuca y la espalda deben mantenerse en el mismo eje que tus piernas.

4 Ahora déjate caer hacia el lado derecho. Déjate llevar por el movimiento y por su ritmo.

5 Disfruta del efecto relajante de este ejercicio. Con cada balanceo, tu respiración se volverá más natural y tu espalda estará más relajada.

Dormir bien durante el embarazo

Déjate vencer por el sueño • Las posturas más cómodas en los últimos meses de gestación • ¿Por qué las embarazadas suelen tener sueños perturbadores? • Trucos para conciliar el sueño • Saber relajarse

Alteraciones del sueño

No te sorprendas si el embarazo cambia tus hábitos. Mientras que en el primer trimestre te costará reprimir las ganas de dormir, en los últimos meses te resultará más difícil conciliar el sueño. Teniendo en cuenta los cambios hormonales y físicos que sufre tu cuerpo durante el embarazo y el aumento progresivo del volumen de tu vientre, no es de extrañar que tus noches ya no sean tan plácidas como antes.

▶ Las ganas de dormir de los primeros meses

Al principio del embarazo, experimentarás unas ganas irreprimibles de dormir en diferentes momentos del día. Este síntoma es bastante común, se debe a los cambios hormonales que sufre tu organismo y no indica ningún problema de salud en particular.

Siestas y largas noches de sueño • Esta tendencia a la somnolencia en ocasiones puede resultar muy inoportuna, sobre todo cuando la futura madre trabaja fuera de casa, pero afortunadamente suele desaparecer hacia el final del tercer mes. En la medida de lo posible, es mejor no resistirse a esta necesidad de dormir. De manera natural, tendrás ganas de llevar una vida más tranquila y evitarás trasnochar, así que aprovecha para concederte largas noches de sueño e intenta encontrar algún momento durante el día para descansar. Cuando llegue el fin de semana, podrás dar rienda suelta a tus ganas de dormir.

Momentos de angustia • Otras embarazadas, en cambio (aunque muchas menos), viven el primer trimestre como un período de noches agitadas. El hecho de esperar un hijo genera importantes cambios psicológicos, por lo que la mujer puede sufrir momentos de angustia que alteren su sueño: miedo a no querer lo suficiente al hijo, temor ante los cambios inminentes que se producirán en su vida…

Este tipo de angustia es del todo normal, por lo que no debes dudar en hablar de ello con tu pareja o con una persona de confianza. Sigue las indicaciones de tu médico o comadrona para combatir el insomnio.

▶ La tregua del segundo trimestre

El inicio del segundo trimestre del embarazo equivale a un período de calma en todos los sentidos. Las incomodidades del primer trimestre (náuseas, fatiga, etc.) ya han desaparecido, y las de los últimos meses todavía no han empezado. Tu vientre va creciendo progresivamente y empiezas a notar los movimientos del futuro bebé, cuya presencia se hace cada vez más evidente para los demás miembros de la familia. Todos estos factores contribuyen a tu bienestar general y favorecen un sueño más tranquilo. Además, puedes seguir durmiendo en la postura que quieras, incluso boca abajo.

▶ Cómo dormir cómoda en los últimos meses

A partir del quinto o sexto mes, paulatinamente irá desapareciendo este período de bonanza en el sueño. Te costará más encontrar una postura cómoda para dormir, necesitarás orinar con mayor frecuencia, te molestarán los calambres, y los sueños agitarán tu descanso, cuando no sean los movimientos del bebé los que te despierten. Todo ello explica que el insomnio sea algo habitual hacia el final de la gestación.

El insomnio no tiene ninguna repercusión en tu hijo, que sigue sus propias fases de vigilia y de sueño, pero el cansancio que te provocará te obligará a descansar más durante el día. Si, a pesar de todo, no consigues conciliar el sueño, tu médico podrá recetarte un sedante suave para que no acumules fatiga antes del parto. No tomes bajo ningún pretexto ni somníferos ni cualquier otro medicamento que no te haya recetado el médico.

¿Debo dormir de lado? • Hacia el final del embarazo te resultará casi imposible dormir boca arriba, ya que tendrás la sensación de que te ahogas. Dormir boca abajo tampoco es lo más indicado, pero puedes colocarte en posición de medio lado con una pierna doblada; de este modo, el bebé estará cómodo y quedará protegido por el saco amniótico. En la mayoría de los casos, lo más aconsejable es dormir de lado (ver fotos abajo). Te sentirás mejor acostada sobre el lado izquierdo, pero puedes cambiar de postura para evitar los adormecimientos.

Cuando el bebé se mueve • En los últimos meses de gestación, el bebé se moverá más y te despertará más fácilmente en plena noche. No hay nada que puedas hacer para evitarlo. Pero no debes preocuparte: un feto con una gran actividad nocturna puede ser un bebé que duerma perfectamente bien por las noches.

Las mejores posturas para dormir

Sobre el lado izquierdo

A medida que aumenten el volumen de tu vientre y el peso del bebé, dormir boca abajo te resultará más incómodo. Si duermes boca arriba, experimentarás una sensación de malestar y de ahogo, ya que el útero comprime los vasos sanguíneos, lo que dificulta la circulación de la sangre y la respiración. Para evitar estos inconvenientes, lo mejor es dormir sobre el lado izquierdo.

Con un almohadón

Si duermes sobre el lado izquierdo, evitarás hacer presión sobre la vena cava, que es la responsable del retorno de la sangre desde la parte inferior del cuerpo hasta el corazón, y que pasa a la derecha del útero. Para mayor comodidad, puedes colocar un almohadón o un cojín debajo de tu rodilla derecha y descansar la cabeza en una almohada plana. Aunque estés acostumbrada a dormir boca arriba o boca abajo, no tardarás en darte cuenta de que lo más cómodo para una embarazada es dormir de lado.

Calambres dolorosos • Si te despiertas con calambres en las piernas o en los pies, masajea el músculo dolorido hasta que desparezca el dolor, al mismo tiempo que mantienes los dedos del pie doblados hacia ti y la pierna estirada. Si los calambres persisten, no dudes en comentarlo con tu médico o con tu comadrona. Puesto que estas contracciones musculares a veces se deben a una carencia de minerales o vitaminas, un tratamiento con magnesio y vitamina B podría ser suficiente para aliviar las molestias asociadas a los calambres.

Sueños perturbadores

Durante el embarazo, y sobre todo en las últimas semanas, los sueños se hacen más presentes. Estás más receptiva, te despiertas entre sueños con los movimientos del bebé y recuerdas imágenes extrañas y, a veces, incluso espantosas. En efecto, muchas futuras madres tienen una vida nocturna muy agitada.

La interpretación de los sueños, una cuestión muy delicada

Tus noches están pobladas de sueños un tanto extraños. Aunque es cierto que son la expresión de tus temores y angustias, no debes tomártelos al pie de la letra. Los sueños nunca son signos premonitorios, sino que actúan como una manifestación de tus pensamientos ocultos y no de la futura realidad. No existen símbolos universales: un determinado acontecimiento u objeto puede tener un sentido totalmente diferente dependiendo de la persona que los proyecte en sus sueños. Un sueño no tiene ningún sentido si se desvincula de la historia personal de quien lo ha tenido. En definitiva, tú eres la única persona capaz de interpretar tus propios sueños.

El motivo de tus sueños • Te preguntarás cómo es posible que tengas una vida imaginaria y emocional tan intensa mientras duermes. En realidad, no es que sueñes más de lo habitual, sino que estás más atenta y sensible a todo lo que experimentas interiormente, tanto física como psíquicamente. Hacia el final del embarazo, si te despiertas en fase MOR (REM) o de sueño paradójico (cuando se sueña) debido a los movimientos del bebé o porque no logras encontrar la postura adecuada, te acordarás mucho más fácilmente de lo que soñabas.

Toda mujer que va a convertirse en madre experimenta una crisis existencial, pues «deja de ser» la hija de su madre para convertirse en la madre de su hijo. Durante el embarazo, lo que estaba oculto sale a la superficie. Los sueños traducen todo esto en imágenes y permiten expresar lo que tú misma no te atreves a decir en voz alta.

¿Por qué tengo pesadillas?

Algunos sueños se convierten en pesadillas que pueden asustarte o avergonzarte (olvidas a tu bebé en algún lugar, das a luz sin darte cuenta, asfixias a tu hijo o se ahoga...). No te preocupes, no eres la única embarazada que tiene sueños poblados de imágenes terribles.

Por lo general, los sueños de las futuras madres son la expresión de sus miedos: el miedo a perder la libertad, al parto, a la separación del bebé, a no ser una buena madre, etc. Si tus sueños te resultan difíciles de llevar, lo mejor es que

El punto de vista del bebé

Hay momentos muy agradables en los que siento que mamá está muy tranquila. Los sonidos que oigo a través de ella, y que me mecen y acompañan, se vuelven más lentos y suaves a mis oídos. Mamá me deja mucho espacio en su vientre y siento que está atenta. Oigo los sonidos agradables que la rodean y la sosiegan, y noto que se siente bien. Poco a poco aprendo a reconocer este ritmo más tranquilo que me relaja.

hables de ellos con alguien. Muchas veces, el simple hecho de contar tus sueños a una amiga o a una persona de confianza puede ser suficiente para calmar tu inquietud. Si aun así sigues sintiéndote mal, no dudes en explicárselo a tu médico o en hablar del tema durante las sesiones de preparación para el parto, y en caso necesario acude a un psicólogo.

▶ Relajarse para dormir mejor

La relajación ayuda a conciliar el sueño o, como mínimo, permite la relajación muscular y el descanso de todo el cuerpo. Tal vez aprendas algunos ejercicios en las clases de preparación para el parto (ver pp. 191-203), ya se trate de sesiones basadas en el método tradicional, en el yoga o en la sofrología. También puedes seguir estos consejos:

Una técnica muy sencilla • Acostada boca arriba y con los ojos cerrados, concéntrate en tu respiración. Estira bien la nuca dirigiendo la barbilla hacia el pecho y bajando los hombros. Coloca las manos en el bajo vientre para seguir el ritmo de tu respiración.

Respira muy lentamente hasta que consigas una espiración lo más larga y lenta posible, seguida de una inspiración sin esfuerzo. Una vez hayas llegado a este punto, sitúate de lado con las piernas dobladas. Descansa la cabeza encima de uno o dos cojines y coloca otro entre tus piernas. Una vez más, concéntrate en tu respiración y deja que tu cuerpo se vaya relajando

Algunas mujeres son más sensibles a su vida interior durante el embarazo y se acuerdan más fácilmente de sus sueños, lo que a veces puede resultar inquietante.

progresivamente con cada espiración. Empieza los ejercicios de relajación con los músculos de los pies y después con los de las piernas, hasta llegar a la pelvis, para seguir con los de la espalda, desde los riñones hasta los hombros. Finalmente, relaja los brazos y el cuello, y distiende todos los músculos de la cara mientras vas sintiendo que se acentúa el peso de tus párpados.

Trucos para conciliar el sueño

En primer lugar, intenta no vivir tu insomnio como un drama. Es cierto que no resulta nada agradable pasar la noche despierta, pero cuanto más nerviosa estés, más te costará dormirte.

• Piensa en la siesta reparadora del día siguiente.

• Cena algo ligero por la noche y evita excitantes como el té o el café durante el día.

• Tómate un baño de agua tibia, bebe un vaso de leche caliente o prepárate una tila justo antes de irte a la cama.

• Cuando te despiertes, abre una ventana y respira aire fresco, anda un poco o escucha música relajante.

• Si esto no te ayuda, consulta a tu médico para que te recete algún somnífero suave, pero nunca tomes tranquilizantes sin el permiso previo de médico, ya que las consecuencias podrían ser nefastas para el feto.

• En cualquier caso, no te preocupes, ya que estas alteraciones del sueño no afectan al bebé, que sigue su propio ritmo de sueño y vigilia.

La importancia de una buena alimentación

Las calorías necesarias • Adiós a las dietas restrictivas • Cómo evitar el aumento excesivo de peso • El poder de los minerales y las vitaminas • Consejos para comer de forma equilibrada cada día • Comidas bien repartidas

El peso adecuado

Durante el embarazo ganarás peso. Luchar contra esta evidencia sería algo inútil e incluso peligroso, ya que es tu organismo, y sólo el tuyo, el que proporciona al futuro bebé todo lo necesario para un correcto desarrollo. Sin embargo, deberás controlar tu aumento de peso y prestar más atención a la calidad de tu alimentación.

▶ ¿Calorías de más?

Al igual que cualquier otro ser vivo, tu bebé necesita energía, una energía que obtiene de las calorías que contienen los alimentos que ingieres. Como si de un motor se tratara, el cuerpo humano necesita su propio carburante para funcionar, que son las calorías. Se calcula que las necesidades energéticas medias de una mujer adulta son de entre 1 800 y 2 000 calorías, sin olvidar que esta media varía en función del peso, la edad y la actividad física practicada.

Una mujer embarazada necesita consumir más calorías, ya que su metabolismo debe asumir el desarrollo del bebé a través del útero y de la placenta. No obstante, si tenemos en cuenta que lo más probable es que una embarazada reduzca su gasto energético (al practicar menos deporte o evitar los trabajos más cansados), no es necesario un aumento importante en la cantidad de alimentos consumidos. Aunque sigas ingiriendo el mismo número de calorías que antes, tu emba-

razo puede desarrollarse de forma normal y puedes tener un bebé perfectamente sano.

En definitiva, si antes del embarazo no tenías problemas de peso, ahora no necesitas empezar a contar las calorías. Escucha a tu cuerpo e intenta llevar una alimentación equilibrada.

▶ ¿Cuántos kilos puedo aumentar?

Durante mucho tiempo se consideró que un aumento de 12 kg a lo largo del embarazo era lo ideal para cualquier embarazada. Hoy en día se sabe que el aumento de peso adecuado, el que debe permitir un buen desarrollo del niño sin perjudicar a la madre, varía de una mujer a otra y depende sobre todo de su corpulencia en el momento de la concepción, es decir, de la relación entre peso y altura (ver p. 101). Si eres muy delgada, no te hará ningún mal aumentar hasta un máximo de 18 kg, y de este modo evitarás que tu hijo nazca con poco peso. Por el contrario, si estás más llenita, deberás vigilarte para no engordar demasiado. Un aumento de peso excesivo puede favorecer la hipertensión o la diabetes y dificultar el parto si tu bebé es demasiado grande. Y todo esto sin tener en cuenta que después del embarazo querrás deshacerte de esos kilos de más...

Cada kilo a su debido tiempo

El aumento de peso será progresivo. Durante el primer trimestre aumentarás entre 3 y 4 kg, lo que resulta del todo normal. Después ganarás peso más rápidamente, sobre todo en los cuatro últimos meses. Los kilos que ganes al principio de la gestación no tendrán la misma utilidad que los de los últimos meses.

Al principio del embarazo • Durante los cuatro primeros meses, crearás reservas de grasa en el tejido adiposo, principalmente en las zonas del vientre y de los muslos, lo cual significa que serás tú quien asimile estos kilos de más, ya que el feto apenas habrá aumentado de peso. Pero estas reservas no son superfluas: esta fase de almacenamiento es la preparación para la segunda parte del embarazo y para el posterior período de lactancia.

Después del cuarto mes • En los meses siguientes, el aumento de peso irá asociado al crecimiento de tu hijo: de este modo, pasará de los 400-500 g de los cuatro meses y medio a los 3 o 4 kg de los nueve meses. Las reservas creadas previamente por tu cuerpo servirán a partir de entonces para responder a este período de rápido crecimiento. El objetivo siempre es garantizar un crecimiento óptimo del bebé.

Al final del embarazo • Hacia el final del embarazo, el aumento de peso estará repartido entre el peso del bebé (alrededor de los 3,5 kg cuando nace), el de la placenta (0,7 kg) y el líquido amniótico (1 kg), el aumento del volumen del útero y de los senos (1,6 kg), el aumento del volumen sanguíneo (1,5 kg) y las grasas de reserva (entre 3 y 4 kilos).

¿Y después del nacimiento? • Después del parto suelen quedar unos kilos que pueden ser difíciles de eliminar. La facilidad con que puedas perderlos dependerá de factores hereditarios, de la edad, de los embarazos anteriores y de lo que se conoce como la historia ponderal... Si antes de quedarte embarazada estabas delgada o tenías un peso adecuado, seguramente volverás a tu peso habitual en algunos meses, ya sea de forma espontánea o controlando tu alimentación y con ejercicio físico. Si, por el contrario, antes ya tenías unos kilos de más, te resultará más difícil perder los que hayas ganado durante el embarazo, por lo que será preferible que limites el aumento de peso.

Prohibidas las dietas

Debes saber que el feto no se adaptará en ningún caso a una dieta restrictiva o caprichosa. Seguir una dieta disociada o suprimir las grasas o los azúcares, por ejemplo, sólo puede generar carencias en tu organismo y provocar problemas de crecimiento en el bebé. Si tienes tendencia a engordar, pide consejo a tu médico o a tu comadrona. Siempre pueden derivarte a un dietista, el cual, una vez analizados tus hábitos alimentarios, te aconsejará sobre la posibilidad de adaptar tu alimentación, en cantidad o calidad, para que no te falte de nada a ti ni tampoco a tu bebé.

Masa corporal y aumento de peso

¿Quieres saber cuál es tu corpulencia? Es muy sencillo. Basta con calcular tu índice de masa corporal (IMC) dividiendo tu peso (en kilos) entre tu altura (en metros) al cuadrado. Por ejemplo, si pesas 62 kg y mides 1,65 m, tu IMC será: $62 : (1,65 \times 1,65) = 22,8$.

IMC	Corpulencia
< 18,5	delgada
18,5-24,9	normal
> 25	sobrepeso

• Si tu corpulencia es normal, puedes aumentar entre 10 y 15 kg.

• Si eres delgada o muy delgada, puedes aumentar un poco más, hasta 16 o 18 kg.

• Si tienes sobrepeso, es preferible que ganes menos peso: entre 6 y 10 kg bastarán, ya que el bebé podrá utilizar tus reservas.

• Si tienes menos de 20 años, todavía estás creciendo y es preferible que aumentes entre 15 y 16 kg.

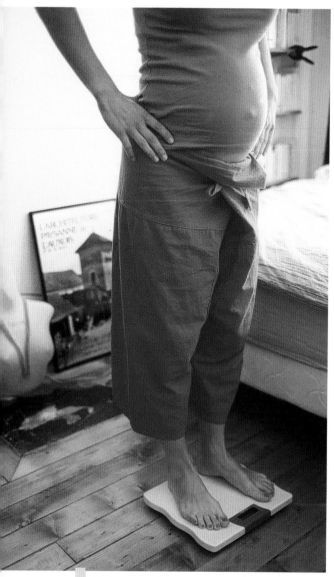

Si tienes tendencia a engordar fácilmente, pésate con regularidad y pide consejo a tu médico.

He engordado demasiado: ¿qué hago?

Antes que nada, recuerda que una dieta restrictiva es peligrosa y podría ser perjudicial para el desarrollo de tu bebé. No suprimas ninguna categoría de alimentos, pero limita los que sean más grasos o tengan más azúcar una vez que tengas la autorización de tu médico o comadrona.

• Aliña tus ensaladas con una cuchara sopera de aceite de oliva como máximo.

• Prescinde de los postres y de las bebidas azucaradas.

• Come carnes poco grasas (carne magra de vaca, ternera, aves sin piel...), jamón sin grasa y pescado.

• Opta por los lácteos descremados.

• Reduce tu ración de pan y féculas sin suprimirla. Si tienes hambre, combina las féculas con la verdura.

• Come todas las verduras y hortalizas crudas que quieras, pues te darán una sensación de mayor saciedad.

• Elige tipos de cocción que no requieran materias grasas (al vapor, en una sartén antiadherente, al microondas o a la papillote) y añade un poquito de aceite a los alimentos ya cocinados; de este modo controlarás mejor las cantidades utilizadas.

• Utiliza hierbas aromáticas y condimentos para dar sabor a tus platos.

• Procura practicar alguna actividad física de forma regular y a tu ritmo, siempre en función de tus posiblilidades.

Apenas tengo hambre: ¿cómo puedo ganar peso?

Lo más importante es que acabes aumentando de peso en los dos últimos trimestres del embarazo. El médico controlará tu peso mensualmente. Los siguientes consejos te ayudarán a aumentar el aporte calórico sin que tengas la impresión de estar atiborrándote.

• Intenta «engañar» a tu organismo dándole alimentos densos que tengan poco volumen: por ejemplo, aumenta la cantidad de materias grasas en las ensaladas y en los platos, y endulza con azúcar tus postres y yogures.

• Añade leche en polvo a tus purés y yogures para aumentar la ingesta de calcio.

• Consume o aumenta la ingesta de productos no desnatados: leche entera, yogures enteros, quesos pasteurizados con un alto contenido en materia grasa.

• Empieza tus comidas con el plato principal (que contendrá féculas) para evitar saciarte con hortalizas o verduras crudas, que son poco calóricas.

• Multiplica los tentempiés por la mañana y por la tarde para compensar lo que no hayas aportado durante las comidas.

Más vale prevenir…

La alimentación debe ser ante todo una fuente de equilibrio y de placer.
No obstante, hay que tener en cuenta una serie de precauciones de higiene alimentaria
para evitar la listeriosis y la toxoplasmosis, y estar atenta a posibles alergias.

La listeriosis y la toxoplasmosis son benignas en circunstancias normales, pero pueden constituir un verdadero peligro (en mujeres no inmunizadas) para el feto. Lo mismo ocurre con las posibles alergias alimentarias que tengas tú, tu pareja o tus hijos. A continuación, te ofrecemos una serie de consejos fáciles de seguir.

Para evitar la listeriosis

La listeriosis, una enfermedad poco común y frecuentemente benigna, puede ser peligrosa para el futuro bebé. Se contrae a través del consumo de alimentos contaminados por una bacteria, la *Listeria*. Para reducir sus riesgos, evita el consumo de los siguientes productos:
• Pescado y marisco crudos: pescado ahumado, surimi, tarama, sushi, etc.
• Charcutería artesanal (rillettes, patés y foie gras, productos con gelatina). Opta por la charcutería envasada (tipo fiambre).
• Productos lácteos o leche sin pasteurizar. Opta por la leche pasteurizada, UAT (UHT) o esterilizada, los quesos con leche pasteurizada, los de pasta cocida (tipo Gruyère) y los fundidos, y retira siempre la corteza del queso.
• Cereales germinados crudos (como la soya).
Además, sigue estas precauciones:
• Lava cuidadosamente las hortalizas y verduras crudas y las hierbas aromáticas.
• Cocina bien la carne y el pescado.
• Conserva separados los alimentos cocidos o preparados de los crudos, y si es posible en recipientes cerrados.
• Consume enseguida las sobras y los platos cocinados.
• Limpia regularmente y desinfecta con lejía el refrigerador y la mesa de la cocina.
• Después de manipular alimentos no cocinados, lávate las manos y limpia los utensilios que hayas utilizado.

Para evitar la toxoplasmosis

Otra enfermedad de la que conviene protegerse durante el embarazo es la toxoplasmosis, causada por un parásito. Una prueba realizada al principio del embarazo te permitirá saber si eres inmune. En caso de que no lo seas:
• Come solamente carne bien hecha (cocida a fuego lento en vez de a la plancha) y evita el bistec tártaro.
• Lávate cuidadosamente las manos después de manipular carne cruda.
• Lava a conciencia y con abundante agua frutas, hortalizas, verduras y hierbas aromáticas. Evita comer hortalizas o verduras crudas fuera de casa si no estás segura de que están bien lavadas.
• Evita el contacto con los gatos (que suelen ser portadores de este parásito) y, en particular, con sus excrementos.
• Utiliza guantes si tienes que trabajar en el jardín o con plantas y después lávate las manos.

En caso de alergia alimentaria

Se desconoce la razón por la que los niños sufren cada vez más alergias alimentarias. Los alimentos que causan más alergias son, en primer lugar, los huevos y los cacahuetes o manís, seguidos de la leche y el pescado. Si tú, tu pareja o alguno de tus hijos padecen una alergia alimentaria comprobada por un especialista, es posible que tu futuro hijo también sufra esta alergia. En este caso, informa a tu médico para que pueda aconsejarte. Aunque es posible tomar precauciones, lo mejor es no correr el riesgo de provocar algún desequilibrio alimentario que pueda ser perjudicial para tu bebé. Hoy en día, el único alimento del que puedes prescindir sistemáticamente es el cacahuete; así pues, elimina el consumo de este fruto y el de su aceite. Este consejo sigue siendo válido después del nacimiento del bebé si has decidido darle el pecho.

Cómo llevar una alimentación equilibrada

¿Quieres asegurarte de que a tu hijo no le falte nada y al mismo tiempo conciliar el placer de comer con las ventajas de las comidas fáciles de preparar? Comer de forma equilibrada no es difícil si se siguen algunas normas muy sencillas. A continuación encontrarás algunos trucos y consejos que te permitirán disfrutar de comidas sabrosas todos los días.

▶ Come variado

No existe ningún alimento perfecto que reúna todos los nutrientes indispensables, del mismo modo que tampoco existen alimentos malos: todo es cuestión de cantidad y de equilibrio. Los alimentos se clasifican en cinco grupos: carne, pescado y huevos; productos lácteos; féculas y legumbres; hortalizas, verduras y frutas, y materias grasas. Los alimentos de un mismo grupo tienen características en común y, en principio, son intercambiables, pero es preferible variar de un día a otro para aprovechar al máximo sus propiedades. En cambio, no se puede sustituir un grupo de alimentos por otro. En definitiva, comer de forma equilibrada no es tan complicado: para conseguir un aporte nutricional óptimo, basta con ingerir diariamente alimentos de cada grupo, más o menos según las cantidades indicadas. Lo ideal es comer a diario:

Entre 150 y 200 g de carne o pescado • Al mediodía y por la noche, come una porción de carne (vaca, ternera o aves) o de pescado para garantizar el aporte de proteínas y, si te gustan, puedes comer vísceras una vez a la semana. También puedes sustituir 50 g de carne por un huevo o un producto lácteo.

Puedes comer pescado dos o tres veces por semana. Alterna entre las distintas especies y limita el consumo de los que puedan contener sustancias nocivas procedentes del medio ambiente (dorada, pez espada y atún).

Entre 150 y 200 g de féculas o legumbres (peso cocido) • Come alimentos de este grupo por lo menos en una de las dos comidas principales. También puedes distribuirlos entre la comida y la cena, combinándolos con verduras u hortalizas.

El punto de vista del bebé

Paso muchos ratos bebiendo el líquido caliente en el que floto, que casi siempre sabe igual. Pero a veces también siento sabores nuevos y diferentes que me sorprenden. Cuando estos sabores son agradables, bebo el doble de líquido y me siento bien. Lo mejor es cuando los sabores se repiten y acabo reconociéndolos, ¡mmm! Pero cuando no me gustan, a veces hago muecas y prefiero chuparme el dedo o dormirme.

Entre 200 y 300 g de verduras y hortalizas • O incluso más, dependiendo de tu apetito. Consume como mínimo un plato de verduras u hortalizas crudas en cada comida y un plato de verdura cocida al día.

3 o 4 porciones de productos lácteos • Tómate una porción con cada comida para construir el esqueleto de tu bebé y para proteger el tuyo. Puede ser un vaso de leche, un yogur, o una porción de requesón o de queso, que puedes tomar solos o incorporándolos a tus platos.

2 o 3 piezas de fruta • Preferiblemente crudas, ya sean solas o mezcladas con yogur, requesón o cereales. También pueden ser en forma de zumo, de compota o al horno.

Entre 80 y 120 g de pan • Equivalen, por ejemplo, a la tercera parte de una baguette. A la hora del desayuno, puedes sustituir 40 g de pan por tres biscotes o 30 g de cereales.

Entre 30 y 40 g de materias grasas • La mitad en forma de aceite vegetal, por ejemplo, dos cucharadas soperas de aceite (20 g) y dos cucharaditas de mantequilla (20 g) repartidas a lo largo de las comidas.

▶ ¿Cuántas comidas al día?

Tu bebé tiene unas necesidades energéticas importantes que deberás proporcionarle de forma continua. Tal vez por esta razón te cueste más estar mucho tiempo sin comer. Lo más importante es que no te saltes ninguna comida. Divide tu alimentación diaria en cuatro comidas o incluso más: las tres principales y un tentempié por la mañana o por la tarde. Esta distribución te ayudará a combatir las náuseas de los primeros meses y a facilitar la digestión hacia el final del embarazo.

▶ El desayuno

Por la noche, tu organismo está en reposo, a diferencia del de tu bebé. Por esta razón, después de toda una noche en ayunas, es esencial tomar un desayuno variado y abundante que te permita recuperar energías. Si tienes náuseas o falta de apetito cuando te levantas, distribuye tu desayuno a lo largo de la mañana.

Algunos consejos • El desayuno puede ser dulce o salado, según tus preferencias. Lo ideal es que contenga una bebida para hidratarte, un producto con cereales (pan, biscotes o cereales), una pieza de fruta (o, si lo prefieres, un zumo de fruta o compota) y un producto lácteo (que también puede ser un té o café, acompañado de abundante leche).

Las sugerencias que te ofrecemos a continuación incluyen todos estos productos:
– Un zumo de frutas, cuatro tostadas con miel y un yogur.
– Té o café con leche, tres rebanadas de pan integral, una loncha de jamón y una manzana.
– Té o café, tres rebanadas de pan, una porción de queso fresco y un zumo de naranja.
– Té o café, un bol de cereales con leche y una pera.
– Té o café, un bollo, un kiwi y un yogur.
– Un vaso de leche, cuatro biscotes con mermelada y mantequilla, y medio pomelo.

Todos deberíamos beber un litro y medio de líquido al día. Para la mujer embarazada, estar bien hidratada es aún más importante.

Bebidas hidratantes

• **¿En qué cantidad debo tomarlas?** • Para eliminar los residuos del organismo (los tuyos y los del bebé) y para evitar el riesgo de infección urinaria, necesitas beber un litro y medio de líquido al día. Recuerda: aunque tengas edemas no debes dejar de ingerir líquidos, ya que podrías deshidratarte, y la hinchazón apenas depende de la cantidad de líquido que tomes.

• **¿Cuáles son las bebidas más indicadas?** • El agua es la mejor bebida. También puedes tomar infusiones, leche, caldos y zumos de frutas. Los zumos puros de frutas o los zumos que prepares tú misma en casa no contendrán azúcar añadido, a diferencia de los zumos de frutas a base de concentrado. Cuidado con los refrescos: contienen el equivalente a veinte cucharaditas de azúcar por litro. Puedes tomar café, siempre que sea de forma moderada. Elimina por completo el consumo de alcohol en cualquiera de sus formas, ya que atraviesa la barrera de la placenta y puede alterar el desarrollo del feto. Una vez superado el primer trimestre, podrás permitirte alguna copita de champán o cava o medio vaso de vino, pero sólo de manera excepcional y siempre que evites cualquier otro tipo de alcohol.

La comida y la cena

Para que la comida y la cena sean equilibradas deben constar como mínimo de una porción de carne o de un alimento equivalente (pescado, por ejemplo), de féculas y/o de pan, de verduras crudas o cocidas, de un poco de materia grasa para cocinar o aderezar, de un producto lácteo y de una pieza de fruta.

Según tus necesidades y tus gustos, puedes combinar estos alimentos básicos para prepararte comidas frías o rápidas. Si te gusta el dulce, date un capricho de vez en cuando y tómate una crema o algún otro postre que te aporte calcio.

Propuestas de menús • Las siguientes sugerencias, que incluyen todas las categorías de alimentos necesarios para tu salud y la de tu bebé, son ejemplos de menús variados y equilibrados para la comida y la cena que se complementan entre sí.

• Comida: ensalada de pasta, bistec a la plancha con hierbas, tomates fritos, una macedonia, pan. Cena: sopa de verduras, filete de pescadilla con papas o patatas al perejil, requesón, una pera.

• Comida: menestra de verduras, una rodaja de salmón al horno, arroz blanco, compota de manzanas con una bola de helado de vainilla. Cena: espinacas con jamón, tortilla de huevo, fresas con azúcar, pan.

• Comida: lentejas con arroz, tortilla de patatas, un yogur, uvas. Cena: ensalada variada, rape a la plancha, queso fresco, ciruelas, pan.

• Comida: garbanzos cocidos, pollo asado, ensalada, una manzana, pan. Cena: sopa de berros, bacalao fresco, requesón, pan.

Cuando no hay tiempo para cocinar

¿Has quedado con alguien a la hora de comer? ¿Tienes encargos que hacer o se ha alargado una reunión? Si trabajas fuera de casa, puede ser que más de una vez te veas obligada a sacrificar la hora de la comida. Para estos días más ajetreados, te ofrecemos algunas ideas que te permitirán respetar en mayor o menor medida tu equilibrio alimentario, siempre que estas excepciones no se conviertan en la norma general.

Una ensalada mixta • Debe contener alimentos variados, por ejemplo:
– hortalizas o verduras crudas (lechuga, tomate, pepino, zanahoria rallada, endivias...),
– papas o patatas hervidas o arroz,
– un huevo duro, una latita de atún al natural o una loncha de jamón,
– emmental en dados,
– aceite, vinagre y sal.

Todo esto complementado con un yogur y una fruta.

Un bocadillo • Preferiblemente hecho con alimentos ricos en proteínas:
– un cuarto de baguette o dos rebanadas grandes de pan de cereales,
– una cucharadita de mantequilla,
– una o dos lonchas de jamón, una loncha de carne, dos huevos cortados a rodajas o una latita de atún al natural.
– hortalizas o verduras crudas.

Todo esto complementado con una porción de requesón, un yogur o un trozo de queso.

Una comida a base de quesos • Si quieres variar un poco y al mismo tiempo respetar el equilibrio de tu alimentación, puedes comer:
– dos porciones de queso pasteurizado,
– dos o tres rebanadas de pan,
– una ensalada y verduras u hortalizas crudas aliñadas,
– una pieza de fruta.

Y excepcionalmente... • Si te apetece, puedes recurrir a la comida rápida, siempre que la consumas con moderación:
– una hamburguesa con queso o una pizza con queso,

¿Té o café?

El té y el café contienen teína y cafeína respectivamente, sustancias excitantes que, tomadas en grandes dosis, pueden provocar insomnio y palpitaciones. Por lo general, con el embarazo aumenta la sensibilidad a la cafeína, aunque el efecto varía de una mujer a otra. Nadie mejor que tú sabrá la cantidad de té o café que te conviene tomar, teniendo en cuenta que el café canephora o robusta contiene dos veces más cafeína que el arábica, y que el descafeinado no lleva cafeína.

Tanto si te gusta cocinar como si prefieres preparar menús sencillos, lo esencial es que hagas tres comidas al día y que las complementes según tus necesidades con una merienda por la tarde.

– una ensalada mixta, una ensalada verde aliñada o una ración de papas o patatas fritas para darte el gusto,

– una macedonia,

– una bebida gaseosa pequeña o agua.

Este tipo de comidas rápidas siempre deben ir acompañadas de un yogur y una pieza de fruta a media tarde.

▶ Uno o dos tentempiés al día

Para evitar los ataques de hambre fuera de las comidas, lo mejor es complementarlas con una merienda y, si te levantas muy temprano, un pequeño refrigerio a media mañana.

Lo ideal es incluir en cada una de las comidas algunos alimentos ricos en glúcidos lentos y en proteínas, que te saciarán y te permitirán esperar hasta la siguiente comida sin caer en la tentación de picar.

Algunos consejos • Las frutas, los lácteos y los cereales son algunos de los alimentos más indicados para complementar las comidas principales. Si no sueles tomar fruta, queso o postre al final de las comidas por falta de apetito, estos tentempiés serán todavía más importantes para mantener una alimentación equilibrada. Aquí tienes algunas ideas:

– un vaso de leche con chocolate, una tostada con mantequilla y una porción de compota;

– un bol de cereales con leche y un poco de azúcar;

– un vaso de agua, un minibocadillo de jamón o de queso y una fruta;

– un té, un par de galletas y un yogur o una porción de requesón;

– un vaso de leche aromatizada y dos rebanadas de pan de especias;

– uvas y una rebanada de pan con mantequilla.

Conoce tus necesidades alimentarias

No se trata de que cambies tu forma de alimentarte, a no ser que hasta ahora prescindieras de alimentos tan indispensables como los productos lácteos, la carne, el pescado o los cereales. El objetivo es equilibrar y variar el aporte de los distintos nutrientes, y consumir de todo en cantidades razonables. En definitiva, come dos veces mejor y no dos veces más.

▶ Proteínas para construir

Las proteínas permiten construir y renovar los tejidos del cuerpo. Para asegurar el desarrollo de tu bebé y mantener el de tu propio organismo, durante el embarazo necesitarás una cantidad ligeramente superior de proteínas, sobre todo en el tercer trimestre: 70 g cada día, frente a los 60 g de antes.

Las proteínas consumidas con mayor frecuencia son las de origen animal, que se encuentran en la carne, las aves, el pescado, los huevos y los productos lácteos. Otros alimentos contienen proteínas de origen vegetal, como los cereales (pan, arroz, sémola, pasta…) y las legumbres (lentejas, judías o frijoles, garbanzos…). No debemos olvidarnos de este segundo tipo de proteínas, ya que contribuyen al equilibrio nutricional global.

Consume todos los días alimentos que aporten proteínas de ambas familias e intenta variar, ya que cada una tiene propiedades específicas: la carne y el pescado proporcionan hierro, los lácteos son muy ricos en calcio, y los cereales y las legumbres aportan vitaminas y minerales.

▶ Lípidos para el sistema nervioso

Los lípidos son grasas y están compuestos por un conjunto de elementos que aportan energía: los ácidos grasos. Los lípidos desempeñan una función esencial en la formación de los órganos del bebé, puesto que proporcionan elementos indispensables que el organismo por sí mismo no puede fabricar: algunas vitaminas (A, D, E) y un tipo de ácidos grasos en particular, los ácidos grasos esenciales, muy importantes para la formación del cerebro del niño. Estos últimos se clasifican en dos grupos: los omega-6 y los omega-3. Es importante consumir ácidos grasos de las dos familias, ya que no son sustituibles entre sí. Consumir los del primer tipo no te resultará difícil, ya que están presentes en los aceites de maíz, girasol, oliva y cacahuete. En cambio, deberás prestar más atención al consumo de los omega-3, que en muchos casos es insuficiente: lo encontrarás en el aceite de soya, y en el pescado azul (caballa, atún, sardina, salmón…).

Salvo en casos particulares, no debes restringir tu consumo de grasas durante el embarazo. Para mantener el equilibrio entre los distintos ácidos grasos, lo ideal es variar las fuentes alimentarias de lípidos. Los aceites, la mantequilla y la margarina contienen las llamadas grasas «visibles».

Los alimentos más ricos en proteínas

100 g de carne roja o blanca	16-20 g
100 g de carne de ave	18-20 g
100 g de jamón magro	18-20 g
100 g de pescado	16-20 g
100 g de gambas o camarones	18 g
2 huevos	15-18 g
1 vaso de leche (1/4 de litro)	8 g
1 yogur	4-5 g
100 g de requesón	8 g
1 porción de emmental (30 g)	9 g
1/8 de camembert	7 g
1 porción de queso fresco (30 g)	7 g

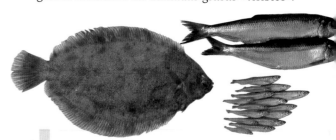

Los pescados blanco y azul tienen propiedades nutritivas específicas y es bueno alternar su consumo.

Mantequilla y margarina • Crudas son más digeribles. Puedes usarlas para untar el pan o añadirlas a tus platos, aunque es mejor limitar su consumo (una cucharada, equivalente a 10 g).

Aceite de oliva • Comparado con los aceites de girasol, soya o maíz, el aceite de oliva es mucho más sabroso y aromático y más adecuado para freír, ya que soporta mejor las temperaturas elevadas sin descomponerse. El aceite de oliva debe utilizarse tanto para cocinar como para aliñar (1 cucharada sopera equivale a 10 g).

La nata o crema es menos grasa de lo que creemos. Es un buen condimento para las verduras, las sopas o las frutas. Existen otras grasas «ocultas» en alimentos como las carnes grasas, las aceitunas, las frituras, los frutos oleaginosos (almendras, nueces...) y la bollería.

▶ Glúcidos para la energía

Los glúcidos, hidratos de carbono o azúcares están formados por moléculas de glucosa, que es la principal fuente de energía del feto. Por esta razón es importante que consumas alimentos glucídicos en cada comida, y más teniendo en cuenta que tu organismo no posee reservas importantes de glúcidos. Estos alimentos se clasifican en dos categorías: los glúcidos simples, ricos en azúcares rápidos, y los glúcidos complejos, ricos en azúcares lentos.

Los azúcares rápidos • Se encuentran en los dulces, los productos de bollería y pastelería, los refrescos azucarados, las mermeladas y el chocolate. De vez en cuando puedes permitírtelos, pero ten cuidado con el exceso de dulces y refrescos.

Los azúcares lentos • Se conocen con el nombre de almidones y su consumo debe ser prioritario

respecto a los otros. Se encuentran en el pan, la pasta, el arroz, las papas o patatas, la sémola y las legumbres. El tubo digestivo los absorbe más lentamente, por lo que sacian más y evitan los bajones de energía asociados a la hipoglucemia, muy frecuentes en las mujeres embarazadas. Además, los alimentos que contienen azúcares lentos tienen la ventaja de aportar fibras insolubles que ayudan a combatir el estreñimiento, uno de los típicos males del embarazo. No obstante, tampoco debes abusar de su consumo: el exceso de fibra dificulta la absorción de minerales como el calcio y el hierro. Las mejores fuentes de fibra son el salvado y los productos derivados de los cereales integrales (pan biológico, arroz, pasta...), las legumbres (judías o frijoles, guisantes o porotos, lentejas...), las frutas desecadas (higos, dátiles, ciruelas...) y las frutas y las verduras frescas.

Para aliñar tus platos, puedes alternar los distintos tipos de aceite e incluso combinarlos: el aceite de soya, por ejemplo, tiene poco sabor pero es rico en ácidos grasos omega-3, por lo que es un buen aliado del aceite de oliva.

Los alimentos más ricos en glúcidos complejos

1/4 de baguette	32 g
3 rebanadas de pan integral (50 g)	26 g
2 biscotes (30 g)	20 g
20 g de harina	14 g
100 g de arroz blanco cocido	26 g
100 g de pasta cocida	22 g
100 g de sémola cocida	24 g
100 g de papas o patatas cocidas	18 g
100 g de lentejas cocidas	12 g
100 g de alubias cocidas	18 g
100 g de garbanzos cocidos	18 g
100 g de maíz cocido	19 g

Las féculas, como las papas o patatas y las legumbres, proporcionan azúcares lentos.

❝ ¿Puedo seguir comiendo verduras congeladas o en conserva? ❞

Los productos congelados se estabilizan a temperaturas muy bajas. Puesto que las verduras se congelan cuando son muy frescas, por lo general en el lugar de producción, su contenido en vitaminas sigue siendo elevado (incluso más que el de las frutas y verduras frescas, que pierden una parte importante de sus vitaminas y minerales si se comen una semana después de ser recogidas). Preferiblemente, cocina las verduras congeladas sin descongelación previa y sólo durante el tiempo necesario. Las verduras en conserva también tienen un buen valor nutritivo. Caliéntalas un poco o lávalas justo antes si vas a consumirlas frías. ∎

❝ ¿Debo evitar cocinar en el microondas? ❞

El microondas no tiene ningún efecto tóxico sobre los alimentos. Sin embargo, a diferencia del horno tradicional, no destruye las bacterias cuando se utiliza para calentar los platos. Así pues, si quieres calentar los alimentos usando este sistema, asegúrate antes de que sean frescos. ∎

❝ Soy vegetariana: ¿puedo seguir mi dieta habitual durante el embarazo? ❞

Si no comes carne pero la sustituyes por pescado, no corres ningún riesgo de sufrir carencias. Si no comes ni carne ni pescado, pero sí huevos y leche, puedes sufrir una carencia de hierro y es probable que el médico te recete un suplemento que lo contenga. Aumenta el consumo de huevos y de productos lácteos, y combina los cereales y las legumbres para aprovechar al máximo la calidad de sus proteínas. Utiliza sobre todo el aceite de soya para compensar la falta de ácidos grasos omega-3.

En caso de que sigas un régimen vegetariano muy estricto (sin ningún producto de origen animal), tienes más probabilidades de sufrir alguna carencia (proteínas, hierro, calcio, zinc o vitamina B12). La opción más prudente sería renunciar a este régimen, peligroso para el bebé durante el embarazo. ∎

❝ Para engordar menos, ¿puedo sustituir el azúcar por edulcorantes? ❞

Si tu médico te aconseja restringir el consumo de azúcar, los edulcorantes son una buena alternativa siempre que los elijas a conciencia y no abuses de ellos. Evita la sacarina y los ciclamatos, que son potencialmente peligrosos para tu bebé. Es preferible que utilices aspartamo (en pastillas, en polvo, o en algunos alimentos, como las bebidas bajas en calorías), pero limita su consumo a una bebida o a un postre edulcorado al día. Lo mejor es que, en vez de utilizar sucedáneos del azúcar, te acostumbres a edulcorar menos tu café o tu yogur, e incluso a reducir en un 10-20% las cantidades de azúcar cuando hagas repostería. ∎

❝ Estoy embarazada de gemelos: ¿debería cambiar de dieta? ❞

Debes alimentar a dos niños e intentar que su peso al nacer no sea demasiado bajo. Para favorecer al máximo su crecimiento, deberías aumentar entre 16 y 20 kg. Esto no significa que debas comer el doble, pero sí aumentar las cantidades entre un 10 y un 20%. Presta especial atención al consumo de carne, pescado, aves y huevos por su aporte de proteínas y hierro; a los productos lácteos (4 o 5 al día) para la formación del esqueleto de los dos bebés, y al pan y a las féculas para evitar los bajones de energía. Durante la segunda mitad del embarazo, es posible que la presión que ejercerán los bebés te impida hacer comidas completas, por lo que deberás aumentar el número de tentempiés durante el día. ∎

❝ ¿Puedo contraer la listeriosis al comer marisco? ❞

El pescado, el marisco y los moluscos sólo pueden ser peligrosos si se comen crudos. Siempre que estén cocidos y no dudes de su frescura, no hay riesgo de contraer listeriosis. Puedes comer gambas o camarones, langosta, mejillones y otros productos que se consuman cocidos. Pero desconfía de los alimentos preparados en escabeche, que no han pasado por un verdadero proceso de cocción. ∎

Los minerales, unos elementos esenciales

Los minerales son micronutrientes que el organismo necesita en pequeñas cantidades, pero que cumplen una función esencial, ya que contribuyen al desarrollo y al mantenimiento de los huesos, los dientes, los músculos y el cerebro. Asimismo, son necesarios para la contracción muscular, la oxigenación de los tejidos y la transmisión nerviosa.

▶ Hierro para la oxigenación

El hierro interviene en la formación de la hemoglobina, indispensable para la vida, puesto que permite una buena oxigenación de los tejidos al absorber el oxígeno del aire que llega a los pulmones.

Un mayor aporte de hierro • A lo largo del embarazo, las necesidades de hierro aumentan considerablemente: las tuyas (ya que el volumen de sangre y de glóbulos rojos aumenta para facilitar los intercambios con el feto) y las del futuro bebé (que debe crear sus propias reservas). Durante el tercer trimestre, estas necesidades son dos o tres veces más importantes de lo habitual y, en principio, deberías tomar entre 20 y 30 mg de hierro al día.

Al inicio del embarazo, te harán análisis de sangre para determinar si tienes alguna carencia. No te preocupes si el análisis evidencia una falta de hierro: tu médico te aconsejará que comas más alimentos ricos en hierro asimilable y te lo recetará en forma de comprimidos. Las embarazadas adolescentes, especialmente si todavía están en pleno crecimiento, y las mujeres que esperan gemelos (y con más razón las que esperan trillizos o más) necesitan más hierro, por lo que deben prestar especial atención a su aporte. La falta de hierro podría deberse a una dieta vegetariana o a un intervalo demasiado corto entre embarazos, ya que muchas veces el organismo aún no ha podido recuperar sus reservas.

¿Qué alimentos contienen más hierro? • El hierro está presente en alimentos de origen animal (carne, pescado y huevos) o vegetal (lentejas, frutos secos, verduras...). Como norma general, prima el consumo de hierro de origen animal comiendo carne o pescado por lo menos una vez al día. Si te gusta, puedes comer regularmente morcilla e incluso carne de caza. El hierro presente en los productos de origen animal se absorbe más fácilmente (alrededor del 25%)

que el hierro que proporcionan los alimentos de origen vegetal (5-10%). Esta capacidad de asimilación del hierro es esencial, ya que el organismo elimina una parte más o menos importante a través de las heces. La naturaleza, que es sabia, hace que la capacidad de absorción del hierro (ya sea de origen animal o vegetal) aumente durante la gestación. Sin embargo, cuando comas alimentos ricos en hierro, es mejor que no abuses del té ni del pan o del arroz integrales, que contienen mucha fibra. En efecto, los taninos del té

El hierro que mejor absorbe el organismo es el que proporcionan el pescado, la carne y los huevos.

y el exceso de fibra dificultan la absorción del hierro, mientras que la vitamina C la favorece.

▶ Calcio para los huesos del bebé

El calcio es un constituyente esencial para los huesos y los dientes. Para que puedan formarse el esqueleto y las yemas dentales, el feto debe acumular 30 g de calcio. Esto significa que tienes que proporcionárselos sin descalcificarte; de ahí la importancia de una alimentación rica en calcio. Además, el calcio tiene un efecto beneficioso en la presión arterial, ya que reduce el riesgo de hipertensión durante el embarazo. Sin embargo, sólo una parte del calcio que contienen los alimentos es absorbido por el organismo (alrededor del 30%), y aunque su asimilación mejore durante el embarazo, las necesidades no dejan de ser importantes (1 000 mg al día).

Un lácteo por comida • Probablemente sabrás que los productos lácteos (leche, yogures, queso...) son los alimentos más ricos en calcio. Además, el organismo absorbe especialmente bien este calcio. Completan el aporte de calcio, aunque en menor medida, las frutas, las verduras (que globalmente no lo asimilan tan fácilmente) y el agua potable. Así pues, para cubrir tus necesidades de calcio deberás incluir un producto lácteo en cada comida, es decir, tres o cuatro al día, alternando entre los distintos tipos.

Pequeños trucos para aumentar el aporte de calcio • Añade unos dados de queso emmental o cheddar a tus ensaladas o sopas y, siempre que te guste, un chorrito de leche al té o al café. A la hora de merendar, completa tu dosis diaria de calcio con un yogur o una porción de queso. En verano, puedes sustituir las bebidas azucaradas por un vaso de leche fría. En invierno, recurre a los suflés, los flanes, los gratinados de verduras o incluso de frutas.

▶ ¿Y el flúor?

Durante mucho tiempo se debatió sobre los posibles beneficios de recetar flúor a las embarazadas para mejorar el estado de los dientes de sus hijos, pero hoy en día se sabe que la mineralización definitiva de los dientes no empieza hasta después del nacimiento. Si das a tu hijo unas gotitas de flúor durante los primeros años, contribuirás a mejorar la calidad y la resistencia de sus dientes. Durante el embarazo, en cambio, tus necesidades

de flúor no aumentarán, y los alimentos que consumas (pescado, agua potable, sal, etc.) te proporcionarán las cantidades necesarias.

▶ El magnesio, con moderación

En teoría, el aporte alimentario de magnesio es suficiente para el buen desarrollo del embarazo. Sin embargo, si tienes tendencia a restringir tu alimentación y a suprimir los alimentos ricos en magnesio para limitar las calorías absorbidas, es posible que sufras una carencia. Además, procesos como el de refinamiento de los cereales disminuyen su contenido en magnesio. Si sufres nerviosismo o tienes calambres, deberás aumentar su aporte (sin tener que aumentar necesariamente las calorías) escogiendo los alimentos más adecuados.

En la práctica, consume verduras verdes (espinacas, acelgas, brócoli) y marisco cocido. Bebe agua mineral rica en magnesio y opta por los productos derivados de los cereales integrales,

Alimentos ricos en calcio

Alimento	Calcio (en mg)
1 vaso de leche entera, descremada o semi-descremada (250 ml)	300
1 yogur (de cualquier tipo)	150
1 porción de requesón (100 g)	120
1 trozo de queso (30 g)	
• emmental	300
• azul	210
• queso de bola	270
• camembert	120
• de cabra seco	60
1 vaso de agua cálcica (125 ml)	30-75
Almendras, nueces, avellanas (25 g)	50
Hortalizas y verduras (100 g)	30-50
Carne, pescado (100 g)	10-20
Pasta, arroz (100 g cocidos)	6
Pan (1/4 de baguette)	6

como el pan y el arroz integrales. No elimines las legumbres: son una excelente fuente de magnesio «razonablemente» calórica teniendo en cuenta la cantidad consumida. No abuses de las frutas desecadas (dátiles, higos u orejones), de los frutos secos (almendras, nueces, avellanas) ni del chocolate, que son ricos en magnesio pero también en calorías.

❱ La sal: ni mucha ni poca

La sal, un constituyente esencial del cuerpo humano, regula el equilibrio del agua en el organismo. Durante el embarazo, es frecuente que se produzca una retención de agua y sal que va acompañada de un aumento del volumen de la sangre y que favorece los intercambios sanguíneos con el bebé. Así pues, no debes suprimir la sal aunque sufras edemas, ni tampoco abusar de ella, pues el exceso de sal estimula el apetito y puede elevar la tensión arterial en las mujeres con tendencia a la hipertensión. Lo mejor es que utilices la sal con moderación.

❱ ¡No te olvides del yodo!

El yodo es indispensable para el buen funcionamiento de la tiroides, que interviene en el crecimiento y el desarrollo del bebé. Con el embarazo aumentan las necesidades de yodo, pero las mujeres embarazadas no siempre toman la cantidad suficiente. El yodo se encuentra en el pescado y los crustáceos (preferiblemente cocidos, para evitar la listeriosis), y en los productos lácteos. Para garantizar el adecuado aporte de yodo, utiliza sal yodada, que es una importante fuente complementaria.

Puedes sustituir la clásica baguette por otros tipos de pan. El pan integral, en particular, es más rico en magnesio.

De los minerales a las vitaminas: los cuatro básicos

Entre los distintos micronutrientes (minerales y vitaminas), existen cuatro que son absolutamente indispensables para el buen desarrollo de tu bebé y para tu propia salud, por lo que su ingesta es prioritaria para tu equilibrio nutricional a lo largo de estos nueve meses.

• El hierro garantiza la transmisión de oxígeno entre los pulmones y el conjunto de los tejidos. Las necesidades de hierro aumentan considerablemente durante el embarazo (ver p. 111).

• El ácido fólico es necesario para la formación y la renovación de las células y, por lo tanto, para el crecimiento del futuro bebé (ver p. 114).

• El calcio es indispensable para la constitución del esqueleto y de los dientes (ver p. 112).

• La vitamina D es esencial para absorber y fijar el calcio (ver p. 114).

La importancia de las vitaminas

Las vitaminas están presentes en cantidades variables en todos los alimentos. Su función es ayudar al cuerpo a transformar y utilizar mejor las proteínas, los glúcidos y los lípidos, además de ayudar a combatir las enfermedades y garantizar el buen funcionamiento del organismo. Algunas vitaminas son esenciales durante el embarazo.

▶ ¡Cuidado, frágil!: vitaminas

Las vitaminas, y en particular las de los grupos B (entre ellas el ácido fólico) y C, se alteran con la luz, el calor y el aire ambiente. Además, son hidrosolubles. Te ofrecemos algunos consejos para su óptima conservación.

• Elige frutas y verduras lo más frescas posible, preferiblemente de temporada.
• Lava rápidamente (pero a conciencia) las frutas, verduras y hortalizas sin dejarlas en remojo.
• Guarda los alimentos en el refrigerador.
• Consume rápidamente los productos frescos y evita conservarlos varios días.
• Pela las frutas, verduras y hortalizas justo antes de comerlas y consúmelas crudas con frecuencia.
• Evita las cocciones prolongadas; opta por la cocción al vapor o en la olla a presión.
• Puedes recuperar una parte de los minerales perdidos utilizando el agua de la cocción para los caldos, por ejemplo.

▶ Ácido fólico para el desarrollo de las células

El ácido fólico, folatos o vitamina B_9, tiene un papel esencial durante el embarazo.

Contribución al desarrollo celular • El ácido fólico es indispensable para la multiplicación y la renovación de las células, y sobre todo para la síntesis de nuevos tejidos. Esto significa que desde el principio del embarazo esta vitamina es importante para tu futuro hijo, cuyos órganos crecen rápidamente. Las necesidades diarias de ácido fólico para garantizar un óptimo desarrollo del bebé se sitúan en torno a los 0,4 mg, es decir, 0,1 mg más que cuando no estás embarazada.

Cómo aumentar el aporte de ácido fólico • Los alimentos más ricos en ácido fólico son las hortalizas y verduras verdes (lechuga, col, endivias, espinacas, alcachofas...), las frutas (melón, fresas, naranjas, kiwis, plátanos o bananas...), los frutos oleaginosos (almendras, nueces...), los quesos blandos y fermentados, las vísceras y los huevos. Sin embargo, no basta con consumir estos alimentos: al igual que la mayoría de las vitaminas, el ácido fólico es frágil y puede perder fácilmente sus cualidades nutritivas, por ejemplo durante la cocción.

Come más alimentos ricos en ácido fólico desde el momento en que sepas que estás esperando un hijo o incluso antes, cuando empieces a buscarlo. En efecto, muchas mujeres en edad reproductiva no consumen el suficiente ácido fólico. Si estás embarazada de gemelos, si tienes menos de 20 años, si tu embarazo se ha producido justo después de dejar de tomar un anticonceptivo oral o si eres fumadora, es muy posible que no tomes el suficiente y que el médico tenga que recetarte un suplemento en forma de comprimidos.

▶ Vitamina D para fijar el calcio

La vitamina D permite absorber el calcio y fijarlo en los huesos. Es una vitamina esencial si tenemos en cuenta que las necesidades de una mujer embarazada son una vez y media más elevadas que las del resto. Los alimentos aportan cantidades moderadas de vitamina D. Aparte del aceite de hígado de bacalao, cuyo consumo se abandonó hace tiempo, sus principales fuentes alimentarias son el pescado azul, los huevos y los productos lácteos enteros (actualmente incluso se puede comprar leche enriquecida con esta vitamina).

Las verduras verdes y los quesos blandos son especialmente ricos en ácido fólico.

Las vitaminas

Categoría	¿Para qué sirve?	¿Dónde se encuentra?
A: retinol (+ beta-caroteno)	Vista, crecimiento, piel y mucosas	Huevos, mantequilla, leche (frutas, hortalizas y verduras)
D: calciferol	Absorción del calcio y, por lo tanto, crecimiento y salud de huesos y dientes	Huevos, mantequilla, quesos, leche entera, pescado azul. La vitamina D es la producida principalmente por la piel bajo la acción del sol
E: tocoferol	Antioxidante	Aceites vegetales, gérmenes de trigo, frutos oleaginosos
K	Coagulación de la sangre	Hortalizas y verduras verdes, hígado. La vitamina K es la producida principalmente por las bacterias intestinales
B1: tiamina	Metabolismo de los glúcidos, y sistemas nervioso y muscular	Cereales integrales y derivados, legumbres, levadura de cerveza, vísceras
B2: riboflavina	Metabolismo de los glúcidos, de los lípidos y de las proteínas	Vísceras, carne, lácteos, cereales, levadura
B5: ácido pantoténico	Metabolismo de los glúcidos y de los lípidos	Carne, vísceras, huevos, cereales, levadura
B6: piridoxina	Metabolismo de las proteínas y formación de la hemoglobina	Cereales, levadura, carne, vísceras, pescado
B8: biotina	Metabolismo de los glúcidos, de los lípidos y de las proteínas	Vísceras, huevos, legumbres, frutos secos
B9: ácido fólico	Multiplicación celular, esencial para el crecimiento	Hortalizas y verduras, lechuga, fruta, quesos fermentados, cereales integrales, legumbres
B12: cobalamina	Formación de los glóbulos rojos, y metabolismo de los glúcidos y de los lípidos	Carne, pescado, hígado, huevos, lácteos
C: ácido ascórbico	Antioxidante; interviene en la resistencia a las infecciones, la cicatrización, etc.	Frutas, hortalizas y verduras
PP: niacina	Metabolismo de los glúcidos y de los lípidos	Carne, vísceras, pescado, legumbres, levadura

La vitamina del sol • La principal fuente de vitamina D es nuestra piel, que la fabrica bajo la acción del sol. Una producción insuficiente de esta vitamina, sobre todo en invierno, no siempre es fácil de compensar con la alimentación. Tu médico te recetará sistemáticamente vitamina D, ya sea en forma de gotas, que deberás tomarte todos los días, o en una única dosis mayor en el séptimo mes de gestación.

Vitamina A para el crecimiento

La vitamina A, esencial para el crecimiento y el desarrollo del feto, interviene en el proceso de visión y en la formación de la piel. Existen dos tipos: la vitamina A en sí, que se encuentra en los productos animales, y el beta-caroteno, presente en las frutas, hortalizas y verduras, que se transforma en vitamina A una vez en el organismo (es lo que se conoce como un precursor). Durante el embarazo, tus necesidades de vitamina A sólo aumentarán ligeramente, y los alimentos que consumas te proporcionarán las cantidades suficientes.

Cuidado con las pastillas multivitaminas • Una carencia de vitamina A no tiene repercusiones negativas, mientras que su exceso (pero no el de beta-caroteno) puede provocar malformaciones en el feto. No te preocupes: con la que obtienes de los alimentos no corres ningún riesgo de «sobredosis». Sin embargo, evita un consumo excesivo de hígado, que es naturalmente rico en vitamina A. Deberás tener más cuidado con las dosis que contienen las pastillas multivitaminas.

No dudes en pedir consejo a tu médico o farmacéutico.

Vitamina C para evitar los bajones de energía

La vitamina C, ideal para combatir la fatiga, está presente en la fruta (sobre todo en los cítricos) y en las verduras y hortalizas crudas. Para mejorar su aporte puedes utilizar el limón para aliñar tus platos, beber zumos de cítricos o acabar las comidas con una pieza de fruta.

Los suplementos

En determinados casos, los médicos prescriben suplementos específicos adaptados a cada mujer, ya sean vitaminas o minerales, en forma de gotas o comprimidos. La mayoría de las veces se trata de hierro, ácido fólico o vitamina D. Sin embargo, si gozas de buena salud y comes de todo, no necesitarás ningún suplemento para el buen desarrollo de tu embarazo. En cualquier caso, no tomes nada por iniciativa propia y sin consultar antes a tu médico.

Para que tu organismo funcione bien, es necesario un equilibrio entre las vitaminas y los minerales: un aporte excesivo de uno de los dos grupos puede provocar la carencia del otro. En elevadas dosis, algunas vitaminas, como la vitamina A, pueden resultar tóxicas o peligrosas para tu bebé. Así pues, sé prudente y, si crees que lo necesitas, aprovecha el embarazo para aprender a alimentarte de forma más equilibrada (ver pp. 104-107).

Antojos y deseos irreprimibles de comer

¿Te apetece comer fresas en noviembre o hinojo a las tres de la mañana? Es fácil meter estas situaciones en el saco de las ideas preconcebidas, especialmente teniendo en cuenta que no tienen ninguna explicación fisiológica o médica, pero sería injusto negarlas tajantemente. Pese a que la mayoría de las embarazadas no tiene ningún antojo durante el embarazo, es cierto que los gustos alimentarios pueden cambiar (especialmente durante el primer trimestre) debido a los efectos de las hormonas, y que se produce una alteración en la percepción de los sabores (el café puede dejar de gustarte, por ejemplo). Las causas pueden ser de tipo psicológico: la necesidad de que te mimen, de ser el centro de atención... A veces, estos antojos ocultan una leve ansiedad, a no ser que se deban al abandono del tabaco, si afortunadamente has dejado de fumar. En cualquier caso, si tienes deseos irreprimibles de comer, date el gusto de vez en cuando. Si, en cambio, satisfaces este deseo de comer varias veces al día, corres el riesgo de aumentar excesivamente de peso y de no tener apetito a la hora de las comidas principales. Así que ten prudencia...

Precauciones en el embarazo

Adapta las condiciones de trabajo a tu estado • Principios básicos para combatir la fatiga • Si pasas muchas horas frente a la computadora • ¿Es necesario ir al médico para dejar de fumar? • ¿Es peligroso tomar café? • ¿Qué medios de transporte puedo utilizar? • Viajar a un país lejano durante el embarazo • Cómo protegerse del sol

Conciliar trabajo y embarazo

Si trabajas fuera de casa, al igual que muchas otras mujeres, es posible que te asalten varias dudas: ¿Cómo hacer que mi actividad laboral no repercuta en mi embarazo? ¿Es peligroso para el bebé realizar largos trayectos por la mañana y por la tarde? ¿Cómo adaptar mi trabajo para evitar un exceso de fatiga?

▶ Seguir trabajando

A diferencia de lo que suele creerse, el riesgo de parto prematuro es menor en las mujeres embarazadas que ejercen una actividad profesional que en las demás. ¿Significa esto que el trabajo tiene un efecto beneficioso en la futura madre? Indirectamente, sí, ya que las mujeres que trabajan suelen estar más informadas y reciben un mejor seguimiento médico.

El ejercicio de una profesión no es en sí mismo un factor de riesgo para una mujer embarazada, aunque pueda acabar siéndolo en determinados casos. Siempre que para ti el trabajo no sea una cruz, seguir haciendo lo que te gusta, estar en contacto con tus compañeros de trabajo o con tus clientes y con el mundo exterior son aspectos psicológicos positivos. Así que no te sientas culpable por trabajar. Pese a todo, es mejor tomar

algunas precauciones que también son válidas fuera del embarazo.

Los transportes • Sea cual sea el modo de transporte que utilices para ir al trabajo, en la medida de lo posible, intenta limitar el número de desplazamientos que realices a lo largo del día y su duración a una hora como máximo. Si te excedes, corres el riesgo de fatigarte y de tener un parto prematuro. Cuando utilices el transporte público, no tengas reparos en hacer valer tus derechos: una mujer embarazada tiene prioridad a la hora de sentarse, aunque más de uno se resista a ceder el asiento. No corras por los pasillos del metro o para no perder un autobús que arranca sin esperarte. Debes tener cuidado de no tropezar ni resbalar en las escaleras y evitar precipitarte.

La computadora • Hasta el momento, no existe ningún estudio que demuestre que trabajar

Cuando el trabajo obliga a permanecer inmóvil durante horas, los dolores de espalda son habituales. Si éste es tu caso, te aconsejamos que descanses con regularidad, para caminar un poco y estirar los músculos.

frente a la computadora sea nocivo para el feto. Sin embargo, el hecho de estar sentada todo el día es perjudicial para tu comodidad. Coloca los pies en un taburete para que las piernas estén en alto, cambia de posición a menudo, haz pausas regulares para andar un poco o realiza ejercicios de estiramiento para la espalda y las piernas. Ten siempre a mano una botella de agua, evita las habitaciones demasiado calientes y no te tapes excesivamente.

Las condiciones de trabajo

Se han observado hasta un 40% de nacimientos prematuros en las mujeres que trabajan en condiciones difíciles (en torno al 20% de la población activa femenina) frente a la media del 6% entre las que trabajan en condiciones adecuadas.

¿Cuándo puedo pedir un cambio en el trabajo? • Las categorías profesionales más afectadas son cuatro: dependientas de comercios, personal médico-social, operarias especializadas y personal del sector de servicios. Determinadas condiciones de trabajo son consideradas factores de riesgo de parto prematuro, por lo que es necesario evitar:

• Realizar trayectos diarios de más de una hora.
• Permanecer de pie durante más de tres horas.
• Trabajar en un ambiente frío, demasiado seco o demasiado húmedo.
• Estar expuesta a un alto nivel de ruido o a las vibraciones de máquinas.

Si tus condiciones de trabajo se encuentran entre las anteriores, deberás pedir un cambio de puesto. En el caso de que la empresa no quiera tener en cuenta tu estado, habla con tu médico. Si estás de permiso, sigue al pie de la letra sus consejos o los que te dé la comadrona, pues ellos sabrán lo que más te conviene: una simple reducción de la actividad o descansar en cama varias horas al día.

Profesiones de riesgo • Determinadas profesiones constituyen un peligro real para la mujer embarazada y, en particular, para el feto, ya que implican, por ejemplo, la manipulación de productos químicos o la exposición a la radiación. Las enfermeras, las mujeres que trabajan en servicios de radiología o en la industria química también pueden verse afectadas por este tipo de peligros. Si ejerces alguna de estas profesiones, deberás tomar precauciones desde el principio del embarazo y consultar lo antes posible al médico de tu empresa. Los sistemas de protección social de la mayoría de los países suelen prever estas situaciones, por lo que el médico puede intentar que te cambien de puesto de manera temporal.

Cambios en tu forma de vida

Durante los tres primeros meses, es muy probable que te sientas cansada y que tengas tendencia a reducir el ritmo de tus salidas o a no trasnochar: es lo mejor que puedes hacer. Procura cuidarte, sobre todo si trabajas fuera de casa y te levantas temprano. Si antes la puerta de tu casa siempre estaba abierta para los amigos, tal vez sea el momento de pedirles que moderen sus visitas.

▶ Del cine al restaurante: salir sí, pero...

Naturalmente, puedes seguir frecuentando las salas de cine o asistir a espectáculos, pues no hay ningún problema en ello, salvo la posible incomodidad de los asientos. ¡Cuidado con la ciática! El escaso espacio entre las filas de asientos podría ser una dura prueba para tus piernas. Siempre que puedas, elige las butacas que estén junto al pasillo: te permitirán estirar un poco las piernas y, en caso necesario, salir a tomar el aire, andar un poco o ir al baño (lo que podría ser cada vez más frecuente a partir del sexto mes). Un consejo práctico: llévate una pequeña linterna de bolsillo y de este modo podrás llegar fácilmente hasta la salida sin correr el riesgo de caerte. En cualquier caso, evita las discotecas, los conciertos tumultuosos y las manifestaciones en las que puedas ser empujada por la gente.

En el restaurante, antes de reservar mesa, asegúrate de que existe una zona para no fumadores. En las cenas con amigos, y aunque seas tú la invitada, no tengas reparo en pedir a los demás que eviten fumar en tu presencia.

▶ Sustancias prohibidas

El alcohol • Durante el período clave de los tres primeros meses, evita tomar cualquier tipo de alcohol, ya que éste pasa directamente a tu sangre y, por consiguiente, a la del feto a través de la placenta, que no dispone de ningún filtro, por lo que podrían producirse malformaciones. A partir del cuarto mes, de forma excepcional o en las grandes ocasiones, puedes permitirte un vaso de vino o una copa de cava o champán. A lo largo del embarazo (y especialmente si decides amamantar a tu hijo), suprime las bebidas alcohólicas fuertes (vermut, licores digestivos, etc.).

Alerta a la fatiga

La fatiga es el primer signo que debe alertarte sobre tu ritmo de vida.

Si empiezas a padecer síntomas de fatiga, consulta con tu médico, quien podrá determinar si necesitas unos días de descanso. Infórmate acerca de la posibilidad de adaptar tus horarios de trabajo de acuerdo con los términos de tu convenio y haz valer tus derechos laborales.

Asimismo, procura evitar el estrés, así como el exceso de actividades que puedan sobrecargar tu jornada laboral. Todo el tiempo de descanso que puedas lograr, más tarde, será tiempo que podrás dedicar a tu bebé.

Cuidado con la obsesión por la limpieza

La familia muy pronto crecerá, por lo que es posible que cambies de casa. En este caso, es mejor que la mudanza tenga lugar durante el segundo trimestre del embarazo, más que en el primero o el último.

Si haces limpieza general de la casa, busca a alguien que te ayude. Teniendo en cuenta que el feto absorbe determinados productos tóxicos, este no es el momento más adecuado para encerrarse en una habitación poco ventilada para pintar o manipular productos de limpieza, barnices o disolventes. El cuidado del jardín o de la terraza no es prioritario: es mejor evitar el uso de insecticidas, pesticidas u otros herbicidas pulverizados.

El alcohol puede afectar al sistema nervioso central del embrión desde las primeras semanas. En casos extremos, puede ser la causa del síndrome de alcoholismo fetal, que está asociado al retraso en el crecimiento intrauterino, a unas facciones particulares (cabeza pequeña, mentón hundido, curva de la nariz excepcionalmente marcada…) y al retraso mental. Gracias a la prevención, se ha podido reducir progresivamente la incidencia de este problema, pero según datos de 2004, todavía una cuarta parte de las mujeres embarazadas ingiere alcohol de forma habitual durante el embarazo. Las autoridades sanitarias recomiendan la abstinencia total de alcohol durante el embarazo, pero muchas mujeres siguen estando mal informadas.

El tabaco • Aunque al principio te resulte muy difícil, llegará el día en que agradecerás a tu hijo que te ayudara a dejar el tabaco. Así que ¡ánimo! Se sabe que la nicotina y, sobre todo, los óxidos de carbono y el alquitrán absorbidos tienen efectos muy nocivos que provocan alteraciones en la circulación sanguínea del útero y del cordón umbilical, y una disminución de los movimientos activos y respiratorios del feto. Estas manifestaciones duran unos 30 minutos después de fumar un cigarrillo. Asimismo, el tabaco puede provocar el aborto, el embarazo extrauterino y el nacimiento prematuro. Los recién nacidos que han estado sometidos durante toda su vida uterina a fuertes dosis de tabaco suelen pesar una media de cerca de 200 g menos que los demás bebés.

Los riesgos son proporcionales al número de cigarrillos fumados. Si, a pesar de estar motivada para dejar de fumar, te resulta demasiado difícil, debes saber que los sustitutivos de la nicotina (como los parches de nicotina) no están contraindicados. Consulta a tu médico o dirígete a una consulta antitabaco, pero en todo caso no tomes ninguna medida sin autorización médica. Y no te olvides de pedirle al futuro padre que no fume delante de ti, ya que el tabaquismo pasivo también es perjudicial.

Viajar de forma segura

Ya sea para salir de fin de semana, en tus vacaciones o por cuestiones de trabajo, en principio, y siempre que tu embarazo discurra con normalidad, nada te impide viajar durante los dos primeros trimestres. De todos modos, deberás tomar algunas precauciones. A partir del séptimo mes, la prudencia aconseja evitar los desplazamientos largos.

▶ Medios de transporte

No existe comparación posible entre un pequeño paseo en bicicleta sobre un terreno llano, un trayecto en autobús o en coche, y un viaje largo en tren o en avión. En desplazamientos de más de 3 horas, recuerda que el tren es preferible al coche, y el avión al tren.

Bicicleta • A pesar de ser un medio de transporte muy práctico, la bicicleta es muy incómoda, ya que somete el cuerpo a traqueteos y requiere esfuerzos musculares poco recomendables a partir del segundo trimestre de embarazo. Así pues, a excepción de los pequeños paseos por el campo sobre un terreno llano, es mejor que prescindas de la bicicleta en cuanto empiece a crecerte el vientre.

Autobús y metro • Los pequeños recorridos en autobús no te supondrán ningún problema, siempre que puedas viajar sentada. Además, los transportes urbanos disponen de asientos reservados, así que no dudes en hacer valer tus derechos, aunque a veces encuentres a personas poco dispuestas a cederte el asiento. De todos modos, intenta no utilizar los transportes públicos en las horas de mayor afluencia y, sobre todo, no corras para tomar un autobús o un metro a punto de salir.

Automóvil • Ya sea en trayectos urbanos o de menos de una hora, el uso del automóvil no presenta ningún inconveniente. No conduzcas deprisa, evita los badenes y los baches y recuerda que, aunque el uso del cinturón de seguridad no es obligatorio en todos los países para las mujeres embarazadas, se recomienda el uso de cinturones especialmente adaptados. Abróchatelo colocando la banda inferior por debajo del vientre.

Cuando realices trayectos largos en coche, deberás respetar una serie de normas de precaución y de sentido común.
• Evita el ajetreo de los preparativos de última hora y organízate con tiempo.
• Valora si debes consultar a tu médico antes de partir, de modo que te confirme que el método de transporte elegido no está desaconsejado en tu estado. En caso de que no exista ningún riesgo, es posible que te recete un espasmolítico que deberás tomarte si tienes contracciones.
• Independientemente de si vas sentada al volante o en el asiento del acompañante, la conducción debe ser tranquila, sin aceleraciones ni frenazos bruscos.
• No recorras muchos kilómetros de un tirón. Una norma válida para cualquier conductor es descansar cada dos horas, y en tu caso esto es

aún más importante, teniendo en cuenta la fatiga que provoca un desplazamiento en coche. Así pues, evita pasar el fin de semana en la carretera o hacer turismo únicamente en coche. Cuando llegues a destino, lo primero y lo único que debes hacer es descansar.
• Evita las excursiones en todoterreno, aunque sea en un 4x4 «cómodo».

Tren • Si puedes elegir, y sobre todo a partir del séptimo mes de embarazo, intenta utilizar el tren para los trayectos de más de 3 horas, ya que este medio de transporte es más cómodo que el coche y no da tantas sacudidas. Además, en vez de permanecer sentada e inmóvil durante horas, podrás pasear de un vagón a otro.

Avión • Para recorrer largas distancias, el avión es el medio de transporte más indicado. La mayoría de compañías aéreas te aceptarán como pasajera hasta el octavo mes de gestación.

A partir de este mes, deberás presentar un certificado médico (no porque el avión represente un peligro para ti o para tu bebé, sino porque el personal a bordo no está necesariamente preparado para asistir un parto en pleno vuelo).

No te preocupes, este tipo de viajes por lo general transcurren sin problema, y el feto tolera bastante bien la menor concentración de oxígeno en el aire a causa de la altitud. Para una mayor comodidad, puedes tomar algunas precauciones. Bebe abundante agua durante todo el vuelo, ya que el ambiente dentro de un avión es muy seco. El día antes de viajar, evita comer alimentos que produzcan flatulencias, ya que la presión atmosférica puede dilatar los intestinos y provocar dolores bastantes desagradables cuando se está embarazada. Ponte lo más cómoda posible, quítate los zapatos, realiza algunos movimientos para relajarte y no tengas reparos en andar por el pasillo (al menos un rato cada hora) para activar la circulación sanguínea y evitar que se te hinchen las piernas. Cuando viajes en avión, recuerda que, más que nunca, debes usar ropa cómoda y holgada. En

El punto de vista del bebé

Detesto los ruidos fuertes que no conozco y que asustan a mamá, que me sacude sin querer. Entonces, todos los ruidos que me resultan agradables y familiares se hacen más rápidos y suenan con fuerza en el interior de su vientre, que se endurece y me aprieta. Como esto no me gusta, empiezo a patalear y a dar golpes en la puerta del vientre hasta que mamá se acuerda de mí. Si me habla interiormente o pone la mano en su vientre, volvemos a encontrarnos y todo va mejor.

Disfruta del placer de no hacer nada. Aprovecha la tranquilidad y el paisaje que te rodean. El embarazo es el momento ideal para unas vacaciones apacibles, y muchas veces, lo que más te apetecerá será descansar.

cuanto llegues al destino, al igual que en los viajes por carretera, lo primero que debes hacer es descansar.

De vacaciones

Embarazo y vacaciones casan bien. En efecto, no hay nada más beneficioso que el descanso y olvidarse de las preocupaciones del día a día. Si eres de espíritu inquieto y siempre estás preparada para descubrir horizontes lejanos, sin duda encontrarás la manera de pasar unas vacaciones interesantes sin tener que embarcarte en expediciones aventureras.

Sea cual sea tu destino • Aunque no salgas del país, debes procurar dormir la siesta siempre que puedas, preferiblemente en un lugar a la sombra o en una habitación fresca, más que hacer maratones para visitar todos los monumentos históricos de la región o recorrer todas las montañas de la zona con la mochila a cuestas. Para

salir, ponte ropa holgada y fresca y calza unos zapatos cómodos. Cuidado con el sol: evita las exposiciones prolongadas en la playa o en la piscina. Si tus vacaciones transcurren en el mar, aprovecha para pasear un poco por la orilla (con un sombrero y crema de protección total en la cara) para aliviar las piernas.

Por último, sin duda estarás más tranquila si te llevas los datos de algún médico o centro sanitario que estén cerca de tu lugar de veraneo para poder acudir a ellos rápidamente al menor signo de alerta, como fiebre, contracciones o pérdidas.

Si viajas a un país lejano • Viajar a un país exótico entraña algunos riesgos: una gran diferencia horaria y cambios bruscos de clima o de alimentación que requieren importantes esfuerzos de adaptación por parte del organismo y generan una fatiga evidente. Si estás embarazada, lo mejor es que te informes bien antes de escoger el destino de tus vacaciones.

En la playa, son imprescindibles una protección solar total, un sombrero y una botella de agua. No se aconsejan las largas exposiciones al sol.

tante deshidratación del organismo. Antes de viajar a países donde exista el peligro de enfermedades endémicas, intenta encontrar información en fuentes fiables y no olvides tomar precauciones.

Una vez realizadas estas comprobaciones, no olvides asegurarte de que la alimentación local pueda cubrir tus necesidades. En caso de que el agua corriente no sea potable, asegúrate de que podrás comprar agua embotellada y evita comer alimentos crudos como las ensaladas, las frutas y la verdura no cocinada.

Una vez en el país de destino, si hace calor, acuérdate de beber entre 2 y 3 litros de agua mineral al día (o de agua purificada si es necesario) con el fin de combatir la deshidratación, que se ve agravada en caso de diarrea. Es preferible que no te bañes en ríos, lagos o zonas pantanosas, y que evites caminar descalza por el lodo o la tierra húmeda, ya que el agua a veces contiene parásitos que pueden atravesar la epidermis.

No te olvides de contratar un buen seguro de viaje y cancelación que cubra los costos de una posible repatriación. Algunas tarjetas de crédito cubren la cancelación del viaje si el embarazo se declara antes del regreso, pero el seguro de cancelación que venden los operadores turísticos junto con el billete no siempre incluye este tipo de eventualidad. En cualquier caso, infórmate bien antes de viajar.

Ante todo, conviene evitar los países tropicales, ya que la vacuna contra la fiebre amarilla está contraindicada en las embarazadas y esta enfermedad es mortal. El paludismo también es peligroso para la futura madre (riesgo de infección) y para el feto (riesgo de aborto o de nacimiento prematuro). El uso de cloroquina (Nivaquine®) y proguanil, dos medicamentos que se utilizan de modo generalizado en la prevención o el tratamiento de la malaria, es seguro durante el embarazo. Se considera que el uso de la mefloquina (Lariam®) es seguro sólo durante el tercer trimestre de embarazo.

Además, debes tener en cuenta que no existe ningún tratamiento preventivo fiable para la que se conoce como «diarrea del viajero». Su principal peligro es que puede provocar una impor-

Actúa con precaución

Antes de irte de vacaciones, no te olvides de pedir a tu médico o a tu comadrona un documento con los detalles de tu historia médica.

Si sigues un tratamiento, no estará de más que tu médico especifique el nombre del principio activo del medicamento que tomes en la receta, de modo que puedas encontrar el equivalente al mismo en otro país en caso necesario. En cuanto llegues a tu destino, o bien antes de salir, localiza el médico o el hospital más cercano.

Pequeños dolores e incomodidades

Cómo reducir las náuseas matinales • Otros problemas digestivos • El cansancio y la somnolencia de los primeros meses • Causas de los mareos • Cómo aliviar los distintos dolores • Masajes contra los calambres • Prevenir y aliviar las piernas cansadas • Pequeños problemas urinarios • Picor en la piel • Cuándo acudir al médico

Trastornos del aparato digestivo

Náuseas matinales, alteraciones en el tránsito intestinal o ardores de estómago son algunos de los trastornos digestivos que sufren las embarazadas. Por lo general, se deben a las secreciones hormonales propias del embarazo. Bajo el efecto de la progesterona, el estómago y el intestino se vuelven «perezosos». La solución no siempre pasa por el uso de medicamentos; en muchos casos, un simple cambio en tus hábitos alimentarios te ayudará a sentirte mejor.

▶ Náuseas matinales

Empezar el día con náuseas no resulta muy agradable. Las náuseas son más frecuentes entre la tercera semana y el final del tercer mes, aunque a veces también pueden producirse más tarde. En algunos casos van acompañadas de vómitos, mientras que en otros se limitan a un mal sabor de boca.

Si por la mañana tienes náuseas, empieza tu desayuno en la cama (con una tostada con mantequilla o mermelada, por ejemplo) y levántate lentamente. Si vuelves a tener náuseas durante el día, es posible que descubras que te las provocan algunos olores fuertes o determinados alimentos que deberás procurar no tener en el refrigerador. Por lo general, puedes aliviar el malestar ingiriendo mucho líquido y comiendo poco, pero con mayor frecuencia. Si un poco de reposo y estos consejos no son suficientes, consulta a tu médico, que en caso necesario te recetará algún medicamento adaptado, como antináuseas o antieméticos.

Vómitos frecuentes • Aunque no sea algo muy habitual, a veces los vómitos son tan frecuentes al principio del embarazo que se pierde el apetito. En este caso, existe el riesgo de adelgazar y, sobre todo, de entrar en un estado de deshidratación. Si sufres este tipo de vómitos, es importante que consultes a tu médico.

▶ Tránsito intestinal lento

Con frecuencia, el tránsito intestinal se vuelve más lento durante el embarazo, ya que el útero comprime el intestino y los músculos del aparato digestivo se relajan por efecto de las hormonas. Esta es la razón por la que muchas mujeres embarazadas sufren de estreñimiento. La mejor solución es beber 1,5 litros de agua diariamente, aumentar el consumo de alimentos ricos en fibra, como la lechuga, y andar media hora al día.

Los laxantes están prohibidos durante el embarazo, ya que pueden ser peligrosos para la madre y para el feto. Tu médico podrá recetarte supositorios de glicerina o de aceite de parafina, pero, sobre todo, te dará consejos relacionados con tu alimentación y tus hábitos diarios. La mayoría de las frutas y las hortalizas y verduras verdes facilitan el tránsito intestinal. En cambio, es mejor evitar las féculas mientras la situación no mejore. Procura comer pan semiintegral (preferiblemente biológico). También te ayudará beber un gran vaso de agua sin gas al levantarte y agua mineral rica en magnesio.

▌Cómo aliviar el ardor de estómago

Es posible que después de las comidas sufras ardor de estómago, que puede ir acompañado de un sabor ácido en la boca. Esta molestia es bastante frecuente durante el tercer trimestre. Se trata de un reflujo gastroesofágico: la válvula que separa el final del esófago y el estómago no cierra como antes y deja subir la acidez del estómago. Evita comidas copiosas, bebidas gaseosas, comidas picantes, ácidas o muy especiadas, sustancias ácidas, verduras y hortalizas crudas y grasas cocidas. Del mismo modo, debes evitar acostarte justo después de las comidas. Si necesitas descansar, es mejor que lo hagas medio sentada. Algunos medicamentos alivian las molestias del ardor de estómago, pero recuerda que no debes tomar nada sin la autorización de tu médico, y mucho menos bicarbonato sódico.

Fatiga y mareos

Cuando más interfiere la fatiga en el ritmo de vida de la embarazada es al principio y al final de la gestación. Aparte del reposo, no existen otras soluciones para mitigar esta sensación de cansancio, que por otro lado es del todo normal. Lo que sí puedes hacer es evitar algunos pequeños mareos siguiendo unos consejos muy sencillos. Si sufres insomnio en las últimas semanas, podrás mitigarlo con un poco de relajación antes de acostarte.

▌Cansancio e insomnio

Aunque resulte un poco molesto, es normal que te sientas cansada durante los primeros meses. La vida sigue su ritmo, y no siempre podrás descansar todo lo que te apetezca. Llevar a cabo tus actividades habituales sin forzarte y cuidándote un poco más, a veces implica realizar pequeños ajustes, como dormir todo lo que quieras durante los días de descanso o evitar trasnochar.

La sensación de cansancio irá desapareciendo progresivamente y recuperarás energía hacia la mitad del embarazo, aunque es posible que la fatiga vuelva a aparecer en el último trimestre. Si el cansancio te invade hasta el punto de que cualquier actividad requiere un gran esfuerzo, lo mejor es que consultes a tu médico.

Muchas ganas de dormir al principio... • Muchas embarazadas tienen unas ganas irreprimibles de dejarse caer en los brazos de Morfeo. Debido a los cambios hormonales, tu cuerpo experimentará a menudo esta sensación de fatiga, que desaparecerá hacia el final del primer trimestre.

...e insomnio al final del embarazo • Es posible que en las últimas semanas sufras insomnio y que te despiertes porque el bebé se mueve más, debido a algún dolor o calambre, o porque tienes ganas de ir al baño. Para mejorar la calidad de tu sueño, puedes probar varias soluciones: dormir sobre una superficie dura, evitar excitantes como el té y el café, cenar ligero para facilitar la digestión, beber una infusión antes de acostarte... Si esto no es suficiente, intenta hacer un poco de relajación (ver p. 99). En caso necesario, tu médico podrá prescribirte algún somnífero suave apto para embarazadas. Durante el permiso por maternidad, las siestas diurnas te permitirán compensar las noches demasiado cortas o agitadas.

«Me siento mal»

El término «mareo» abarca distintos estados. La persona que lo sufre puede sentir que la cabeza le da vueltas, estar indispuesta o llegar a desmayarse, pero en la mayoría de los casos no es nada grave. Estas son las causas más frecuentes:

Levantarse demasiado rápido • Es posible que te marees cuando te levantes bruscamente. Estos pequeños mareos se deben a una bajada de la tensión arterial. Puedes reducir su frecuencia si te incorporas siempre lentamente: si estás acostada, por ejemplo, antes de levantarte debes sentarte.

Falta de azúcar • Otros mareos se deben a un descenso del nivel de glucosa en la sangre (hipoglucemia), por ejemplo cuando se está en ayunas. Si éste es tu caso, toma un tentempié a media mañana y otro a media tarde que incluyan frutos secos y fruta fresca. Esta hipoglucemia, que por lo general no tiene mayor trascendencia, en casos excepcionales está relacionada con la diabetes. Consulta a tu médico si estos desmayos se producen con mucha frecuencia.

Posición boca arriba • En el último trimestre, es posible que sientas malestar al estar acostada boca arriba, ya que en esta posición el útero comprime la aorta y la vena cava, que lleva la sangre al corazón. Si te acuestas sobre el lado izquierdo, permitirás que la sangre circule más fácilmente.

Una posible anemia • Excepcionalmente, los mareos pueden deberse a una anemia (una oxigenación deficiente de los tejidos debido a una carencia de hierro) y se producen al hacer un esfuerzo, cuando se está sofocada o el corazón late más deprisa. Además, se manifiestan en la palidez del rostro y en la fatiga. Si sufres este tipo de mareos, debes acudir al médico lo antes posible.

Dolores de cabeza

La fatiga puede favorecer los dolores de cabeza. Al principio del embarazo, estos dolores se deben sobre todo a variaciones en la presión arterial, al igual que algunos mareos. Si no logras aliviarlos con un poco de calma y aire fresco, prueba con paracetamol, pero sobre todo no tomes aspirina. En cualquier caso, sólo debes recurrir a esta solución de forma excepcional. Consulta a tu médico si sufres estos dolores con frecuencia.

Dolores leves

Durante el embarazo, es habitual experimentar distintos dolores de forma puntual. Estos dolores varían de una mujer a otra: algunas mujeres sufren dolor de espalda; otras, calambres, y otras, dolor en el vientre, simplemente debido al estiramiento de algunos ligamentos de la pelvis. En la mayoría de los casos, estos dolores pueden aliviarse con reposo, acompañado o no de la ingesta de vitaminas.

«Me duele todo»

Dolores abdominales • El dolor en el vientre puede resultar angustioso si se confunde con el de las contracciones. La diferencia es que cuando se tiene una contracción duele todo el útero, que adopta la forma de una pelota dura.

Sin embargo, en caso de duda, lo mejor es que consultes al médico, que en la mayoría de los casos te tranquilizará. Más de la mitad de las mujeres sufren tirones desde los primeros meses y, a partir del quinto mes, verdaderos dolores a la altura del estómago o de las ingles. Estos dolores pueden estar relacionados con problemas digestivos. Otras veces se deben al estiramiento de los ligamentos y se manifiestan en el bajo vientre y en los costados, en cuyo caso el médico puede recetar vitaminas o relajantes musculares. De todos modos, el mejor alivio es el reposo.

Dolores en la zona de la pelvis... • En el último trimestre, es posible que sientas unos dolores en la zona del pubis que te molestarán al andar y que podrían deberse a la acción de las hormonas en la pelvis, que provoca una relajación de los ligamentos. Para aliviar este tipo de dolores, puedes consultar a un osteópata.

...o en la espalda • El dolor de espalda es frecuente a partir del quinto mes, ya que el útero, que ha crecido, tira de la columna vertebral y acentúa la curvatura lumbar. Si practicas algunos ejercicios (ver pp. 91 y 95) y nadas de espalda, reforzarás todos los músculos, que ahora están sometidos a un mayor esfuerzo.

Para prevenir este tipo de dolores, siéntate con la espalda bien recta (ver p. 89), evita permanecer de pie mucho tiempo y no cargues pesos. A la hora de levantar un objeto pesado, flexiona las piernas en vez de doblar la espalda. El mejor remedio para aliviar el dolor de espalda es descansar en cama y aplicarse calor. Sin embargo, cuando el dolor empieza en las nalgas y se prolonga desde la parte posterior de la pierna hasta

los dedos del pie, suele revelar la existencia de ciática, en cuyo caso es necesario acudir al médico.

▶ Senos muy sensibles

La mayoría de las mujeres tienen los senos muy sensibles durante los tres primeros meses del embarazo y en ocasiones sienten picores, punzadas o dolores en los pezones. Todas estas incomodidades se deben al desarrollo del pecho.

Para mitigar las molestias, empieza cambiando de talla de sostén y procura que el tejido sea de algodón, ya que produce menos irritaciones que las fibras sintéticas. Si notas dolor en el pezón al aplicarte cremas o lociones, es mejor que no lo masajees. No existen soluciones milagrosas: con un poco de paciencia, la situación mejorará.

La aparición de un líquido amarillento • Si a partir del tercer trimestre tus pezones segregan un líquido amarillento, el calostro, puedes ponerte un disco protector en el interior del sostén. Si has decidido dar el pecho, esta sustancia constituirá el alimento de tu bebé durante los tres primeros días.

▶ Calambres y hormigueos

Calambres en las piernas y en las pantorrillas • Suelen producirse por la noche, cuando se está acostada. Si el dolor te despierta, tu compañero puede ayudarte a aliviarlo masajeando la pantorrilla de abajo hacia arriba, al mismo tiempo que mantiene tu pierna bien estirada y con los dedos de los pies mirando hacia ti. En caso de que los calambres sean frecuentes, es posible que tu médico te recete vitamina B_6 y magnesio (presente sobre todo en el chocolate negro; ver página 112).

Dolor en los dedos por la noche • En el tercer trimestre es posible que sientas hormigueos y dolor en los dedos de las manos, especialmente por la noche. Se trata del «síndrome del túnel carpiano», provocado por la compresión de un nervio de la muñeca. Cuando la aparición de estos síntomas se asocia al embarazo, no existe ningún tratamiento en particular. Una forma de aliviarlos es colocar la mano encima de la almohada para que permanezca en alto. Las molestias desaparecerán por completo después de dar a luz.

Estar en las nubes

Te olvidas las llaves en cualquier sitio, no eres capaz de concentrarte en la lectura, se te quema la comida... ¿Tu memoria te juega malas pasadas de vez en cuando? Tal vez el futuro bebé esté influyendo en tu capacidad de concentración. En realidad, del mismo modo que habita tu cuerpo, también habita tus pensamientos, por lo que no debe sorprenderte que a veces tengas la cabeza en otro lado o estés en las nubes. Incluso es posible que no te reconozcas en algunas de tus reacciones. De este modo, con la sensibilidad a flor de piel, vives la espera a tu manera.

Problemas circulatorios

Piernas cansadas, varices y hemorroides son algunos de los signos de una mala circulación sanguínea. En la mayoría de los casos, estos problemas son transitorios y se deben a una dilatación global de las venas de tipo hormonal. Por lo general, todo vuelve a la normalidad después del parto. Tomando algunas precauciones, podrás aliviar estas molestias y al mismo tiempo evitar posibles complicaciones.

▶ Piernas cansadas

La sensación de piernas cansadas, que aumenta con el calor, en la mayoría de los casos se debe a problemas de circulación sanguínea y puede ir acompañada de hinchazón y hormigueo. En cuanto aparecen estos síntomas, lo mejor es evitar, en la medida de lo posible, permanecer mucho tiempo de pie sin moverse, sentarse con las piernas cruzadas o usar zapatos planos, ligueros, botas o calcetines que aprieten las pantorrillas. Está contraindicado todo lo que pueda aumentar el calor en las piernas: los baños con agua muy caliente, la depilación con cera caliente, las sesiones de bronceado y la calefacción desde el suelo. Lo más indicado para los problemas de circulación es nadar y andar. En la mayoría de los casos, estas precauciones evitan el aumento de las molestias y la posible aparición de varices (dilatación anormal de las venas) a medida que avanza el embarazo.

En caso de varices • Las varices suelen aparecer en las piernas y a veces también en los muslos. Estética aparte, su presencia no siempre genera molestias. Es posible tener varices sin sufrir dolor en las piernas o, por el contrario, sentir las piernas pesadas sin tener varices. En cualquier caso, es aconsejable que sigas los consejos anteriores. Para aliviar las piernas, aplícales un chorro de agua fría cuando te duches, coloca una almohada en los pies de la cama para dormir con los pies en alto y, cuando estés trabajando, descansa de vez en cuando, levántate y anda un poco. El médico no podrá ayudarte mucho, aunque existen algunos medicamentos para aliviar las molestias; lo más probable es que te aconseje la utilización de medias y pantis de compresión. Por lo general, las varices desaparecen en los seis meses siguientes al parto.

▶ Cómo curar las hemorroides

Las hemorroides también son una dilatación de las venas, ya que son varices que se encuentran alrededor del ano. Suelen ser frecuentes hacia el final de la gestación, duelen más después del parto y después disminuyen progresivamente.

Los dolores o la sensación de pesadez que provocan pueden aliviarse con una mayor atención a la alimentación. Si tienes tendencia al estreñimiento, comer alimentos ricos en fibra te ayudará a mejorar el tránsito intestinal y a aliviar los dolores de las hemorroides. Asimismo, evita las comidas demasiado picantes, que favorecen su desarrollo.

Existen pomadas y medicamentos orales que pueden utilizarse bajo prescripción médica en los casos más graves. Si el dolor es muy intenso, lo mejor es consultar al médico, ya que podría haberse formado un coágulo (trombosis), lo cual no es grave pero requiere una pequeña intervención quirúrgica.

Hinchazón de pies y tobillos

En ocasiones se hinchan un poco los pies, los tobillos y las piernas a causa del mayor volumen del útero, que dificulta la circulación venosa. Pese a que no impiden caminar, los pequeños edemas que se forman resultan bastante molestos. Para aliviarlos, el médico te recomendará la utilización de pantis de compresión y, eventualmente, el uso de cremas venotónicas. Contrariamente a lo que se cree, restringir el consumo de sal, además de no resultar útil, puede ser perjudicial. Si los edemas son importantes, es aconsejable acudir al médico lo antes posible.

Otras incomodidades del embarazo

Sudoración excesiva, hipersalivación, sangrado de la nariz... Aunque muchas de estas pequeñas molestias no tengan solución, puedes intentar mitigarlas. En cambio, si sufres problemas urinarios y genitales o fuertes picores, aunque éstos no sean graves, deberás comunicarlos lo antes posible al médico o a la comadrona que te atiende.

◗ Ganas de ir al baño cada dos por tres

A medida que avanza el embarazo, el futuro bebé aumenta de peso y comprime la vejiga. Por eso es normal que te veas obligada a orinar con mayor frecuencia y que esta necesidad se manifieste cuando tu vejiga sólo está medio llena. Esta es una de las incomodidades a las que no te quedará más remedio que adaptarte. En cambio, si experimentas un leve picor al orinar, podrás aliviarlo bebiendo más líquidos. En caso de fuerte escozor, será necesario realizar unos análisis para descartar la posible presencia de una infección urinaria.

Reeducación del perineo • A veces resulta difícil contener la orina al toser o al hacer un esfuerzo. Muchas mujeres, embarazadas o no, experimentan esta incomodidad. La solución consiste en reeducar el perineo (pared muscular que sostiene la pelvis ligamentosa) a través de una serie de ejercicios que en algunos casos se pueden realizar durante el embarazo y, sobre todo, después del parto.

◗ Pérdidas vaginales

Debido a los cambios hormonales, durante la gestación es posible tener pérdidas vaginales más abundantes, blanquecinas e indoloras. Estas pérdidas sólo indican una infección cuando van acompañadas de picores o escozor; en los demás casos no tienen mayores consecuencias. La única medida que puedes tomar es evitar las duchas vaginales y la utilización de ropa interior de tejidos sintéticos (utiliza la de algodón), que favorece la aparición de micosis y gérmenes.

Cómo distinguirlas del líquido amniótico • Las pérdidas vaginales no deben confundirse con una pérdida de líquido amniótico, que indicaría una rotura de la bolsa de las aguas. Cuando el agujero en la bolsa del líquido amniótico es pequeño, el líquido no sale de forma abundante.

A diferencia de las pérdidas vaginales normales, este líquido es caliente, tiene un olor dulzón, es transparente como el agua y sale al cambiar de posición. Si tienes dudas, consulta a tu médico.

◗ Picores

Los picores en la piel suelen ser frecuentes hacia el final del embarazo, y de intensidad variable. Se localizan en el vientre cuando hay estrías (ver p. 81). Para limitar las molestias causadas por la irritación de la piel, evita los productos higiénicos que puedan producir alergias (perfumes, desodorantes), utiliza preferiblemente jabón de Marsella o de sosa, hidrata tu piel y opta por la ropa

Cuándo es necesario acudir al médico

La mayoría de las veces se abordan las molestias del embarazo y sus posibles soluciones durante las visitas rutinarias al médico.

Sin embargo, en caso de que presentes alguno de los síntomas que se exponen a continuación, deberás acudir al médico lo antes posible:

- • sangrado vaginal,
- • escozor al orinar,
- • dolor en la vulva (herpes genital),
- • importante aumento de la fiebre,
- • dolor intenso en el vientre,
- • pérdida de líquido amniótico,
- • fuertes picores que no se limitan al vientre y que aumentan por la noche,
- • edemas importantes que empeoran (si aumentas varios kilos en una semana y tienes hinchazón en los pies, las piernas, las manos y la cara).

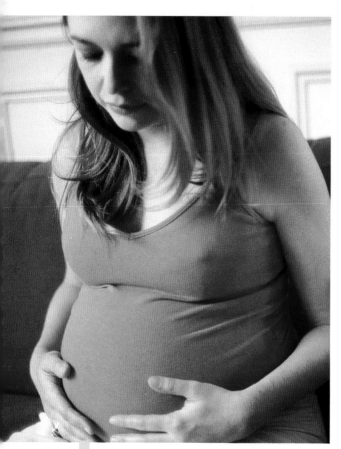
Hacia el final del embarazo, el peso del bebé y el volumen del útero pueden provocar molestias, entre ellas el ardor de estómago.

Estoy sin aliento • En los últimos cinco meses, e incluso antes, puede ser que te quedes sin aliento más a menudo. Esto no significa que tengas problemas cardíacos, sino que los sofocos se deben sobre todo a la presión que ejerce el útero sobre el diafragma, un músculo que interviene en la respiración. Cuando el diafragma dispone de menos espacio, la respiración se hace más corta. Para evitar esta sensación y recuperar el aliento, inspira por la nariz y espira por la boca profundamente y con calma.

▶ Sangrado de la nariz...

Es bastante frecuente sangrar por la nariz durante el embarazo, pero no existe ningún tratamiento para evitarlo. Su causa es la mayor fragilidad de los vasos sanguíneos.

...y de las encías • Es frecuente que las encías sangren durante el cepillado de los dientes. Para disminuir el sangrado, puedes utilizar un cepillo dental suave o masajearlas con un cepillo eléctrico suave. También puede ser útil una limpieza bucal en el dentista. Aparte de esta gingivitis, no existen otros problemas dentales asociados al embarazo.

Hipersalivación • A veces aumenta la salivación en las últimas semanas, pero en este caso tampoco existe ningún tratamiento posible. Todo volverá a la normalidad después de dar a luz.

de algodón, que en contacto con la piel es más agradable. Si los picores no se limitan al abdomen y aumentan por la noche, deberás acudir al médico, ya que podrían indicar una disfunción del hígado.

▶ Sudoración, calores y sofocos

¡Qué calor! • Si sudas más de lo habitual y frecuentemente tienes calor, lo único que puedes hacer para aliviar las molestias es usar polvos de talco y lociones refrescantes sin alcohol, o tomar un baño con agua tibia por la noche. Es posible que sientas calores súbitos cuando te encuentres en lugares cerrados o en los que la calefacción esté muy alta, y que tengas una sensación similar a la del mareo. Lleva siempre en el bolso una botella pequeña de agua y toallitas refrescantes o un vaporizador, especialmente en verano.

¿Y la homeopatía?

La homeopatía puede aliviar algunas de las incomodidades del embarazo, como las náuseas, los vómitos, el estreñimiento, las piernas cansadas o las alteraciones del sueño. Su principal ventaja es que no presenta ningún riesgo para el feto. Sin embargo, se desaconseja cualquier forma de automedicación (ver p. 173). Aunque antes de quedarte embarazada tomaras determinados remedios, no debes seguir haciéndolo sin antes consultar a tu médico. Si durante el embarazo consultas al mismo tiempo a un homeópata y a un ginecólogo (o una comadrona), es importante que cada uno de ellos esté al corriente de los tratamientos que sigues.

Nuevos vínculos afectivos

Frecuentes cambios de humor • Preocupaciones de la futura madre • Un nuevo encuentro contigo misma • La relación entre madre e hija • La vida de pareja durante el embarazo • Vivir plenamente la sexualidad • Sola y embarazada • Cómo preparar al hijo mayor para la llegada del bebé

Sentimientos contradictorios

E l embarazo, fuente de felicidad y al mismo tiempo de angustia, inaugura un nuevo capítulo en la vida de una mujer: la maternidad, que plantea numerosas dudas, transforma las relaciones con el entorno y permite profundizar en el autoconocimiento. Todo esto no siempre es fácil de llevar, de entender o de aceptar, aunque por lo general la mujer sale fortalecida de este proceso.

▶ Entre la euforia y la inquietud

Una mujer embarazada se preocupa tanto por lo que vive en el presente como por su futuro papel de madre, que intenta preparar y anticipar. Por lo general, experimenta sentimientos ambiguos, pero espera el nacimiento de su hijo con ilusión. A lo largo del embarazo, la futura madre puede pasar por distintas etapas: estar distraída y soñadora, e incluso deprimida, o, por el contrario, sentirse alegre, invulnerable y experimentar una gran confianza en sí misma. Así, es posible que los períodos de tristeza sucedan a los momentos de euforia. El importante aumento del nivel de hormonas puede generar una sensación de serenidad o, por el contrario, una cierta vulnerabilidad debido a la alteración del equilibrio emocional. Estos imprevisibles cambios de humor no siempre son fáciles de vivir, ni para la mujer ni para quienes la rodean, pero son prácticamente inevitables.

El embarazo no siempre es un camino de rosas • La idea de que el amor maternal es algo natural está muy extendida todavía hoy (antes se hablaba del «instinto maternal» como algo evidente). Según esta idea, la maternidad sería necesariamente dichosa y feliz. Sin embargo, la imagen estereotipada de la futura madre radiante y feliz esperando el día clave «dentro de su burbuja» es más un sueño que una realidad. Más vale saber desde el principio que no todo es plenitud. Estos nueve meses corresponden a un período de gran sensibilidad durante el cual algunas mujeres pueden experimentar un cierto malestar psíquico. Cada mujer reacciona en función de su temperamento, de su propia historia y de su entorno, y dependiendo del momento, puede sentirse inundada por un sentimiento de felicidad o experimentar una cierta inquietud.

▶ Un período lleno de interrogantes

Muchas mujeres, sin excluir las que deseaban con todas sus fuerzas ser madre, pueden experimentar una cierta ansiedad, en primer lugar ante la idea de vivir el embarazo y dar a luz, y en segundo lugar ante la idea de ser madres, por lo que su espera está rodeada a veces de dudas e incertidumbres. Concebir un bebé es como dar un salto a lo desconocido y llega a asustar, especialmente cuando se trata del primer hijo. Por lo tanto, no resulta extraño que la futura madre se haga tantas preguntas.

«¿Irá bien el parto?» • Uno de los motivos de inquietud está relacionado con el momento tan particular que constituye el parto. ¿Cómo se desarrollará? ¿Me dolerá mucho? ¿Funcionará la epidural? ¿El bebé nacerá a los nueves meses?... Es posible que temas la llegada del día «D», aunque en los últimos meses posiblemente lo esperes cada vez con más impaciencia.

Además de preocuparte por ti, es posible que también temas que le pase algo grave al bebé. Esta inquietud puede ser mayor si has sufrido un aborto o si tuviste una mala experiencia en un embarazo anterior, pero no debes olvidar que cada embarazo es distinto. A menos que un médico te haya advertido acerca de la existencia de determinados riesgos, nada debe hacerte pensar que esta vez puede surgir un problema, ni durante el embarazo ni en el momento del parto. Además, gracias a la prevención pueden evitarse algunos riesgos.

«¿Estaré a la altura?» • Cuando se tiene el primer hijo, las dudas más frecuentes están relacionadas con la nueva condición de madre: «¿Seré una buena madre?». Es posible que dudes de ti misma: «¿Sabré arreglármelas con mi hijo? ¿Voy a quererlo? ¿Cómo sabré lo que necesita?». En realidad, dudas de tu aptitud para ser madre, puesto que nunca te has encontrado en una situación como ésta e ignoras cuáles son tus capacidades. La mayoría de las futuras madres se sienten identificadas con estos razonamientos, pero su experiencia posterior demuestra que su capacidad como madres se revela cuando el bebé ha nacido y empiezan a cuidar de él.

«¿Tendré capacidad económica para criar a mi hijo?» • Los problemas de tipo material también son fuente de preocupaciones. Si tu familia es de condición modesta, tal vez tiendas a identificarte con una madre que trabajaba duro sin llegar a satisfacer sus necesidades. En este caso, es posible que el miedo a no disponer del suficiente dinero sea un motivo de angustia.

«¿Hasta qué punto ser madre me cambiará la vida?» • Algunas mujeres, y en especial las más jóvenes, no están del todo preparadas para las posibles frustraciones o, como mínimo, los cambios que implica el hecho de ser madre. La futura madre puede temer que el hijo monopolice todo su tiempo y atención, que sea un obstáculo para sus ambiciones profesionales o que cambie completamente su relación de pareja. Desde este punto de vista, la necesidad de asumir el papel de madre puede generar un estrés dañino. Pero por lo general, cuando llega el niño no existe en absoluto este sentimiento de pérdida. Poco a poco, la nueva madre se organiza de modo que logra compaginar su rol de madre con su propia vida de mujer, sin que ello signifique dejar a un lado lo que para ella es importante.

Serás una madre «suficientemente buena»

El concepto de madre «suficientemente buena» fue acuñado por el pediatra y psicoanalista Donald Winnicott. Rebatiendo la idea según la cual es necesario ser una «buena madre» a toda costa, demostró que el reconocimiento de los propios límites y de los sentimientos ambiguos contribuye a que la madre sea sensible a las complejas necesidades del niño. Según Winnicott, una madre «suficientemente buena» no es una madre «completamente buena», sino una madre capaz de aportar una base afectiva sólida, precisamente porque no es «perfecta». Esto no significa que durante el embarazo la mujer no sueñe con ser la madre «ideal», pues este deseo, lejos de ser inútil, también le permite convertirse en madre.

A medida que avanza el embarazo, la mujer aprende a confiar en su cuerpo y se siente más segura. A pesar de ello, no deja de interrogarse sobre sí misma y sobre lo que ocurrirá en un futuro inmediato.

▶ Nueve meses para aprender a confiar en ti misma

Naturalmente, cuando una mujer espera un hijo, desea que el bebé se desarrolle en las mejores condiciones posibles. Sin embargo, a veces, cuanto más se esfuerza para que todo vaya bien, mayores son las dudas sobre sí misma y los motivos de inquietud, pues el deseo de perfección absoluta puede convertirse en su enemigo.

El deseo de controlarlo todo se derrumba fácilmente ante las primeras molestias y los primeros indicios de fatiga: la mujer descubre que necesita cambiar de actitud, pensar de otra forma y, para empezar, aflojar el ritmo. Tomarse más tiempo para descansar o trabajar menos no denota en absoluto

un fracaso, sino más bien lo contrario, y en ocasiones incluso son medidas indispensables. Así pues, deberás aceptar que es imposible tenerlo todo bajo control, dejar que la naturaleza siga su curso y, en cierto modo, confiar en ella. De nada te servirá intentar ganar la batalla contra tu propio cuerpo.

En busca de ti misma • El embarazo, con sus dudas e inquietudes, pero también con sus alegrías y sus descubrimientos, es un período de intensa vida interior y, sin duda alguna, el momento en el que una mujer aprende más sobre sí misma. Estos nueve meses de espera no sólo te permitirán acercarte progresivamente al pequeño ser que llevas dentro, sino que constituirán una preparación para su llegada. Asimismo, serán una importante experiencia aleccionadora sobre ti misma. Como toda etapa importante en tu vida, el embarazo provocará cambios en la persona que has sido hasta entonces. Poco a poco te apercibirás de tu fuerza, te sorprenderás al comprobar la capacidad de adaptación de tu cuerpo y aprenderás a confiar en ti misma. Así, como futura madre «crecerás» al mismo tiempo que tu hijo. Con el nacimiento, descubrirás tu nueva condición de madre y adoptarás los gestos adecuados que, según el pediatra y psicoanalista Winnicott, te convertirán en una «madre suficientemente buena» (ver p. 134).

La vida de pareja

Los vínculos afectivos no dejan de transformarse a lo largo de la vida, pero sufren cambios especialmente importantes durante el embarazo. Estos cambios, que afectan tanto a la futura madre como al padre, constituyen una etapa necesaria en la relación de pareja y preceden al establecimiento de un nuevo equilibrio entre los dos miembros de la pareja.

▶ Cambios en la dinámica conyugal

Con el embarazo, una parte considerable de la energía de la pareja se centra en el que será su hijo. El futuro es algo emocionante y abre una infinidad de nuevos caminos. Sin embargo, este acontecimiento también conlleva aspectos menos agradables e inesperados para la pareja. Hombre y mujer reviven su propia infancia, con lo cual surgen sentimientos encontrados acerca del pasado y, en algunos casos, la necesidad de resolver conflictos subyacentes con los propios padres (ver p. 15). Todo ello puede empañar el entusiasmo con el que los futuros padres esperan el nacimiento y alterar temporalmente el equilibrio amoroso.

Del dúo al trío • Estos nueve meses de espera producen cambios en la vida de pareja y pueden generar cierta confusión en los vínculos afectivos. La pareja cambia de estructura y se transforma en «familia» a medida que avanzan los meses. Según los términos empleados por los psicólogos, la «díada» en el seno de la cual se forma una red privilegiada de interacciones entre los dos miembros de la pareja se convierte progresivamente en una «tríada». De este modo, el futuro bebé va ganando importancia en el vientre de su madre y en el seno de la pareja y, pese a que es un pequeño ser aún extraño, obliga a sus futuros padres a hacerle un lugar.

Una nueva perspectiva del otro • Tú, que hasta ahora eras mujer y amante, te conviertes en madre. Del mismo modo, el hombre con el que vives y al que amas se convierte en padre. Al pasar de la condición de cónyuges a la de padres, empezaréis a ver el mundo de otra forma y a vuestra pareja desde otra perspectiva.

Los respectivos roles de padre y madre que muy pronto tendréis que asumir contribuyen a reforzar los estereotipos de masculinidad y feminidad. Los dos miembros de la pareja dejan de estar en igualdad de condiciones e, inevitablemente, cada uno de ellos siente la necesidad de adoptar su nuevo rol dentro de la futura familia y, sobre todo, de estar a la altura.

▶ La necesidad de estar rodeada de las personas queridas

Durante el embarazo necesitarás mucha atención. Los cambios hormonales no siempre son fáciles de llevar. Puedes experimentar una fragilidad y una emotividad exacerbadas y, en ocasiones, una gran necesidad de ternura y de ser escuchada. Si tu pareja está a tu lado, la complicidad entre ambos puede consolidarse y permitir un diálogo enriquecedor. Sin embargo, también es posible que te encuentres sola y que sientas una mayor necesidad de ver a tu familia o a tus amigos.

El apoyo necesario de tu pareja • El apoyo de tu compañero sin duda contribuirá a tu serenidad. En los últimos meses, si te sientes más pesada y cansada, y si sales o ves a tus amigos con menos frecuencia, sentirás más que nunca la necesidad de tener al hombre al que quieres a tu lado. Hacia el final del embarazo, cuando no puedas realizar tantas actividades como antes, agradecerás que te ayude a preparar la habitación del bebé, que se encargue de hacer la compra y, sobre todo, que esté a tu lado para darte atención y cariño.

Lo ideal es que el hombre actúe, en cierto modo, como una especie de burbuja protectora de la madre y del bebé. Esta función le permite descubrir su nueva condición de padre y contribuye a que su compañera se sienta madre. Además, favorece el bienestar de su mujer e influye directamente en las sensaciones de su hijo, dado que el bebé ya percibe las emociones de su madre. La forma de vivir el embarazo influye en las primeras relaciones entre madre e hijo, y en este sentido la presencia del padre es muy importante.

Ahora bien, tu compañero no siempre actuará como esperas que lo haga y, en algunos casos, puede existir un desfase entre lo que tú le pides y lo que él puede darte. No olvides que él también pasa por una fase de intensa vida interior (ver pp. 148-153) que le hace adoptar distintas actitudes.

▶ El padre también cuenta

En ocasiones, el comportamiento del futuro padre es muy variable. Algunos hombres se implican a fondo, otros se muestran indiferentes y otros experimentan sentimientos contradictorios (celos, envidia) o temen verse superados por las responsabilidades que les esperan. Sin embargo,

La relación entre madre e hija

A veces, una mujer embarazada tiende a acercarse de forma espontánea a su madre, en quien encuentra un gran apoyo. Al convertirse a su vez en madre, necesita sentirse mimada y cuidada, como si el cambio de condición requiriera esta fase de «regresión». Otras veces, y por distintos motivos, será una amiga u otra mujer de la familia quien desempeñe esta función, que en el fondo tendrá el mismo significado.

aunque esto no siempre sea evidente, para todos ellos se trata de un período de profundos cambios.

Del sentimiento de exclusión... • Algunos futuros padres se sienten profundamente excluidos e incluso abandonados durante el embarazo. La mujer tiende a desplazar parte de la energía que dedicaba a su compañero al futuro bebé y, además, acapara toda la atención de su entorno. Por lo general, las personas más allegadas se preocupan sobre todo por su salud y su estado de ánimo, y muestran poco interés por lo que siente el padre. En esta situación, ¿qué crees que siente tu compañero, que también vive una etapa importante de su vida? En este contexto, algunos hombres ven a su mujer como a una rival, lo cual les resulta muy duro. Inconscientemente, piensan que ella lo tiene todo (el niño y la atención de su entorno), mientras que ellos deben superarse a sí mismos y estar siempre a la altura.

...al deseo de estar «embarazada» • Este período de cambios puede reflejarse en el futuro padre a través de una serie de síntomas asociados al embarazo: a algunos hombres les crece la barriga, sufren náuseas, diarreas, dolores de cabeza o de estómago, etc. Se trata del llamado «síndrome de incubación», que proviene de la palabra francesa *couver*, que significa incubar o criar. Estos hombres pueden mostrarse ansiosos a medida que se acerca el parto y, en su intento por mitigar esta angustia, experimentar una gran agitación.

▶ En busca de un nuevo equilibrio

Las nuevas responsabilidades que se presentan no siempre son fáciles de asumir para el futuro padre, que a menudo se pregunta si podrá satisfacer las necesidades de su familia y dedicar tiempo a su mujer y al bebé. Por lo general, a tu pareja le costará hablar contigo o con las personas que le rodean acerca de sus inquietudes, ya que es posible que tema no ser comprendido o que le dé vergüenza expresar sus dudas.

La tentación de huir • Ante el sentimiento de exclusión que viven dentro de su pareja o debido al peso de las dudas que les asaltan, algunos hombres, aparentemente, intentan huir de sus responsabilidades. Mientras que la mujer, por ejemplo, tiene ganas de quedarse en casa, él prefiere salir, viajar o ver a sus amigos. Es posible que durante el embarazo el hombre pase más horas fuera de

A veces, la alegría de ser padres va acompañada de cierta inquietud, tanto en el hombre como en la mujer.

casa, como si con ello quisiera demostrar que de momento todo sigue igual y que se mantiene el equilibrio habitual. Este desfase entre lo que vive la futura madre y lo que siente su compañero es a veces fuente de tensiones dentro de la pareja, pero es algo completamente normal. Por otro lado, la llegada del bebé también puede ser una oportunidad para empezar una nueva relación más intensa, basada en lo que la pareja está construyendo y con una mayor implicación de ambos miembros.

Ayúdale a encontrar su lugar • Los episodios de ansiedad más o menos intensa suelen ser transitorios: el equilibrio conyugal se restablece con el tiempo y, por lo general, la angustia se disipa a medida que se acerca el nacimiento del bebé. Sin embargo, la futura madre también puede contribuir a esta situación y demostrar a su compañero que para ella es esencial tenerle a su lado.

Algunos hombres viven con inquietud la relación prácticamente exclusiva entre madre e hijo. Naturalmente, como madre necesitas interactuar con tu hijo, pero para evitar que tu compañero

se sienta celoso o abandonado, es importante que la pareja siga compartiendo momentos de intimidad: demuéstrale que sigues sintiendo el mismo amor de antes y que estás a su lado. Recuérdale que su presencia es indispensable tanto para ti como para el niño. De este modo entenderá que desempeña un papel fundamental aunque no lleve dentro al bebé, y poco a poco aprenderá a asumir su nueva paternidad.

Si él no reacciona como tú ni muestra el mismo entusiasmo ante el feliz acontecimiento, no olvides que para ti tampoco es tan sencillo y que la alegría de ser padres a veces puede teñirse de sentimientos más ambiguos que cada uno vive a su manera.

¿Y la sexualidad?

Durante el embarazo disminuirán la frecuencia y la calidad de las relaciones íntimas, que dependerán principalmente de cómo te sientas. El deseo puede sufrir altibajos en función de tu estado físico, de tu estado de ánimo y del de tu compañero. En algunas parejas, el hecho de esperar un hijo estimula los vínculos amorosos, mientras que en otras los debilita. El factor determinante son las ganas que tengáis tú y tu pareja, aunque a veces es necesario el diálogo para que todo transcurra con normalidad. Si se muestra menos apasionado, por ejemplo, no dudes en preguntarle la razón ni concluyas que ya no te desea; tal vez el único motivo es que siente cierto reparo al notar los movimientos del bebé en tu vientre (ver p. 153).

Aparte de los aspectos psíquicos, otros cambios fisiológicos y hormonales pueden incidir en tu deseo y en tu placer. Las situaciones descritas a continuación son bastante habituales, aunque naturalmente, no pretenden ser un reflejo de lo que viven todas las mujeres.

Una disminución de la libido durante los primeros meses • Durante el primer trimestre tu cuerpo se transforma: tus senos aumentan de volumen, los pezones a veces están doloridos y tu vientre empieza a abultarse. Las náuseas, las ganas irreprimibles de dormir, y una emotividad y una irritabilidad exacerbadas hacen que para algunas mujeres la sexualidad pase a un segundo plano. Sin embargo, estas molestias pasajeras no afectan a todas las embarazadas y, cuando se producen, cada mujer las percibe de forma diferente. Así pues, las relaciones amorosas no tienen por qué verse afectadas.

Una sexualidad plena durante el segundo trimestre • A partir del segundo trimestre, es posible que la libido aumente: te sientes mejor y tu vientre todavía no es «excesivamente prominente». Las hormonas favorecen la lubricación de la vagina y la vuelven más congestiva y sensible.

Así pues, la sexualidad puede vivirse de forma muy intensa durante este período. Por lo general, nada os impide tener relaciones sexuales, sino todo lo contrario: los juegos amorosos permiten mantener el equilibrio dentro de la pareja y, además, el placer levanta el ánimo. Por su parte, el bebé está perfectamente sujeto y el líquido amniótico funciona como un airbag protector.

El ginecólogo puede prohibir las relaciones sexuales en casos excepcionales (cuando existe un importante riesgo de parto prematuro, por ejemplo).

Un vientre demasiado voluminoso durante el último trimestre • Salvo que el médico os indique lo contrario, podéis hacer el amor hasta los últimos días del embarazo. Si bien es cierto que muchas veces el volumen del vientre resulta un «estorbo», en algunos casos esta misma «dificultad» puede estimular la imaginación. En efecto, éste es un buen momento para experimentar nuevas posturas: en vez de estar tumbados el uno sobre el otro, podéis colocaros uno al lado del otro o sentados. También podéis acariciaros de todas las formas posibles y experimentar placer sin penetración. Cuando la mujer está cansada y necesita sobre todo ternura, los contactos amorosos pueden volverse más castos. Algunas parejas descubren una nueva sensualidad al acariciar zonas del cuerpo consideradas menos erógenas y que antes estaban más descuidadas. Todo ello hace que, en algunas parejas, el embarazo favorezca un mejor conocimiento del cuerpo del otro y represente un nuevo estímulo para los juegos amorosos.

Mujeres solas

Actualmente, cada vez son más las mujeres que deciden asumir solas el embarazo y la educación de su hijo. Las razones son muy variadas. Algunas mujeres se encuentran solas después de haberse separado de su pareja. En otros casos, el padre del bebé no puede (o no quiere) hacerse cargo del hijo, ya sea porque está casado o porque no se siente capaz de asumir tal responsabilidad. Por otra parte, algunas mujeres deciden libremente tener un hijo solas.

Desde los puntos de vista fisiológico y médico, el embarazo puede desarrollarse con toda normalidad, pero la manera como lo viva la mujer dependerá en gran medida de la situación y de las razones que lo hayan determinado. Muchas veces, familiares y amigos proporcionan apoyo afectivo y, en caso necesario, apoyo material. Si la mujer se encuentra verdaderamente sola, puede recurrir temporalmente a un centro de acogida o a un «hogar de madres». En algunos casos, vivir sola el embarazo se convierte en una dura prueba para la futura madre, que a veces necesita ayuda psicológica. En este caso, es importante que hable con su médico o con su comadrona.

Embarazada y madre

El anuncio de un nacimiento en la familia afecta a todos sus miembros, ya sean próximos o lejanos. Si el hijo que esperas no es el primero, el que hasta ahora era hijo único dejará de serlo, el pequeño cederá su lugar al bebé, etc. La familia crecerá y cada uno deberá prepararse para dejar su lugar al nuevo integrante.

▶ Los otros hijos

En primer lugar, hay algo que debe estar muy claro: la decisión de dar vida a un nuevo ser corresponde a dos adultos, el padre y la madre, y en ningún caso deben intervenir los otros hijos. Por eso no se aconseja preguntar, ni siquiera en tono de broma: «¿Te gustaría tener un hermanito o una hermanita?». No tienes un hijo para complacer a los otros hijos, sino porque lo has decidido con tu pareja. Así pues, no les pidas el consentimiento a una decisión en la que ellos no deben intervenir para nada.

Esto no significa que vuestro hijo mayor deba quedar al margen de este acontecimiento familiar bajo el pretexto de protegerle, sino más bien todo lo contrario.

Anunciarlo a su debido tiempo • Algunas parejas esperan el momento ideal para anunciar la gran noticia. Pero cuidado con el «sexto sentido» de los hijos, que por lo general perciben lo que pasa: su madre está más cansada, en casa reina un ambiente de misterio, oyen conversaciones susurradas… A partir del momento en que empiece a circular la noticia entre vuestros parientes y amigos, hay que informar también al hijo mayor. Lo mejor sería que fuera el primero en saberlo. Si, en cambio, es él quien lo descubre y lo pregunta, no hay que desmentirlo y hay que explicarle que sólo esperabais que el bebé creciera un poco más en tu vientre para decírselo.

El final del primer trimestre puede ser un buen momento para anunciar el nacimiento del bebé, ya que tu embarazo empezará a notarse y, estadísticamente, disminuye el riesgo de aborto. También hay que tener en cuenta la edad del hijo mayor: cuanto más pequeño sea, más le costará proyectarse en el futuro, ya que vive en el día a día.

Cómo decírselo • Hay que escoger el mejor momento del día: los mimos de la mañana, una comida o incluso un paseo. Es aconsejable que estén ambos padres para que el niño entienda que se trata de algo entre la madre, el padre, él (o ellos) y el bebé que ha de nacer. Se puede decir del modo más sencillo: «Papá y mamá han hecho un bebé que está creciendo en el vientre de mamá y que todavía tardará un poco en salir.» Es recomendable ubicar el nacimiento en relación con un acontecimiento significativo para el niño: por ejemplo, antes de Navidad, después de su cumpleaños, al volver de las vacaciones de verano…

▶ Distintas reacciones

¿Cómo reaccionará el mayor ante la gran noticia? No siempre como se espera, pero si algo es seguro, es que no le dejará indiferente. Algunos niños no hacen ningún comentario y vuelven sin más a lo que estaban haciendo. Lo mejor es respetar esta reacción y volver a sacar el tema más adelante. Otros se muestran entusiasmados y enseguida se ven jugando con su futuro hermanito, por lo que hay que explicarles que el bebé no llegará enseguida y que, cuando nazca, será demasiado pequeño para ser su compañero de juegos. Por último, algunos niños viven la noticia como una catástrofe que a menudo refleja el miedo a dejar de ser querido por sus padres.

Posibles regresiones • Tu hijo mayor no tardará en entender que el bebé que crece en el vientre de su madre es el centro de todas las atenciones. Así, no es extraño que algunos niños

El punto de vista del bebé

Siento que me rodean distintas presencias. Cada una tiene su propio tono y su propio ritmo y se dirige a mí de distinto modo. Noto una pequeña presencia cálida y viva, a veces brusca y a veces tierna, que tiene un tono agudo y que me habla muy cerca del vientre de mamá. Cuando me habla muy alto o se apoya bruscamente en el vientre para decirme hola, mamá se enfada. Pero a mí me gusta volver a oír esta vocecita cuando está más tranquila.

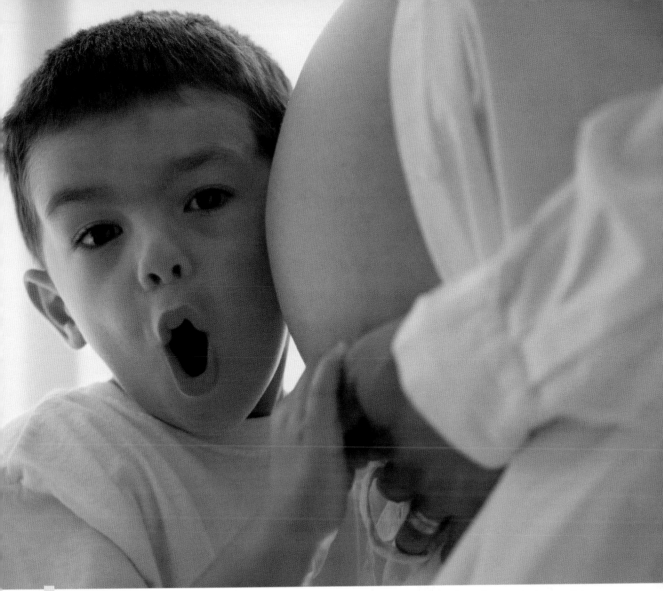

Puedes favorecer los primeros contactos entre hermanos dejando que tu hijo sienta los movimientos del bebé. No insistas si se muestra reticente, y mantente atenta para que no haga ningún gesto brusco.

presenten una regresión que se manifiesta de distintas formas en función de la edad. Hacia los 2 o 3 años, el niño puede volver a sufrir pequeños accidentes, gatear de nuevo o detenerse en su aprendizaje verbal para volver a hablar como un bebé. Hacia los 7 u 8 años, puede ser que vuelva a chuparse el pulgar. En torno a los 10 años de edad, quizás observes un empeoramiento transitorio de sus resultados escolares. En realidad, con estas actitudes sólo pretende volver a ser el centro de atención. Que tu hijo mayor pase por una fase de regresión no significa que no esté creciendo, sino que estos pequeños pasos hacia atrás le permitirán realizar otros mayores hacia adelante.

Cómo ayudarle

Ante todo, tranquilízale • Sea cual sea la reacción de tu hijo, deberás tranquilizarle para que entienda que el corazón de sus padres es capaz de querer a un segundo o tercer hijo sin dejar de querer al primero.

En el fondo, se preguntará si es necesario ser un bebé para recibir el amor de los padres. Tendrá miedo a dejar de ser el centro de atención o pensará que sus padres ya no le necesitan. Hay que explicarle que la llegada del bebé no significa que sus padres ya no le necesiten, sino que, por el contrario, el hecho de estar orgullosos de él hace que deseen tener otro hijo. En caso de que experimente una regresión, de nada sirve reñirle o castigarle: aprovecha para hablarle de cuando él era bebé y enséñale fotos o vídeos para que pueda ver lo esperado, querido y mimado que fue. Éste también puede ser un buen momento para decirle que un bebé requiere mucho tiempo, cuidados y atención, pero que esto no significa que haya que dejar de preocuparse por él. Aunque aparentemente el hijo mayor haya asimilado la noticia, también necesita ser confortado.

Los inevitables celos • Es posible que el niño reaccione con cierta agresividad e incluso con violencia, y que se exprese en términos aún más duros: «No lo quiero, ¡cuando nazca voy a tirarlo!» o «No quiero a este bebé en casa». También puede intentar darte patadas en el vientre. Ésta es su manera de exteriorizar los celos que empieza a sentir y su desconcierto ante una situación que cambia por completo sus esquemas y que escapa a su control. No te culpes al ver su inquietud pensando que deberíais haber esperado que fuera mayor para tener otro hijo, y no olvides que ésta es una decisión que corresponde a los padres. Tampoco te servirá de nada decirle que se comporta mal. Deja que exprese sus sentimientos

hacia su futuro hermano y dile: «No pasa nada si no le quieres de momento. Puede ser que cambies de idea cuando nazca, y entonces podremos hablarlo otra vez.»

Implícalo en los preparativos • ¿Esperabas un bombardeo de preguntas que finalmente no ha llegado? No te preocupes, háblale del bebé de vez en cuando, dale algunas informaciones pero evita que el tema monopolice todas las conversaciones. Involúcralo en los preparativos para la llegada del bebé. Si hay que preparar una habitación, ¿por qué no pedirle que ayude a escoger el color del papel que pondrás en la pared? Si vas a comprar ropa para el bebé, puede ayudarte a escoger entre algunas prendas que hayas seleccionado previamente. Otra posibilidad es dejar que elija algún juguete para su futuro hermanito.

Preséntale al futuro bebé • Aunque las ecografías del bebé no sean fáciles de descifrar, puedes enseñárselas a tu hijo para que sienta que está participando en el descubrimiento del que será su hermano. Cuando el bebé se mueva, deja que tu hijo sienta sus movimientos con la mano. Puedes enseñárselo con un juego muy sencillo: coloca unos pequeños cubos en forma de pirámide sobre tu vientre; cuando el bebé se mueva, la pirámide se derrumbará. Si tu hijo tiene menos de 5 años el éxito está asegurado. Sin embargo, debes saber que la representación del bebé dentro de tu cuerpo a veces puede ser angustiosa para los más pequeños. Utiliza libros adaptados para los niños, que ilustran de forma muy sencilla lo que pasa en el vientre de su madre y lo que pasará cuando nazca el bebé.

Preserva el lugar del mayor • Por último, es importante que prepares a tu hijo para tu estancia en el hospital: déjale con alguien con quien se sienta a gusto. Dile que podrá ir a verte y conocer a su hermanito, y prepárale un regalo de parte del bebé. Por otro lado, y en la medida de lo posible, evita que los días del parto coincidan con la incorporación de tu hijo por primera vez a la guardería o a la escuela, ya que con ello se sentiría profundamente excluido de lo que pasa en su familia. Si con la llegada del recién nacido tu hijo mayor debe cambiar de cama, es aconsejable que la adaptación se produzca unos meses antes del nacimiento.

«¿Por qué le crece la barriga a mamá?»

El nacimiento del hermano pequeño suele despertar curiosidad entre los hermanos mayores. El vientre de su madre va creciendo y todo se produce envuelto en misterio. Si el hijo mayor es bastante pequeño (3 años o menos), se le puede explicar sencillamente que es necesario que papá y mamá se quieran mucho y que papá ponga una semillita en el vientre de mamá para que el bebé nazca al cabo de unos meses. Si el hijo ya tiene 5 o 6 años, se puede añadir algunos detalles utilizando palabras que ya conoce: «El pene de papá pone una semillita en la barriga de mamá.» Ante las preguntas del hijo, también se puede recurrir a la ayuda de los libros: los hay para todas las edades y en ellos hay respuestas adaptadas.

Preparar la llegada del bebé

*Algunos consejos para preparar la habitación del bebé •
La seguridad del recién nacido • ¿Qué debo llevarme al hospital? •
El seguimiento médico después del parto • Distintas opciones
para el cuidado del niño*

Acondicionar el hogar

Junto con tu compañero y tal vez con tus hijos mayores, probablemente habrás pensado en el espacio que vas a preparar para el bebé. Tanto si se trata de una habitación exclusivamente para él o de un lugar habilitado en otra parte de la casa, lo más importante es que tenga su propio espacio. Cuanto antes se hagan los preparativos, más tiempo habrá para organizar su pequeño nido, equiparlo y personalizarlo.

▶ El espacio del bebé

Sea cual sea el espacio elegido, debe poder ventilarse fácilmente, ser de fácil acceso (piensa en todas las veces que se despertará el bebé por la noche) y suficientemente luminoso durante el día. En primer lugar, hay que determinar la ubicación de la cuna para que no esté demasiado cerca de una fuente de calor o de las ventanas. Es importante tener en cuenta la temperatura de la habitación, que debería estar entre 17-19 °C, por lo que es preferible evitar un espacio demasiado expuesto al sol.

Un espacio tranquilo... • Para que los sonidos del exterior (como bocinas y sirenas) no molesten al bebé, lo mejor es escoger una habitación que no dé a la calle. También hay que tener en cuenta los ruidos domésticos, de modo que, en la medida de lo posible, la habitación debería estar alejada del televisor o del equipo de música. Si lo que te preocupa es no oír si el bebé llora, puedes escoger entre una gran variedad de intercomunicadores que te permitirán vigilar su sueño a distancia.

...funcional y acogedor • Una vez escogido el lugar, podrás decorarlo y organizarlo a tu gusto, pero recuerda que debes dejar los trabajos de pintura y empapelado para tu compañero. Utiliza materiales de fácil mantenimiento: papel o pintura lavables, baldosas, revestimientos de plástico para el suelo o parqué barnizado. Evita moquetas y alfombras si en la familia hay tendencia a las alergias, aunque si la habitación es un poco fría, la moqueta puede ser un buen aislante.

En cuanto a la decoración, no olvides que los recién nacidos son muy sensibles a los contrastes. Le será indiferente el papel de la pared o la pintura, pero le gustará, por ejemplo, ver móviles. Si la idea es que el revestimiento de la pared dure algunos años, lo más aconsejable es elegir colores alegres y suaves o motivos discretos a los que, posteriormente, se podrá añadir una cenefa. Si has decidido no saber con antelación el sexo del bebé, elige una decoración que sirva tanto para niño como para niña.

Luz e iluminación • Puedes elegir entre estores o cortinas, pero no olvides que filtrar la luz es esencial para que el bebé aprenda progresivamente a distinguir entre el día y la noche. Sin duda las cortinas aportarán más calidez a la habitación. Si no hay contraventanas, instala dobles cortinas para evitar que entre la luz exterior.

Mientras tu hijo sea un bebé, puedes utilizar una lámpara de techo con regulador de intensidad, una pequeña lámpara al lado del cambiador e incluso una lámpara nocturna. Posteriormente, la iluminación deberá poder adaptarse a las actividades del niño.

La importancia de la seguridad

Para que la habitación del bebé sea un entorno seguro, hay que prever todo lo que podría estar a su alcance y procurar que nada le moleste. Evita colocar un estante sobre su cama o justo al lado, ya que tu hijo podría utilizarlo como asidero para levantarse o coger todo lo que estuviera encima. La cama tampoco debe estar al lado de las cortinas, ya que sus manos muy pronto se aferrarían a la tela o a los cordones.

Cuidado con la cama y el colchón • Si optas por una cuna con barrotes, utiliza un protector de cuna o una chichonera durante los primeros meses y asegúrate de que los barrotes sean lo suficientemente altos para evitar posibles caídas. La calidad del colchón es otro factor que deberás tener en cuenta, pues éste debe encajar perfectamente en las medidas de la cuna o de la cama, de modo que no quede ningún espacio libre alrededor. Comprueba su firmeza y su grosor, que no sea blando ni esté deformado con huecos o bolsas.

Piensa también en tu comodidad

El momento de cambiar o vestir al bebé es muy particular: es el momento de la complicidad, de las risas y de los besos, pero también puede ser el de los nervios si el bebé opone resistencia. La persona que se ocupe del niño no debe dejarlo ni un solo momento sin vigilancia en el cambiador o en el mueble utilizado al efecto.

Un orden práctico para cambiar al bebé • Puedes colocar el cambiador en la habitación del niño o en el cuarto de baño, dependiendo del espacio del que dispongas en cada sitio. Lo importante es que puedas cambiar al bebé sin dejarlo ni un segundo sin vigilancia y tener todo lo necesario al alcance de la mano: pañales, leche hidratante, suero fisiológico, algodón, etc. Existen varios muebles especialmente diseñados para tener organizado todo lo necesario. Basta con poner una colchoneta para cambiarle y colocar todo lo que necesites a tu alcance. Sin embargo, también puedes utilizar una cómoda o cualquier otra mesa. En ambos casos, lo más importante es que la altura del mueble sea la adecuada para que no debas inclinarte demasiado (no olvides que repetirás este movimiento con mucha frecuencia, por lo menos durante un año).

Un bebé bien equipado • Una vez solucionada la cuestión de la cama y del lugar para cambiar al bebé, deberás pensar en todo lo que necesitarás para vestirlo, alimentarlo, bañarlo, pasearlo... La lista del material necesario puede parecer interminable: cochecito, silla para el coche, portabebés, bañera, trona o silla alta, cuna de viaje, etc. Una buena solución es pedir prestadas algunas cosas, recibir otras como regalo y comprar lo que realmente quieras tener.

La obsesión por el hogar

Este período de preparativos y de compras muchas veces va acompañado de una verdadera obsesión por la limpieza y el orden. Es posible que de repente te entren ganas de ordenar, clasificar y deshacerte de lo que no necesitas, o que quieras limpiar a fondo los armarios o las baldosas, sacar brillo a todos los rincones y hasta reorganizar algunas partes de la casa. Muchas mujeres embarazadas han experimentado este impulso que puede convertirse en un exceso maníaco y desconcertar a más de un futuro padre. Todo ello es normal, ya que las futuras madres sienten la necesidad de asegurarse de que todo sea perfecto cuando nazca el niño. También podría ser una forma de liberar ciertas angustias que se manifiestan ante la inminencia del nacimiento. Estos excesos domésticos pueden provocar una sonrisa en las personas más cercanas y más tarde en la propia madre, cuando el bebé haya nacido y ya no le quede tiempo para jugar a hacer de «mujer de su casa».

Maleta para dos

De nada sirve tener la maleta preparada al cuarto mes, pero tampoco es necesario esperar hasta el último momento, pues sería perfectamente normal dar a luz al principio del noveno mes, cuatro semanas antes de la fecha prevista. A continuación te explicamos lo que necesitarás el día del parto y durante tu estancia en el hospital.

Para el día «D»

Prepara una bolsa aparte para el día del parto. Para ti, llévate una camisa bien ancha (en la que te sientas totalmente cómoda), una muda para después (camisón y bata, por ejemplo), algo que te sujete el cabello si lo tienes largo, un vaporizador para refrescarte y una botella de agua. También puedes llevarte un reproductor de CD con tu música preferida o una pequeña radio y, si se trata de un parto programado, un libro para que las horas de espera no te resulten tan largas.

Para el bebé, llévate toallas pequeñas (para envolverlo cuando nazca) y poder tenerlo encima mientras lo secas, ya que saldrá mojado y no debe coger frío), un body o camisetita, un pijama, un suéter (más o menos grueso según la época del año) y un gorrito de algodón o de punto. Es preferible que utilices tejidos naturales y, si es posible, que lleves ropa de recién nacido y adecuada para un bebé de un mes.

El futuro padre no debe ir demasiado abrigado (en las salas de parto hace calor), debe llevar algunas monedas para la máquina expendedora de bebidas y algo para comer, ya que la espera puede ser larga.

Para la estancia de la madre

Llévate camisones amplios (de los que se abren por delante si vas a dar el pecho), un albornoz, una bata y un par de zapatillas. También necesitarás sostenes de lactancia (y discos protectores para el pecho) y ropa interior (puede ser desechable, preferiblemente de malla ¡y que sea más cómoda que sexy!). Para tu cuidado personal y tu higiene, llévate toallas, compresas especiales para después del parto y tu neceser habitual, además de toallitas higiénicas, un pequeño cojín inflable (en caso de episiotomía), un secador de pelo y pañuelos.

Mímate con un poco de fruta (fresca o desecada) y, por qué no, tus bebidas y dulces preferidos. Así podrás comer lo que más te apetezca,

pues la comida del hospital tal vez no siempre responda a tus gustos. Por último, acuérdate de llevarte el libro de familia y la documentación que consideres necesaria.

La canastilla del bebé

Llévate un body o camisetita y un pijama para cada día (salvo que alguien pueda ir lavando la

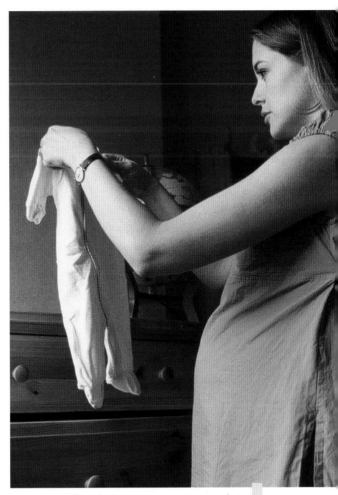

Lo más práctico es poner en una maleta aparte todo lo que necesitarás justo después del nacimiento del bebé.

ropa mientras estés en el hospital), dos o tres suéters o chaquetitas de lana, dos pares de patucos o zapatitos de lana, calcetines, un gorrito de algodón o de lana fino, baberos, una mantita y una muda para salir.

Acuérdate de llevar dos juegos de sábanas (y que en algunas maternidades sólo te proporcionan las mantas), un peluche para su cama, así como toallas o un albornoz. El bebé también necesita su neceser, que debe contener crema hidratante, aceite de almendras dulces, jabón líquido para bebés, cepillo para el pelo y peine, además de y otros productos para su cuidado:

suero fisiológico, mercurocromo, algodón y un termómetro.

También es posible que en la maternidad te entreguen una lista con todo lo que te proporcionarán allí cuando nazca tu hijo.

¿Y para los otros hijos?

Si el bebé que nacerá ya tiene hermanos, no te olvides de llevarte un regalito para dárselo de parte del bebé cuando lleguen a la maternidad y algunas fotos suyas para ponerlas en la mesita de noche, de modo que vean que piensas en ellos.

Preparar el regreso a casa

Cuando llegues a casa con el bebé, lo más probable es que estés cansada y tengas ganas de ocuparte de ti y del pequeño. Para que el regreso del hospital se produzca en las mejores condiciones, puedes anticipar algunos preparativos y contactar con los especialistas a los que recurrirás en caso necesario.

Adelanta lo más importante

Ayuda en casa • Tu estancia en la maternidad dependerá de cómo haya ido el parto. Algunas mujeres prefieren regresar lo antes posible a casa, sobre todo cuando tienen otros hijos.

¿Comadrona a domicilio? • Además, puedes considerar la posibilidad de que te asista una comadrona a domicilio, cuya ayuda te resultará muy útil en los cuidados posteriores al parto y si has decidido dar el pecho. Al salir de la maternidad, el proceso del amamantamiento aún no estará consolidado, por lo que la ayuda de una profesional que te asista en casa hará que te sientas más tranquila. También puedes recurrir a un quinesiólogo o a una comadrona para la reeducación postparto. De este modo te ahorrarás trabajo después del nacimiento.

Elegir pediatra • Por último, antes de ir al hospital, es mejor haber buscado a un pediatra que se ocupe del seguimiento de tu bebé y que pueda estar disponible en caso de que necesites consultarle rápidamente, pues algunos se desplazan hasta la maternidad para la primera visita. Las recomendaciones son una forma segura de

elegir a un buen médico; no dudes en pedir consejo a las personas de tu entorno (a las amigas o a tu farmacéutico, por ejemplo).

De las compras a la comunicación de nacimiento

El regreso de la maternidad no es el momento idóneo para salir a hacer la compra. Lo mejor es que lo planifiques con tu compañero con antelación. Habrá que comprar grandes cantidades de algunos productos: pañales, agua mineral o de manantial, leche, productos para el cuidado del bebé, etc. Las reservas de conservas y congelados pueden ser útiles para preparar las primeras comidas sin tener que salir.

También puedes encargarte de preparar la comunicación formal del nacimiento, de modo que, si así lo deseas, a tu regreso sólo tengas que llamar a la imprenta para indicarles el nombre del bebé y la fecha de nacimiento. Antes de ir al hospital, prepara con tu compañero una lista de las personas a las que queréis avisar con sus respectivos números de teléfono. Así no habrá olvidos y será más sencillo repartir el trabajo de anunciar a los familiares y amigos la llegada del bebé (ver p. 276).

El cuidado del niño

Prepararse para el nacimiento del bebé también implica pensar en su futuro y en el vuestro, en términos de organización. ¿Quién se ocupará de él cuando vuelvas a trabajar? El primer criterio de elección suele ser muy personal. Mientras que algunas madres prefieren confiar a su hijo a una sola persona, otras prefieren llevarlo a una guardería. Tu decisión dependerá en parte de la oferta existente en el lugar donde vivas y, naturalmente, del presupuesto del que dispongas.

Antes de decidirte, piensa en lo que es más importante para ti, para tu hijo, para su padre y para tus otros hijos, si los tienes. Así determinarás de forma natural cuál es la fórmula que más te conviene. Una cosa está clara: si quieres irte más tranquila a la sala de partos, tienes que empezar a buscar con la suficiente antelación y pedir una confirmación por escrito de la inscripción o la reserva que realices.

Guarderías colectivas • Están destinadas a niños de entre 2 meses y medio y 3 años, y abren de lunes a viernes, por lo general, entre las 7.30 y las 19 h. Además, cuanto más reducido es el número de plazas, más condiciones hay que reunir para poder optar a estas guarderías. Sin embargo, la proximidad del domicilio es uno de los criterios de selección, ya que se da prioridad a los habitantes de la zona. Hoy en día, las guarderías colectivas están muy solicitadas, por lo que conviene informarse al principio del embarazo (en algunas ciudades, incluso desde el momento en que la pareja decide que va a tener un hijo) y estar preparado para la inscripción, que suele realizarse hacia el sexto mes.

Guarderías familiares • Estas guarderías, formadas por una red de «asistentes maternales», acogen en un domicilio a uno o varios niños de entre 2 meses y medio y 3 años. El contrato laboral se realiza entre los padres, la directora de la guardería familiar y la asistente maternal, y en él se definen las modalidades específicas de funcionamiento (horarios y comidas).

Guarderías parentales • Se trata de asociaciones de padres que gestionan estructuras similares a las de las guarderías colectivas. Estos centros deben cumplir las mismas normas de funcionamiento y de seguridad que las guarderías municipales, con la diferencia de que aquí son los padres (con el apoyo de uno o varios especialistas en educación infantil) quienes se turnan en el cuidado de los niños y se encargan del buen funcionamiento del centro.

Asistentes maternales en régimen liberal • Para poder ejercer como tales, están reconocidas por la PMI (Protección Maternal e Infantil), que garantiza el buen estado de su domicilio, su salud y sus aptitudes educativas. La PMI de la zona se encarga de su seguimiento profesional y es el organismo que proporciona la lista de las asistentes maternales. Los horarios son los acordados entre la madre y la asistente. Esta fórmula puede presentar bastantes ventajas, pero varía en función de la persona.

Au-pair • Una *au-pair* es una chica de cualquier país del mundo que se encarga de cuidar de los niños durante un número determinado de horas. A cambio, debes darle las comidas, el alojamiento y una paga semanal. También puede hacer de niñera por las noches o encargarse de algunas tareas domésticas. En sus horas de clase, en las que aprende la lengua del país de destino, no se le puede pedir que trabaje.

La elección del nombre

Éste es un tema que trae de cabeza a la pareja durante un tiempo y que animará más de una conversación. La pareja debe tener claro que es una elección exclusivamente suya, que depende de sus gustos e influencias culturales y familiares. Algunos consejos: cuidado con los nombres que levantan pasiones durante un tiempo y que pasan de moda al cabo de poco (una vez en el colegio, tu hijo podría tener el mismo nombre que otros cinco niños de su clase...). Hay que pensar en la combinación del nombre con los apellidos. En caso de duda, es mejor guardar las distintas opciones en secreto y esperar a ver al bebé. También hay que tener en cuenta que el registro civil podría no aceptar la inscripción de un nombre demasiado «original».

Cuando el futuro padre piensa en el mañana

Pensando en el futuro • Las inquietudes más frecuentes de los futuros padres • Un proceso interior no siempre fácil de compartir • Cuando el hombre y la mujer no están sintonizados • Miedo a hacer el amor... y otras preguntas acerca de la sexualidad

Un mar de dudas

Imaginar el futuro, la vida de familia o el comportamiento de tu mujer cuando sea madre son aspectos que forman parte de la paternidad. Si el bebé que nacerá es tu primer hijo, es posible que te sientas abrumado ante tus futuras responsabilidades, pensando en todas las cosas que cambiarán en tu vida y en la relación de pareja, y que lo veas todo un poco negro.

▶ Cada uno espera a su manera

Salvo en algunos pequeños detalles, la vida sigue su curso mientras esperas que llegue el bebé. Algunos hombres se recogen más en su pareja, como si ya empezaran a construir su nido, y otros, por el contrario, aprovechan esta «tregua» para salir más. Estos nueve meses apenas implican obligaciones para el padre, lo cual no significa que deba mantenerse pasivo. Aunque a veces no sea de forma visible, él también sigue su propio camino y realiza un viaje al interior de sí mismo. La necesidad de tomar cierta distancia o el rechazo transitorio de la paternidad pueden ser etapas indispensables para empezar esta nueva etapa vital.

No todo lo que experimentas en estos momentos pertenece al ámbito de lo consciente: una parte está oculta, es secreta, se desarrolla sin que tú lo sepas e influye en tu comportamiento. Las preguntas, las dudas y tus proyectos de futuro son sólo la parte visible. Incluso los hombres que han deseado ser padres durante mucho tiempo experimentan estos desajustes como parte del proceso de convertirse en padre. Cada hombre lo vive a su manera: algunos desde el anuncio del embarazo, y otros bastante más tarde. En muy pocos casos se trata de un proceso lineal, y tampoco existe ningún patrón de comportamiento.

▶ Imaginar el futuro

Es normal que, en mayor o menor medida, durante estos nueve meses de transición pienses en el futuro, al igual que lo hace tu compañera. Te ves como el padre que te gustaría ser, te imaginas a tu hijo y los gestos que tendrá tu mujer hacia él. Todas estas representaciones forman parte de tus sueños y son ante todo el reflejo de tus más profundos deseos. No importa si la realidad es distinta, ya que estas visualizaciones también son una forma de evolucionar. Lo importante es que, cuando llegue el momento, te adaptes a la situación real y no a la que habías soñado. Esto es lo que suele ocurrir, con algunos ajustes que pueden ser más o menos delicados según las vivencias de cada persona.

Cuando se espera un hijo • Por lo general, los hombres tienen menos tendencia que las mujeres a imaginar los rasgos físicos del que será su hijo. Los proyectos que incluyen al niño o las ganas de compartir con él determinadas actividades suelen aparecer después del nacimiento. En cambio, a veces el futuro padre tiene una idea muy clara sobre el sexo del bebé. Es posible que quieras un niño, por ejemplo, y que esto tenga mucha importancia para ti. Si este deseo es tan fuerte que puede generar el rechazo de una niña en el momento del nacimiento, lo mejor es que sepas de antemano cuál es su sexo (lo cual es posible a partir del quinto mes). Esto podría evitarte una decepción cuando nazca el bebé. Además, todo este tiempo te permitirá reflexionar sobre el hecho de dar vida a un ser humano por sí mismo que no pertenece a nadie (ni debe servir para valorizar a nadie), pues tener un hijo no es algo que se haga para uno mismo.

El sueño de la madre ideal • De acuerdo con una imagen ideal, con unos deseos a veces muy profundos o, simplemente, tomando como referencia a tu propia madre, seguramente imaginarás a tu mujer actuando de un determinado modo con el bebé. Puedes pensar, por ejemplo, que será muy cariñosa y mimosa, pero esto no significa que vaya a ser necesariamente como te la imaginas, por lo que también en este caso necesitarás adaptarte a la realidad.

Lo más importante para que todo transcurra con normalidad es evitar los juicios de valor. No existe ningún «modelo estándar de buena madre». Si cuestionas la capacidad de tu compañera de ser una buena madre, toda la familia sufrirá las consecuencias. Tú mismo necesitarás que ella también confíe en ti como padre. Esta nueva etapa en la vida permitirá a la pareja descubrir sus respectivos roles, lo que puede deparar agradables sorpresas.

▶ Nuevas responsabilidades

A veces el futuro padre se preocupa por su relación con el niño que nacerá, aunque por lo general sus mayores inquietudes están relacionadas con el día a día. El nacimiento del bebé también conlleva cambios materiales: una nueva organización del tiempo y de las tareas, nuevos gastos y toda una serie de preguntas relacionadas con las futuras

A pesar de los momentos de felicidad que vive la pareja, esperar un hijo supone para ambos un proceso interior difícil de compartir.

responsabilidades: «¿Seré capaz de hacerlo?». Cuando uno de los miembros de la pareja se encuentra en una situación laboral precaria, el aspecto económico puede ser fuente de inquietud.

Además, la mayoría de los hombres son conscientes de que la vida de familia implica un proceso de reorganización. Saldrás menos, te quedarás más en casa, y es posible que las visitas de los amigos sean menos frecuentes, como mínimo durante los primeros meses. Sin duda, deberás asumir una parte más importante de las tareas domésticas y otras de las que tu mujer no podrá encargarse sola. Estos cambios en el día a día asustan a más de uno.

Sin embargo, cuando nace el bebé, muchas veces la realidad no es tan «terrible» como parecía. Pasar tiempo con él, por ejemplo, puede ser un «sacrificio» de lo más agradable. Es cierto que ante la nueva realidad algunas de tus inquietudes se materializarán, pero tal vez las vivas de otra forma, ya que tendrás nuevos motivos de alegría y no pocas satisfacciones.

La preocupación por la pareja

Antes del nacimiento, muchos hombres se preocupan por el futuro de su vida de pareja. En efecto, la maternidad puede asustar, especialmente cuando la mujer se muestra especialmente feliz con el embarazo. ¿El niño que nacerá colmará sus necesidades afectivas? ¿Cuál será mi lugar como amante? A partir de ahora, ¿sólo se interesará por mí como padre? Son muchas las preguntas que se hacen los futuros padres. Es cierto que tu mujer cambiará al convertirse en madre, pero tú también lo harás al adoptar el rol de padre. En ocasiones resulta inquietante comprobar que no se puede hacer nada contra esta realidad imparable. Sin embargo, no existe ninguna razón para que disminuya el amor que en la pareja sienten el uno por el otro, con la diferencia de que tal vez ahora deban estar más atentos para no descuidar estos sentimientos.

Naturalmente, si tú mismo ves a tu mujer sobre todo como madre, es bastante probable que ella centre toda su vida afectiva en el niño. Esto podría suceder si no estás a su lado, si no te preocupas por ella, o si te olvidas de lo que antes le proporcionaba placer con el pretexto de que la maternidad ya colma todos sus deseos. Cuando el hombre sigue siendo un amante atento, muy pocas veces la mujer se distancia de él para dedicarse exclusivamente a su hijo. Si esto ocurre, es importante que el hombre exprese su malestar no sólo para su propio bien, sino también para el de su pareja.

Tan juntos y tan solos...

La vida afectiva varía mucho de una pareja a otra durante el embarazo, y puede ser tanto un período de gran ternura como de grandes conflictos. A veces la actitud de la mujer confunde al hombre, y viceversa. Cada uno pasa por un proceso de cambios internos difícil de transmitir y lo expresa a su manera. Cuando los dos miembros de la pareja aceptan mutuamente sus distintas formas de actuar, por lo general la relación es más fluida.

La evolución de la pareja

Para algunas parejas, el embarazo es un período tempestuoso, lleno de disputas y reconciliaciones, en el que alternan incomprensiones e impulsos amorosos. Otras parejas, en cambio, están más unidas que nunca y a lo largo de estos nueve meses se apoyan mutuamente hasta el punto de llegar a suprimir cualquier tipo de pensamiento que les perturbe o inquiete. Sin embargo, por lo general, la situación no es tan marcada, y cada uno vive a su manera las dificultades y las alegrías de este período de transición.

Entre la pareja... y el bebé • A grandes rasgos, la vida de pareja durante el embarazo no difiere mucho de la de antes, ya que el bebé no está siempre en el pensamiento. Cuando la pareja comparte momentos en los que piensan en él, los tres juntos ya forman una especie de burbuja, pero como pareja siguen disfrutando de su intimidad. A veces hablan del bebé, pero no hasta el punto de que éste se convierta en el centro de todas las conversaciones. Siguen siendo dos personas que se aman... y que progresivamente se convierten en padres.

Esto no significa que no choquen cuando hay una falta de sincronización entre ellos, algo que resulta inevitable, sobre todo cuando se trata del primer hijo. En cierto modo, estos desencuentros permiten los ajustes necesarios para que la pareja evolucione durante este período.

¿Por qué no estamos en sintonía? • El nacimiento del bebé y la forma de vivir la futura paternidad o maternidad generan una serie de incomprensiones en la pareja. La mujer suele darse cuenta antes, cuando para ti el nacimiento todavía es algo abstracto y lejano. En ese momento, le embarga una emoción que no puedes llegar a compartir. En algunos casos ocurre lo contrario, y puedes ser tú quien se sienta más preparado para la llegada del bebé.

También es posible que los sentimientos de la pareja no vayan al mismo ritmo. Tal vez tú prefieras vivir este tiempo de espera en casa, a su

lado, mientras que ella desea salir, visitar museos y asistir a espectáculos, temiendo no poder hacer nada de esto después del nacimiento, o al revés…

Los desacuerdos pueden producirse a causa de la familia, si uno de los dos se siente molesto por su continua presencia. Además, frecuentemente se malinterpretan las actitudes del otro; si optas por hablar lo menos posible del tema, no exteriorizar tus sentimientos y ocultar tus temores, tu compañera podría interpretar tu actitud como indiferencia, por ejemplo.

▶ Un camino en solitario

El hecho de compartir al máximo la experiencia del embarazo no significa que la pareja lo viva del mismo modo. En primer lugar, desde el punto de vista fisiológico, es su cuerpo el que se transforma y es ella también quien siente al bebé en su interior, y no tú; ésta es una diferencia insalvable. Además, cada uno tiene por delante un camino que recorrer en solitario. Tú deberás pasar de la condición de hijo a la de padre,

El punto de vista del bebé

Entre todos los sonidos que me rodean, noto una presencia con un tono grave, un ritmo suave y una vibración relajante. A veces está muy cerca de mí, o se aleja, aparece y desaparece regularmente, pero es quien me da más calor, arropa a mamá y nos hace sentir bien cuando está a su lado. Me gusta acercarme a su mano cálida cuando la pone en el vientre de mamá y me acaricia. Es tan agradable, que sólo con notar su presencia me acerco a él y sé que a los dos les gusta.

y ella cambiará su estatus de hija por el de madre. Todo ello es muy difícil de compartir, si no es de forma aproximada. Tú mismo no siempre entenderás lo que pasa en tu interior. Ser padre (o madre) está estrechamente relacionado con todo lo que te ha forjado como persona, en lo más íntimo de ti. ¿Te gustaría ser como tus padres? ¿Te sientes agobiado por ellos, o son demasiado distantes? ¿Qué te gustaría evitarle a tu hijo? ¿Qué te gustaría darle? ¿Cómo soñabas que sería tu vida de adulto? ¿Te sientes satisfecho con lo que has logrado? Todas estas referencias al pasado y al futuro te ayudarán a verte progresivamente como padre y a asumir este rol. Aunque no te plantees ninguna de estas cuestiones o no lo hagas de este modo, por lo general revivirás momentos de tu infancia que pueden ser agradables o no.

Pocos hombres no se sienten turbados ante la idea de querer y criar a un hijo por primera vez, pero en todos los casos se trata de un proceso muy personal. Tu mujer experimentará una evolución similar que, a su vez, dependerá de su historia personal. Nada impide hablar del tema, pero ¿hasta qué punto? ¿Realmente es necesario? Más que compartir, lo esencial es que cada uno respete las vivencias del otro.

▶ Respetar las vivencias del otro

Puede parecer algo evidente, pero no está de más decirlo: las relaciones de pareja durante el embarazo son más fáciles cuando cada uno respeta las emociones del otro sin juzgarlas. Se deben conceder mutuamente el derecho a ser ellos mismos, incluso cuando no se comprendan. La libertad de exteriorizar (o no) los sentimientos o de reaccionar de determinada forma es esencial para que ambos puedan vivir plenamente esta etapa de sus vidas.

Prepararse para tener un hijo también significa concederse tiempo para estar consigo mismo. Tu mujer deberá aceptar que no estés siempre a su disposición o que en determinados momentos necesites distanciarte. Del mismo modo, tú deberás entender que ella vive momentos únicos y que en ocasiones

Cuando ya no hay diálogo

Si te sientes tan perdido que no entiendes en absoluto a tu compañera, si ya no hay diálogo, no hay diversión ni se mantienen relaciones sexuales, es necesario que alguno de los dos dé el toque de alerta. Si se está en una situación de *impasse*, lo mejor es recurrir a la ayuda de un especialista.

Huir físicamente o a través del silencio no resuelve las cosas, aunque sea la solución más fácil en un primer momento. Es cierto que algunas parejas se distancian antes del nacimiento para reencontrarse después, pero para ello es necesario que ninguno de los dos haya herido profundamente al otro.

puede necesitar una conexión íntima y exclusiva con el futuro bebé. En cualquier caso, lo ideal es que seáis tolerantes con la forma en que el otro vive su espera, sin someteros a ningún tipo de norma.

Cuidado con los clichés • Una idea bastante extendida entre los hombres es que el embarazo es un tiempo de felicidad y plenitud para la mujer, pero la realidad está llena de matices. Algunas mujeres, pese a desear con todas sus fuerzas ser madres, podrían prescindir perfectamente de llevar al bebé en su vientre y aceptan más o menos bien los cambios en su cuerpo. Otras se sienten más a gusto con el embarazo, lo que no significa que no tengan miedo o que en determinados momentos no deseen dar marcha atrás. En algunos casos, cuando ellas expresan cómo se sienten, los hombres no las entienden o, peor aún, deducen erróneamente que no serán «buenas» madres. Las mujeres también pueden dejarse llevar por algunos clichés sobre los hombres que tú, seguramente, serás el primero en lamentar. Así que cuidado con las ideas preconcebidas, y no pienses que tu mujer es un caso aparte por el hecho de expresar unos sentimientos que no se corresponden con tu ideal; podrías hacer que se sintiera mal sin ninguna necesidad, pues la realidad son sus propias vivencias y no las de una mujer imaginaria. En este sentido, puedes pedirle que muestre el mismo respeto hacia ti.

▶ Una sexualidad cambiante

Al igual que la vida afectiva, la sexualidad varía enormemente de una pareja a otra durante el embarazo. Algunas parejas hacen menos el amor, especialmente en el último trimestre, mientras que otras encuentran más placer en sus relaciones íntimas. En ambos casos, son los dos miembros de la pareja quienes determinan la evolución de su sexualidad.

Por lo general, el estado físico de la mujer no es el único factor que interviene en la disminución de las relaciones sexuales, sino que más bien es el clima afectivo y el estado psíquico de ambos lo que provoca una disminución del deseo sexual. Cuando una mujer se siente bien en todos los aspectos, a los ojos de su compañero es aún más bella y sensual. De este modo, el deseo de uno alimenta el del otro, ambos están más predispuestos para el juego erótico y se sienten satisfechos con su sexualidad.

Cambios fisiológicos • Sin embargo, el embarazo puede dar lugar a pequeños cambios en la sexualidad femenina. No deberá sorprenderte que ella sienta placer más rápidamente, que se produzca una menor lubricación vaginal o que sienta pequeños dolores en las últimas semanas. Estas alteraciones no suelen tener consecuencias mayores, pero requieren cierta adaptación.

¿Miedo a hacer el amor? • A veces es el hombre quien frena las relaciones sexuales durante el embarazo. Una de las principales razones es el miedo a hacer daño al bebé, e incluso a mancharlo con el esperma, sobre todo cuando sus movimientos empiezan a evidenciarse. Es un temor infundado, ya que el pene nunca penetra en el útero y el bebé no se ve afectado en absoluto por la presión del cuerpo del hombre sobre el vientre de la madre (sumamente elástico), ni siquiera en los últimos días de gestación.

Otra reticencia deriva de la forma en que el hombre entiende la maternidad. Algunos hombres sacralizan tanto el vientre redondo de su mujer, que incorporan una noción de «pecado» al acto de hacer el amor. Lo mejor es que hables con tu compañera sobre tus temores. Si evitas las relaciones íntimas sin darle ninguna explicación, quizá piense que ya no la deseas o, peor aún, que ya no la ves como tu amante.

Preparar la habitación del bebé

Tú serás el principal responsable de preparar la habitación del bebé, ya que tu compañera debe evitar inhalar de cerca olores de pintura o de cola. Además, una mujer embarazada a veces está demasiado cansada para ocuparse de determinados trabajos. Sin embargo, seguramente tendrá una idea bastante clara de cómo le gustaría que fuera la habitación del pequeño en lo que respecta a colores, material, mobiliario, decoración... En este sentido, su opinión es muy valiosa, pero la tuya también cuenta. El hecho de preparar la habitación del bebé puede ser muy importante para ti. Junto con tu compañera, podrás crear un lugar agradable .

El seguimiento de la mujer embarazada

- Tu seguimiento médico mes a mes
- Pruebas realizadas durante el embarazo
- ¿Y si me pongo enferma?
- Los embarazos de riesgo
- Complicaciones asociadas al embarazo
- La preparación para el parto
- El padre y el seguimiento del embarazo

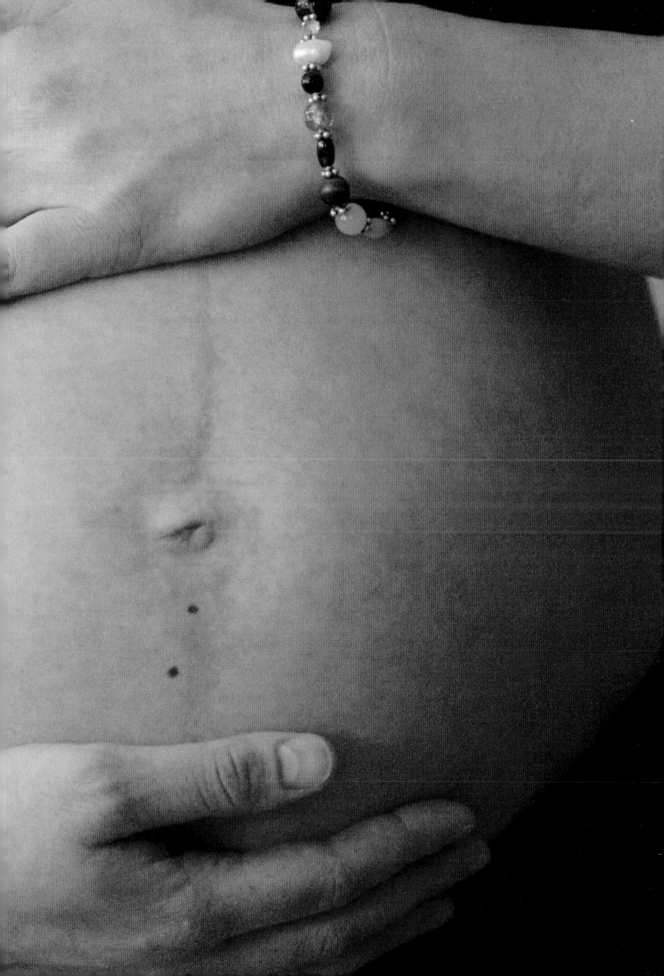

Tu seguimiento médico mes a mes

Revisión de tu estado de salud • ¿Cuáles son las primeras pruebas obligatorias? • ¿Cuándo hay que ir al médico urgentemente? • La incompatibilidad Rh y su control médico • Comprobaciones necesarias al final del embarazo

La primera consulta

La primera consulta es una etapa esencial en el seguimiento del embarazo, que en principio debe realizarse hacia el final del primer trimestre. Sirve para determinar cuál es tu estado de salud, realizar la primera exploración clínica y ginecológica, y calcular la fecha prevista de parto.

▶ Varias consultas en una

Ha llegado la hora de la primera visita al ginecólogo y, con ella, la confirmación de tu embarazo. Lo más importante es que estés tranquila para poder hacer todas las preguntas necesarias.

En principio, esta primera visita se realiza antes del final del primer trimestre, es decir, antes de la decimoquinta semana de ausencia de la menstruación (amenorrea). El médico evaluará tu estado de salud pasado y actual para hacer el mejor seguimiento posible y determinar los aspectos que puedan merecer especial atención. Para ello necesitará tu ayuda y la del futuro padre si también está presente. Tu compañero o marido no deberá acompañarte obligatoriamente ni someterse a ninguna prueba médica, pero puede estar a tu lado y consultar sus dudas al médico.

Lo primero que te preguntará el médico es la fecha de tu última menstruación (en concreto, el primer día de la última menstruación), a partir de la cual podrá establecer la fecha prevista de parto (ver p. 29).

Tu vida cotidiana • Tu edad, tu estilo de vida y cualquier información relacionada con tu cuerpo son importantes: ¿Eres fumadora? ¿Tienes problemas para dormir? ¿Qué tipo de alimentación llevas? ¿Aumentas de peso fácilmente? ¿Sigues algún tipo de tratamiento médico? ¿Practicas algún deporte? El médico también te preguntará acerca de tu vida familiar y profesional para saber si pasas por una situación financiera difícil, si tienes un trabajo estresante, si realizas largos desplazamientos, si trabajas de noche, si te sientes sola... Tú misma no debes dudar en abordar cualquier cuestión que te preocupe y hablarle de tus preocupaciones, ya sean grandes o pequeñas, de tipo físico, material o psicológico.

Tu historia médica • Otra información útil para el médico son las afecciones o enfermedades graves (ver pp. 180-182) y las operaciones que puedas haber sufrido. Cuando le hables de tu estado de salud, es importante que no dejes de tratar ninguna cuestión, aunque pienses que las molestias actuales son irrelevantes. Háblale de todo abiertamente y no te olvides, por ejemplo, de mencionar alergias, problemas oculares, dolores de espalda, migrañas…

Tu pasado ginecológico • En este aspecto, el médico también necesitará disponer del máximo de información. ¿Vas a alguna otra consulta ginecológica? ¿Cuándo acudiste a esa consulta por última vez? ¿Cuándo te hicieron el último frotis (también llamado Papanicolau)? ¿Has sufrido algún problema ginecológico (como un herpes genital, por ejemplo)? ¿Qué tratamientos has seguido? ¿Qué método anticonceptivo utilizabas hasta ahora? ¿Tus ciclos eran regulares antes de quedar embarazada (y, lógicamente, antes de usar un anticonceptivo)? ¿Tu madre tomó dietilestilbestrol (Distilbène®) cuando estuvo embarazada de ti? (ver p. 40)

Tus embarazos anteriores • No olvides referir si has tenido algún aborto, espontáneo o provocado. Si tienes hijos, explícale al médico cómo se desarrollaron tus anteriores embarazos, los partos y el puerperio. ¿Tuviste algún parto prematuro? ¿Te hicieron alguna cesárea? En caso afirmativo, ¿dispones del informe de la operación? ¿Cuánto pesaron los bebés al nacer? ¿Cómo están actualmente? ¿Les diste el pecho?

Tu historial familiar • Es importante tenerlo en cuenta desde la primera consulta para que tu médico sepa si en tu familia o en la de tu compañero hay gemelos, si existe predisposición a la hipertensión, a la obesidad o a alguna enfermedad hereditaria como la diabetes o la hemo-

En el primer trimestre, hay que acudir al especialista que realizará el seguimiento.

filia. Si consultaste a un genetista antes de quedar embarazada, puedes informar al médico sobre las recomendaciones que te dio (ver p. 172).

▶ Un chequeo completo

Después de hacerte todas estas preguntas, el médico procederá al reconocimiento: te pesará, te tomará la presión arterial, analizará tu orina (para determinar la presencia de azúcar o de albúmina) o te pedirá que recojas una muestra que será analizada en el laboratorio, te auscultará el corazón y finalmente realizará la exploración ginecológica.

La exploración ginecológica • Se realiza en una mesa de exploración ginecológica en la que debes acostarte boca arriba con las piernas separadas y los pies en unos estribos. En primer lugar, el médico pone una mano encima del pubis para palpar el útero, comprueba el estado de la vulva y la tonicidad de los músculos del perineo. A continuación, examina la vagina y el cuello del útero con la ayuda de un espéculo, un instrumento que inserta en la vulva para separar las paredes de la vagina. En caso de pérdidas vaginales anormales,

¿Para qué sirve la primera consulta?

• **Para confirmar** el embarazo.
• **Para calcular** la fecha prevista de parto.
• **Para evaluar** tu historia médica.
• **Para descubrir** cualquier anomalía de forma inmediata.
• **Para evaluar** posibles riesgos posteriores.
• **Para determinar** el riesgo de enfermedades genéticas.
• **Para realizar** otras pruebas en caso necesario (análisis de orina y de sangre, determinación del grupo sanguíneo, etc.)

tomará una muestra para determinar una posible infección. Finalmente, introduce en la vagina dos dedos protegidos por un guante para palpar por dentro los ovarios, el cuello del útero (cuya función es mantener cerrado el útero) y el cuerpo del útero en el que se aloja el embrión. De este modo comprueba el estado del cuello al inicio del embarazo (cuando mide unos 3 cm y está cerrado) y los cambios en el útero, que crecerá progresivamente. También es posible que realice un examen de los senos.

El diagnóstico del embarazo • La mayoría de las veces, a partir de la octava semana, un médico puede determinar fácilmente si estás embarazada a través de la exploración de los senos y del útero. Sin embargo, la confirmación del embarazo antes de este plazo resulta más difícil en determinadas situaciones, por ejemplo en caso de retroversión del útero (cuando está colocado hacia atrás en vez de hacia delante), fibroma u obesidad. En estos casos, el único método fiable para confirmar el embarazo es el análisis de sangre, que permite determinar si el organismo produce HCG, una hormona propia del embarazo. El médico pide estos análisis de laboratorio siempre que exista la más mínima duda sobre el diagnóstico. Asimismo, es posible que prescriba la realización de una ecografía pélvica endovaginal (a través de la vagina),

que permite diagnosticar el embarazo a las 5 o 6 semanas de amenorrea.

Al final de esta primera visita, el médico siempre pide una serie de pruebas que deberás hacerte en un laboratorio de análisis clínicos.

▶ Pruebas complementarias

En función de cada país, algunas pruebas se realizan de forma sistemática o sólo cuando lo aconseja el médico. En cualquier caso, cada una de estas pruebas tiene su importancia a la hora de determinar que el embarazo se desarrolla en las mejores condiciones.

Pruebas obligatorias • Los siguientes exámenes preventivos se realizan a través de un análisis de sangre u orina:
• búsqueda de azúcar o albúmina en la orina para detectar una posible diabetes o un problema renal;
• determinación de tu grupo sanguíneo y del factor Rh, y búsqueda de unos anticuerpos conocidos como aglutininas irregulares (ver p. 160);
• diagnóstico de rubéola y toxoplasmosis (enfermedad parasitaria que puede contraerse comiendo carne roja y frecuentemente transmitida por los gatos; ver p. 176);
• detección de sífilis;
• detección de hepatitis B (obligatoria en el sexto mes).

Pruebas recomendadas • La electroforesis de hemoglobina, realizada a partir de un análisis de sangre, permite diagnosticar dos enfermedades de la sangre: la drepanocitosis, que afecta a mujeres originarias de las Antillas, África y América, y la talasemia, enfermedad que pueden desarrollar las mujeres de los países mediterráneos. El diagnóstico de sida está altamente recomendado; legalmente, el médico está obligado a pedir tu autorización para realizar la serología del VIH. La detección de la hepatitis C se recomienda a mujeres que se hayan sometido a una transfusión sanguínea en el pasado o que tengan tatuajes o piercings que pudieran haberse realizado en condiciones higiénicas inadecuadas. Asimismo, el médico recomendará un frotis cervical y vaginal si te hicieron el último hace más de dos años y, si lo considera necesario, una ecografía para comprobar el correcto desarrollo del inicio del embarazo (en caso de sangrado o si existen antecedentes de embarazo extrauterino).

Un ginecólogo excepcional

François Mauriceau *(1637-1709) está considerado el fundador de la obstetricia. Este cirujano, que fue nombrado primer médico obstetra del Hôtel-Dieu de París y sentó las bases de una verdadera innovación médica, es el autor de* Traité des maladies des femmes grosses et de celles qui sont nouvellement accouchées *(Tratado de las enfermedades de las mujeres embarazadas y de las parturientas). La obra, traducida a varios idiomas, hace hincapié en la necesidad de conocer la anatomía y la fisiología, analiza la estructura de la pelvis y los movimientos del feto, y denuncia los peligros de la cesárea. Mauriceau ideó un eficaz método de extracción de la cabeza fetal en el parto de nalgas.*

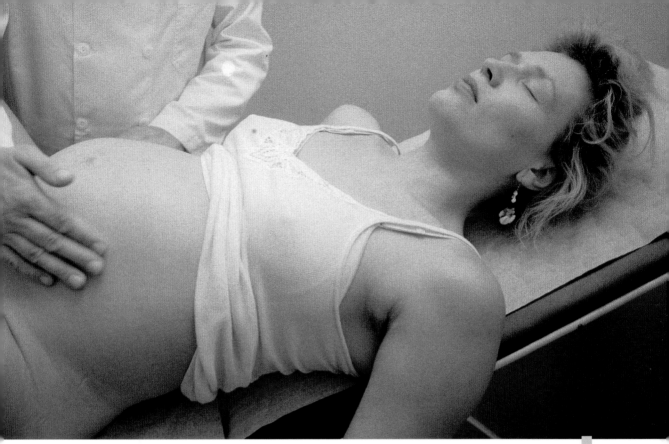

A partir de la segunda visita, el ginecólogo realiza una exploración del abdomen que, entre otras cosas, permite evaluar el crecimiento del feto y determinar su posición.

◗ Declaración de embarazo

Al finalizar la primera visita, el médico te entregará un documento acreditativo del primer examen médico prenatal. Puedes presentar este documento como prueba del embarazo en tu mutua o en tu oficina de la seguridad social.

En algunos países, se trata de un trámite obligatorio que hay que realizar antes del final del tercer mes. En determinados sistemas sanitarios, también se hace entrega de una guía de supervisión del embarazo con información detallada sobre las pruebas obligatorias.

Visitas y controles posteriores

Desde el final del primer trimestre y hasta el día del parto, deberás consultar cada mes al especialista encargado de tu seguimiento, para asegurarte del buen desarrollo del embarazo. Este control regular permitirá detectar la aparición de cualquier anomalía.

◗ Después de la primera consulta

Al salir de la primera consulta, llevarás los volantes correspondientes para los análisis de laboratorio y la ecografía del primer trimestre. Debes conservar todas las recetas, los resultados de los análisis y los informes, ya que estos documentos constituirán tu historial médico. El seguimiento del embarazo se realizará a lo largo de las distintas visitas y controles mensuales. Para aprovechar al máximo estas visitas, ve anotando todas tus dudas para después consultarlas con el médico, independientemente de si te parecen o

El factor Rh

Una prueba importante es la determinación del grupo sanguíneo y del factor Rh de la madre, y a veces también del padre. Si el feto ha sido concebido por una mujer Rh– y un hombre Rh+, hay que tomar ciertas precauciones.

Existen cuatro principales grupos sanguíneos humanos: A, B, AB y O, y varios subgrupos, el más conocido de los cuales es el factor Rh. Estos grupos están definidos por unas sustancias llamadas «antígenos», que se encuentran en la superficie de los glóbulos rojos. Lo que determina que una persona sea Rh positivo (Rh+) o Rh negativo (Rh–) es la presencia o la ausencia del antígeno Rh en sus glóbulos rojos. Cuando el organismo de una persona que es Rh–, entra en contacto con glóbulos rojos portadores del antígeno Rh+, creando anticuerpos para protegerse de este cuerpo extraño. Es lo que se conoce como «incompatibilidad Rh».

¿Por qué es necesario determinar el Rh al principio del embarazo?

La gran mayoría de los hombres y de las mujeres (un 85%) tienen un Rh positivo y lo transmiten a sus hijos. Sin embargo, cuando una mujer Rh– y un hombre Rh+ conciben juntos un hijo, es posible que el futuro bebé sea Rh+. Este problema afecta aproximadamente a una de cada once mujeres embarazadas. Si la sangre del feto y la de la madre no entran en contacto, el embarazo se desarrolla con toda normalidad; esto es lo que ocurre en la mayoría de los casos. El problema surge cuando se produce un intercambio de sangre entre madre e hijo, por ejemplo durante el parto. En este caso, el organismo de la madre Rh– provoca una reacción de defensa y produce unos anticuerpos llamados «aglutininas», que no afectan a su salud pero pueden ser perjudiciales si en el futuro tiene otro hijo Rh+, ya que estas aglutininas atravesarían la placenta y destruirían los glóbulos rojos del feto.

Cómo proteger al feto

Mientras la madre no produzca aglutininas, el feto no corre ningún riesgo. En cambio, si por alguna razón la sangre de la madre ya contiene un número importante de estos anticuerpos, la situación es más delicada. Aunque esto sólo ocurra de forma muy excepcional en el primer embarazo, el control del feto no deja de ser necesario. Si se detecta una anemia producida por los anticuerpos de la madre, la mayoría de las veces se provoca el parto antes de término (entre las semanas 35 y 39). En caso necesario, a continuación se sustituye por completo la sangre del recién nacido a través de una «exsanguinotransfusión». Cuando la anemia es aguda y el feto todavía es demasiado pequeño para nacer, hay que realizar una transfusión sanguínea *in utero,* que sólo se practica en centros especializados.

Prevenir los riesgos asociados al factor Rh

Hoy en día es posible evitar que el organismo de una madre Rh– fabrique anticuerpos gracias a la inyección de gammaglobulina, que se administra siempre que existe el riesgo de que la sangre del feto entre en contacto con la de la madre, ya sea debido a la amniocentesis, a un cerclaje o a un traumatismo abdominal. Del mismo modo, cuando una mujer es Rh negativo, esta inyección se administra sistemáticamente y de forma preventiva en situaciones en las que el contacto sanguíneo es prácticamente inevitable: después del parto (si el feto es Rh+), en caso de aborto espontáneo o provocado, o en embarazos extrauterinos.

En todos los casos, el objetivo es evitar que la mujer Rh– tenga problemas en embarazos posteriores, ya que una vez presentes, los anticuerpos siguen en el organismo y pueden volver a ser perjudiciales para un feto Rh+. Gracias a todas estas precauciones, la anemia fetal por incompatibilidad de Rh es cada vez menos frecuente en Europa.

no importantes. Si detectas el más mínimo problema antes de la siguiente visita al médico o tienes cualquier duda (ver p. 163), lo mejor es llamar a tu ginecólogo o comadrona y, en su ausencia, al facultativo de guardia, que te indicará si es necesaria una consulta de urgencia.

Las visitas al médico también son importantes cuando todo se desarrolla con normalidad, puesto que sirven para prevenir, establecer una relación de confianza entre tú y el médico, y vivir el embarazo con serenidad y seguridad.

▶ Las preguntas adecuadas

En cada visita, el médico o la comadrona valorarán tu estado de salud y la evolución de tu embarazo, te informarán sobre las sesiones informativas y las clases de preparación para el parto a las que puedes asistir, entre otros aspectos, y te darán consejos sobre descanso, alimentación y actividades para que adaptes tus hábitos.

¿Tienes contracciones uterinas? • Cuando tengas contracciones, notarás que tu vientre se endurece por momentos y adopta la forma de una pelota. Las contracciones, que no necesariamente son dolorosas, pueden localizarse en la espalda de forma excepcional. Es posible que tengas contracciones durante todo el embarazo, pero sobre todo en las últimas semanas. Presta atención para asegurarte de que sean poco frecuentes y de escasa intensidad: antes del noveno mes no deberías tener más de 9 contracciones al día.

¿Sangras? • Si la respuesta es «sí», consulta al médico urgentemente para que pueda determinar las causas.

¿Tienes pérdidas? • Puede tratarse de pérdidas vaginales normales (blanquecinas, algo mucosas y en ocasiones abundantes y más fluidas hacia el final del embarazo) o de pequeñas pérdidas de orina. Cuando las pérdidas están causadas por una infección, van acompañadas de picores o escozor y pueden oler. En este caso deberás consultar al médico. Si el líquido es transparente, caliente y de olor dulzón, también deberás avisar al médico, ya que probablemente se trate de líquido amniótico.

¿Sientes los movimientos del bebé? • Primero notarás una especie de revoloteo de alas de mariposa (que se percibe más fácilmente en un segundo embarazo) y, más adelante, verdaderos movimientos y «patadas». Es posible que en el tercer trimestre notes un sobresalto muy localizado: es el hipo del bebé y una prueba de que está bien. En ningún caso el feto debe dejar de moverse durante más de 12 horas. Una embarazada reconoce perfectamente los movimientos del bebé, así que nadie mejor que tú para saber si se mueve menos de lo habitual. Confía en ti, pero en caso de duda consulta a tu ginecólogo.

¿Sientes escozor o molestias al orinar? • Podrían ser los síntomas de una infección urinaria. Consulta a tu médico, sobre todo si van acompañados de fiebre.

¿Tienes fiebre? • Dado que la fiebre suele aparecer en caso de infección, es necesario acudir al médico lo antes posible, y más teniendo en cuenta que puede provocar contracciones uterinas.

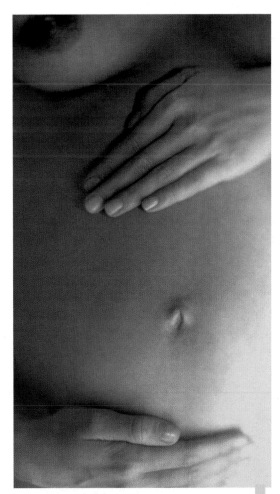

Por lo general, la mujer empieza a sentir los movimientos del feto hacia el cuarto mes.

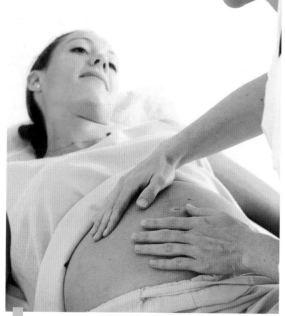

Gracias a la palpación del abdomen, el médico determina la posición y la vitalidad del futuro bebé, que reacciona a su contacto, y comprueba la flexibilidad del útero.

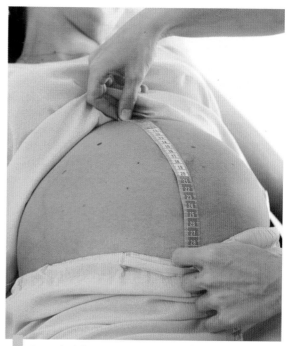

A partir del cuarto mes, el médico mide la altura uterina con una cinta métrica que coloca entre el pubis y la parte superior del útero. El objetivo es determinar el crecimiento del feto.

▶ El desarrollo de una consulta

Todas las consultas incluyen el diálogo con el médico y un reconocimiento completo que es siempre el mismo.

Chequeo • En primer lugar, el médico o la comadrona te pesarán (aumentarás alrededor de un kilo al mes durante los seis primeros meses, y entre 1,5 y 2 kg en los últimos, lo que equivale a un total de 10-15 kg), te tomarán la tensión arterial (que debe ser inferior a 14/9, siendo la segunda cifra la más importante), comprobarán si tus piernas están hinchadas (aparición de edemas) y pedirán un análisis de orina.

Exploración ginecológica • A través de la palpación del abdomen, el ginecólogo determinará la posición del feto. Medirá la altura del útero con una cinta métrica para calcular su volumen aproximado y auscultará el corazón del futuro bebé con un cardiotacógrafo o monitor fetal para asegurarse de que la frecuencia de los latidos sea normal (entre 120 y 160 latidos por minuto). Finalmente, a través del tacto vaginal medirá la longitud del cuello del útero y comprobará que esté bien cerrado.

▶ La última visita

En el transcurso de la última visita antes del parto, el médico determinará la presentación del bebé y, con el tacto vaginal, calculará las dimensiones de tu pelvis con el fin de saber si es lo suficientemente ancha para permitir el paso del bebé.

Si tu hijo está de nalgas • Cuando el bebé se presenta de nalgas, es necesario darle la vuelta para que se ponga con la cabeza hacia abajo. Existen distintos métodos para conseguirlo: el más frecuente es la versión externa, que consiste en dar la vuelta al niño hacia el final del octavo mes. Tras comprobar la posición del feto con la ecografía, el ginecólogo lo dirige con la mano hacia la cabeza de la madre para separarlo de la pelvis y después le da la vuelta para que quede con la cabeza hacia abajo. Este método funciona en la mitad de los casos.

Los demás métodos, que deberás practicar tú misma, son la postura del puente (no confundir con el ejercicio del puente) y la acupuntura. El primer método consiste en adoptar una determinada postura dos veces al día durante 10-20 minutos. Se trata de acostarse boca arriba y, con la ayuda de cojines, mantener la pelvis levantada unos 30-35 cm del suelo. Con la cabeza a unos 15 cm del suelo, apoyada en otro cojín, deberás mantener las piernas estiradas y los talones en contacto con el suelo.

En acupuntura se aplica la técnica de la moxibustión, que consiste en la combustión de determinadas plantas cerca de la piel. Se trata de favorecer la movilidad del bebé para que se dé la vuelta haciendo quemar un bastoncillo de moxa cerca del dedo pequeño del pie todos los días durante una semana.

Si te han operado del útero anteriormente • Si ya has tenido un parto por cesárea o si te han operado de un fibroma, por ejemplo, tu útero presentará una cicatriz (útero cicatricial) que puede ser más o menos resistente. Sin embargo, no existe ninguna prueba que permita saber previamente y con total seguridad si con este nuevo parto la cicatriz resistirá las contracciones uterinas. En caso de que no las soporte, será necesario practicar una cesárea.

El médico evalúa este riesgo, a más tardar, en la última visita. Si la pelvis parece normal, el bebé no es excesivamente grande y la cesárea anterior se desarrolló sin complicaciones, no hay ninguna razón para recurrir a la cesárea de forma sistemática, pero deberás acudir a la maternidad en cuanto tengas las primeras contracciones.

▶ Una visita obligatoria al anestesista

Si se quiere recibir anestesia durante el parto, en algunos sistemas públicos sanitarios, al final del octavo mes se programa una visita al anestesista para preparar las condiciones del parto de la mejor forma posible. Esta visita incluye un cuestionario detallado sobre tus antecedentes médicos y quirúrgicos, sobre posibles alergias (antisépticos, antibióticos...) y toma de medicamentos, y un reconocimiento médico completo.

El objetivo de esta consulta es identificar el riesgo de hemorragia o alergia, buscar una posible contraindicación de la epidural, determinar la facilidad de la aplicación de anestésicos (examen de la columna vertebral y de la boca) y conseguir el máximo de información sobre tu estado físico antes del parto. Esta reunión con el anestesista puede parecer superflua, ya que la mayoría de las embarazadas son jóvenes y gozan de buena salud, pero resulta muy útil para enfrentarse a posibles imprevistos durante el parto.

Información sobre la epidural • El anestesista también te explicará en qué consiste la epidural, cómo se administra y cuáles son sus efectos durante el parto. Asimismo, te indicará que es posible practicar una cesárea bajo los efectos de la epidural. Frecuentemente, las maternidades organizan sesiones informativas en grupo sobre la epidural.

Signos de alerta

- **Contracciones:** En caso de tener contracciones dolorosas y frecuentes (si se producen cada 5-10 minutos), debes ir al hospital urgentemente, ya que existe amenaza de parto prematuro.
- **Sangrado:** En el primer trimestre del embarazo, las pérdidas de sangre no son necesariamente graves, pero pueden ser indicativas de un aborto espontáneo precoz o de un embarazo extrauterino.
  Posteriormente, pueden indicar una anomalía en la placenta y el riesgo de hemorragia masiva.
  En cualquiera de los casos deberás avisar a tu médico.
- **Fiebre:** La fiebre es síntoma de una infección. Si al cabo de 24 horas la fiebre no remite, deberás acudir al médico.
- **Pérdida de líquido amniótico:** Si la consistencia de tus pérdidas no es la habitual, lo más posible es que se trate de líquido amniótico (un líquido transparente parecido al agua, caliente y de olor dulzón). Consulta a tu médico lo antes posible.
- **Disminución de los movimientos del bebé:** Si no has sentido los movimientos del bebé durante 12 horas, deberás acudir al médico con urgencia. Una ecografía y una monitorización permitirán comprobar el estado del feto.

Pruebas realizadas durante el embarazo

El feto como paciente • Tres ecografías, como mínimo...
• La perspectiva del médico y la de los futuros padres •
En qué consiste la amniocentesis • El consejo genético
en enfermedades hereditarias

La ecografía fetal

El hecho de poder examinar el feto por primera vez como si de un paciente se tratara constituyó una verdadera revolución médica. En efecto, trimestre tras trimestre, y a pesar de sus limitaciones, la ecografía (también llamada ultrasonido) permite determinar el estado de salud y el desarrollo del bebé.

▶ En qué consiste y quién la practica

El ecógrafo es una especie de radar que emite ultrasonidos. Tras rebotar en las partes exploradas (por ejemplo los órganos del feto), estos ultrasonidos regresan a la sonda que se desplaza por tu vientre. Un complejo sistema informático se encarga de analizar la información obtenida y construye punto por punto la imagen que aparece en la pantalla.

Desde que empezó a utilizarse está técnica, la información obtenida se ha diversificado, se ha hecho más precisa y, sobre todo, más fiable. La gran mayoría de los diagnósticos en medicina fetal son producto de la ecografía o han sido posibles gracias a esta técnica.

Sin riesgos para el feto • Se han realizado numerosos estudios con el objetivo de identificar posibles efectos nocivos de los ultrasonidos en el feto, pero hasta el momento no se ha detectado la más mínima contraindicación en el contexto del diagnóstico médico. Sin embargo, y como medida prudencial, es mejor subordinar la utilización de la ecografía fetal a las necesidades médicas.

¿Quién la practica? • En la mayoría de los países, son los médicos quienes realizan las ecografías. En otros, estas pruebas pueden ser realizadas por técnicos sanitarios bajo la responsabilidad y el control de un médico, que interviene en cualquier momento en caso de dificultad, y se llevan a cabo en instalaciones sanitarias, en consultorios privados y en laboratorios de análisis clínicos.

▶ Detección y diagnóstico

Durante el embarazo pueden realizarse distintos tipos de ecografías fetales, aunque sólo tres se realizan de forma sistemática.

Ecografías rutinarias • Se prescriben a todas las mujeres embarazadas. Su función es detectar posibles signos patológicos o simplemente sospechosos. Como es lógico, no es posible explorarlo todo con las ecografías. Han sido necesarios muchos años para alcanzar un consenso sobre el número de ecografías rutinarias que son necesarias, su programación y, sobre todo, lo que conviene buscar en cada una de estas pruebas.

Ecografías «de diagnóstico» • Estas ecografías se prescriben cuando se ha identificado un riesgo en particular a partir de los antecedentes médicos, en caso de que se haya producido un incidente durante el embarazo, o cuando la ecografía rutinaria evidencia algún signo sospechoso o no se ha podido completar por motivos técnicos. Los responsables de realizar estas pruebas son profesionales especializados.

Ecografías «de consultorio» • Muchos facultativos disponen de un ecógrafo en su consultorio, cuya función no es sustituir a las ecografías obligatorias, sino completar el reconocimiento médico. Estas ecografías, que suelen ser indicativas, no deben ser confundidas con las ecografías rutinarias.

Ecografías «especializadas» • Se incluyen en determinados protocolos de supervisión y se limitan a examinar aspectos muy concretos, como por ejemplo la cantidad de líquido amniótico.

¿Cómo se hace una ecografía?

Un protocolo muy preciso • Una ecografía en consulta se desarrolla casi siempre según el mismo protocolo. El médico que te practique la ecografía empezará preguntándote las razones de la prueba (control rutinario o prescripción específica) y observará los detalles de tu historial: inicio del embarazo, pruebas anteriores, antecedentes, posibles incidentes…

Una vez instalada en la camilla, te aplicará un gel en el abdomen para facilitar el desplazamiento

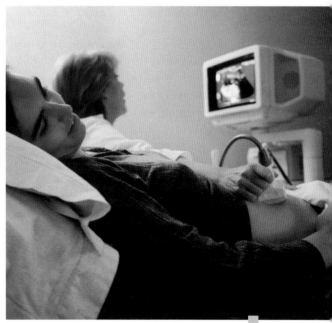

Por lo general, los futuros padres pueden seguir el desarrollo de la ecografía gracias a una segunda pantalla (no visible en la imagen).

de la sonda. Por lo general, el futuro padre puede seguir el desarrollo de la ecografía a través de una segunda pantalla. En caso necesario, se coloca una sonda o transductor adaptado en la vagina (ecografía endovaginal). Esto no es doloroso para la madre ni peligroso para el feto.

Una prueba compleja y delicada • El médico desplaza y orienta la sonda para obtener las imágenes que muestren las estructuras que desea examinar. La localización suele ser compleja, sobre todo durante el segundo trimestre, y requiere un extremo cuidado, por lo que no debe sorprenderte que la persona que realice la ecografía se muestre poco locuaz.

La interpretación que hace el médico de la ecografía es muy distinta de la percepción que tienen los padres. Mientras ellos esperan ver a su hijo, el objetivo del médico es concentrarse en pequeños detalles. El hecho de que los padres no «vean» lo mismo puede dar lugar a malentendidos: así, por ejemplo, mientras ellos se deleitan con una magnífica imagen de perfil del bebé, el médico se preocupa porque no consigue ver una parte del cerebro muy pequeña pero fundamental que normalmente se detecta en este plano de corte; los padres se sienten molestos por el silencio del médico, que se

Breve historia

En la década de 1950, el escocés Ian Donald tuvo la idea de aplicar al cuerpo humano un nuevo método basado en técnicas de radar utilizadas durante la Segunda Guerra Mundial para detectar submarinos alemanes. De este modo descubrió que el abdomen y el feto podían ser explorados con ultrasonidos; había nacido la ecografía, aunque no fue hasta finales de la década de 1970 cuando el uso de esta técnica empezó a generalizarse.

pregunta cómo les dará la mala noticia, hasta que finalmente consigue encontrar la estructura en cuestión y pasa a buscar el siguiente aspecto esencial. Cuando las condiciones de penetración de los ultrasonidos son difíciles, esta situación puede repetirse varias veces a lo largo del examen. Así que lo mejor es armarse de paciencia...

Además, la calidad y la legibilidad de las imágenes que se forman en la pantalla son muy irregulares. Algunos planos (perfil fetal, corazón, columna vertebral) son fácilmente identificables, mientras que otros son todo un misterio para los padres, sobre todo cuando se trata del detalle de órganos que están poco acostumbrados a identificar. En efecto, el médico no examina la cabeza, sino que estudia decenas de pequeñas partes del cerebro para comprobar su estado en función de la edad del feto. Lo mismo ocurre con los demás órganos.

Conclusión de la consulta • Durante la exploración ecográfica se imprimen algunas imágenes sobre papel. Estas imágenes no sirven para interpretar el examen, que se hace directamente en la pantalla, sino que indican los distintos momentos y permiten registrar las mediciones realizadas. Una vez finalizada la exploración, el médico te dará su opinión y redactará el informe de la prueba, que te entregará junto con las imágenes en papel. En la mayoría de los casos, estará satisfecho de poder decirte que «todo está correcto». Estas pocas palabras bastarán, así que no te sientas decepcionada: es una afirmación muy importante.

¿Para qué sirve una ecografía?

Una de las particularidades de la ecografía es que permite obtener al mismo tiempo información muy sencilla, como la posición del feto, y realizar exámenes muy complejos, como la evaluación del pronóstico de una malformación cardíaca. Los objetivos de la ecografía son muy amplios y variados. Los más importantes son:
• determinar la fecha concreta de inicio del embarazo,
• diagnosticar precozmente un embarazo múltiple,
• supervisar el crecimiento del feto,
• comprobar el bienestar del feto (movimientos, cantidad de líquido amniótico, circulación del cordón...),
• determinar la posición de la placenta,
• diagnosticar determinadas malformaciones,
• detectar signos de alerta que indiquen un posible riesgo, aunque no de forma segura.

¿Es posible detectar cualquier problema?

A medida que aumenta la fiabilidad de las ecografías, disminuyen las «sorpresas» en el momento del parto. Sin embargo, como cualquier otra téc-

Los requisitos de una buena ecografía

Las ecografías rutinarias son importantes para controlar el estado de salud actual y futuro de la madre y del niño, además de constituir una garantía de tranquilidad para la madre. Así pues, lo mejor es asegurarse de que se cumplen todos los requisitos para su correcto desarrollo.
• Escoge a un profesional con experiencia en ecografías fetales. Tu médico podrá aconsejarte al respecto.
  • Sigue al pie de la letra tu calendario de pruebas.
    • Reúne toda la información médica sobre tu embarazo para que pueda consultarla el ecografista.
    • La piel podría impedir el paso de los ultrasonidos. Evita aplicarte productos de cosmética, aceite, leche hidratante o crema antiestrías una semana antes de la ecografía.
    • No exageres acudiendo con la vejiga llena ni orines justo antes de la prueba.
• Evita las prendas demasiado complicadas y los tejidos delicados. Si llevas un *piercing* en el ombligo, quítatelo antes de la ecografía.
• Tómate el tiempo suficiente, pues la prueba podría ser más larga de lo previsto (aunque no exista ninguna patología).
• Pídele a tu compañero que vaya contigo, pero evita ir acompañada de toda la familia.
• Apaga el teléfono en cuanto llegues al consultorio y no vuelvas a conectarlo hasta que salgas.

nica, la ecografía tiene sus limitaciones, por lo que no permite detectar todas las posibles anomalías.

Límites de la detección • Las ecografías nunca podrán revelar determinadas patologías o malformaciones, como por ejemplo la sordera. Otras no son detectables hoy en día, pero podrían serlo en el futuro. Además, determinadas enfermedades no son objeto de detección durante la ecografía porque no tienen repercusiones en el desarrollo del feto, porque su diagnóstico prenatal no tendría ninguna utilidad o porque se trata de enfermedades muy poco comunes. Por último, algunas malformaciones o patologías no siempre se manifiestan a través de síntomas prenatales (entre el 5% y el 10% de los niños con trisomía 21 no presentan ningún signo prenatal sospechoso).

¿Qué se entiende por «signo de alerta»? • Frecuentemente la ecografía revela un «signo de alerta», un indicio que no necesariamente indica la existencia de una enfermedad o una malformación, pero que sí señala un posible riesgo. En estos casos es necesario realizar otras pruebas (amniocentesis, resonancia magnética, ecografía orientada...) para confirmar la existencia de la patología o, por el contrario, excluirla.

Algunos diagnósticos requieren una prueba específica en una determinada fase del embarazo. Ésta es la diferencia entre las ecografías rutinarias en cualquier embarazo y las pruebas que se realizan en situaciones particulares o a partir de la existencia de un antecedente o síntoma concreto. Los avances tecnológicos, la experiencia adquirida y la colaboración entre las distintas disciplinas médicas hacen que la detección de patologías sea cada vez menos aleatoria y su evaluación más precisa.

▶ ¿Cuántas ecografías son necesarias?

Más ecografías no equivalen a más seguridad. Lo más aconsejable es hacerse las pruebas necesarias en las condiciones y en el momento adecuados.

El calendario • Se suele aconsejar la práctica de tres ecografías rutinarias, que deben realizarse en torno a las semanas 12, 18 y 32. En algunos países con leyes y políticas sociales distintas, la ecografía del tercer trimestre no se realiza de forma sistemática.

Cada una de estas pruebas responde a un objetivo en concreto. Los profesionales han esta-

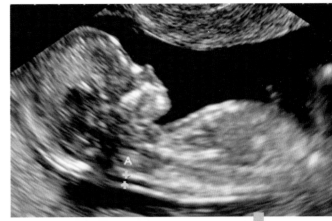

Ecografía del primer trimestre. El médico mide el pliegue nucal, en la imagen representado por las dos cruces amarillas.

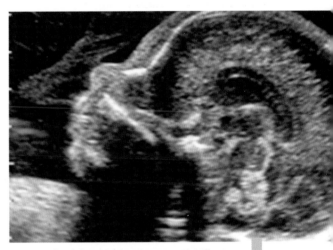

Ecografía del segundo trimestre. Este corte es muy útil para la exploración del cerebro.

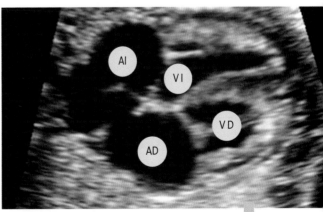

Ecografía del segundo trimestre. Son visibles las cuatro cavidades del corazón: aurícula derecha (AD), ventrículo derecho (VD), aurícula izquierda (AI), ventrículo izquierdo (VI).

blecido normas precisas que reglamentan la práctica y la calidad de esta técnica.

Toda ecografía consta de cuatro partes cuya importancia depende del momento del embarazo y del objetivo de la prueba:

• la biometría incluye una serie de mediciones que permiten valorar el crecimiento del feto;

• la morfología permite comprobar que el desarrollo de los distintos órganos del feto corresponda al calendario del embarazo;

• la evaluación de la vitalidad fetal se realiza mediante la observación de los movimientos y, en ocasiones, mediante medición Doppler;

• la observación de los anexos incluye la placenta y la valoración del volumen de líquido amniótico.

La ecografía del primer trimestre (12 semanas) • Se trata de una prueba esencial, ya que permite establecer la fecha de inicio del embarazo, identificar un posible embarazo de gemelos o trillizos y detectar determinadas malformaciones perjudiciales para el desarrollo del bebé. Además, la medición del pliegue nucal sirve para determinar el riesgo de trisomía 21.

La ecografía del segundo trimestre (18-20 semanas) • Esta ecografía, que se realiza a mitad del embarazo, tiene una función muy importante. Por un lado, garantiza la correcta formación de la estructura básica de los órganos del feto y, por otro lado, permite la identificación de signos, no necesariamente patológicos, que serán objeto de un seguimiento particular: por ejemplo, un problema moderado de crecimiento del feto requerirá reposo por parte de la madre, y la realización de un nuevo control unas semanas más tarde para comprobar si todo ha vuelto a la normalidad.

La ecografía del tercer trimestre (32 semanas) • Ésta es la última prueba de detección antes del nacimiento. Está más orientada a aquellos aspectos que puedan requerir un seguimiento más estricto hacia el final del embarazo o una determinada organización de la atención pediátrica del bebé.

El punto de vista del bebé

¿Qué está pasando? Alguien presiona el vientre de mamá en distintas partes. Noto vibraciones desconocidas y sorprendentes. ¡Qué curioso! No sé lo que es, pero me está siguiendo. Tengo ganas de jugar al escondite y de irme de un lado a otro. ¿Querrán saber si soy niño o niña? Pues no voy a dejar que lo vean así como así. ¡Hola! ¡Soy yo! ¿Me verán? Mientras esperan a que salga, podrán sentirme con su corazón y con sus manos.

▶ ¿Está todo bien, doctor?

Al final de cada ecografía recibirás un informe médico que incluirá los aspectos explorados, las constataciones realizadas y las distintas mediciones. Este documento constituye una pieza clave en tu historial médico de embarazo y sirve para informar a todas las partes interesadas (familia y médicos) sobre los resultados de la prueba, por lo que contiene necesariamente información fiable.

En caso de patología, lo más habitual es que sean necesarias varias pruebas para hacer un diagnóstico preciso y definitivo.

En la mayoría de los casos, el control posterior, la evolución, la confrontación con otras pruebas o la opinión de otros especialistas permiten hacerse una idea más clara de la situación.

Así pues, puedes estar segura de que tendrás información fiable en todo momento.

El médico te hablará de los elementos concretos de los que disponga y de lo que podrían suponer, pero se mostrará reservado acerca de los aspectos que todavía no estén claros. Esta necesaria prudencia puede no ser muy cómoda para los padres, que desearían saberlo todo desde el principio.

Afortunadamente, las situaciones que pueden comprometer seriamente el desarrollo del bebé son excepcionales y, por lo general, la propuesta de un control ecográfico o de un informe complementario suele responder a una causa benigna; esto ocurre, por ejemplo, cuando se detecta un valor límite y en pruebas posteriores se determina su estabilidad o normalización, o cuando una determinada estructura no se ha analizado de manera satisfactoria por razones técnicas...

Sin embargo, de forma excepcional puede confirmarse una malformación. Antes que nada, es necesario confirmar la hipótesis mediante ecografías especializadas u otras exploraciones para que los padres estén informados sobre las decisiones que pueden tomar. En determinados casos, se aconseja consultar a especialistas en la enfermedad en cuestión. Este tipo de seguimiento corresponde a los centros multidisciplinares de diagnóstico prenatal.

Excepcionalmente, se recomienda un tratamiento *in utero*. En ocasiones, el pronóstico es tan negativo que se plantea la posibilidad de una interrupción del embarazo, que podrá realizarse en cualquier momento si la madre lo solicita en un centro multidisciplinar de diagnóstico prenatal. En la mayoría de los casos, la patología identificada puede ser objeto de un tratamiento, cuyas probabilidades de éxito dependen en gran medida de la posibilidad de anticipar y prevenir las complicaciones, de organizar lo mejor posible las condiciones del parto y la posterior atención pediátrica.

Saber o no el sexo del bebé

Desde un punto de vista estrictamente médico, la determinación del sexo del feto raras veces tiene utilidad. Algunas parejas desean saber lo antes posible el sexo de su hijo, mientras que otras prefieren ignorarlo. A veces, hombre y mujer no coinciden en su decisión o se sienten presionados por el entorno. En cualquier caso, la información no deja a nadie indiferente y, una vez se sabe el sexo del futuro bebé, ya no se puede pretender ignorarlo. Lo mejor es que la pareja se ponga de acuerdo e informe al ecografista al inicio de la prueba.

¿Pueden acompañarme mis hijos?

Del mismo modo que se aconseja la presencia del padre en las ecografías, se desaconseja la de los hijos mayores u otros miembros de la familia en general. En efecto, el momento de la ecografía es un momento de intimidad: estarás parcialmente desnuda, sobre todo en caso de ecografía endovaginal, y es posible que el médico aborde sin reservas temas muy personales, como tus antecedentes médicos, tus embarazos anteriores (incluidos los abortos) o las posibles fechas de fecundación.

Aunque sean los propios niños quienes lo pidan, es posible que después se sientan incómodos, ya que se encontrarán en el mismo plano que sus padres, cuya ansiedad latente notarán, y se enfrentarán a una situación de tensión psicológica muy incómoda. Por otro lado, la exploración ecográfica requiere mucha concentración, por lo que es preferible limitar el número de acompañantes.

¿Se puede grabar la ecografía?

La grabación en video (o en soporte digital) de la prueba destinada a los padres es cada vez menos frecuente, pues hace que se sobreentienda implícitamente que todo será correcto en el examen y desvía la atención del médico del objetivo principal de la ecografía. Paradójicamente, no favorece la comunicación entre los padres y el especialista en caso de que haya algún motivo de preocupación, sino más bien lo contrario. Además, la experiencia demuestra que muy pocas veces los padres desean volver a ver estas imágenes cuando el bebé ya ha nacido.

Algunas empresas comerciales proponen videos «no médicos». Esta práctica, que plantea ciertas cuestiones de tipo psicológico y médico, es combatida por las autoridades sanitarias de numerosos países, principalmente debido a la exposición prolongada del feto a los ultrasonidos.

La medición del pliegue nucal

El pliegue nucal es un pequeño espacio de grosor o extensión variables que se encuentra bajo la piel de la nuca y que está presente en todos los embriones al final del primer trimestre. Cuando es excesivamente grueso, se habla de engrosamiento del pliegue nucal. El nivel a partir del cual se considera excesivo depende de la longitud del embrión (de la cabeza a las nalgas) y de la edad de la madre. El engrosamiento del pliegue nucal no es una enfermedad, pero sí un signo de alerta: puede aparecer en un feto perfectamente sano, pero su presencia alerta sobre la posible existencia de determinadas patologías, las más importantes de las cuales son las anomalías cromosómicas. La medición de la translucencia nucal, que suele combinarse con el análisis de los marcadores séricos (a través de una muestra de sangre), es uno de los métodos de detección de la trisomía 21. El engrosamiento de este pliegue se asocia a otras patologías, como algunas malformaciones cardíacas. Por otro lado, conviene saber que este signo puede ser transitorio. Por ello hay que respetar estrictamente la programación de la ecografía, que deberá practicarse entre las 12 y las 13 semanas de amenorrea.

¿Ecografías en 3D y 4D?

Añadiendo varios cortes ecográficos, la computadora del ecógrafo puede construir una imagen en tres dimensiones (3D). La tecnología 3D resulta muy atractiva para algunos padres que esperan poder reconocer a su hijo, mientras que otros se sienten impresionados por unas imágenes que ven como demasiado reales o, por el contrario, demasiado artificiales. La tecnología 4D permite la animación de las imágenes en 3D, a las que añade espectacularidad.

La obtención de una imagen satisfactoria en 3D es aleatoria y depende en gran medida de las condiciones de la prueba (posición fetal, cantidad de líquido amniótico...). Desde el punto de vista médico, todavía no se ha probado la utilidad de la ecografía en 3D, que se considera una nueva vía de investigación. La precisión de los cortes obtenidos con las imágenes convencionales (2D) sigue siendo superior, por lo que la utilización de la tecnología 3D no equivale a un diagnóstico de mejor calidad.

La amniocentesis

La amniocentesis es una prueba de diagnóstico prenatal que puede complementar a la ecografía; sólo se practica en determinados casos. En concreto, los médicos la aconsejan cuando existe un riesgo de trisomía 21 (síndrome de Down), por ejemplo si la madre tiene una edad próxima a los cuarenta años.

¿Para qué sirve?

La amniocentesis consiste en tomar muestras de líquido amniótico para obtener lo que se conoce como «cariotipo» del bebé, es decir, la composición de sus cromosomas. Esta prueba es la única que permite determinar con total seguridad si el feto es portador de cualquier tipo de anomalía cromosómica, por ejemplo la trisomía 21. Para realizar esta prueba es necesario el consentimiento de la interesada.

¿Cuándo se realiza?

Una decisión muy personal • La decisión de someterse o no a la amniocentesis plantea una cuestión muy delicada: ¿La pareja aceptará querer y criar a un hijo con síndrome de Down o con una anomalía congénita grave? Antes de pensar en los riesgos mínimos, pero reales, que conlleva la amniocentesis (entre un 0,5 y un 2% de abortos espontáneos), los futuros padres deberán plantearse esta pregunta tan esencial.

Algunas parejas prefieren no saber si existe alguna anomalía, ya que están dispuestas a asumir su papel de padres sea cual sea el resultado, mientras que otras quieren estar informadas porque tal vez no deseen seguir con el embarazo en ciertas

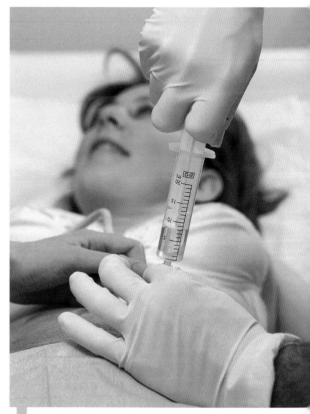

La amniocentesis es una prueba prácticamente indolora pero que entraña algunos riesgos.

condiciones. Se trata de una decisión muy personal que corresponde únicamente a los padres. En un tema tan delicado como éste, la función de los médicos no es decidir, sino aconsejar.

Lo que aconsejan los médicos • En España, sólo se aconseja la amniocentesis de forma sistemática cuando la mujer embarazada tiene más de 35 años, ya que el riesgo de trisomía 21 aumenta con la edad de la madre. Cuando se realiza la primera ecografía, a la que se someten todas las embarazadas, los médicos buscan un posible signo de trisomía 21 a través de la medición del pliegue nucal (ver p. 169). Cuando la futura madre tiene menos de 35 años, se aconseja tomar una muestra de sangre entre las semanas 14 y 18. Esta prueba de detección tampoco es obligatoria; se trata del estudio de los marcadores séricos de la trisomía 21, que consiste en analizar tres hormonas del embarazo. A partir de los resultados obtenidos, el médico establece el riesgo de tener un hijo con síndrome de Down, aunque no sea con total seguridad. Cuando el riesgo es superior a 1 entre 250 (por ejemplo, 1 entre 50), el médico propone la amniocentesis.

Cuando la mujer tiene menos de 35 años, se detectan cerca del 80% de los casos de trisomía 21 combinando la medición del pliegue nucal con el estudio de los marcadores séricos. Esta cifra aumenta al 93% cuando la mujer es mayor. Si la mujer tiene más de 35 años, los médicos sólo proponen el estudio de los marcadores séricos cuando la embarazada no se somete a la amniocentesis.

¿En qué consiste?

La amniocentesis suele realizarse en torno a la semana 15 de amenorrea. Después de esterilizar la zona de la que se obtienen las muestras, el médico localiza el feto y la placenta con la ayuda de la ecografía. A continuación, y siempre con la ayuda del control ecográfico, introduce una fina aguja en la cavidad uterina para conseguir entre 10 y 20 cm³ de líquido amniótico. Esta punción no dura más de un minuto ni duele más que la de los análisis de sangre, por lo que no requiere anestesia local. Las muestras se envían a un laboratorio especializado y los resultados están disponibles unas tres semanas después.

Prudencia después de la prueba • Es muy aconsejable descansar y evitar cualquier tipo de esfuerzo en las 48 horas siguientes a la amniocentesis. Avisa a tu médico en caso de pérdida de líquido, si tienes contracciones uterinas o fiebre.

La visita al genetista

Antes del embarazo, la visita al genetista te permitirá evaluar los riesgos de tener un hijo afectado por una enfermedad congénita, por ejemplo cuando en la familia existen antecedentes de una enfermedad hereditaria. Durante el embarazo, esta consulta es necesaria siempre que se detecte cualquier anomalía.

Cuestión de herencia

El consejo genético consiste en evaluar la probabilidad de que una enfermedad padecida en el seno de una familia vuelva a manifestarse y en saber si los padres son susceptibles de transmitir esta enfermedad a su hijo. En algunos casos, también se trata de determinar si el futuro bebé es o no portador de una anomalía potencialmente grave (el riesgo de tener un hijo con trisomía 21 aumenta a partir de los 35 años; la futura madre podría estar siguiendo un tratamiento sus-

ceptible de provocar malformaciones…). Así pues, la consulta al genetista está destinada prioritariamente a las parejas «con riesgo».

La evaluación de este riesgo se basa en un diagnóstico preciso de la afección susceptible de transmisión. El genetista podrá recurrir al consejo de uno o varios especialistas y solicitar información médica relativa a los miembros de cada una de las familias.

Estudio familiar • Concierne a las personas susceptibles de ser portadoras de una anomalía genética hereditaria. Investigando en tu familia y en la del futuro padre los distintos casos de una misma enfermedad, el médico podrá determinar la existencia de tal riesgo. En este caso, el estudio familiar es un elemento indispensable, aunque los miembros de la familia no siempre deseen dar información sobre su estado de salud. Se trata de un cuestionario que empieza por la persona afectada y después se interesa por sus hijos, hermanos, padres, abuelos, tíos y primos. El estudio se refleja en un árbol genealógico que analiza la distribución de la enfermedad dentro de la familia y analiza su modo de transmisión. Para cada miembro de la familia es necesario saber la fecha de nacimiento y cualquier información relativa a su estado de salud. Asimismo, se intenta obtener información sobre los parientes más lejanos y los fallecidos.

Las pruebas genéticas • Las pruebas genéticas pueden complementar este estudio (análisis del ADN, determinación del cariotipo...) y evidenciar la existencia de una anomalía. Para realizarlas basta con una simple muestra de sangre. En fun-

Las personas con riesgo

Hoy en día, es posible recurrir al consejo de un genetista antes de quedar embarazada y, en determinados casos, incluso aconsejable.

• Las parejas susceptibles de transmitir una enfermedad genética a su hijo son, en primer lugar, las que ya tienen un hijo afectado por una enfermedad congénita.

• Lo mismo ocurre cuando uno o varios miembros de tu familia o de la del futuro padre sufren una enfermedad genética conocida (como la hemofilia) o un problema potencialmente hereditario, como por ejemplo un retraso mental o una malformación.

• Otra situación que puede entrañar riesgos potenciales es la de parejas que hayan tenido problemas para concebir un hijo (varios abortos espontáneos, por ejemplo).

• Por último, el riesgo de transmitir una anomalía es mayor en caso de consanguinidad (cuando los padres son primos hermanos).

ción del modo de transmisión de la enfermedad y de la estructura de la familia, se determinan las personas que deben someterse a estas pruebas. Sin embargo, conviene saber que no todos los genes responsables de las enfermedades genéticas conocidas hoy en día son identificables o localizables. Cuanto menos conocida es la localización del gen en cuestión, más largos y dificultosos resultan los estudios y menos precisas son las pruebas. En este caso, el estudio familiar sigue siendo la mejor herramienta de diagnóstico.

▸ ¿Cuáles son los riesgos de transmisión?

El objetivo del estudio familiar y de las pruebas genéticas es responder a esta pregunta: ¿Eres susceptible de transmitir una enfermedad congénita a tu hijo? El médico te ofrecerá elementos objetivos para que puedas entender la situación y tomar las decisiones que consideres más adecuadas. Debes tener en cuenta que no todas las enfermedades hereditarias se transmiten del mismo modo.

Una de las funciones del genetista es explicarte cuál es el riesgo real (expresado en porcentaje) de que transmitas la enfermedad en cuestión. En algunos casos, cuando la afección se asocia a la mutación de un único gen que ha sido identificado y cuyo modo de transmisión se conoce, este riesgo es fácil de establecer: será del 25% o del 50%; o, por ejemplo, en el caso de enfermedades relacionadas con el cromosoma X, como la hemofilia, el riesgo será nulo si el bebé que esperas es una niña, pero importante si es un niño.

▸ El consejo genético durante el embarazo

En caso de detectar una anomalía a partir de una ecografía o de una amniocentesis, el equipo médico puede derivar a la futura madre a un servicio especializado de diagnóstico prenatal multidisciplinar en el trabajan especialistas en ecografía, neuropediatras, genetistas, psicólogos... El objetivo es analizar a fondo la malformación y determinar si puede ser de origen familiar. Para ello, los médicos se basan en el interrogatorio, en el cariotipo de los padres y en pruebas complementarias. El informe derivado puede apuntar a un consejo genético que será útil en embarazos posteriores.

¿Y si me pongo enferma?

Medicamentos y vacunas: sé prudente... • ¿Puedo someterme a una radiografía? • Prevención y tratamiento de las enfermedades infecciosas o virales durante el embarazo

Curarse durante el embarazo

El efecto de medicamentos, vacunas y radiografías en la mujer embarazada y en el futuro bebé es fuente de temores fundados. Para evitar que ni la madre ni el feto puedan sufrir cualquier problema, es primordial no tomar ningún medicamento por iniciativa propia e indicar que está embarazada siempre que vaya al médico o a hacerse una radiografía.

❱ ¡Prohibido automedicarse!

Algunos medicamentos que en condiciones normales son inocuos pueden tener graves repercusiones durante el embarazo. Tomando algunas precauciones podrás reducir considerablemente estos riesgos. Si te pones enferma estando embarazada, aunque sólo se trate de un simple resfriado, comunícaselo a tu médico para que pueda recetarte medicamentos cuya inocuidad para el bebé haya sido demostrada. Si sufres una enfermedad crónica (diabetes, cardiopatía...), es posible que tenga que adaptar tu tratamiento (ver pp. 180-182). La regla de oro es no automedicarse. Nunca decidas por ti misma los medicamentos que vas a tomar, aunque de entrada te parezcan de lo más inofensivo (incluidos los medicamentos a base de hierbas). Pide siempre consejo a tu médico, pues él te indicará la mejor forma de tratar las afecciones que puedas sufrir durante el embarazo.

Contra la tos • Los expectorantes con carbocisteína no parecen presentar ningún problema. En cambio, conviene evitar los antitusivos, que suelen ser derivados de la codeína.

Contra el resfriado • Los medicamentos para descongestionar la nariz sólo deben ser utilizados de forma puntual, en caso de absoluta necesidad, pues se cree que podrían provocar malformaciones en el feto.

Contra el dolor de cabeza y la fiebre • Tomado en dosis normales, el paracetamol no parece presentar ningún riesgo. En cambio, deberás evitar las aspirinas, ya que alteran la coagulación de la sangre y pueden ser tóxicas para los riñones, el corazón y los pulmones del pequeño.

Contra la fatiga y la anemia • Las necesidades de hierro, vitaminas y oligoelementos son más importantes durante el embarazo. Algunos médicos los recetan de forma sistemática durante la gestación para evitar que se produzca una carencia de ellos.

❱ Para tu hijo

Es posible que el médico te recete algún medicamento para tu hijo. En este caso, tu organismo será el encargado de transmitir las sustancias que permitirán tratar las enfermedades que pueda contraer mientras está en tu vientre.

¿Y las vacunas?

Mientras que algunas vacunas son inofensivas, otras pueden ser peligrosas para el feto. En función de sus consecuencias para la madre y el feto, las vacunas pueden clasificarse en tres categorías:

Peligrosas • Es importante evitar la vacuna antipoliomielítica oral (vacuna Sabin, administrada en un terrón de azúcar) y las vacunas contra la tos ferina, las paperas, el sarampión, la rubéola (aunque no se ha constatado ninguna malformación en el feto cuando la vacuna se ha administrado al principio del embarazo) y la fiebre amarilla (salvo en caso de extrema necesidad).

Desaconsejadas • Se desaconsejan las vacunas contra la brucelosis (riesgo de fuertes reacciones), la difteria (reservada a casos de emergencia), la rabia (aunque la vacuna será necesaria en caso de posible contacto con un animal con rabia, ya que una vez declarada, la enfermedad es mortal), la tuberculosis con BCG y la fiebre tifoidea (la vacuna resulta inútil teniendo en cuenta que el tratamiento no reviste ningún peligro para el feto).

Inofensivas • Son inofensivas la vacuna contra la gripe, la hepatitis B, la poliomielitis (sólo la vacuna inyectable), el tétanos (indispensable cuando se vive en el campo, cuando se practica la jardinería, el bricolaje, o se está en contacto con caballos) y el cólera.

¿Puedo hacerme radiografías?

Las embarazadas suelen temer las radiografías. En realidad, si bien es cierto que las radiaciones masivas comportan graves riesgos, el diagnóstico médico con rayos X o radiografía no tienen consecuencias para el feto siempre que se respeten determinadas condiciones y que se tenga en cuenta el momento del embarazo. Lo más importante es que te acuerdes de indicar que estás embarazada antes de cualquier radiografía, aunque sea dental.

Antes de un posible embarazo • Los exámenes radiológicos deben realizarse en la primera parte del ciclo, antes de la ovulación, cuando todavía no es posible el embarazo, lo que equivale a los quince días siguientes al primer día de la menstruación (o algo menos si tus ciclos son más cortos).

Durante el primer trimestre • Al igual que los medicamentos, las radiografías presentan riesgos más importantes para el feto entre el día 15 y el tercer mes de gestación. Para las radiografías a las que debas someterte durante este período (por ejemplo, radiografías dentales o de diagnóstico de una enfermedad), será necesario el uso de un delantal de plomo que proteja tu abdomen de las radiaciones.

Conviene evitar los exámenes radiológicos que requieran la toma de varias muestras, especialmente si la parte del cuerpo sometida a radia-

La hospitalización durante el embarazo

No es extraño tener que ingresar en el hospital mientras se está embarazada debido a alguna complicación (amenaza de parto prematuro, caída, fiebre, sangrado, rotura prematura de membranas, hipertensión, diabetes, preeclampsia...). Aunque esto siempre sea fuente de angustia para los futuros padres, a veces la hospitalización es necesaria para que un equipo médico pueda hacerse cargo de la embarazada y aplicar el tratamiento y el control necesarios.

Las medidas terapéuticas pueden resultar pesadas y molestas (numerosas ecografías, análisis de sangre y varias monitorizaciones a lo largo del día), sobre todo cuando no se entiende el porqué de todas estas pruebas. En este caso, es esencial preguntar al personal médico y no guardarse las inquietudes para una misma, aunque esto suponga un esfuerzo de reformulación por parte del médico a la hora de dar la información.

El período de hospitalización variará en función de la complicación que surja: puede ser de unos días, unas semanas, e incluso de uno o dos meses o más, aunque también es posible que vuelvas a casa al cabo de poco tiempo. En la mayoría de los casos, es necesaria una supervisión médica que garantice el desarrollo del embarazo en las mejores condiciones.

ción está próxima al abdomen y si el embarazo es reciente.

A partir del segundo trimestre • Hasta el final del embarazo, las radiografías (siempre realizadas con la protección de un delantal de plomo) estarán limitadas al diagnóstico de enfermedades graves.

¿Y la radiopelvimetría? • En el noveno mes de embarazo, la radiografía de la pelvis o radio-pelvimetría, realizada para valorar la forma y las dimensiones de la pelvis materna y evaluar las posibilidades de parto por vía natural, es totalmente inofensiva.

Posibles infecciones

Las infecciones benignas en circunstancias normales pueden resultar peligrosas para el feto. De ahí la importancia de consultar rápidamente al médico en caso de tener fiebre, que es el principal síntoma de las enfermedades infecciosas.

▶ Cuándo avisar al médico

Los riesgos de aborto espontáneo, de parto prematuro o de contaminación del feto (más o menos grave según la naturaleza de las enfermedades y según el momento del embarazo) requieren extrema vigilancia. La fiebre (a partir de 38 °C) es el principal síntoma en cualquier tipo de infección y un signo de alerta lo suficientemente importante para avisar al médico lo antes posible, ya que podría provocar contracciones susceptibles de desencadenar un parto prematuro.

▶ Las infecciones urinarias y las pielonefritis

Debido a su anatomía, las mujeres son más propensas a sufrir infecciones urinarias, ya que su uretra es muy corta y esto facilita que los gérmenes penetren hacia la vejiga. Un factor de riesgo añadido es no hidratarse lo suficiente, por lo que resulta importante beber como mínimo 1,5 litros de agua al día.

A lo largo del embarazo, el riesgo es aún mayor, especialmente debido al aumento del nivel de progesterona, que evita que la vejiga se vacíe por completo. Este tipo de infección afecta a cerca del 10% de las mujeres embarazadas y puede ser causa de un parto prematuro.

Estos son algunos de los signos de alerta ante los cuales deberás consultar al médico:
– dolores en la zona superior al pubis,
– frecuentes ganas de orinar, tanto de día como de noche,
– sensación de escozor al orinar.

El análisis de orina es el único modo de identificar el germen responsable, por lo general un colibacilo. El tratamiento consiste en tomar determinados antibióticos para prevenir una posible pielonefritis (infección de los riñones), cuyos síntomas son los de una infección urinaria, aunque con fiebre y dolor de espalda.

▶ Listeriosis

La listeriosis es una enfermedad infecciosa provocada por un bacilo, el *Listeria monocytogenes*. Se transmite a través del consumo de alimentos contaminados, en especial productos lácteos no pasteurizados o carne poco cocida (ver p. 103). Se trata de una enfermedad benigna, salvo en las embarazadas, en las que puede ser causa de parto prematuro o de muerte del feto, que se contamina a través de la placenta.

En los adultos, la listeriosis se manifiesta a través de síntomas similares a los de la gripe: fiebre alta, agujetas o punzadas, dolor de cabeza… En caso de fiebre súbita e inexplicable durante más de 24 horas, es necesario avisar al médico, quien podrá prescribir un análisis de sangre para buscar el bacilo. Por lo general, un tratamiento antibiótico muy rápido durante dos o tres semanas bastará para detener el desarrollo de la infección.

▶ Rubéola

La rubéola es una enfermedad viral que por lo general afecta a los niños. Se caracteriza por erupciones en todo el cuerpo y por la presencia de ganglios en el cuello. La rubéola suele pasar desapercibida en los adultos, pero a pesar de ser una enfermedad benigna por naturaleza, puede ser peligrosa durante el embarazo, no sólo para la madre, sino también para el feto.

Cuando se contrae durante el primer trimestre del embarazo, la rubéola puede provocar un aborto espontáneo o malformaciones en el embrión: cataratas, anomalías cardíacas, sordera, retraso psicomotor... Teniendo en cuenta que no existe ningún tratamiento curativo eficaz y que la vacuna está contraindicada a lo largo del embarazo, el único tratamiento posible es puramente preventivo.

Prevención • Después de la primera consulta al médico, al principio del embarazo, deberás hacerte unos análisis de sangre (serodiagnóstico) que determinarán si estás o no inmunizada contra la rubéola. Si ya has pasado la enfermedad o te has vacunado, tu organismo ya ha desarrollado anticuerpos (detectables en la sangre) que te protegen definitivamente. Si no estás inmunizada, deberás evitar el contacto con niños que puedan ser portadores del virus y, si tienes hijos, asegurarte de que estén vacunados.

Diagnóstico • El período de incubación de la rubéola es de entre 14 y 21 días. Una embarazada que haya estado en contacto con un niño afectado por esta enfermedad deberá hacerse un análisis de sangre (serología) en los 10 días siguientes. Un resultado negativo no permite disponer de un diagnóstico definitivo, por lo que es necesario realizar un control 15 o 20 días más tarde. Será esta segunda prueba la que permita saber si ha habido contaminación. Los dos análisis deben realizarse en el mismo laboratorio para evitar un posible error de interpretación. Del mismo modo, en caso de erupción cutánea repentina, el médico pedirá urgentemente una serología de rubéola.

Consecuencias para el feto • Una mujer embarazada que haya contraído la rubéola deberá esperar hasta el quinto mes del embarazo para saber si el feto se ha contaminado, ya que antes es imposible obtener muestras de sangre fetal mediante punción. Este análisis es el único modo de comprobar la presencia o la ausencia de la infección en el feto. Las consecuencias variarán en función del momento del embarazo en el que la mujer haya contraído la enfermedad.

• Al principio del embarazo, los riesgos de malformación del feto son importantes (entre un 50% y un 90%). En este caso, es posible optar por un aborto terapéutico. Otra posibilidad es esperar los resultados del análisis de sangre fetal.

• A mitad del embarazo disminuyen los riesgos de malformación del feto, pero no desaparecen: en el 15% de los casos, el niño tendrá secuelas. En este estadio del embarazo puede obtenerse sangre fetal mediante punción, lo que permitirá determinar si el bebé está contaminado, pero no la gravedad de la infección. Será necesario consultar a un servicio especializado para poder tomar la mejor decisión. Cuando se decide llevar adelante el embarazo, se impone un control ecográfico regular.

• Hacia el final del embarazo, los riesgos de malformación del feto son nulos, pero existe una amenaza de infección pulmonar que justifica un control prolongado del recién nacido.

▶ Toxoplasmosis

La toxoplasmosis está provocada por un parásito presente en la carne de cordero o de vaca mal cocida, o simplemente en la tierra. Entre sus portadores figuran los gatos: el animal, contaminado por la carne cruda o poco cocida que haya consumido, puede transmitir el parásito, que posteriormente es expulsado a través de sus excrementos. Esta enfermedad, que por sí sola es inofensiva, puede tener graves consecuencias si pasa de la madre al feto.

Diagnóstico y tratamiento • Al principio del embarazo, a través de los análisis de sangre sistemáticos, el médico determinará si estás inmunizada o no contra la toxoplasmosis, contra la que no existe ningún tratamiento preventivo ni tampoco ninguna vacuna. Sin embargo, aunque no estés inmunizada, puedes tomar una serie de precauciones de higiene muy sencillas con las que evitarás el riesgo de contaminación (ver p. 103).

Asimismo, a lo largo del embarazo es necesario someterse a un control mensual, ya que la enfermedad suele pasar desapercibida. En caso de infección, la prescripción precoz de un tratamiento antibiótico reduce el riesgo de contaminación del niño, pero no modifica la gravedad de la infección si éste ya está contaminado.

Control del bebé • En caso de contaminación de la madre, es necesario practicar una amniocentesis para determinar si el feto está afectado por la infección. Las consecuencias varían en función del momento del embarazo en el que la madre haya contraído la toxoplasmosis.

• Durante la primera mitad del embarazo, los riesgos de transmitir la enfermedad al feto son poco elevados (entre un 5% y un 10%). Pero cuando hay infección, por lo general ésta es muy grave, ya que afecta a los sistemas nervioso y ocular del niño. En este caso puede optarse por una interrupción del embarazo. De lo contrario, es necesario seguir el tratamiento hasta el momento del nacimiento con el fin de evitar que la infección se propague a otros órganos del feto. Asimismo, es indispensable un control ecográfico regular del niño en el útero.

• Al final de la gestación, los riesgos de contaminación del bebé son más elevados, pero las consecuencias de la infección son menos peligrosas, por lo que el embarazo puede seguir su curso bajo tratamiento.

En cualquiera de estos casos, será necesario efectuar un examen riguroso del recién nacido, cuyo seguimiento deberá prolongarse hasta la adolescencia.

▶ Citomegalovirus

En la mayoría de los casos, el citomegalovirus (CMV) se contrae a través del contacto con niños menores de 2 años, sobre todo en las guarderías. Los grupos de mayor riesgo son, entre otros, las mujeres que son madres y las que trabajan como enfermeras o puericultoras.

El 90% de los adultos (y niños) que sufren una infección por citomegalovirus no presentan ningún síntoma. Así pues, una mujer embarazada tendrá, como mucho, fiebre y granos. El riesgo de infección disminuye a medida que avanza el embarazo. Sin embargo, el citomegalovirus puede provocar sordera, retraso del crecimiento intrauterino (RCIU) e incluso anomalías cerebrales en el feto.

Si se sospecha una posible infección por citomegalovirus a partir de una ecografía, es necesario pedir un análisis de sangre (serología) de la madre y, en caso de que sea positivo, realizar una amniocentesis para confirmar el diagnóstico. Si las ecografías indican una afección grave, el médico puede autorizar una interrupción médica del embarazo.

▶ Varicela

Esta enfermedad de origen viral suele cursarse en la infancia y, en casos excepcionales, en la edad adulta. Después de una incubación de 15 días durante la cual la persona es contagiosa, se produce una erupción cutánea precedida de un poco de fiebre (38 °C). Esta erupción evoluciona en brotes sucesivos durante unas dos semanas, con granitos que pueden aparecer en todo el cuerpo y que se convierten en vesículas antes de secarse.

Durante el embarazo, la varicela puede provocar en la madre una neumopatía que se manifiesta con tos. En embarazos de menos de cinco meses, puede producir un crecimiento retardado del feto y lesiones en la piel, los ojos, el cerebro, los huesos… Para determinar si existe contaminación en el feto, es necesaria la amniocentesis. Si el resultado de la prueba es positivo y la ecografía muestra una anomalía, es posible optar por la interrupción médica del embarazo. Si, por el contrario, el resultado es negativo, es necesario seguir con el control ecográfico mensual y realizar una resonancia magnética durante el séptimo mes.

Si la madre contrae la varicela justo antes o después del parto, las consecuencias son graves, ya que el recién nacido también puede contraer la enfermedad.

Herpes genital

Se trata de un virus muy extendido que por lo general provoca lesiones dolorosas en la vulva o en la vagina (aunque en algunos casos no presenta ningún síntoma). Cuando una mujer embarazada tiene un herpes genital, el principal riesgo que conlleva es la contaminación del feto durante el parto. Esta contaminación es bastante excepcional pero muy grave. Por esta razón, se practica una cesárea de forma sistemática cuando la mujer presenta un brote de herpes genital en el momento del parto. Si ya has tenido herpes anteriormente, informa a tu médico y mantente atenta.

Los embarazos
de riesgo

*Mayores precauciones en caso de embarazo múltiple •
El seguimiento de enfermedades crónicas • Hipertensión, diabetes...
y embarazos programados*

Los embarazos múltiples

Cuando se esperan gemelos o trillizos, es necesario cuidarse de manera especial. Para ello, contarás con la ayuda de tu ginecólogo, que seguirá muy de cerca la evolución de tu embarazo. En efecto, los riesgos de sufrir alguna complicación o de tener un parto prematuro son más frecuentes en los embarazos múltiples.

▶ Mayores precauciones

La probabilidad de tener un embarazo de gemelos, trillizos, cuatrillizos o más es mucho más alta si en tu familia o en la de tu compañero existen antecedentes de este tipo de embarazos o si habéis recurrido a alguna técnica de reproducción asistida (como la inducción de la ovulación). La ecografía es la única forma de detectar un embarazo múltiple.

Un embarazo gemelar requiere un seguimiento especial, ya que es más probable que surja alguna complicación: parto prematuro (cerca del 25% de los embarazos múltiples no van más allá de las 32 semanas, es decir, el final del séptimo mes), hipertensión arterial (el riesgo se multiplica por tres o por cuatro), bajo peso del bebé (hipotrofia), anomalías de la placenta...

Consultas más frecuentes • Teniendo en cuenta las razones mencionadas, el control médico debe realizarse con mayor frecuencia. Por lo general, las visitas al ginecólogo tienen lugar una vez al mes, o incluso cada dos semanas hacia el final del embarazo. Este seguimiento se complementa en algunos países con el de una comadrona, que te visitará a domicilio una vez por semana a partir de las 22 semanas de amenorrea. Una de sus funciones será asegurarse de que hagas el reposo necesario para no tener demasiadas contracciones uterinas. Además, controlará tu presión arterial y comprobará la ausencia de albúmina en tu orina. Aprovecha estas visitas para pedirle consejo sobre distintos aspectos, como por ejemplo la alimentación. En efecto, es necesario comer un poco más cuando se esperan gemelos o trillizos (ver p. 110).

Más reposo • Los embarazos múltiples requieren el máximo de reposo para minimizar posibles riesgos. Esto no significa que debas pasarte el día acostada (aunque en determinados casos pueda ser necesario) pero sí que necesitas procurarte más momentos de descanso durante el día y evitar los largos trayectos y los viajes a partir del quinto mes. Además, es posible que el ginecólogo te dé el permiso a lo largo del segundo trimestre para prevenir un parto prematuro. Sin embargo, en algunos casos es necesario ingresar unos días en el hospital.

Un parto precoz • El término del embarazo cuando se esperan gemelos es de 39 semanas de amenorrea en vez de las 41 de un embarazo único. El parto en un embarazo múltiple suele ser más complicado, y con frecuencia es necesario recurrir a la cesárea, que puede ser programada. Por todo ello se aconseja dar a luz en una maternidad capaz de dar respuesta al más mínimo problema, es decir, en una maternidad de nivel II o III (ver p. 34). Además, se desaconseja el parto en casa debido a los riesgos que entraña.

▶ Los tres tipos de embarazos gemelares

Cuando se esperan gemelos, la principal preocupación del médico es determinar lo antes posible cuántas placentas y bolsas amnióticas hay mediante una ecografía realizada a partir del primer trimestre. El embarazo es «bicorial biamniótico» cuando existen dos placentas y dos bolsas amnióticas, y «monocorial biamniótico» cuando se identifica una sola placenta con dos bolsas amnióticas. En los casos mucho menos frecuentes en los que existe una sola placenta y una sola bolsa, se habla de embarazo «monocorial monoamniótico». Estos tres tipos de embarazos gemelares difieren mucho entre sí.

Los mellizos, los mejor preparados • La mejor «configuración» posible es la de dos placentas y dos bolsas amnióticas, ya que de este modo los fetos son independientes. Cuando hay

En uno de cada cuatro casos, aproximadamente, los gemelos o trillizos nacen antes de plazo y deben permanecer en la incubadora durante un tiempo.

Placenta única

Algunos gemelos idénticos (ver p. 42) comparten placenta. En este caso, existe comunicación sanguínea entre los niños y es posible que uno reciba más sangre que el otro (síndrome transfusor-transfundido). El que no recibe suficiente sangre corre el riesgo de sufrir una hipotrofia que puede llegar a ser grave, mientras que el otro puede sufrir un problema cardíaco. Cuando este problema es detectado y controlado por un equipo especializado, es posible mantener la situación durante un tiempo, hasta llegar a un plazo razonable para el parto.

una sola placenta, la situación es más delicada y requiere una mayor atención, ya que existe el riesgo de que uno de los dos gemelos esté mejor alimentado que el otro. En estos casos, las ecografías mensuales o incluso bimensuales a partir de las 22 semanas son especialmente importantes para controlar el crecimiento de ambos fetos.

▶ Trillizos o más

Las precauciones necesarias cuando se esperan gemelos son aún mayores cuando el embarazo es de trillizos o más. Una gestación de este tipo puede ser desconcertante e incluso angustiosa para la futura madre, que siempre que lo solicite podrá recibir ayuda psicológica hasta el momento del parto.

Por encima de los tres fetos, el riesgo de sufrir complicaciones es aún mayor y existen pocas probabilidades de que el parto se produzca después de las 34 semanas de embarazo. En algunos países existe la posibilidad de recurrir a una reducción embrionaria para que el embarazo sea de dos fetos. Ésta es una decisión difícil de tomar para los padres, especialmente (y éste es el caso más frecuente) cuando el embarazo se ha conseguido mediante un tratamiento de fertilidad. En casos excepcionales, uno o varios embriones dejan de desarrollarse de forma espontánea.

En caso de enfermedades crónicas

Si sufres una enfermedad crónica, es importante que programes tu embarazo. Tu seguimiento será el resultado de la colaboración entre tu médico de cabecera, tu médico especialista y tu ginecólogo. Este último deberá ejercer en un centro especializado.

▶ Programar el embarazo

Si sufres una enfermedad crónica (hipertensión, diabetes, epilepsia), es importante que consultes a tu médico antes de quedarte embarazada. Él podrá evaluar las repercusiones de la enfermedad y su tratamiento en el embarazo, y viceversa: valorar las posibles consecuencias del embarazo en la enfermedad. El médico sólo autorizará el embarazo en caso de que la enfermedad esté bajo control gracias a un tratamiento. A partir de ese momento obtendrás una mayor supervisión médica, tanto por parte del médico especialista en tu enfermedad como por parte del equipo obstétrico. El embarazo está contraindicado cuando se sufren determinadas enfermedades graves, como afecciones cardíacas severas que podrían poner en peligro la vida de la madre. Afortunadamente, estos casos son poco frecuentes y la mayoría de las veces es posible tener un hijo gracias al tratamiento de la enfermedad.

▶ Hipertensión arterial

Antes de la concepción, conviene valorar las consecuencias de la hipertensión arterial en el organismo y adaptar el tratamiento. Algunos medicamentos podrían provocar anomalías en el feto, como los inhibidores de la enzima de conversión de la angiotensina, que son susceptibles de generar malformaciones renales. De ahí la importancia de consultar al cardiólogo antes de quedar embarazada.

Durante el embarazo, el equipo médico comprueba frecuentemente la tensión arterial y vigila la aparición de posibles síntomas de preeclampsia (ver p. 187). Asimismo, controla regularmente el crecimiento del feto, ya que la hipertensión podría provocar un crecimiento intrauterino retardado.

▶ Diabetes

En la medida de lo posible, es importante programar el embarazo en caso de diabetes, independientemente de si el tratamiento es con insulina o con hipoglicemiantes. Estos últimos deben dejar de tomarse desde el principio del embarazo y ser sustituidos por insulina, siempre que el seguimiento de una dieta estricta no sea suficiente. Se trata de conseguir una glicemia (nivel de azúcar en la sangre) lo más próxima posible a la normal, puesto que una glicemia demasiado alta durante las tres primeras semanas de gestación multiplica por tres el riesgo de malformaciones graves en el feto.

Antes de la concepción, es necesario evaluar las complicaciones renales y oculares atribuibles a la diabetes. En el transcurso del embarazo se hará un seguimiento estricto de la glicemia para adaptar las necesidades de insulina. Las ecografías permitirán controlar la ausencia de malformaciones y el crecimiento del feto, que podría ser muy grande (macrosoma).

Por lo general, el parto se provoca al principio del noveno mes para prevenir el riesgo de complicaciones durante las últimas semanas (muerte fetal *in utero*) y evitar que el bebé sea demasiado grande, una complicación muy frecuente en madres diabéticas. Por otro lado, el índice de cesáreas es más elevado en estos casos.

Epilepsia

El embarazo puede influir de distintos modos en la epilepsia, cuyo tratamiento debe mantenerse y, en caso necesario, adaptarse. Por lo general, la enfermedad no incide en el desarrollo del embarazo ni en el parto en sí, salvo en las formas de epilepsia favorecidas por una respiración rápida (en cuyo caso la mujer debe limitar sus esfuerzos expulsivos). En cambio, las malformaciones fetales son más frecuentes por razones genéticas o debido al consumo de medicamentos antiepilépticos, en particular cuando es necesario tomar más de uno. Lo ideal sería tomar un único medicamento contra la epilepsia durante el embarazo.

El médico receta suplementos de ácido fólico antes de la concepción y durante el primer trimestre, ya que los antiepilépticos reducen su nivel. Estos suplementos ayudan a prevenir posibles defectos del tubo neural (espina bífida).

Durante el último mes, y en función del tratamiento que siga, la futura madre deberá tomar suplementos de vitamina K, ya que algunos antiepilépticos dificultan su absorción y exponen al recién nacido a complicaciones hemorrágicas. Por último, dado que los antiepilépticos entran en la placenta, es posible que el bebé presente un síndrome de abstinencia, algo que los pediatras deberán tener en cuenta. La lactancia está contraindicada en la mayoría de los casos.

Enfermedades cardíacas

El trabajo cardíaco de una mujer embarazada aumenta desde el primer mes de gestación hasta el segundo mes después del parto. Un organismo sano tolera este incremento sin ningún problema, pero no ocurre lo mismo cuando el corazón está enfermo (aunque la paciente haya sido operada). El médico autorizará el embarazo en función de la gravedad de la enfermedad y de los riesgos que pueda entrañar.

Algunos medicamentos recetados en cardiología pueden estar contraindicados durante la gestación. Además, es necesario adaptar el tratamiento en función de cada caso antes de la concepción.

Cáncer

Los tipos de cáncer más frecuentes en la mujer joven son los de mama, cuello uterino y tiroides, los melanomas y las enfermedades de la sangre (hemopatías). Cuando el tratamiento del cáncer no ha eliminado la posibilidad de un embarazo, éste suele

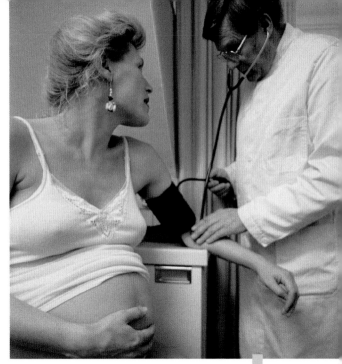

En caso de hipertensión, el médico sigue de cerca el estado de salud de la madre.

ser autorizado entre dos y cinco años después de superar la enfermedad. Es posible que el cáncer se detecte al inicio del embarazo, en cuyo caso deberá ser tratado por un equipo multidisciplinar.

Trombosis

Si tú o tu compañero, o algún pariente próximo han sufrido una flebitis o una embolia pulmonar, deberás informar al médico en cuanto sepas que estás embarazada. En efecto, el embarazo constituye un factor de riesgo que, en una mujer propensa, puede desencadenar una flebitis o una embolia pulmonar. Se recomienda la utilización de medias de compresión (actualmente disponibles en diseños muy actuales) y, en determinados casos, un tratamiento anticoagulante durante el embarazo y el puerperio.

Sida y embarazo

El sida es una enfermedad viral que se transmite por vía sexual, sanguínea y de madre a hijo a través de la leche materna. El embarazo no parece incidir en la evolución de la enfermedad en una mujer seropositiva (que sea portadora del virus y no presente ningún síntoma de la enfermedad). Sin embargo, cuando no se sigue ningún tratamiento, el virus se transmite de madre a hijo durante el embarazo o el parto en el 25% de los casos. Este índice ha disminuido de forma considerable gracias a los actuales tratamientos anti-virales. Las embarazadas seropositivas son derivadas a centros obstétricos especializados.

Consecuencias para el niño • El riesgo de transmisión del virus de la madre al hijo es proporcional a la carga viral (cantidad de virus presentes en el organismo de la mujer). Sin embargo, es imposible determinar durante el embarazo si el feto está o no contaminado, ya que con la punción de sangre fetal se correría el riesgo de inocular el virus a un feto seronegativo. La mitad de los niños que son seropositivos al nacer desarrollan la enfermedad. En cuanto a los demás, los especialistas no tienen la suficiente perspectiva para evaluar la evolución de su estado de salud.

Posibles soluciones • Las mujeres seropositivas son informadas de los riesgos que corre el feto y pueden optar por una interrupción del embarazo (cuando éste es legal). En caso de seguir adelante con el embarazo, se someten a una supervisión médica y obstétrica combinada con el seguimiento de un especialista. El tratamiento que siguen estas embarazadas reduce significativamente el riesgo de transmisión de la madre al feto y se basa en la administración de medicamentos antivirales durante el embarazo y el parto. Cuando la carga viral es baja y el número de glóbulos blancos es suficiente, el equipo obstétrico puede autorizar el parto por vía vaginal; en caso contrario, debe practicarse una cesárea. Después del nacimiento, el equipo de pediatría se encarga del seguimiento del recién nacido, que recibe sistemáticamente un tratamiento con antivirales durante seis semanas. Por el momento se desconocen los efectos a largo plazo del tratamiento antiviral *in utero* y durante los primeros años de vida. La lactancia está contraindicada. La ayuda psicológica es esencial para la madre, a quien se aconseja el uso de un anticonceptivo eficaz combinado con el preservativo.

Las hepatitis B y C

La hepatitis B puede transmitirse a través de la saliva, la sangre y las secreciones genitales. En la mayoría de los casos, la hepatitis vírica B pasa desapercibida, por lo que se realiza una detección obligatoria durante el embarazo. La transmisión de la madre al recién nacido tiene lugar sobre todo durante el parto. La prevención de esta transmisión constituye una emergencia neonatal y se basa en la serovacunación específica e inmediata del bebé.

La hepatitis C se transmite esencialmente por vía sanguínea y de forma secundaria a través de la saliva, las secreciones genitales y la orina. La transmisión a través de la leche materna no ha sido demostrada. En la mitad de los casos, la causa de la hepatitis C es la toxicomanía intravenosa. El riesgo de transmisión durante el embarazo es de entre el 10% y el 20%, sin que se sepa en qué momento o por qué se produce. Tampoco existe ningún medio de prevención.

Esclerosis múltiple

La esclerosis múltiple es una enfermedad que provoca trastornos neurológicos, que evoluciona por brotes y de forma muy imprevisible. El embarazo es posible cuando la esclerosis múltiple se mantiene estable y no requiere ningún tratamiento inmunodepresor. De todas formas, será el médico quien valore la situación en función de la evolución de la enfermedad (que varía mucho de una mujer a otra) y los tratamientos necesarios.

Por lo general, los síntomas no empeoran durante el embarazo, pero la enfermedad puede evolucionar en los meses siguientes al parto. El seguimiento médico no presenta ninguna particularidad: basta con vigilar la posible aparición de una infección urinaria. La epidural no está contraindicada durante el parto.

Embarazo y discapacidad

El hecho de padecer una discapacidad (ceguera, sordera, paraplejia...) no es razón para excluir la posibilidad del embarazo, que debe planearse en función del grado de discapacidad y de su posible riesgo de transmisión (enfermedad congénita). Es aconsejable recibir consejo genético (ver p. 171) antes de la concepción para tomar las precauciones necesarias en el seguimiento del embarazo.

Después del nacimiento, es importante poder contar con un entorno adecuado que permita satisfacer las necesidades del recién nacido si la madre no puede hacerlo a causa de su discapacidad.

En caso de dependencias

El consumo de tabaco o de alcohol (ver p. 120) entraña riesgos para el feto, por no hablar del uso de drogas… Cuando la futura madre es toxicómana, la supresión del consumo de drogas sólo puede llevarse a cabo bajo un estricto control médico.

▶ Un contexto difícil

El consumo de drogas representa un fenómeno importante en las sociedades occidentales, ya sea el de sustancias consideradas «blandas» (como marihuana y hachís) o el de drogas «duras». Además, la toxicomanía suele ir asociada a problemas sociales, psicológicos, nutricionales e infecciosos: un gran número de trastornos que no hacen sino dificultar la atención social y médica.

Conductas de alto riesgo • El consumo de drogas constituye un peligro para el desarrollo del embarazo, que suele descubrirse de forma tardía, recibe un seguimiento irregular o carece del mismo. Son frecuentes los casos en los que la mujer únicamente acude a la maternidad para dar a luz o cuando sufre una complicación grave. En efecto, muchas toxicómanas viven en la marginación social, están poco informadas y son objeto de una atención médica deficiente o nula. Además, abundan los casos de infección por el virus de la hepatitis B o C y del sida.

Los efectos de las distintas drogas • Los peligros a los que se exponen la futura madre y su hijo dependen de la droga consumida. Marihuana y cannabis no provocan malformaciones, pero sus efectos son idénticos a los del tabaco (ver p. 25), lo que por sí solo justifica el abandono de su consumo.

Las sustancias alucinógenas son causa de aborto y malformaciones. Los opiáceos (morfina, heroína) provocan dependencia psíquica y física en la madre y el niño después del nacimiento, al igual que la cocaína. Además, su consumo durante el embarazo entraña otros riesgos: aumento de la probabilidad de aborto espontáneo, parto prematuro, hematoma retroplacentario (ver p. 187) y bajo peso del pequeño al nacer. También puede provocar complicaciones graves en la madre (infarto de miocardio, convulsiones, hipertensión arterial…) y poner en peligro su vida y la del bebé. En cuanto al éxtasis y otras drogas afines, por el momento apenas se conocen sus efectos en el embarazo y el feto.

▶ El seguimiento de la madre y del bebé

Es posible someterse a una cura de desintoxicación durante el embarazo, siempre que sea bajo supervisión médica. Una opción es seguir un tratamiento de sustitución con metadona, con el que se evitan las complicaciones asociadas a la toxicomanía intravenosa. Este tratamiento no parece provocar malformaciones. Las dosis necesarias deben disminuir progresivamente, sobre todo a medida que se acerca el parto.

Cuando la madre se somete a un proceso de desintoxicación pero sigue en estado de dependencia, en la mayoría de los casos el bebé sufre síndrome de abstinencia al nacer debido al abandono del consumo de drogas, lo cual puede traducirse en convulsiones y trastornos del comportamiento. Lo mismo sucede cuando la madre no ha seguido ningún tratamiento de desintoxicación durante el embarazo. En cualquier caso, el bebé necesitará una atención especial.

Por último, la lactancia está contraindicada en cualquier tipo de dependencia, ya que las drogas pasan a la leche materna.

Desintoxicación bajo estricta vigilancia

Desde el momento en que el consumo de drogas implica una dependencia de la madre y del feto (heroína, cocaína…), la desintoxicación durante el embarazo sólo es posible si se lleva a cabo en un centro médico especializado. Es esencial que el cese en el consumo de drogas sea progresivo, ya que una supresión brusca podría provocar la muerte del feto. La futura madre recibe apoyo y tratamiento a cargo de un equipo médico, y la ayuda psicológica proporcionada por el centro le permite, como mínimo, reducir el consumo de droga cuando la supresión total resulta demasiado difícil.

Complicaciones asociadas al embarazo

Avisar al médico en caso de sangrado • El aborto espontáneo, una complicación que no impide ser madre en un futuro • ¿Qué es un embarazo extrauterino? • Frente a la amenaza de parto prematuro

El aborto espontáneo precoz

Un aborto espontáneo siempre es una experiencia dolorosa para una mujer. No es posible preverlo, ya que se produce por causas naturales. Sin embargo, conviene saber que no afecta de modo permanente al organismo y que, por lo general, no impide que un futuro embarazo llegue a término.

¿Qué es un aborto espontáneo?

Un aborto espontáneo es el resultado de un embarazo cuya evolución se interrumpe. El embrión no puede desarrollarse, la mayoría de las veces debido a una anomalía cromosómica. En la mayoría de los casos, esta anomalía no es de carácter hereditario ni se reproduce necesariamente en un nuevo embarazo.

El aborto espontáneo se produce casi siempre en los tres primeros meses del embarazo y afecta alrededor de un 10-15% de los embarazos. Se trata, pues, de una complicación relativamente frecuente, cuyo riesgo aumenta con la edad de la madre. Algunas mujeres abortan espontáneamente sin siquiera saberlo durante las dos primeras semanas del embarazo y, por lo tanto, antes de volver a tener la menstruación. A partir del cuarto mes, se habla de aborto espontáneo tardío (ver p. 189).

¿Cómo se produce?

Los primeros síntomas son pérdidas de sangre y contracciones uterinas, acompañadas de la de-saparición de los signos del embarazo, como la tensión de los senos o las náuseas. Los sangrados empiezan siendo poco importantes, después se hacen más abundantes y al cabo de unos días desaparecen rápidamente. El ciclo menstrual sigue su curso y la regla vuelve a aparecer un mes más tarde.

¿Qué hay que hacer?

Avisar al médico • Desde el momento en que empiezan los sangrados, es necesario acudir al médico urgentemente para que pueda determinar su posible causa. El médico pedirá una ecografía y, en ocasiones, un análisis de sangre para descartar cualquier otra complicación. Es posible que, mientras estés embarazada, tengas pequeñas pérdidas los días en los que deberías tener la menstruación. La mayoría de las veces, estas pérdidas no tienen mayores repercusiones, ya que corresponden al momento en que se forma la placenta.

Hacerse una ecografía • El objetivo es establecer el diagnóstico y comprobar que la causa de los sangrados no sea, por ejemplo, un embarazo extrauterino. Cuando se trata de un aborto espontáneo, la ecografía muestra un embrión que ha dejado de desarrollarse y que carece de actividad cardíaca.

Dos posibilidades • En la mayoría de los casos, una vez establecido el diagnóstico, el médico facilita la evacuación del huevo a través de un medicamento o lo evacúa mediante aspiración o raspado, que se realizan bajo anestesia general. La hospitalización no suele superar las 24 horas.

A veces el ginecólogo opta por esperar, ya que la expulsión del huevo puede producirse de forma natural. En este caso, posteriormente será necesario comprobar si la expulsión ha sido total. Cuando la futura madre es Rh negativo (ver p. 160), el médico recurre a la inyección de gammaglobulina.

▶ ¿Y después?

Un aborto espontáneo es un episodio doloroso para cualquier mujer. Cuando el anuncio del embarazo fue motivo de alegría y esperanza, la interrupción súbita que supone el aborto se vive como una pérdida que suele ir acompañada de una enorme tristeza. Cada mujer reacciona de manera distinta, en función de si el bebé había sido esperado durante mucho tiempo, de su historia personal y del momento en el que se produce el aborto.

En cualquier caso, el trauma psicológico es real y debe ser tenido en cuenta, especialmente por parte de las personas más cercanas. Es posible que el aborto sea fuente de angustia en relación con el presente (el hecho de ver sangre, el miedo a lo que pueda pasar y a posibles complicaciones) y el futuro (¿podré quedar embarazada de nuevo?, ¿volverá a ocurrirme lo mismo?). Es importante que la mujer aborde abiertamente estos miedos con su médico y se sincere con su pareja. El médico podrá tranquilizar a la futura madre en el sentido de que un aborto espontáneo no incide en futuros embarazos. Esta experiencia también puede ser difícil para el hombre (ver p. 209). Cuando el impacto psicológico es muy grande o se prolonga excesivamente, es aconsejable buscar ayuda para afrontar el duelo.

Otras causas de sangrado (primer trimestre)

Los sangrados durante los tres primeros meses pueden tener distintas causas, aunque éstas no siempre sean identificables. En cualquier caso, es necesario acudir al médico, ya que podrían indicar un trastorno insignificante, como el ectropión, o, por el contrario, un problema grave, como un embarazo extrauterino.

▶ Desprendimiento del huevo

Es posible que las membranas del huevo se desprendan de la pared uterina y provoquen pérdidas de sangre roja que, como es lógico, son motivo de alarma para la embarazada. Sin embargo, existen distintos tipos de desprendimiento; la gravedad depende sobre todo de su importancia y de su localización respecto a la placenta. Un pequeño desprendimiento de algunos centímetros cuadrados del lado opuesto de la placenta será menos peligroso que un desprendimiento considerable (de 10 cm, por ejemplo) del lado de la placenta. En cualquier caso, es imposible prever la evolución del embarazo.

Cuando surge esta complicación, el médico prescribe reposo y la baja laboral, mientras el huevo no vuelva a adherirse a la pared uterina. En caso de contracciones uterinas, recetará un antiespasmódico para relajar el útero. Si la futura madre es Rh negativo (ver p. 160), prescribirá el uso de gammaglobulinas. En la mayoría de los casos, este episodio se resuelve espontáneamente. Aunque después pueda aparecer un pequeño goteo de sangre oscura, éste no tiene mayores repercusiones.

▶ Ectropión

A lo largo del embarazo, el aspecto del cuello del útero se transforma, se vuelve más frágil y es posible que sangre después de un tacto vaginal o después de mantener relaciones sexuales. Un simple examen con el espéculo bastará para que el ginecólogo pueda diagnosticar este pequeño problema. El sangrado desaparecerá sin ningún tipo de tratamiento.

El embarazo extrauterino

Un embarazo extrauterino se caracteriza por el desarrollo del huevo fuera del útero, la mayoría de veces en una de las trompas de Falopio (ya que el huevo no ha conseguido llegar al útero), en el cuello del útero (cuando el huevo ha bajado demasiado) o en el interior del vientre (en un ovario o en el intestino).

El número de embarazos extrauterinos va en aumento, ya que actualmente se ven favorecidos por las ETS (enfermedades de transmisión sexual), cada vez más frecuentes. Además, la trompa es un órgano frágil: su interior contiene células ciliadas destinadas a favorecer el desplazamiento del huevo. Si estas células se destruyen, no pueden regenerarse. Esto ocurre sobre todo cuando se sufre salpingitis (infección de la trompa): en este caso, el riesgo de embarazo extrauterino es más importante, ya que la trompa no consigue conducir el huevo hacia el útero. Otro factor de riesgo es el consumo de tabaco.

¿Cuáles son los síntomas? • Los signos de un embarazo extrauterino son un retraso de la menstruación, dolores en el bajo vientre (en el lado derecho o izquierdo, dependiendo de la trompa afectada) y pérdidas poco abundantes de sangre oscura.

Para realizar el diagnóstico, el médico realizará una exploración, determinará el nivel de beta-HCG en la sangre y prescribirá una ecografía vaginal. Este diagnóstico siempre es delicado, a pesar de los recientes avances técnicos en el campo de la ecografía, que en algunos casos permiten visualizar un embarazo extrauterino.

¿Qué se puede hacer? • Un embarazo extrauterino no puede desarrollarse. Existen dos tratamientos: la administración de medicamentos o la intervención quirúrgica. El médico optará por uno u otro en función de la edad del embarazo, del dolor que provoque, del nivel de beta-HCG en la sangre, del estadio del embarazo extrauterino y de la posible presencia de sangre en el vientre. El tratamiento con medicamentos consiste en administrar por vía intramuscular una o dos inyecciones de una sustancia que provoca la desintegración del huevo. A continuación, es necesario un estricto control (una visita semanal al médico) hasta que el análisis de sangre del embarazo dé negativo, lo que puede tardar más de un mes.

El tratamiento quirúrgico consiste en practicar una laparoscopia bajo anestesia general: se realiza una incisión a la altura del ombligo de unos 10 mm de diámetro y dos pequeñas incisiones de 5-10 mm de diámetro en la parte inferior del abdomen, a la derecha y a la izquierda respectivamente. Esta intervención permite la extracción del huevo después de abrir la trompa o, cuando esto no es posible, la extracción de la trompa.

¿Y después? • El embarazo extrauterino puede provocar una hemorragia interna. Las mujeres que ya han tenido un embarazo de este tipo son más propensas a repetirlo (el riesgo se multiplica por cinco). En caso de un nuevo embarazo, hay que consultar al ginecólogo a la semana de retraso en la menstruación para asegurarse de que el huevo esté bien implantado.

Otras complicaciones (segundo y tercer trimestres)

La mayoría de las complicaciones que se producen a mitad del embarazo o en los últimos meses pueden ser tratadas sin que tengan repercusiones a largo plazo ni en la madre ni en el feto. Sin embargo, a veces es necesario ingresar en el hospital o hacer reposo.

Amenaza de parto prematuro

Cuando aparecen contracciones uterinas acompañadas de alteraciones del cuello uterino antes del final del octavo mes (o 37 semanas de amenorrea), existe una amenaza de parto prematuro.

A partir de las 37 semanas, el bebé ya no se considera prematuro.

Signos de alerta • Las contracciones son algo normal durante el embarazo, pero cuando se vuelven más frecuentes (más de diez al día) y dolorosas, es necesario acudir de inmediato al médico.

El principal signo de alerta es un dolor intermitente que dura un minuto, remite durante unos minutos y vuelve a empezar. Algunas contracciones uterinas también provocan dolor de espalda. Ante la más mínima duda, lo mejor es consultar al médico.

La comadrona y el médico son los únicos que pueden determinar si el cuello del útero presenta alteraciones desde la última visita. Observarán su longitud, su abertura, su consistencia y su posición, y buscarán la posición de la cabeza del bebé para saber si está demasiado abajo y si se apoya en el cuello del útero. Para confirmar la amenaza de parto prematuro, el médico realizará una ecografía vaginal que permitirá medir la longitud exacta del cuello uterino: si es inferior a 25 mm, existe un riesgo y la hospitalización es necesaria. A continuación, es necesario un chequeo para determinar las causas: hiperactividad, embarazos múltiples, infecciones, exposición al dietilestilbestrol (ver p. 40), antecedentes de conización (extirpación de una parte del cuello uterino)...

Tratamiento y reposo • Si la amenaza es real, antes de las 34 semanas se administran corticoides para acelerar la maduración pulmonar del feto y tocolíticos para inhibir las contracciones. El tratamiento es importante para evitar las contracciones y detener el proceso de abertura del cuello. Sin embargo, sigue siendo obligatorio y esencial guardar reposo absoluto. El objetivo es mantener el embarazo el máximo de tiempo posible y prevenir el riesgo de gran prematuridad.

Por lo general, si las contracciones remiten, si se han tomado todas las medidas necesarias y el cuello del útero no está abierto, es posible volver a casa siempre que se cuente con la ayuda de alguien y se haga reposo hasta las 36 semanas de amenorrea. En este caso, un médico o una comadrona pueden visitarte regularmente a domicilio.

Si existe un alto riesgo de parto prematuro y tu seguimiento hasta el momento ha tenido lugar en una maternidad de nivel I, deberás ser transferida a otra de nivel II o III (ver p. 34), dependiendo del estadio del embarazo.

Anomalías de la placenta

Un embarazo a veces se complica debido a una mala inserción de la placenta, que puede cubrir y obstruir el cuello del útero (de forma parcial o total). También es posible que se produzca un desprendimiento de placenta antes del parto.

Placenta previa • En caso de que la placenta se interponga entre el feto y el cuello del útero, no es posible un parto por vía natural. Además, existe el riesgo de hemorragia, ya que los grandes vasos de la placenta pueden romperse y sangrar. Cuando la ecografía revela esta anomalía, conocida como «placenta previa», es necesario tomar varias precauciones: conviene hacer reposo y guardar abstinencia sexual, y deben evitarse las exploraciones vaginales. La hospitalización puede ser necesaria hacia el final del embarazo, y el parto sólo es posible por cesárea.

Hematoma retroplacentario • Un desprendimiento (total o parcial) de la placenta en los últimos meses del embarazo suele provocar sangrados que van acompañados de una contractura uterina dolorosa y permanente. Las embarazadas hipertensas están más expuestas que las demás a este problema, que puede provocar la muerte del feto y una hemorragia grave en la madre.

Con el fin de prevenir estos riesgos, y siempre que el feto sea viable, debe realizarse una cesárea urgente. El hematoma retroplacentario podría reaparecer en un embarazo posterior. En la mitad de los casos no es posible determinar la razón, por lo que el embarazo siguiente requiere un estricto seguimiento.

Hipertensión arterial y preeclampsia

En algunos casos aparece hipertensión arterial durante el embarazo, ya sea de forma aislada o asociada a edemas (en la cara, las manos y las piernas) y proteinuria (presencia de proteínas en la orina), que son signos de preeclampsia (o toxemia del embarazo).

Este trastorno se asocia a una insuficiencia placentaria que puede provocar crecimiento retardado, sufrimiento fetal e incluso muerte *in utero*. En estos casos es necesaria la hospitalización. Las gestantes afectadas de preeclampsia requieren un estricto seguimiento, ya que existe el riesgo de que aparezcan complicaciones graves de forma súbita: hematoma retroplacentario (ver más arriba) y eclampsia. Esta última consiste en un estado convulsivo acompañado de un coma más o menos profundo, y puede ir precedida de dolores de cabeza, trastornos visuales, zumbidos en los oídos o dolores abdominales que deben alertarte y que requieren una visita urgente al hospital.

El objetivo del tratamiento es estabilizar la tensión arterial y evitar las convulsiones. El equipo médico puede decidir realizar una cesárea en función del término del embarazo, de la gravedad de los síntomas y de los resultados de las pruebas. Después del parto, la enfermedad deja de desarrollarse, pero es necesario controlar la tensión arterial hasta su normalización. En embarazos posteriores, se recomienda un tratamiento preventivo y un control estricto para detectar una posible reaparición de la enfermedad, aunque esto ocurre en muy pocos casos.

Rotura prematura de membranas

La rotura de membranas consiste en una abertura de la bolsa de las aguas a través de la cual sale el líquido amniótico. Por lo general, se produce en el momento del nacimiento (antes de que aparezcan las contracciones o durante el parto). Sin embargo, es posible que debido a una infección o a contracciones uterinas precoces, la bolsa se rompa de forma precoz (antes del noveno mes o de las 37 semanas).

En algunos casos no existe ningún factor desencadenante, pero la rotura siempre es angustiosa para la madre, ya que indica una complicación y un parto necesariamente prematuro.

Cuando se pierde líquido amniótico, es importante acudir lo antes posible al hospital, donde la comadrona o el médico realizarán varias pruebas. Con el espéculo comprobarán si se trata efectivamente de una pérdida de líquido amniótico y tomarán una muestra vaginal para buscar una posible infección. Comprobarán si tienes contracciones uterinas, determinarán la posición del feto y realizarán una monitorización (registro de los latidos del corazón del bebé y de las contracciones uterinas).

Necesidad de hospitalización • En caso de pérdida de líquido amniótico, es necesaria una hospitalización sistemática hasta el final del embarazo. El equipo médico realiza un examen completo y, en la mitad de los casos, el parto tiene lugar durante la semana siguiente.

La embarazada debe permanecer en cama y levantarse únicamente para ir al baño. Entre otros, se le administra una inyección de corticoides por vía intramuscular dos días seguidos para acelerar la maduración pulmonar del feto y ayudarle a respirar mejor después del nacimiento. La comadrona o el médico comprueban diariamente la temperatura y el color del líquido que sale y realizan una monitorización para valorar el estado del bebé.

En caso de que aparezcan contracciones uterinas antes del sexto o séptimo mes del embarazo, el ginecólogo puede decidir bloquearlas con una perfusión, siempre que esté seguro de que no existe una infección subyacente: es mejor que un niño nazca de forma prematura y sin infección que prolongar el embarazo con una infección que le pondría en peligro. En caso de infección, es necesario proceder al parto lo antes posible.

Si el seguimiento se realiza en una maternidad de niveles I o II, en función del término del embarazo, la mujer deberá ser transferida a una maternidad de nivel III (ver p. 34).

Retraso del crecimiento intrauterino o hipotrofia

El retraso del crecimiento intrauterino (RCIU), como su nombre indica, es una insuficiencia en el crecimiento del feto. También se conoce como *hipotrofia*. A lo largo del embarazo, el crecimiento del feto se controla a través de las revisiones mensuales, en las que se mide la altura del útero (distancia entre el pubis y el fondo uterino), y sobre todo gracias a las tres ecografías rutinarias. La ecografía más orientada al crecimiento del feto es la tercera, practicada a los 7 meses o 32 semanas de amenorrea, pues la mayoría de retrasos en el crecimiento aparecen durante el tercer trimestre. Cuando se diagnostica este tipo de retraso, pueden darse dos situaciones, dependiendo de si el retraso en el crecimiento es moderado o grave.

Cuando el retraso es moderado, la embarazada se somete cada quince días a un control y a una ecografía para comprobar el crecimiento del bebé. El médico recomienda reposo y prescribe la interrupción de toda actividad profesional. Éste es el único tratamiento posible, además del abandono del tabaco en el caso de las fumadoras.

Si el retraso es grave, la gestante debe ser hospitalizada hasta el momento del parto para que el bebé, que es más delicado, pueda ser objeto de un estricto control. Es necesario hacer reposo y tomar corticoides antes de las 34 semanas (o siete meses y medio) con vistas a un parto prematuro (los corticoides favorecen la respiración en el recién nacido). Con el fin de determinar la causa de este retraso, el equipo médico busca otros signos a través de la ecografía y del Doppler, además de realizar un examen completo. Las causas pueden ser muy diversas: malformación del feto, infección, pre-eclampsia (hipertensión arterial y presencia de proteínas en la orina), tabaquismo y alcoholismo, anomalías de la placenta o del cordón... Cada dos o tres días se comprueba la evolución del feto a través de la monitorización, la ecografía y el Doppler.

Cuando el RCIU no empeora, el embarazo puede seguir hasta las 37 semanas de amenorrea (u ocho meses), fecha en la que se provocará el parto. Si, por el contrario, el retraso aumenta, el futuro bebé dejará de crecer, lo cual se reflejará en las anomalías detectadas por el monitor y la ecografía. Ha llegado el momento de que nazca el bebé, que seguirá creciendo en la incubadora. Es muy probable que el parto sea por cesárea.

▶ Diabetes gestacional

Debido a las alteraciones biológicas propias de la mujer embarazada, en ocasiones se constata la aparición de diabetes en la segunda mitad del embarazo. La que se conoce con el nombre de *diabetes gestacional* puede ser detectada en mujeres propensas a padecerla mediante la búsqueda de azúcar en la sangre tras la absorción de glucosa (hiperglicemia provocada por vía oral). Se sospecha la presencia de diabetes gestacional cuando la mujer ha tenido un primer hijo con más de

4 kg de peso al nacer, cuando tiene sobrepeso, cuando uno de sus padres es diabético... En caso de que se confirme el diagnóstico, es necesario consultar a un diabetólogo y es imprescindible seguir un tratamiento (régimen alimentario y, en algunos casos, inyecciones de insulina). El riesgo de muerte *in utero* es prácticamente nulo cuando la diabetes está bien controlada. El objetivo del tratamiento es evitar que el niño sea demasiado grande al nacer, por lo que en ocasiones se provoca el parto en las semanas 38 o 39. Después del nacimiento, el niño será objeto de un estricto control con el fin de evitar un descenso del nivel de azúcar en la sangre (hipoglicemia).

▶ Evitar un aborto espontáneo tardío

Los abortos espontáneos tardíos se producen en el segundo trimestre, en torno al cuarto o quinto mes de gestación, y siempre constituyen un episodio difícil de vivir para la madre. No obstante, se trata de abortos mucho menos frecuentes que los del primer trimestre. Suelen ir precedidos de algunas contracciones e incluso de pérdidas de sangre. Estos síntomas pueden ser poco elocuentes, pero el examen médico revela la abertura del cuello uterino y la salida de la bolsa de las aguas a la vagina.

En esta situación, la hospitalización es indispensable para garantizar el reposo absoluto, la aplicación de un tratamiento que inhiba las contracciones y, en caso necesario, la realización de un cerclaje con anestesia general para cerrar el cuello uterino. Una muestra vaginal permitirá determinar la presencia de una infección. El pronóstico no suele ser bueno.

Después del parto, el médico puede decidir hacer una radiografía del útero (histerosalpingografía) para diagnosticar una posible dilatación del cuello del útero. En caso de un nuevo embarazo, será indispensable hacer reposo y practicar un cerclaje preventivo durante el tercer mes.

Un aborto espontáneo tardío es una experiencia muy dolorosa para la madre y requiere el apoyo de su entorno. El duelo es difícil y muchas veces hay que descartar la posibilidad de otro embarazo a corto plazo. Es importante que la pareja entienda y asuma las informaciones ofrecidas por el médico, sin excluir la posibilidad de buscar ayuda psicológica siempre que la situación resulte demasiado difícil de llevar.

Motivos de alarma

Existen distintos signos que pueden llevar a sospechar que podría producirse algún tipo de complicación y que justifican e incluso exigen una visita urgente al médico:

- • Contracciones frecuentes y dolorosas (más de diez al día) antes del noveno mes.
- • Sangrados y contractura uterina dolorosa y permanente.
- • Edemas (hinchazón) en la cara, las manos y las piernas.
- • Dolores de cabeza asociados a trastornos visuales, zumbidos en los oídos y dolores abdominales.
- • Pérdida de líquido amniótico.

La preparación para el parto

Aprender a controlar el miedo • ¿Qué método debo elegir? • El encuentro con el niño a través de la haptonomía • Yoga, sofrología, gimnasia acuática, canto prenatal... ¿Cómo se desarrollan las sesiones?

¿Por qué hay que prepararse?

¿Pensabas que lo sabías todo sobre el parto y que los cursos de preparación no te aportarían nada nuevo? ¿Estabas segura de que con la epidural no necesitabas ningún tipo de preparación? Es cierto que los avances médicos han conseguido que «dar a luz con dolor» ya no sea una fatalidad, pero el parto sigue siendo un acontecimiento importante que requiere una preparación física y psicológica.

Unas clases muy útiles

El nacimiento de un hijo es un acontecimiento único en la vida de una mujer, pero también somete el cuerpo a grandes cambios, por lo que es necesario prepararse lo mejor posible para cuando llegue el momento decisivo. Existen numerosos métodos de preparación para el parto que te serán de gran ayuda (los detallamos a continuación). Su principal función es informarte sobre todos los aspectos del embarazo, desdramatizar el parto y explicarte lo que vivirás para reducir tu nivel de ansiedad. Cuando sabes lo que te espera, por lo general todo es más fácil.

Estas sesiones de preparación también constituyen el momento ideal para plantear tus dudas, expresar tus inquietudes y tus ilusiones, y compartirlas con otras futuras madres si has elegido un tipo de preparación en grupo. El intercambio de experiencias es otro aspecto importante en las sesiones de preparación.

Infórmate antes de elegir

Cada método de preparación tiene una orientación específica, pero es perfectamente posible combinar la preparación clásica con otro método; ninguno de ellos es obligatorio. La preparación más adecuada será la que mejor responda a tus expectativas, a tu sensibilidad, a las ganas de participar que tenga el padre, al tiempo del que dispongas y a tus posibilidades económicas. Tu elección también estará condicionada por la oferta existente en tu lugar de residencia.

En cualquier caso, lo mejor es informarse y, a ser posible, pedir hora en la maternidad o con una comadrona que trabaje por cuenta propia a partir del primer trimestre, aunque algunas preparaciones no empiecen hasta el segundo o incluso el tercer trimestre (para algunas hay mucha demanda). Tómate el tiempo necesario para prepararte para el gran día. Asegúrate de que la preparación elegida sea de calidad, de que la impartan profesionales competentes acreditados por la titulación necesaria y de que no se limite a unos cuantos ejercicios de relajación y respiración.

Uno de los criterios que deberás tener en cuenta a la hora de elegir el centro es, sobre todo, la proximidad del lugar donde se realicen las sesiones. Es mucho mejor evitar largos trayectos que puedan agotarte, sobre todo hacia el final del embarazo.

▶ ¿Cuánto cuesta?

En España, la seguridad social cubre íntegramente la preparación para el parto a partir del sexto mes. Las sesiones se realizan en grupo, son impartidas por un médico o una comadrona e incluyen información teórica y ejercicios físicos (respiración, trabajo muscular para la espalda y el perineo, relajación). No es necesario disponer de una prescripción médica para beneficiarse de estas sesiones.

▶ Algunos consejos prácticos

Antes de cada sesión, tómate un pequeño tentempié, ponte unos pantalones anchos, llévate un par de calcetines que no resbalen para ponértelos durante la sesión, así como una botella de agua. Cuando salgas, siempre que puedas, evita realizar cualquier tipo de actividad y reserva algo de tiempo para dormir la siesta; no tardarás en comprobar que el estado de relajación propicia mucho el sueño.

La preparación clásica

La preparación clásica, también conocida como «preparación al parto sin dolor», ha demostrado sobradamente su eficacia. Su objetivo es limitar las tensiones el día del parto a través de información práctica, ejercicios de relajación y algunas técnicas de respiración.

▶ Adiós al miedo

Desarrollada en Rusia e introducida en Francia en 1951 por el doctor Fernand Lamaze, la preparación clásica nació para combatir la máxima según la cual toda mujer debe parir con dolor, basándose en dos principios. Por un lado, el miedo suele surgir ante lo desconocido, por lo que la explicación detallada del proceso del nacimiento puede eliminar una parte importante de este miedo.

Por otro lado, el hecho de saber a priori que se sufrirá durante el parto condiciona a la mujer. La preparación para el trabajo que deberá realizar su cuerpo no hace que la embarazada olvide el dolor, pero sí que lo integre en el parto más fácilmente.

¿Cuándo debo empezar y con quién? • Por lo general, las comadronas y el personal especializado en educación perinatal son quienes imparten las sesiones de preparación, que suelen empezar a partir del séptimo mes y se organizan en pequeños grupos. Algunas mujeres lamentan que el método no sea más personalizado o que las clases no empiecen antes. En este sentido, siempre puedes combinar la preparación clásica con otros métodos que se adapten mejor a tu sensibilidad.

Las primeras sesiones son de tipo informativo y siempre van acompañadas de la proyección de algún documental sobre el cuerpo femenino, el embarazo y los cambios que sufre el organismo, el parto (y las posibles intervenciones médicas: epidural, episiotomía, fórceps, cesárea), el puerperio, la lactancia...

Después empiezan las sesiones de preparación «física». Si la preparación a la que asistes se realiza en tu hospital, es posible que puedas conocer al equipo médico que te atenderá o visitar las salas de parto y las habitaciones de la maternidad. Así te irás haciendo una idea mucho más concreta de cómo se desarrolla un parto.

Aprender a empujar

La respiración cumple una función decisiva en el momento en que el bebé se prepara para salir. Puedes ayudarle a atravesar la pelvis reforzando el trabajo del útero durante las últimas contracciones, que permitirán la expulsión. Con cada contracción, deberás empujar tres veces después de vaciar completamente los pulmones. Lo ideal es hacerlo después del ejercicio del puente (ver p. 91), que te permitirá estirar la columna vertebral y tener la pelvis bien orientada.

1 Acostada boca arriba y con las piernas separadas, acerca las rodillas a ambos lados del vientre.

2 Agárrate las rodillas con las manos. Inspira profundamente llenando primero el abdomen y después el pecho. Espira. Inspira de nuevo profundamente (el diafragma bajará) mientras levantas ligeramente la cabeza y la parte superior de la espalda. Aguanta la respiración (el diafragma comprimirá el fondo del útero) y después empuja llevando las rodillas hacia los hombros. Los abdominales ejercerán presión sobre el útero (en un movimiento descendente) y ayudarán al bebé a bajar. También puedes empujar soltando un poquito de aire.

Ejercicios perineales

Para preparar correctamente la expulsión, es importante ejercitar los músculos del perineo. Además, teniendo en cuenta que estos músculos son los responsables de cerrar las vías urinarias, ejercitarlos te servirá para aumentar su capacidad de resistencia durante el embarazo y compensar el peso del útero sobre la vejiga. Para ello debes empezar los ejercicios a partir del cuarto mes y continuarlos después del nacimiento.

Para aprender a relajar el perineo, siéntate con las piernas abiertas. Coloca una mano en el perineo. Inspira tranquilamente y espira imaginando que expulsas el aire por la vagina. Tu vulva se abrirá. Aprieta con la mano el perineo y notarás cómo se relaja.

Todas las preparaciones al parto, ya sean individuales o en grupo, en casa o en otro lugar, tienen un componente físico.

psíquica, y acentúa de forma considerable la sensación inicial de dolor. El aprendizaje de técnicas de relajación y de respiración te ayudará a mantener la calma en la medida de lo posible, así como a estar relajada y perfectamente «oxigenada» desde el momento en que notes las primeras contracciones uterinas que marcan el inicio del trabajo de parto.

La relajación • Los ejercicios de relajación suelen practicarse tendida de costado. Consisten en relajar progresivamente cada parte del cuerpo y permiten aprender a contraer un músculo en particular, independientemente de los demás, para que al notar la contracción, el cuerpo esté totalmente relajado.

La respiración • En el transcurso del embarazo aumenta la necesidad de oxígeno. Durante el parto, al igual que ocurre en el caso de cualquier esfuerzo muscular intenso, una buena oxigenación favorece la relajación muscular y la dilatación y, frecuentemente, incluso acelera el trabajo del útero.

Las distintas técnicas de respiración constituyen un entrenamiento físico porque favorecen la oxigenación de todo el organismo, tanto durante el embarazo como en el desarrollo del parto. De este modo, aprenderás a respirar inspirando profundamente por la nariz y espirando por la boca lo más lentamente posible, hasta vaciar por completo los pulmones. La respiración superficial y acelerada, conocida como «respiración de jadeo», ya no se practica con la misma frecuencia que antes, ya que puede causar una hiperventilación (un aumento de la cantidad de aire en los pulmones) y provocar dolores de cabeza en la futura madre.

▌ Aprender a respirar y a relajarse

Bajo el efecto del dolor, sea cual sea su causa, la respiración se bloquea, el cuerpo se pone rígido y los músculos se contraen. Esta reacción en cadena crea una fuerte tensión, tanto física como

¿Quién ha dicho contracciones?

Las contracciones uterinas provocan un acortamiento de la fibra muscular. Con cada contracción, el cuello del útero es «empujado». Para hacerte una idea del movimiento del cuello durante la primera etapa del parto, imagínate un cuello arrugado que, al estirarlo desde abajo, se convierte en un cuello liso, se alisa (adelgaza). Después se abre, se dilata completamente y el bebé, bajo la presión de la contracción, es empujado hacia afuera. Así pues, la contracción uterina es indispensable para el nacimiento espontáneo de tu hijo, ya que le permite salir de tu cuerpo. Cuanto más atenta estés a la función de las contracciones, menos te preocuparás por el dolor, hasta el punto de llegar a superarlo. Uno de los objetivos de la preparación clásica es asociar las contracciones a la idea de eficacia, y no a la de dolor.

La haptonomía: el contacto con el niño

Más que una preparación para el parto en sí, en cierto modo, el objetivo de la haptonomía es estrechar los vínculos afectivos entre la madre, el niño y el padre, antes, durante y después del nacimiento. En este sentido, puede ejercer una gran influencia en la manera de vivir el parto y el nacimiento.

▶ Primeros contactos

Las primeras relaciones humanas que vive el niño (en haptonomía se habla de niños, más que de fetos o bebés) se desarrollan en el vientre de su madre. La haptonomía ayuda a los futuros padres a profundizar este vínculo a medida que avanza el embarazo y permite que el niño viva experiencias afectivas positivas. Esta forma de vivir y memorizar las experiencias genera una sensación de seguridad interior que influirá en el desarrollo posterior del pequeño.

En otras palabras, el objetivo de este planteamiento es desarrollar en el ser humano, desde su más tierna vida uterina, la capacidad de sentirse seguro a través del reconocimiento de sus semejantes, empezando por sus padres. La haptonomía también constituye una apertura afectiva al «otro»: la madre se abre a su hijo y a su compañero, y el padre se abre a su mujer y a su hijo.

▶ ¿En qué consiste?

El acompañamiento perinatal en haptonomía consiste en ocho o nueve sesiones impartidas por médicos, comadronas o psicólogos, todos ellos formados por el CIRDH (Centro Internacional de Investigación y Desarrollo de la Haptonomía), y se practica en consultas particulares o en el marco hospitalario en determinadas materni-

dades. Es posible empezar pronto, hacia el cuarto mes; en cambio, a partir del séptimo mes ya es demasiado tarde para iniciar la preparación, ya que la asimilación e interiorización del método haptonómico requiere tiempo. El acompañamiento puede prolongarse en los quince meses siguientes al nacimiento si se desea profundizar esta relación afectiva entre madre, padre e hijo.

Sesiones de pareja • La haptonomía va dirigida al mismo tiempo a la madre, al padre y al niño. Las sesiones se realizan siempre en pareja y no en grupo, como en otros métodos de preparación, ya que en ellas se trabajan aspectos de la vida emocional y afectiva. Es necesario que la pareja disponga de un lugar y de un momento reservados para su intimidad. La haptonomía se basa sobre todo en el contacto táctil (en griego, *haptein* significa «entrar en contacto para unir») y requiere interacción y diálogo entre el profesional que dirige las sesiones y la pareja.

En las sesiones aprenderás a colocar las manos alrededor de tu vientre (el regazo) y a inducir al niño a desplazarse en cuanto notes sus movimientos. Por su parte, el futuro padre aprenderá gestos que alivien a la madre y la ayuden a adoptar las posturas más adecuadas para el reajuste del niño en la pelvis, la toma de conciencia de su centro de gravedad, el alivio de las sensa-

Un acompañamiento personalizado

Cada sesión es diferente y se adapta a la evolución particular de cada pareja. Sin embargo, algo que conviene saber es que la haptonomía no es una técnica. Cuando se percibe como un deber o un trabajo puede resultar decepcionante, pues requiere una disponibilidad, una presencia y una abertura que hacen que el encuentro con el otro se convierta en placer y alegría de estar juntos. Lo que cuenta no es el tiempo que los miembros de la pareja pasen juntos, sino la calidad de la presencia afectiva del otro. Además, cada pareja y cada persona reaccionan de manera distinta en función de su propia historia personal o cultural. Es posible que enseguida te sientas motivada con la haptonomía o que, por el contrario, te cueste sentirte a gusto, ya sea porque alguno se sienta incómodo o no responda a las expectativas de la pareja. Naturalmente, se puede decidir no continuar.

ciones de pesadez y de peso en el vientre... Entre otras cosas, el padre puede ayudar a su mujer a llevar bien al niño cuando esté de pie o a corregir la curvatura lumbar, de modo que el niño esté más centrado en la base de la pelvis. Una vez asimilados estos gestos suaves pero precisos, los padres podrán practicarlos juntos en casa, entre sesiones y al ritmo que mejor les convenga.

Un contacto lleno de ternura

En las primeras sesiones, los padres descubren una forma de contacto suave que respeta al otro, hace que se sienta seguro y le reafirma en sus cualidades. Este contacto no es ni dominante ni posesivo, sino que da libertad y confianza, y no se dirige al cuerpo, sino a toda la persona. Mientras que en el padre el contacto se basa esencialmente en el tacto, la madre no tardará en apercibirse de que para ella no es indispensable, ya que la relación con su hijo es esencialmente interior.

Para poder establecer un intercambio afectivo con su hijo, el padre necesita poner las manos con toda su ternura alrededor del vientre de su compañera y después entrar en contacto también con el niño. Las manos deben colocarse como una invitación, muy suavemente. No es necesario pegarlas al abdomen o presionar para «llamar» al niño, sino todo lo contrario. Al principio, es posible que el padre se sienta un poco desorientado y torpe, o que no acabe de sentirse a gusto, pero no hay razón para preocuparse: estos gestos se adquieren fácilmente y sus beneficios se dejan sentir al cabo de poco tiempo. La función del haptoterapeuta será guiar.

Una relación entre tres • Aunque al principio de la gestación, la mujer todavía no perciba los movimientos de su hijo, la pareja ya le acompañará con su ternura. El padre puede mecer en sus brazos a su compañera, por ejemplo, ya que para la mujer es muy agradable que su compañero se ocupe de ella. Además, todo lo que siente la madre lo siente también el niño. «Aprendí gestos con los que mi mujer pudo aliviar los dolores propios del embarazo, el nerviosismo y la fatiga, y establecí un vínculo muy fuerte con un cuerpo nuevo que me parecía frágil. Mi compañera también aprendió a confiar en su nuevo cuerpo y en mi capacidad de quererla y ayudarla. Ella aprendió a pedirme ayuda y yo estoy encan-

Al sentir el contacto de las manos de la madre y del padre, el niño aprende a manifestarse mediante movimientos e incluso puede tomar la iniciativa.

tado de poder demostrarle mi afecto, mi deseo de participar y de aliviarla.»

Un enfoque afectivo • Poco a poco, los padres se dan cuenta de que poseen unas facultades que apenas utilizan, como la capacidad de abrirse al otro en vez de concentrarse y ensimismarse en uno mismo. Estas facultades les permiten estar relajados, tranquilos y mantener un tono muscular muy flexible ante un gesto agresivo. Cuando la madre se encuentra afectivamente cerca de su hijo y de su compañero, su útero se flexibiliza y acoge al niño de forma más relajada. Del mismo modo, cuando el padre se abre afectivamente a su pareja y a su hijo, su tono muscular se vuelve flexible.

La respuesta del niño

A medida que avanzan las sesiones, los futuros padres se dan cuenta de que su hijo busca el contacto afectivo que le ofrecen. Cuando la madre empieza a percibir los movimientos de su hijo, la pareja experimenta la ternura de este contacto: el niño se acerca y se acurruca bajo la mano que lo acaricia, o toma la iniciativa y participa en el juego para dar vueltas, mover la cabeza, bailar y algunas veces ir al encuentro de una mano que lo acoja. La madre puede invitarle a moverse hacia arriba, hacia abajo, a la izquierda, a la derecha, hacia atrás, y el niño responde a su contacto. El padre también puede ir a su encuentro. Así, en vez de vivir aislado en su «burbuja», el pequeño interactúa con sus padres, aprende a manifestarse, a anticiparse y a tomar la iniciativa, y adopta su propia forma de moverse, de desplazarse y de responder. Algunas madres incluso ven en estas respuestas rasgos de su carácter (reacciona rápido, es muy travieso…). De este modo, los padres mantienen un contacto extraordinario con su hijo: «El momento más maravilloso de este embarazo haptonómico fue la capacidad de llamar y de responder al niño. Mi compañero y yo podíamos invitarle a jugar, pero otras veces era él quien nos "llamaba" hasta que le respondíamos.» Este es un principio de socialización. En cambio, si el contacto no es suave, el niño puede esconderse o incluso dar golpes.

Empezar a sentirse padres

Los padres viven con gran asombro el hecho de que el pequeño les responda y vaya a su encuentro. Esta experiencia es reconfortante porque permite que se sientan capaces de establecer un vínculo con el bebé. La haptonomía hace posible que la mujer y el hombre empiecen a sentirse padres durante el embarazo. Estos momentos tan agradables que comparten los tres mediante el juego sirven para desarrollar los lazos afectivos entre los miembros de la pareja y entre ellos y su hijo.

«La haptonomía mejoró la comunicación en nuestra pareja. A mí me obligó a ver a mi marido como a un igual en su función de padre. Gracias a las sesiones de preparación, tomó conciencia del lugar que ocupaba en el embarazo estando a mi lado y de su papel como padre al lado de su hijo. Al conceder un lugar real al padre, la haptonomía impide una relación excesivamente privilegiada entre la madre y el bebé. De este modo se toma conciencia de que el niño no pertenece más a la madre que al padre y, lo más importante, que no pertenece a nadie excepto a sí mismo.»

Beneficios para la madre • Cuando tu hijo responda por primera vez a tu invitación, te embargarán unos sentimientos muy profundos y turbadores. La emoción será tan intensa, que no es extraño que los ojos se te llenen de lágrimas. Algunas mujeres establecen fácilmente una relación muy afectiva con su hijo y enseguida se sienten madres; además, sus compañeros contribuyen a reafirmarlas en su condición de madre y mujer. Para otras, en cambio, el contacto afectivo resulta más difícil, por lo que necesitan ayuda.

El papel esencial del padre • La haptonomía permite al hombre ocupar el lugar que le corresponde tanto al lado de su mujer, a quien ofrece ayuda y apoyo, como al lado de su hijo. Es importante que el futuro padre participe en todas las sesiones para aprender los gestos concretos que ayudarán y aliviarán a su mujer durante el embarazo y el parto. Algunos hombres establecen rápidamente contacto afectivo con su mujer y su hijo y, al igual que las mujeres, viven momentos muy intensos que les reafirman en su condición de hombre y de padre. En cambio, como también ocurre con las mujeres, algunos hombres tienen más dificultad para crear este vínculo de ternura y afectividad, por lo que necesitan más apoyo.

Durante el parto

En el campo de la haptonomía, el padre desempeña un papel tan activo durante el parto como la madre o el niño. La madre ayuda a su hijo a

¿Es posible combinar la haptonomía con otros tipos de preparación?

La mayor parte de los métodos de preparación para el parto son técnicas corporales basadas en el bienestar y la relajación que requieren, antes que nada, concentrarte en ti misma y en tu propio cuerpo. Si sigues uno de estos métodos basados en técnicas de concentración o de respiración, te resultará difícil centrarte al mismo tiempo en ti misma y estar abierta a tu hijo y a tu compañero, de acuerdo con los principios de la haptonomía. Por esta razón, podrías sentirte perdida o no conseguir practicar ninguna de las dos preparaciones. Elige la preparación que más te convenga y la que mejor responda a tus deseos.

nacer, y el padre ayuda a su mujer a mantenerse en contacto con el pequeño.

Por su parte, el niño responde a la invitación de la madre. Gracias a los gestos precisos aprendidos en las sesiones, el padre ayuda a la madre a encontrar el estado de serenidad experimentado a lo largo de su aprendizaje haptonómico. Algunas mujeres llegan fácilmente al contacto haptonómico durante el parto. Sin embargo, para la mayoría, la intensidad del dolor y la fuerza de las contracciones hacen más indispensable que nunca el apoyo del hombre, que les permite, si no desviar el dolor, por lo menos volver a concentrarse en el niño.

Si la pareja lo desea, durante el parto, el padre y la madre pueden permanecer abrazados. En este caso, el hombre se sienta en la mesa de partos y abraza a su mujer. Puesto que nada de esto es obligatorio, el hombre puede mantenerse al lado de su mujer si no se siente seguro en esta posición.

El punto de vista del bebé

Ya no me siento solo. Su presencia y sus voces se mezclan con unos contactos tiernos y de una gran dulzura que me reconfortan y que también relajan a mamá. Noto que están llenos de calidez y de emoción. Al mismo tiempo, juego a mi manera y cada vez me atrevo a hacer más cosas. Así descubro todo un mundo de sensaciones, impresiones y movimientos que me dan confianza en mí mismo y en los demás. A veces incluso soy yo el que empieza a llamarles y a requerir su presencia.

Otras aplicaciones de la haptonomía

En su obra Haptonomie, amour et raison *(Haptonomía, amor y razón), el fundador de la haptonomía,* Frans Veldman, *explica cómo, durante la Segunda Guerra Mundial, le marcaron «gestos de humanidad extraordinarios e inolvidables [...] que dejaron en mi interior huellas imborrables y que cambiaron mi vida». Entonces decidió consagrarse al estudio de la vida afectiva y emocional. Partiendo de la base de que antes de nacer un ser humano en desarrollo necesita contactos tranquilizadores y vínculos afectivos con sus padres, Veldman se atrevió a declarar que la vida prenatal es vital para el desarrollo personal. La haptonomía está destinada también a los enfermos que necesitan ayuda terapéutica o que se encuentran en la fase final de su vida.*

¿Qué siente la mujer? • Una mujer que practique la haptonomía habrá desarrollado una gran agudeza durante el embarazo, y aunque esté bajo los efectos de la anestesia epidural, conservará esta facultad de percepción y sentirá plenamente el nacimiento de su hijo. En haptonomía, el objetivo durante el parto es que el niño pueda vivir este paso tan importante acompañado y sostenido afectivamente por sus padres. En definitiva, sea cual sea el tipo de parto (incluso con fórceps o cesárea), el hecho de que sea haptonómico dependerá de la capacidad de los padres de mantener el contacto afectivo con su hijo.

Durante el nacimiento • Después de haber nacido, y si todo va bien, el niño descansará sobre su madre tapado con una manta para que no tenga frío. El padre ejerce la primera separación simbólica y física del niño asentándolo en su mano y, de esta manera, le abre la puerta al mundo y a los demás. En esta posición, el niño se mantiene recto y se despierta habiendo experimentando la sensación de no estar solo ni durante el embarazo ni en el momento de nacer. Seguro del amor que recibe, puede estrechar los lazos afectivos con sus padres y nace mucho más sereno.

¿Y después?

La observación postnatal de los niños que reciben este acompañamiento revela una importante apertura al mundo, una gran calidad de su presencia, una curiosidad, una viveza y una «seguridad de base» que hacen que se sientan más seguros de sí mismos y de sus deseos, con lo que rápidamente se vuelven autónomos y sociables. Son niños sensibles a los contactos y a su calidad afectiva. «Desde que nació Ana, su padre enseguida se sintió a gusto con ella. Yo tenía la impresión de que ya se conocían y que no hacían más que continuar una relación que ya habían iniciado antes. Ana es una niña tranquila, despierta, que muestra su ilusión por la vida, que sabe lo que quiere y lo expresa.»

Otros métodos

Puedes optar por el yoga, la sofrología, la preparación en el agua, el canto prenatal, la musicoterapia u otras preparaciones más próximas a las prácticas médicas, como la acupuntura o la homeopatía. Sea cual sea el método escogido, te aportará ayuda física y psíquica, ya sea en pequeños grupos o en sesiones individuales. La elección es tuya.

▶ El yoga: aprender a relajarse

Según el doctor Frédérick Leboyer, que ha contribuido a difundir su práctica durante el embarazo, el yoga no se limita a una sencilla gimnasia, a un deporte o a una terapia, sino que es una filosofía, un camino de desarrollo del conocimiento personal. Sin embargo, su objetivo no es que te conviertas en un experto o que te lances a hacer posturas complicadas.

Equilibrio físico y mental • Aunque nunca antes lo hayas practicado, el embarazo es un buen momento para iniciarse en el yoga. Esta disciplina combina el trabajo de concentración y las posturas físicas con el objetivo de encontrar o mantener un buen equilibrio físico y psíquico, y permite la unión entre cuerpo y mente, lo que constituye la esencia del embarazo. Gracias a una toma de conciencia muscular y articular al mismo tiempo, el yoga tiene efectos benéficos en las molestias del embarazo (como por ejemplo la ciática) y en la manera de sentirlas. También ayuda a controlar el estrés a través de la respiración, a mejorar la circulación, el tránsito intestinal y la oxigenación del bebé, además de ser beneficioso para el perineo, ya que lo prepara para el parto y facilita la recuperación del tono muscular después del nacimiento.

¿A qué ritmo? • Por lo general, las sesiones de yoga para mujeres embarazadas son impartidas por una instructora o un médico. Su duración media es de 60 o 90 minutos, y su frecuencia, de una o dos veces por semana, según lo que más te convenga. También puedes practicar los ejercicios diariamente en casa durante 15 o 20 minutos.

No existe un modelo universal • El yoga no puede concebirse sin un aprendizaje de la relajación, que permite tomar conciencia del propio cuerpo, de la respiración y de las distintas sensaciones, como el calor o la pesadez. En efecto, el yoga es ante todo una búsqueda personal, por lo que deberás adaptar las posiciones a tu propio bienestar. Los ejercicios propuestos no son modelos inalterables que deban ser reproducidos al pie de la letra, sino que tú misma deberás adaptarlos para experimentar sus beneficios.

Posturas adaptadas • Las posturas que suelen aprender las mujeres embarazadas están desti-

Determinadas posturas sirven para ejercitar los músculos requeridos durante el embarazo.

nadas a ejercitar los músculos implicados en el embarazo y el parto, y permiten realizar movimientos adaptados a tu estado físico: estiramiento de la columna vertebral, balanceo de la pelvis a través del tono abdominal y control de los gestos y esfuerzos cotidianos. Aprenderás, por ejemplo, la mejor manera de acostarte, levantarte y darte la vuelta sin hacer esfuerzos ni sentir dolor. Las últimas sesiones están dedicadas a las posiciones más útiles durante las contracciones y al trabajo de empuje, que se hace a través de la espiración, un método poco violento para el bebé y para el perineo materno.

▶ La sofrología: descanso y confianza

La sofrología, nacida en España a principios de la década de 1960, es un método basado en la relajación que utiliza técnicas de hipnosis o autohipnosis inspiradas en el yoga. La preparación suele empezar hacia el quinto mes y requiere una participación personal considerable. Si has decidido seguir este método durante el parto,

Los tres grados de la relajación dinámica

Para que la sofrología sea realmente útil, es necesario dominar los tres grados de la relajación dinámica.

• **Concentración:** Se trata de que conozcas y aceptes mejor la realidad de tu cuerpo, que va cambiando a medida que avanza el embarazo y después del parto.

• **Contemplación:** Su objetivo es ayudarte a tomar conciencia de ti misma respecto a los demás, a prepararte para los cambios que tendrán lugar en el seno de tu familia y, en particular, a acoger a tu hijo en un estado espiritual armonioso.

• **Meditación:** Te permitirá aumentar tu capacidad de concentración a través de una postura propia del zen y del yoga que podrás adoptar durante el parto, desde el momento en que la intensidad de las contracciones empiece a amenazar tu equilibrio.

además de la decena de sesiones colectivas (una vez por semana), deberás dedicarle unos veinte minutos al día siguiendo las indicaciones grabadas en un casete o un CD.

En el umbral del sueño • De pie, sentada o acostada, déjate guiar por la voz suave, tranquila y monocorde del sofrólogo y entrarás en un estado de conciencia que se encuentra a medio camino entre el sueño y la vigilia, un estado similar al que experimentas habitualmente justo antes de dormirte y en los primeros minutos de vigilia. De este modo, aprenderás a utilizar la respiración para relajarte y a eliminar todas las tensiones (articulares, dorsales y musculares).

Durante el embarazo, esta práctica ayuda a visualizar el parto y a prepararse para este acontecimiento sin angustia y de forma positiva. Después de varias semanas de práctica y de entrenamiento regular en casa escuchando la voz grabada de tu sofrólogo, bastará con que cierres los ojos y te acuerdes de esta voz para entrar de nuevo en este estado.

Una disciplina «antifatiga» • Practicar una media hora de este ejercicio en estado de semivigilia consciente permite recuperar cerca de dos horas de sueño, lo que explica sus beneficios durante el embarazo. El día del parto podrás recurrir a esta técnica para mantener una respiración tranquila y lenta, y crear un clima de equilibrio propicio para el buen desarrollo del trabajo del parto. Después del nacimiento, cuando debas interrumpir tus horas de sueño para dar el pecho, esta técnica te resultará muy útil.

▶ La preparación en el agua: levedad y bienestar

Puesto que el cuerpo pesa menos dentro del agua, te sentirás más ligera a pesar de los kilos de más. Los ejercicios de preparación para el parto que se realizan en el agua (que tiene un efecto relajante) se caracterizan por su suavidad y flexibilidad. Además, la presión del agua ejerce un masaje drenante que alivia las piernas cansadas y favorece la circulación sanguínea.

Si sufres de ciática, insomnio o estreñimiento, las sesiones de preparación te resultarán especialmente beneficiosas. Además, en ellas conocerás a otras mujeres embarazadas y te atreverás a mostrar tu cuerpo, lo que te ayudará a asumir sus nuevas formas.

En el agua te sentirás extremamente leve y realizarás ejercicios muy suaves.

Conseguir una respiración «amplia» • Las sesiones duran cerca de una hora y por lo general reúnen a una decena de embarazadas. El principal objetivo es desarrollar la capacidad respiratoria, algo especialmente útil al final del embarazo y en el parto. También trabajarás el perineo, preparándolo para la fase de expulsión y el puerperio. En algunos casos se realizan ejercicios de musculación, estiramiento y relajación.

Con total seguridad • Para participar en estas sesiones no es necesario saber nadar, ya que se realizan en una zona reservada al efecto. La temperatura del agua suele ser de unos 30 °C y la piscina pasa por un riguroso control higiénico. Sin embargo, al realizar la inscripción, deberás presentar un certificado médico que garantice la ausencia de cualquier contraindicación para la práctica de este tipo de preparación.

Las sesiones son impartidas por un monitor de natación, que además se encarga de la seguridad en la piscina, y por una comadrona, responsable de la supervisión médica y especialmente formada para esta preparación. Puedes empezar a asistir a las clases cuando lo desees y al ritmo que mejor te convenga.

▶ La acupuntura: reequilibrar las energías

Si bien la acupuntura no puede considerarse una preparación para el parto como tal, esta terapia tradicional china puede ser muy interesante combinada con otro método, ya que permite preparar el organismo durante el embarazo.

A grandes rasgos, el objetivo de la acupuntura es mantener o restablecer la libre circulación de energías en el cuerpo de una persona. Esta energía (en medicina china se considera que la vida es energía) está formada por dos polos: el yin, que corresponde a la energía estática, y el yang, que corresponde a la energía dinámica. Durante el embarazo se produce una alteración importante del equilibrio energético. En el momento del parto, la energía yin, estática y presente en la zona de la pelvis, debe transformarse de repente en energía dinámica (yang). Una transformación de este tipo es más natural y armoniosa cuando el equilibrio energético inicial es satisfactorio.

Preparación del perineo y del cuello uterino • Lo ideal sería empezar la preparación a través de la acupuntura desde el momento de la concepción, pero las sesiones también pueden empezar en cualquier estadio del embarazo. La preparación para el parto como tal suele desarrollarse en las tres últimas semanas, a razón de una sesión

Las sesiones de acupuntura, por sí mismas, no bastan como preparación para el parto, pero son una buena manera de relajarse.

por semana. Los quince días anteriores a la fecha prevista del parto permiten preparar el perineo, mientras que en la última semana se inicia el proceso de maduración del cuello del útero.

La acupuntura tiene otras aplicaciones en obstetricia: cuando el feto se presenta de nalgas, favorece su reubicación de cabeza y alivia los dolores durante el parto. Sin embargo, esta técnica sigue estando muy poco extendida.

¿Qué hace el acupuntor? • El acupuntor, que en algunos casos es al mismo tiempo médico, ginecólogo o comadrona, clava unas finas agujas en distintos puntos del cuerpo siguiendo unas «líneas de fuerzas vitales», pero evitando la zona del abdomen. Las agujas, de un solo uso, permanecen clavadas entre quince y veinte minutos. No te preocupes: este método es muy poco doloroso o incluso indoloro. El recelo inicial desaparece rápidamente para dejar paso a un estado de relajación total.

▶ El método Bonapace: un futuro papá muy activo

Creado por la quebequesa Julie Bonapace a partir de la acupuntura y de la estimulación de determinadas partes del cuerpo, este método empezó a practicarse a principios de la década de 1990. Puede ser útil como complemento de la preparación clásica, pero todavía está muy poco desarrollado. Su originalidad radica en la implicación total del futuro padre y, su principio, en la disminución del dolor utilizando al mismo tiempo la digitopresión (una especie de acupuntura sin agujas), los masajes y la relajación.

Masajes y presión con los dedos • Será tu compañero quien aprenda, entre otras cosas, a localizar las llamadas «zonas gatillo», ocho puntos situados en las manos, los pies, el sacro y las nalgas, que podrá presionar para ayudarte a soportar mejor el dolor. El objetivo de estas presiones es crear una especie de segundo punto sensible para que el cerebro deje de centrarse en el dolor inicial y, sobre todo, segregue endorfinas que alivien el sufrimiento. Además, tu compañero aprenderá a hacerte masajes, especialmente en la zona lumbar, para aliviar las tensiones en la espalda después de cada contracción.

El canto permite desarrollar la respiración, tonificar los abdominales y, sobre todo, relajarse y ahuyentar los miedos.

▶ El canto prenatal: unas vocalizaciones muy íntimas

Esta preparación, creada por la cantante francesa Marie-Louise Aucher, se basa en el impacto que tienen los sonidos en el cuerpo. Sin embargo, no es necesario saber cantar para seguir este método.

Beneficios para la madre y el bebé • El canto prenatal favorece al mismo tiempo el desarrollo de la respiración, la tonicidad de los abdominales, el balanceo de la pelvis y el trabajo del perineo. Asimismo, permite expresar de otro modo, distinto de las palabras, sentimientos, inquietudes e incluso angustias inconscientes. Evidentemente, desde este ambiente sonoro privilegiado, tu bebé se beneficia plenamente de esta experiencia, como si asistiera a un concierto en primera fila.

Debes saber que, al principio, el feto percibe la voz de la madre a través del conducto óseo y, a partir del quinto mes, aproximadamente, a través del oído. Sus reacciones varían en función del registro (grave o agudo) de las melodías. Así pues, los ejercicios son doblemente beneficiosos para el bebé, que recibe un masaje natural a través de los movimientos internos de tu cuerpo y se siente seguro al oír tu voz.

El desarrollo de las sesiones • La preparación puede empezar en cualquier momento del embarazo y se desarrolla en grupo. Las sesiones suelen empezar con golpecitos que despiertan todas las zonas del cuerpo. Después de algunos ejercicios de calentamiento de la voz, se pasa a las vocalizaciones. Desafortunadamente, todavía son pocos los hospitales que organizan sesiones de canto prenatal. Si no tienes la posibilidad de participar en ellas, puedes dirigirte a una coral o a un profesor de canto especializado en psicofonía.

Después del nacimiento, puedes seguir cantándole al bebé melodías que ya haya oído en tu vientre. Ésta será una manera agradable y eficaz de calmar su llanto.

El punto de vista del bebé

Es fantástico experimentar todas estas sensaciones sonoras que me acompañan mientras vivo rodeado de este líquido caliente. Algunos sonidos me dan ganas de dormir, mientras que otros me hacen estar atento o despiertan mi curiosidad. Pero cuando mamá se convierte en un inmenso espacio de variedades sonoras vibrantes y con ritmo, es realmente fantástico. Me siento acariciado, acunado y balanceado por la plenitud de su voz y la sensación de placer que la embarga. No hay nada mejor que esto.

▶ Musicoterapia: prepararse con música

La música permite una relajación muy profunda, similar a la que proporciona la práctica del yoga. Los sonidos graves, por ejemplo, y sobre todo los del contrabajo, favorecen la relajación e incluso el sueño. Por esta razón, la musicoterapia en algunos casos se integra en otras técnicas de preparación, como la sofrología y el canto prenatal.

Sonidos graves y sonidos agudos • Durante la preparación para el parto, este método suele combinar la audición de distintos fragmentos musicales (grabados o en directo) y la emisión por parte de la futura madre de sonidos graves para desarrollar la capacidad respiratoria y la oxigenación, o de sonidos agudos para fortalecer el perineo. El principal objetivo es facilitar la relajación y, al mismo tiempo, estimular las percepciones auditivas del bebé. Las clases suelen empezar en el sexto mes, pero si lo deseas también puedes empezar antes. Se trata de sesiones individuales (en las que pueden acompañarte tu compañero y tus otros hijos) o en grupo, de unos veinte minutos de duración.

¿Cuándo empezar?

- **Preparación clásica:** A partir del séptimo mes de embarazo.
- **Haptonomía:** A partir del cuarto mes, es decir, un poco antes de que la mujer empiece a sentir los movimientos del bebé.
- **Yoga:** En el quinto o sexto mes, o incluso antes si te sientes fatigada.
- **Sofrología:** Hacia el quinto mes, o antes si tienes ansiedad.
- **Preparación en el agua:** A lo largo del embarazo.
- **Acupuntura:** En cualquier momento del embarazo, aunque la preparación propiamente dicha se realiza a lo largo de las tres últimas semanas.
- **Método Bonapace:** La preparación empieza en el sexto mes, a razón de 4 sesiones de 2 horas o de 6 sesiones de 1 h 30 min.
- **Canto prenatal:** Desde el primer trimestre, pues el feto ya percibe los sonidos a través del conducto óseo.
- **Musicoterapia:** En cualquier estadio del embarazo.

❝¿Puedo tener acceso a mi historia médica si lo deseo?❞

En el servicio sanitario público español, en el que las comunidades autónomas son las que tienen las competencias, el acceso a la historia médica se rige por el real Decreto 63/1995 (BOE 10-2-95), según el cual el paciente tiene derecho a la comunicación o entrega, a petición del interesado, de un ejemplar de su historia clínica o de determinados datos contenidos en la misma, sin perjuicio de la obligación de su conservación en el centro sanitario.

En el sistema sanitario publico mexicano, el acceso a la historia clínica sólo se puede obtener por orden de la autoridad judicial o cuando lo solicita la institución encargada de atender denuncias por mala práctica médica. ∎

❝Soy miope. ¿Esto es un problema a la hora del parto?❞

La miopía no impide que el parto tenga lugar por vía natural. Sin embargo, si ya has padecido lesiones retinianas, es posible que el médico decida recurrir al fórceps, ya que el empuje está desaconsejado. Para estar completamente segura, consulta a tu oftalmólogo, quien realizará una exploración del fondo del ojo con el propósito de descartar un posible riesgo. ∎

❝El próximo será mi tercer hijo. ¿Es necesario que asista a cursos de preparación para el parto?❞

Es cierto que esto significa que ya tienes experiencia y que para ti el parto ha dejado de ser un acontecimiento lleno de misterio. Sin embargo, el objetivo de los actuales métodos de preparación no es únicamente la preparación física. Cada embarazo es único, por lo que habrá una serie de circunstancias que harán que no vivas el tercero del mismo modo que los dos anteriores.

La preparación que elijas te ayudará a escuchar a tu cuerpo y a recibir a tu bebé con más serenidad, pues el hecho de poder recurrir a la anestesia epidural no es una garantía absoluta de que puedan administrártela en el día «D». Además, es posible que mientras no haga efecto, te duelan las contracciones, así que lo mejor es estar preparada para controlar la situación. ∎

❝¿Es necesario ser una buena nadadora para inscribirse en las sesiones de preparación en el agua?❞

Si tienes fobia al agua, evidentemente, lo más razonable es descartar este método de preparación. En cambio, si no sabes nadar pero te gusta la sensación de flotar en el agua, puedes optar por estas sesiones acuáticas, que se desarrollan en una zona reservada en la piscina a tal efecto y con una temperatura del agua más alta que en otras piscinas (en torno a los 30 °C). Los flotadores alargados de espuma permiten flotar y ayudan a relajarse a las más miedosas. ∎

❝Me gustaría asistir a clases de yoga. ¿Qué hago si mi hospital no ofrece este tipo de preparación?❞

En efecto, no todos los centros ofertan todos los métodos de preparación para el parto y cada centro opta por un determinado número de ellos, pero nada te impide seguir la preparación clásica en tu hospital y, de forma paralela, recurrir a una profesora de yoga en una consulta privada. Inscríbete lo antes posible, ya que por lo general estos cursos están muy solicitados. ∎

❝¿Puedo dejar que mi hija participe en las sesiones de haptonomía?❞

Una vez en casa, no hay nada que impida que la futura madre y su compañero puedan repetir los gestos aprendidos con la comadrona en las sesiones de haptonomía, así como proponer a los hijos mayores que participen en ellos y explicarles qué ocurre. Sólo hay que estar atentos para que no realicen movimientos bruscos. ∎

El padre y el seguimiento del embarazo

Estar informado a través de las ecografías y las consultas • Cómo actuar frente al pudor del otro • Preparaciones para el parto reservadas a los hombres • Saber dar apoyo a la mujer en caso necesario

Participación en el seguimiento médico

Nada obliga al futuro padre a participar en el seguimiento médico del embarazo. Algunos hombres tienen la necesidad de hacerlo, ya sea para formularle preguntas al médico, para estar más tranquilos o para establecer un primer contacto con el bebé. En estos casos, suelen asistir a algunas visitas y/o ecografías. Ésta es una decisión que deberá adoptar la pareja, aunque sólo sea para asegurarse de que la participación del padre no molesta a la mujer.

¿Qué atención reciben los futuros padres?

A lo largo del embarazo, la mujer es objeto de un estricto seguimiento: siete consultas obligatorias con el ginecólogo o la comadrona y tres ecografías, ya sea en un consultorio privado o en un hospital. En teoría, el futuro padre puede estar presente siempre que lo desee. Algunos hombres desean acompañar a su mujer a las visitas, mientras que otros (la mayoría) se limitan a las ecografías. El tipo de atención que puedan recibir en estas visitas varía en función de cada persona.

Algunos médicos saben cómo hacer que los futuros padres se sientan cómodos, mientras que otros tienen menos en cuenta su presencia. El ecografista suele estar más acostumbrado a recibir a parejas y, por lo general, se dirige con más naturalidad al padre. No siempre ocurre lo mismo durante las consultas. Por lo general, tu actitud y tus ganas de participar encontrarán una respuesta más atenta por parte del médico si le planteas dudas concretas.

¿Acompañar en las consultas? • El hecho de asistir a una consulta al principio del embarazo y, más tarde, hacia el cuarto y el noveno mes, o incluso a las ecografías, te resultará muy provechoso. Sin embargo, antes de ir a una determinada consulta o ecografía, lo mejor es que lo hables con tu compañera, ya que podría sentirse molesta o quizás prefiera estar a solas con el ginecólogo para abordar aspectos íntimos. Debes tener en cuenta que ella también puede sentirse incómoda en un entorno médico. En caso de que se muestre reticente, el diálogo y el respeto mutuo serán las únicas formas de llegar a un acuerdo satisfactorio para ambos.

¿Para qué sirve asistir a las consultas?

Sean cuales sean las dudas que tengas, y sin esperar que se establezca necesariamente un diálogo con el médico, acompañar a tu mujer a las consultas te servirá para estar informado. Si además aprovechas para formular tus dudas, el beneficio será aún mayor. Pero asistir sólo para complacerla y actuar como mero espectador no sirve de gran cosa. Lo importante es que veas la utilidad de acompañarla a las visitas, aunque sólo sea para satisfacer un poco la curiosidad sobre lo que está viviendo tu compañera o sobre la forma como se desarrolla el bebé.

Informarse y tranquilizarse • Algunos hombres necesitan escuchar las palabras del médico para sentirse tranquilos y saber que todo se desarrolla correctamente. ¿Mi mujer descansa y come lo suficiente? ¿Es normal que tenga dolores? Otros plantean preguntas más personales, por ejemplo sobre su futura paternidad y la forma como se sienten. En las consultas no existen preguntas tabú, y entre las distintas funciones de los médicos y las comadronas está la de ayudar a los padres a vivir lo mejor posible estos nueve meses de espera y construir su futura familia.

Primeros contactos con el niño • En la práctica, muchos hombres se sienten motivados por el hecho de poder oír y ver al bebé. Resulta emocionante poder oír los latidos de su corazón cuando el médico coloca el monitor (una especie de estetoscopio con amplificadores) en el vientre de la futura madre, y más aún poder ver al bebé a través de la imagen de la ecografía. Si lo deseas, la comadrona podrá enseñarte algunas técnicas muy sencillas para localizar el feto a través del vientre materno.

▶ Una cuestión de pudor

En otro contexto que no sea el del embarazo, es muy poco habitual que un hombre acompañe a su mujer al ginecólogo y, de manera general, al médico. Cuando decides asistir a las ecografías o consultas, accedes a un ámbito íntimo que hasta entonces no conocías, lo que podría violentar tu pudor y el de tu compañera. Por eso es importante que antes lo hables con ella: pregúntale en qué consiste la visita (ver pp. 162 y 165) y, sobre todo, averigua si ella quiere que estés presente hasta el final de la consulta.

¿Debo salir durante la exploración? • Una visita consta de dos partes: el diálogo con el médico o la comadrona y la exploración. Puedes acompañar a tu mujer al principio, por ejemplo, y volver a la sala de espera en el momento del tacto vaginal. Si sigues en la consulta, tú puedes pedirle al médico que cubra la parte inferior de su cuerpo con una sábana; algunos médicos lo hacen de forma sis-

Cada vez más padres asisten a las ecografías con interés e incluso con entusiasmo. Esta es una forma de compartir con su compañera la alegría de ver al que será su hijo y, sobre todo, de mantenerse bien informado.

temática, mientras que otros no se acuerdan de este detalle. En caso de ecografía endovaginal (en la que se introduce una sonda especial en la vagina), si lo deseas, no dudes en pedirle al médico que proceda del mismo modo. En cualquier caso, es mejor que hables con el médico o con la comadrona de tus posibles reparos o que les preguntes en caso de no entender algo, pero siempre respetando la intimidad de tu mujer.

▶ Informarse como futuro padre

Es posible que las consultas no resuelvan todas tus dudas o que te des cuenta de que no quieres plantear a tu compañera determinadas cuestiones. Aunque el diálogo sea satisfactorio dentro de la pareja, cada uno puede necesitar expresarse en otro entorno.

Durante el embarazo, los hombres no suelen tener muchas oportunidades para hablar a solas con un médico o con una comadrona, a no ser que soliciten este tipo de encuentro. Por lo general, los médicos (con algunas excepciones) no proponen este tipo de consulta a los padres, pero lo más probable es que la acepten sin ningún problema si te muestras interesado. Que lo hagas no significa que tengas problemas para vivir la paternidad, pero lo cierto es que la mayoría de los futuros padres se ven asaltados por dudas que no siempre se atreven a expresar, por ejemplo: «¿Seguirá estando a mi lado cuando haya nacido el bebé?». Algunos hombres desean entender mejor las reacciones de su mujer o tener más información sobre su fisiología. Como futuros padres, tienen sus propias dudas y es posible que necesiten expresarlas en privado. Cuando la mujer prefiere ir sola a las visitas, este tipo de entrevista con el médico puede ser especialmente útil para su compañero.

Asistir a la preparación para el parto

No hay ningún problema en que los hombres asistan a las sesiones de preparación para el parto, unas sesiones que les resultarán de mayor o menor interés en función del contenido de la preparación, de la atención que les dé la persona que imparta las sesiones y de su capacidad para participar. Se trata de que el hombre se sienta a gusto el día del parto. Para hacerte a la idea, puedes asistir a una sesión y decidir si quieres volver... o no.

▶ Información y ejercicios físicos

Existen distintos tipos de preparación para el parto (ver pp. 191-203). Algunos de ellos tienen poco interés para el hombre, como por ejemplo la sofrología, que se centra en las vivencias internas de la mujer. Por el contrario, la haptonomía o el método Bonapace requieren una gran implicación del padre. La que se conoce como «preparación clásica», que suelen ofrecer todos los hospitales, se basa en la información y en los ejercicios físicos, y por lo general se desarrolla en grupo.

Al principio podrás plantear tus dudas, y más adelante participar en la relajación y en los ejercicios de respiración y colocación de la pelvis. Algunas comadronas invitan a los hombres a realizar estos ejercicios: ésta es una buena ocasión para conocer mejor el propio cuerpo y aprender a relajarse, puesto que todos los ejercicios aprendidos sirven igual para hombres y mujeres. No obstante, no todas las comadronas actúan de la misma forma, por lo que deberás saber imponerte. Si asistes únicamente como acompañante, es probable que te canses al cabo de un rato, mientras que si también participas en las sesiones, el proceso será más enriquecedor.

▶ La haptonomía desde el punto de vista del padre

La preparación a través de la haptonomía (ver pp. 195-198) permite al hombre ocupar el lugar que le corresponde, tanto al lado de su mujer, a quien ayuda y da apoyo, como al lado de su hijo. El hombre desempeña una función esencial a través de la participación en todas las sesiones y del aprendizaje de determinados gestos, con los que alivia a su compañera. Este enfoque está destinado al mismo tiempo a cada individuo (madre, padre e hijo) y a la familia que ya forman.

Así, el futuro padre encuentra su lugar en un entorno en el que a veces le cuesta integrarse, pues la atención suele centrarse en la mujer y el bebé. Al adoptar un papel activo, el hombre vive más plenamente este período de su vida. A través de los gestos aprendidos en las sesiones, la haptonomía le permite ir al encuentro de su hijo, que a su vez responde a los juegos que le proponen sus padres. Resulta especialmente interesante comprobar sus distintas reacciones según sea el padre o la madre quien ponga la mano en el vientre. De este modo, el futuro padre ya establece una relación personal con su hijo.

▌ Preparaciones reservadas a los hombres

Algunos centros, aunque no la mayoría, ofrecen preparaciones para el parto reservadas a los hombres. Las sesiones se realizan en pequeños grupos, por lo general fuera del horario laboral, y abordan distintas cuestiones: la sexualidad en el embarazo, la llegada del recién nacido, etc. Su principal objetivo es informar y, en algunos casos, preparar el acompañamiento de la mujer durante el parto, pero al tratarse de sesiones bastante libres, también sirven para responder a las dudas que puedan surgir. En efecto, son el único entorno en el que los futuros padres pueden dialogar e intercambiar experiencias en presencia de la comadrona o del médico.

Cuando la mujer necesita apoyo

L a mayoría de las veces, cuando todo transcurre dentro de la normalidad, la participación del hombre en el seguimiento médico es optativa. Sin embargo, determinados casos requieren su presencia. Cuando la mujer debe llevar un estilo de vida determinado o seguir una dieta estricta, por ejemplo, es mejor que su compañero esté bien informado, de modo que ambos puedan manejar más fácilmente la situación.

▌ Saber ayudar en el día a día

Por lo general, cuando se detecta un problema médico en una mujer embarazada (o en el feto), los médicos prefieren que el futuro padre reciba la información directamente, durante una visita en pareja. Una mujer que informe a su compañero de que las cosas no transcurren de la manera deseada puede no ser del todo «objetiva», aunque el problema no sea grave. Si tu mujer se preocupa y habla con demasiada emoción, existe el riesgo de que dramatices la situación; por el contrario, si intenta tranquilizarte (y tranquilizarse), es posible que no te apercibas del riesgo real. Escuchar de viva voz la explicación del médico te evitará cualquiera de estas dos situaciones y, además, te permitirá conocer todos los elementos necesarios para ayudarla.

Cómo apoyarse mutuamente • Algunas afecciones pueden no ser graves pero requerir determinadas precauciones. En caso de diabetes ges-

tacional (asociada al embarazo), por ejemplo, es necesario seguir unas estrictas pautas de alimentación. Aunque no estés obligado a seguir ningún régimen, sin duda ayudarás a tu compañera evitándole algunas tentaciones. Si estás bien informado, te costará menos ayudarla a no venirse abajo. Otros casos similares son los de la hipertensión arterial y el abandono del tabaco. En realidad, la mayor parte de las recomendaciones médicas son más fáciles de seguir cuando los dos miembros de la pareja se implican en ellas. En este sentido, tu participación es una gran ayuda para tu mujer, aunque sólo sea de tipo moral.

Cuando existe riesgo de parto prematuro • Este tipo de situaciones suelen implicar un cambio en el estilo de vida. En algunos casos, la mujer debe permanecer acostada o, como mínimo, cuidarse mucho más. De manera general, le resultará difícil verse limitada en sus actividades, por lo que es esencial que el futuro padre tenga en cuenta la importancia de respetar determinadas indicaciones. Tu mujer se sentirá más autorizada a hacer reposo si tú la animas a hacerlo y si la descargas de algunas tareas domésticas (o buscas a otra persona que pueda encargarse de hacerlas), y tú estarás más tranquilo si sabes que ella sigue los consejos del médico (ver p. 186). Es posible que, a pesar de las precauciones, el bebé nazca de forma prematura, pero si cada uno se prepara para esta eventualidad, las semanas posteriores al parto pueden ser menos complicadas y los problemas más llevaderos si se afrontan como pareja.

Superar juntos un aborto espontáneo

Un aborto espontáneo o un parto extrauterino (ver pp. 184-186) son experiencias difíciles de vivir. Aunque todavía no existiera un verdadero afecto hacia el futuro bebé (sobre todo en el caso del hombre), la pareja se siente muy indefensa ante esta situación. Los médicos no prevén ninguna ayuda psicológica sistemática ni para la mujer ni para el hombre, y aunque las personas más cercanas estén al corriente, tampoco saben cómo ayudar.

Afrontar el trance entre los dos • Cada pareja vive de distinta forma el dolor en este período de duelo. Lo peor es cuando ambos se sienten responsables e incluso se acusan mutuamente. En efecto, el hombre puede experimentar cierta desconfianza hacia su mujer y cuestionar su capacidad de llevar un hijo en su interior. Cuando el dolor se vive de esta forma, existe el peligro de que la relación de pareja se dañe. Estas situaciones requieren, ante todo, grandes dosis de amor. En primer lugar, es importante saber el porqué y plantear las preguntas necesarias al médico. Sus explicaciones servirán para descartar todas las falsas ideas que se tengan al respecto. El siguiente paso es dejar pasar un tiempo…

Aunque el hombre también esté afectado, por lo general suele estar preparado antes que la mujer para emprender de nuevo la aventura. Por esta razón, deberá ser paciente y aceptar que su compañera, que ha llevado el feto en su interior, tarde más en recuperarse. Si el dolor no desaparece al cabo de unos meses, es necesario recurrir a la ayuda de un terapeuta. En este caso, el hombre debe ser el primero en dar el toque de alerta.

En caso de interrupción médica del embarazo

Actualmente, la opinión del padre no tiene ningún peso legal a la hora de decidir la interrupción de un embarazo: es la mujer quien decide en última instancia si quiere dar vida a un niño con síndrome de Down y quien acepta o no la interrupción médica del embarazo cuando el feto presenta algún tipo de malformación. Se trata de cuestiones de suma importancia, pero lo cierto es que muy pocas parejas abordan estos temas antes de concebir un hijo. Un profundo desacuerdo en una decisión de este tipo puede ser motivo de ruptura de la pareja. Por lo general, ambos miembros de la pareja se enfrentan a estas situaciones con más dudas que certezas.

En estos casos, es esencial dialogar, esforzarse por entender al otro, expresar los propios rechazos y miedos, el dolor y la desesperación. El hecho de compartir estos sentimientos hace que sea más fácil decidir entre los dos. Lo más importante es no permanecer en silencio.

El médico como mediador

Es posible que una mujer embarazada se enfrente a dificultades relacionadas con su entorno social. En ocasiones, y por distintas razones, el médico o la comadrona están al corriente del embarazo antes que el marido, por lo que actúan como mediadores. En otros casos, pueden pedirle al hombre que proteja a su compañera si ésta se siente intimidada o no puede defenderse por sí misma, lo cual puede traducirse de distintas formas: por ejemplo, obligar a un empleador desconsiderado a respetar la ley, acabar con una situación de acoso laboral, restringir las llamadas de un amigo depresivo que llama cada dos por tres, o limitar la presencia de unos parientes demasiado entrometidos. El papel del futuro padre también consiste en todo esto, pues una mujer no puede vivir su embarazo en las mejores condiciones si al mismo tiempo se ve sumergida en otras preocupaciones.

El parto
y el nacimiento

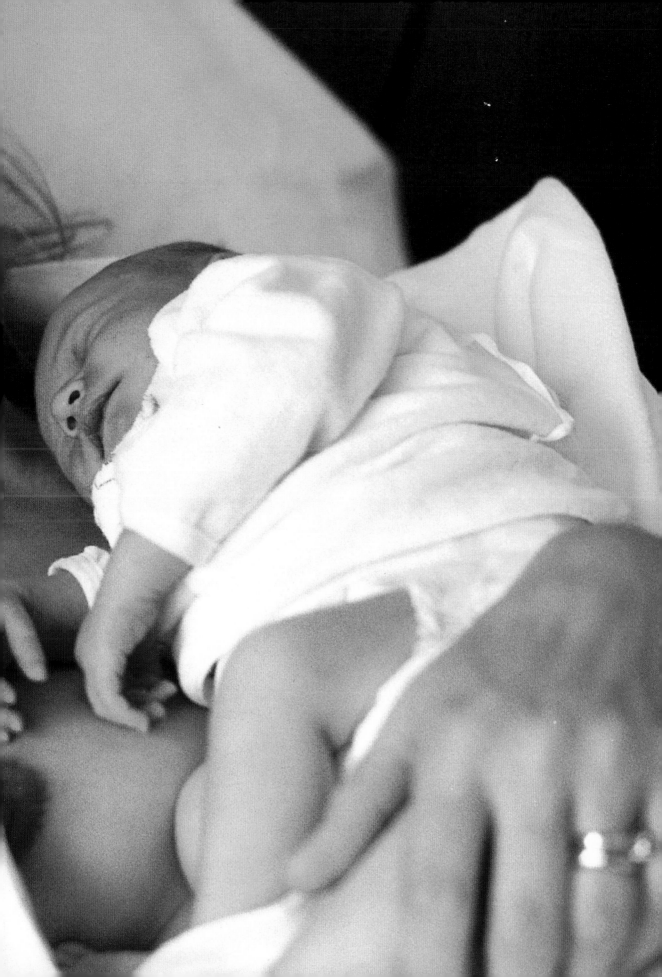

Se acerca el día «D»

Organizarse para el trayecto hacia la maternidad • ¿Cómo se manifiestan las primeras contracciones? • Algunas posiciones para relajarse • ¿Qué hacer cuando se rompe aguas? • ¿Cómo se sabe que ha llegado la hora de irse?

Cuando se acerca el gran día

A menudo, los últimos días se hacen largos y tal vez empieces a impacientarte. Estarás esperando las primeras contracciones, con el deseo contradictorio de que el bebé nazca por fin y, a la vez, con ganas de que se quede un poco más en tu vientre. Es el momento de hacer los últimos preparativos y de ocuparte de ti misma.

▶ En previsión de la salida

¿Nacerá mañana, o tal vez pasado mañana? Ahora, la fecha prevista para el parto está tan cerca que sólo es cuestión de días... Si es necesario, es el momento de terminar los preparativos para la partida. ¿Está lista la maleta? ¿Has preparado todos los documentos que te solicitarán al ingresar en la maternidad? ¿Tienes a alguien que se ocupe de tus hijos? Sin duda ya habrás pensado en el desplazamiento y tendrás quien te acompañe, aunque debas salir de forma precipitada. Es mejor no contar con hacerlo en taxi, ya que pueden negarse a realizar estos trayectos. Sin embargo, para prevenirte contra cualquier eventualidad, ten a mano el número de un servicio de ambulancias.

▶ Darte un placer

Ahora que todo está listo, lo único que debes hacer es dedicarte a ti misma y a este nacimiento tan próximo... ¿Te apetece dar un paseo con tus amigas? No dudes en hacerlo, puesto que estas actividades tal vez ayudarán a desencadenar el parto sin que corras el menor riesgo. Por otra parte, si tú y tu compañero lo deseáis, también podréis hacer el amor hasta el último momento. Compartir estos momentos con ternura e intercambiar sentimientos es una excelente manera de aguardar juntos el inminente nacimiento del hijo.

▶ Sentimientos a veces complejos

La proximidad del nacimiento, sobre todo si se trata de tu primer hijo, con frecuencia hace surgir sentimientos encontrados: impaciencia, excitación y también cierto temor. El nacimiento del bebé es el inicio de una nueva historia, pero también constituye una forma de separación. Inevitablemente, a partir del nacimiento los lazos entre el hijo y la madre serán distintos. Así pues, la aprensión que en ocasiones se siente al acercarse el parto no es un sentimiento impropio. Es una emoción más entre todas las que jalonan esta extraordinaria aventura...

¿Asistirá el padre al parto?

En la mayoría de las maternidades, actualmente se permite que una tercera persona acceda a la sala de partos. Puede ser tu marido o compañero, o bien una hermana o una amiga. Si los dos deseáis que asista al parto, el futuro padre puede estar presente y permanecer a tu lado. Pero si ambos aún estáis indecisos, debéis saber que también podéis optar por una solución intermedia: el padre puede asistir, por ejemplo, sólo al inicio del parto pero no al nacimiento, o a la inversa (ver p. 239). En ambos casos, lo esencial es que sea la voluntad de los dos. La idea de ver nacer a su hijo puede angustiarle. Si así fuera, no hagas que se sienta culpable, ya que en realidad, a muchos hombres les impresiona el parto. Por otro lado, tal vez tú misma prefieras vivir este momento asistida solamente por el personal médico, por pudor o por diversas razones muy íntimas. El hecho de estar acompañada es una opción, ¡no una obligación!

Las primeras señales

Antes de notar las señales que indican la proximidad del parto, con frecuencia la mujer teme no percibirlas. Sin embargo, cuando se manifiestan, normalmente se reconocen con claridad: contracciones intensas y regulares, rotura del saco amniótico o ambas cosas a la vez... ¡Es el momento, y tú lo sabes!

Las primeras contracciones

Las contracciones iniciales, en general, parecen muy fugaces. Aproximadamente cada cuarto de hora o cada media hora, notarás unos ligeros tirones parecidos a los dolores que se sienten con la regla o incluso con los cólicos. También es posible que sientas dolores únicamente en la espalda y que en un primer momento no reconozcas su origen. No obstante, en todos los casos las contracciones que preceden al parto no se parecen a las que a veces se manifiestan durante el embarazo. En este momento se trata de contracciones regulares y dolorosas, cada vez más frecuentes y cada vez más prolongadas. Si te tocas el vientre, notarás perfectamente bajo tu mano cómo el útero se endurece como si fuera un balón y, después, cómo vuelve a quedar blando. Es algo automático, espontáneo, totalmente ajeno a tu voluntad. Estas contracciones indican que el parto ha empezado (ya que el término *parto*, empleado por el cuerpo médico, designa todo el proceso de dar a luz, desde el inicio de la dilatación del cuello del útero hasta el nacimiento).

Una espera más o menos larga • En cada mujer, la aparición de unas contracciones intensas y regulares tardará más o menos tiempo en presentarse. Para algunas, las contracciones siguen siendo irregulares y poco dolorosas. Para otras, en cambio, pronto se vuelven intensas y seguidas. Sin embargo, por norma general se aconseja no acudir precipitadamente a la maternidad cuando aparecen las primeras contracciones, sino esperar un poco.

Calmarse durante la espera... • Mientras las contracciones empiezan a manifestarse a intervalos más irregulares, y si no has roto aguas, puedes tomar un baño caliente para relajarte. Tal vez tengas

¿Cuándo se pierde el tapón mucoso?

El tapón mucoso está constituido por unas flemas blancuzcas, a veces manchadas de sangre, que taponan el cuello uterino. Cuando el cuello empieza a modificarse, estas flemas son expulsadas. La pérdida del tapón mucoso a menudo se produce varios días antes de que empiece el parto, es decir, a lo largo del noveno mes.

la impresión de que las contracciones se atenúan después de esta inmersión. Podrás aprovechar este momento de calma para relajar tu cuerpo. Después del baño, ponte cómoda: colócate en la posición que más te apetezca, sentada en el suelo con una almohada debajo de las nalgas o sentada a horcajadas en una silla, a menos que prefieras andar. Puedes escuchar música suave e intentar practicar la respiración que te habrá enseñado la comadrona durante las sesiones de preparación para el parto. Relájate al máximo después de cada contracción para «recibir» mejor la siguiente.

¿Una contracción cada cinco minutos? • Cuando se acerca la hora del parto, las contracciones se aceleran, se intensifican y duran mucho más. Espera hasta que llegue este tipo de contracciones antes de salir hacia la maternidad.

En general, cuando se trata del primer hijo, se aconseja esperar a que las contracciones se sucedan cada cinco minutos durante dos horas. Si bien este plazo sólo es indicativo. Si no eres primeriza puedes reducir este tiempo de espera a la mitad, porque entonces, normalmente, todo va más rápido. Además, si ya has tenido un parto rápido, ello hará que no te demores en casa. Si vives lejos de la maternidad, debes tener en cuenta el tiempo que dura el trayecto, contando asimismo con los posibles atascos. Por último, nunca hay que abandonar el pleno convencimiento, aunque sea subjetivo, de que el bebé va a nacer bien.

▌ Una eventual pérdida de aguas

Si se rompe la bolsa de aguas • Aunque sea totalmente indolora, una rotura completa de la bolsa de las aguas nunca pasa desapercibida, y puede causar cierta impresión. Se produce de forma súbita, con o sin contracciones, y se manifiesta por la pérdida de un líquido tibio, que parece agua. La abundancia de este derrame te sorprenderá, y sabrás sin ninguna duda que has roto aguas. A continuación, el líquido continuará fluyendo regularmente, hasta que llegue el parto. Llegado este momento, debes ponerte en camino enseguida, ya que cuando se ha roto la bolsa de aguas el bebé no está tan bien protegido.

Si sólo se produce una fisura en la bolsa • La bolsa de las aguas está constituida por unas membranas finas y no siempre se rompe del todo. En ocasiones, sólo se produce una fisura, y el líquido amniótico que contiene (lo que se conoce como

Posiciones para relajarse

Cuando notes las contracciones pero éstas aún no sean lo bastante intensas para ir a la maternidad, procura relajarte. Para hacerlo, puedes adoptar ciertas posiciones que quizá te aliviarán en este inicio del parto:
– en cuclillas,
– arrodillada con las manos apoyadas delante,
– con las rodillas flexionadas y la espalda apoyada en la pared,
– sentada a horcajadas en una silla, con la cabeza apoyada sobre el respaldo,
– sentada con las piernas cruzadas sobre un cojín.
Las dos últimas posiciones se ilustran a la derecha.

En una silla

Siéntate a horcajadas, apoya los brazos sobre el respaldo y reclina la cabeza encima, a fin de que tu espalda se arquee.

Sobre un cojín

Si lo prefieres, siéntate en el suelo, con un cojín debajo de las nalgas, para que éstas queden un poco elevadas.

«las aguas») se derrama muy poco a poco. Si es así, puedes confundir este pequeño derrame con una pérdida de orina incontrolada o con pérdidas vaginales muy líquidas, o incluso con la pérdida del tapón mucoso. Si tienes alguna duda, ve directamente a la maternidad para saber de qué se trata.

Cuando la bolsa permanece intacta • La rotura de la bolsa de aguas es imprevisible. Unas veces precede a las contracciones intensas y dolorosas, y otras veces las sigue. También es posible que la bolsa no se rompa hasta que el cuello esté bien dilatado, o incluso que se mantenga intacta hasta el nacimiento (entonces se dice que el niño nace «peinado»). En esta última situación, normalmente será la comadrona quien romperá la bolsa perforándola durante el parto.

◗ En el momento de salir

Pese a que el nacimiento se acerca, todavía queda bastante tiempo, de modo que no dejes que te domine el miedo. A menudo, aún tendrás que esperar unas horas en la maternidad hasta que tu cuerpo esté del todo listo para dar a luz al bebé.

Si se ha roto el saco amniótico, se aconseja realizar el trayecto en posición tendida o recostada; es más prudente para el bebé. En este caso, si estás sola, llama a una ambulancia para que te lleve a la maternidad más cercana. Si la bolsa no se ha roto y no se ha presentado ningún problema en particular, puedes viajar sentada en el coche, pero no es aconsejable que conduzcas.

Cuando sabes que todo está listo para poder salir en cualquier momento, puedes estar más atenta a lo que sucede en tu interior.

Cuando el niño llega demasiado pronto

A veces se conoce de antemano el riesgo de nacimiento prematuro y se hace todo lo necesario para que éste no se produzca (ver p. 186). Pero también es posible que el bebé nazca antes de hora sin que se pueda explicar realmente el motivo. Esta situación siempre resulta angustiosa, ya que se decide ir a la maternidad debido a unas contracciones que se consideran anormales, y finalmente se produce el parto. Si la maternidad que ha elegido no está equipada de forma adecuada, la mujer debe ser trasladada a un centro que posea una unidad de reanimación neonatal, para que el bebé reciba al nacer la mejor atención posible. No dudes en hacer todas las peguntas que creas necesarias al equipo médico para abordar la situación con mayor serenidad. Puedes pedir que te permitan hablar con el pediatra de guardia para solicitar información sobre el bebé. En realidad, dar a luz a un bebé prematuro no implica ninguna dificultad adicional para la madre.

La llegada a la maternidad

El examen médico y la primera monitorización • Contracciones «eficaces» y dilatación del cuello • ¿Qué hacer cuando el cuerpo aún no está listo? • Precauciones que deben tomarse en caso de romper aguas • La instalación en la sala de partos • ¿Cómo se desarrolla un parto provocado?

La recepción por parte de la comadrona

Como ya se ha expuesto, la comadrona o el médico serán las personas que se ocuparán de ti en cuanto llegues a la maternidad. Te examinarán y decidirán qué se debe hacer: o bien el parto todavía no ha empezado y debes volver a casa, o bien el cuello ha empezado a dilatarse e ingresas en el centro.

¿Qué sucede?

Gracias a tu historial, la comadrona conoce perfectamente tus antecedentes y la evolución de tu embarazo. En primer lugar, te hará algunas preguntas: ¿Cómo son las contracciones? ¿Cuándo han empezado? ¿Has perdido líquido amniótico? ¿Y sangre? ¿Notas si el niño se mueve? A continuación te examinará y te monitorizará. Unos sensores conectados a un aparato registrador medirán tus contracciones y también el ritmo cardiaco del bebé. Pero hasta que no pases a la sala de partos sólo estarás bajo monitorización de forma intermitente. En la mayoría de los casos no estarás obligada a permanecer tendida, sino que podrás andar para activar el parto. No te trasladarán a la sala de partos hasta que el cuello del útero tenga la dilatación adecuada.

El primer examen médico • La comadrona te tomará la tensión y la temperatura y te pesará. Prescribirá un análisis de orina para medir el nivel de azúcar y de albúmina. También puede tomar una muestra vaginal y una de sangre (índice de coagulación con vistas a la epidural, básicamente) si todavía no te han efectuado estos análisis.

No obstante, sobre todo va a evaluar si el parto es inminente o no y si podrá efectuarse sin preocupaciones de forma natural. Palpándote el vientre, la comadrona confirma que el bebé se presenta como se prevé, por la cabeza o por las nalgas. Mediante un tacto vaginal, obtiene dos informaciones esenciales: la posición de la cabeza del bebé (alta o baja) y el estado de tu cuello uterino (longitud, tonicidad, abertura y localización).

Las situaciones posibles • Según el resultado, la comadrona decidirá qué pasos se deben realizar. Si la dilatación del cuello no ha empezado y no has roto aguas, te propondrá que vuelvas a casa o te aconsejará que te quedes una hora o dos en el centro para ver cómo evoluciona la situación. Si la dilatación realmente ha empezado, o la bolsa de las aguas se ha roto o presenta una fisura, deberás permanecer en la maternidad.

Contracciones «eficaces» o no

Cuando tengas contracciones, lo esencial es saber si comportan o no una dilatación del cuello uterino, es decir, si son «eficaces». Esto es lo que determina el examen médico. Cuando hay que esperar a que la dilatación sea la correcta, el equipo médico irá a verte a menudo. Es el momento de poner en práctica las técnicas de relajación que aprendiste durante la preparación para el parto.

Si las contracciones no son «eficaces» • Entonces debes esperar unas horas en una sala de «preparto» o en una habitación. A continuación, las contracciones o bien se acentúan y empiezan a realizar su función de motor, o por el contrario, desaparecen. En este último caso, durante la espera, y para acelerar un poco el proceso, no dudes en andar.

Estás justo al principio del parto • La dilatación del cuello ha comenzado. Normalmente, tienes la posibilidad de esperar en una habitación. Allí puedes adoptar la posición que más te convenga en función de las instalaciones y de los accesorios disponibles. Si aún no has roto el saco amniótico y la habitación dispone de bañera, puedes tomar un baño, pero procura estirar la

espalda y no arquear el cuerpo. Por último, también puedes pasear por la calle, a menos que ya hayas roto aguas. Por prudencia te pedirán que no bebas ni comas por si tuviesen que ponerte una anestesia general.

Si has roto aguas

Si las contracciones del útero aparecen muy rápidamente después de romper el saco amniótico, te llevarán enseguida a la sala de partos. Pero si no tienes contracciones, ello no será motivo para que abandones la maternidad. Si el parto no ha empezado 12 horas después de tu llegada, como el bebé no está protegido de los gérmenes por el saco amniótico, el equipo médico te administrará antibióticos. También controlará a menudo tu temperatura y el color del líquido amniótico, que puede ser un indicador del estado de salud del bebé.

En la sala de partos

Cuando la comadrona considere que el cuello está lo bastante dilatado, el equipo médico te instalará en la sala de partos. Allí, vestida con una bata, o con las prendas que hayas elegido para dar a luz, te sentarás o te tenderás en la cama que te han destinado. Estarás en perfusión durante todo el parto, y por lo menos dos horas después del alumbramiento. También recibirás constantemente un aporte suficiente de agua y glucosa. Si optas por la anestesia epidural, la perfusión también permitirá administrarte líquido fisiológico antes de la anestesia con el fin de prevenir disminuciones bruscas de la tensión arterial.

La monitorización • Van a ponerte bajo monitorización (que registra las contracciones y el ritmo cardiaco del bebé). El latido sordo y rápido que oirás es el corazón de tu hijo. Late a razón de 120 a 160 latidos por minuto. Este ritmo varía constantemente durante el parto. Si se ralentiza demasiado, el equipo médico puede reaccionar enseguida y plantearse, por ejemplo, realizar una cesárea de urgencia.

¿Epidural o no? • Quizás hayas decidido de antemano dar a luz con anestesia epidural. En este caso, es útil que se lo recuerdes al equipo médico al llegar a la sala de partos. De todos modos, puedes decidirlo más tarde, incluso cuando el cuello ya esté bien dilatado.

¿Qué efecto tienen las contracciones?

Durante los ocho meses que preceden el parto, el cuello el útero, situado detrás de la vagina, presenta una longitud de unos 3 cm. Su orificio externo (vuelto hacia la vagina) está cerrado, al igual que el interno (vuelto hacia el útero). Por efecto de las contracciones, el cuello uterino en un primer momento se acorta y luego pasa al centro de la vagina. A partir de ese momento empieza a dilatarse: se abre progresivamente, como un cuello enrollado que se transformase en un cuello liso. Entonces la cabeza del bebé podrá pasar a la pelvis (ver esquemas, p. 225).

Si el parto es provocado

Actualmente, en los países occidentales, por lo menos un 20% de los partos (uno de cada cinco) es provocado por motivos médicos o, en ciertas condiciones, por «conveniencia personal», es decir, a petición de la interesada. Tanto en un caso como en el otro, los médicos administran unos productos llamados oxitócicos, que provocan las contracciones uterinas, si bien éstas son más difíciles de soportar, y a veces el parto se prolonga más.

▶ Provocado por motivos médicos...

Los médicos pueden decidir provocar un parto en cierto tipo de casos. A continuación se citan algunos ejemplos.

• Cuando se ha rebasado la fecha prevista del parto (41 semanas de amenorrea; ver el cuadro de esta página).

• Cuando el saco amniótico se ha roto y veinticuatro horas más tarde aún no hay contracciones uterinas.

• Cuando aparecen ciertas complicaciones que afectan al feto, como un retraso del crecimiento intrauterino (RCIU).

▶ ... o por razones personales

La madre también puede solicitar que se programe la fecha del parto, en cuyo caso se habla de un «parto provocado por conveniencia». Es una posibilidad si se vive lejos de la maternidad o si ya se han tenido partos muy rápidos.

Con ciertas condiciones • Los médicos no dan su consentimiento de forma sistemática, sino que ponen algunas condiciones. Es preciso haber dado a luz con anterioridad por lo menos una vez, y el cuello del útero debe estar abierto. El parto no se puede provocar antes de las 39 semanas de amenorrea, es decir, 14 días antes de la fecha prevista para el nacimiento. Conviene ser prudente, porque antes de las 39 semanas de amenorrea no se pueden descartar del todo ciertos problemas. Por ejemplo, aunque no es frecuente, algunos bebés pueden presentar alteraciones respiratorias.

▶ ¿Cómo se desarrolla este parto?

Cuando hay que provocar el parto, las modalidades varían según la «madurez» del cuello. Para saber cómo está, la comadrona efectúa un tacto vaginal y de este modo establece un valor según el índice de Bishop (que va del 0 al 10).

Un valor elevado (superior o igual a 6) indica que el cuello está «maduro»: está abierto (se pueden introducir uno o dos dedos en su interior), reducido (de aproximadamente 1 cm de largo), reblandecido (blando) y centrado (en medio de la vagina). Un cuello «maduro» se dilatará rápido.

¿Y si sales de cuentas?

A partir del noveno mes (41 semanas de amenorrea), se llega a la fecha prevista para el final del embarazo. Si a la semana 41 no presentas ninguna señal precursora, tendrás una cita en la maternidad. Allí velarán por el estado del bebé. Es posible que la placenta ya no pueda satisfacer las necesidades de alimentos y de oxígeno del feto. Éste puede sufrir y perder vitalidad. Para comprobar tu estado, la comadrona observa el ritmo cardiaco del bebé en la monitorización, cuantifica el líquido amniótico con una ecografía y puede realizar una amnioscopia. En este último caso, se introduce un tubo muy fino en el cuello del útero para examinar el color del líquido amniótico, que debe mantenerse muy claro. Si observa alguna anomalía, se deberá provocar el parto.

En cambio, si todo va bien, el parto también será provocado, entre tres y cinco días después de la fecha prevista, o incluso el mismo día, tal como se hace en algunas maternidades.

El parto puede producirse. Por el contrario, un cuello cerrado, largo (de 3 cm), tónico (duro) y posterior (hacia la parte de atrás de la vagina) aún no está listo para abrirse y dejar pasar el bebé. Así pues, habrá que esperar...

Si el cuello está lo bastante «maduro» • Te encuentras en la sala de partos, en perfusión y bajo monitorización, como todas las mujeres que van a dar a luz. La única diferencia con un parto natural es que, mediante perfusión, te van a administrar un producto (oxitócico) que provoca las contracciones del útero. Después, en cuanto sea conveniente, la comadrona romperá la bolsa de las aguas. Sin duda, tu parto tendrá lugar durante ese mismo día, del mismo modo que si se tratara de un parto no provocado.

Si el cuello no está lo bastante «maduro» • Si el cuello no está a punto (con un índice de Bishop poco elevado), habrá que empezar por poner remedio. Ello puede llevar uno o dos días, de ahí la conveniencia de llevar algún libro o música en la maleta. La comadrona empieza poniendo un gel, una sustancia gelatinosa, en tu vagina. Es indoloro, pero no resulta agradable. Este gel provoca unas contracciones del útero que permitirán que el cuello se abra, se ablande, se acorte y se centre. Al cabo de unas horas de vigilancia mediante monitorización, el médico evalúa los efectos con un tacto vaginal. Si el gel ha resultado eficaz, se continúa provocando el parto administrando oxitócicos por perfusión, y se procederá a la rotura del saco amniótico. Pero si el cuello no está maduro, hay que volver a aplicar gel seis horas más tarde, o hacerlo de nuevo durante la mañana siguiente.

¿Tomárselo con paciencia? • Si te llevan de vuelta a la habitación al terminar el día, después de aplicarte gel una o dos veces, no te desanimes. Al contrario, aprovecha esta pausa para recuperarte, ducharte, andar un poco e intentar pasar una buena noche. Hay que dejar pasar cierto tiempo para que el cuello del útero se abra. Además, a veces el parto se desencadena por sí mismo durante la noche. Es importante esperar a que el cuello esté bien maduro, ya que provocar el parto demasiado pronto podría ser un fracaso. En este caso, como el parto ya habría empezado, la única solución sería practicar una cesárea de forma urgente.

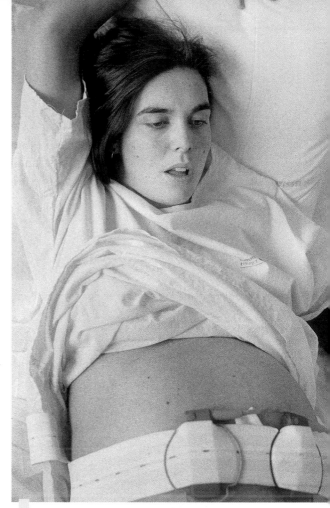

La comadrona supervisa mediante monitorización el ritmo cardiaco del bebé (o de los gemelos, como en este caso), hasta el nacimiento.

La comadrona del rey

Louise Bourgeois *inauguró en el siglo XVI la primera enseñanza metódica para comadronas y participó en el desarrollo de la obstetricia, practicada entonces por médicos a los que llamaban para casos graves o para atender a parturientas eminentes. Louise Bourgeois, casada con Martin Boursier, alumno de Ambroise Paré, asistió a María de Médicis, esposa de Enrique IV, en sus seis partos. Describió con exactitud la fisonomía del delfín al nacer, el futuro Luis XIII, en una obra curiosa, Récit Véritable de la naissance de Messeigneurs et Dames les Enfans de France (Narración Fidedigna del nacimiento de Mis Señores y Damas, los Hijos de Francia).*

Dominar el dolor

¿Permite la epidural percibir ciertas sensaciones? • ¿Cómo se inyecta el producto? • ¿Qué método de anestesia se utiliza en caso de cesárea? • ¿Qué otras técnicas hay para atenuar o eliminar el dolor?

La epidural

La anestesia epidural ha supuesto una verdadera revolución para el parto y, sin duda, hoy es el medio más utilizado para calmar localmente el dolor hasta que el bebé ha nacido. Puedes solicitar que te administren la epidural incluso cuando ya te hayan trasladado a la sala de partos y tengas el cuello del útero bien dilatado.

La percepción del dolor varía en cada mujer

Las contracciones del útero y la expulsión del bebé son los dos procesos dolorosos del parto. No obstante, las mujeres tienen una percepción de ellos que varía mucho de una a otra. Para un 20%, el dolor es casi inexistente; en otras es notorio pero absolutamente soportable, y para casi la mitad de las mujeres, es intenso e insoportable. Por ello, actualmente en las maternidades es habitual emplear diferentes técnicas para calmar o eliminar el dolor. Éstas han demostrado ampliamente su eficacia, pero no evitan en absoluto la necesidad de una buena preparación previa para el parto, física y psicológica (ver pp. 191 a 203).

¿Dar a luz con la epidural?

Entre todas las técnicas que permiten un parto sin dolor, en la actualidad la anestesia epidural es la más utilizada. Es un método llamado *analgésico*, lo cual significa que atenúa las sensaciones dolorosas, sin por ello hacer desaparecer la percepción de las contracciones. En cambio, los métodos de anestesia propiamente dichos comportan una insensibilidad completa.

¿Qué se siente? • La epidural insensibiliza únicamente la parte inferior del cuerpo, permitiéndote vivir plenamente tu parto (sin dolor), puesto que estás despierta. Algunas mujeres se sienten frustradas por esta ausencia de sensación, pero la mayoría se alegran de no sufrir. Si la dosis de analgésico es un poco fuerte, puede resultarle difícil mover las piernas o empujar durante el parto. En algunos casos, según la duración del parto y en función de tu propia sensibilidad, pese a todo es posible notar cómo sale el bebé. Además, hoy en día se intenta dosificar el producto analgésico de modo que se perciban más las sensaciones, para que la mujer pueda empujar más eficazmente. Es una opción que ésta puede comentar al anestesista al llegar a la sala de partos.

La «epidural ambulatoria» • Esta técnica particular de epidural permite a la futura madre caminar durante el parto, lo cual, al parecer, facilita el alumbramiento. Sin embargo, no se practica en todas las maternidades.

¿Cómo se aplica?

La epidural consiste en poner un producto anestésico en contacto con las raíces nerviosas que transmiten el dolor de la parte inferior del cuerpo al cerebro. No tiene ningún efecto sobre el bebé.

Después de desinfectar la piel y poner una anestesia local, el anestesista introduce una aguja entre dos vértebras lumbares, muy por debajo de donde termina la médula espinal (ver abajo). El riesgo de parálisis es, pues, excepcional. A continuación, hace pasar un tubo fino, o catéter, al espacio «epidural», antes de retirar la aguja. Este catéter permanecerá ahí hasta que termine el parto y permitirá inyectar regularmente nuevas dosis de analgésico, según las necesidades.

En caso de cesárea • Habiéndose aplicado la epidural, el ginecólogo también puede realizar una cesárea si fuese necesario. En este caso no sentirás dolor, pero quizás sí ciertas sensaciones que encontrarás desagradables. En cambio, si no te han puesto la epidural y hay que efectuar de forma urgente la cesárea, el equipo médico practicará una anestesia general, que puede efectuarse en unos minutos (se precisan unos 10 minutos para aplicar una epidural).

Puede que no surta efecto

La epidural puede no tener efecto (en un 1% de los casos) o actuar sólo en un lado del cuerpo (en el 10% de los casos). A veces hay que administrar una segunda epidural. Si tienes alguna enfermedad neurológica, problemas con la coagulación de la sangre, fiebre o una infección de la piel en la espalda, esta técnica está contraindicada. En ocasiones no se puede aplicar la epidural debido a una anomalía en la posición de las vértebras. El anestesista habrá abordado estas cuestiones contigo durante la consulta para la anestesia (ver p. 163). Debes saber, asimismo, que durante el parto la epidural puede provocar una caída de la tensión arterial y dificultades para orinar, además de dolor de cabeza tras el nacimiento del bebé.

La inyección del producto

La epidural se puede administrar en cualquier momento: se aplica cuando el cuello del útero está dilatado por lo menos 2 o 3 cm. El efecto de la analgesia se produce al cabo de unos 20 minutos y dura una o dos horas.

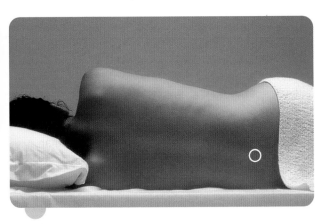

La posición

Sentada con la espalda inclinada hacia adelante o tendida sobre el lado izquierdo, con las piernas flexionadas hacia el vientre: es la posición adecuada para aplicar la epidural.

El proceso

La administración del producto analgésico por inyección se efectúa entre la tercera y la quinta vértebra lumbar, en el espacio llamado *epidural*, situado alrededor de la membrana que envuelve la médula espinal (pero sin legar a ella). Después, en el lugar donde está la aguja, antes de retirarla, se implanta un tubo de plástico muy fino (el catéter), a través del cual se inyecta el producto.

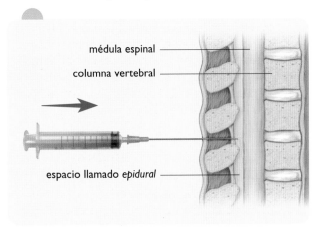

médula espinal

columna vertebral

espacio llamado *epidural*

Otros métodos contra el dolor

La epidural es la técnica más conocida de las que se utilizan hoy en día, pero no es en absoluto la única. Aparte de la voluntad de la madre, la elección depende sobre todo del objetivo médico que se persigue y de las posibilidades que ofrece la maternidad donde vas a dar a luz. Infórmate cuando visites al anestesista a finales del octavo mes.

La raquianestesia

Esta técnica, a menudo utilizada para las cesáreas programadas (ver p. 231), permite permanecer consciente y ver al bebé en cuanto nace. El anestesista inyecta analgésicos en el líquido cefalorraquídeo por medio de una aguja introducida en la parte inferior de la espalda, entre la tercera y la quinta vértebra lumbar. Es un método de aplicación rápida, pero a diferencia de la epidural no permite dejar puesto un catéter para, en caso de necesidad, prolongar la anestesia inyectando de nuevo el producto.

La anestesia de los nervios del perineo

Esta anestesia local no actúa sobre el dolor de las contracciones, sino que se emplea para disminuir el dolor que se siente en el momento de la expulsión. Facilita, además, un eventual uso de fórceps (ver p. 226). Para insensibilizar los nervios del perineo, este tejido muscular de la pelvis ligamentosa, el médico inyecta anestésicos por medio de una jeringa en la zona genital. Esta inyección también puede administrarla el propio ginecólogo, no requiere la presencia de un anestesista.

La anestesia por inhalación

Este método consiste en inhalar, mediante la aplicación de una mascarilla, una mezcla de protóxido de nitrógeno y de oxígeno. Hay que respirar este gas unos treinta segundos antes de la contracción (ya que su efecto no es inmediato), y después, de nuevo, al ritmo de las contracciones, según se precise. Sin embargo, algunas mujeres se sienten como si estuvieran «desconectadas» de la situación que están viviendo y conservan un mal recuerdo de este episodio.

La acupuntura

La acupuntura aún no está muy extendida para calmar los dolores del parto. Según los principios de esta forma de medicina china, el dolor es el resultado de un desequilibrio entre dos energías, el yin y el yang. Estas energías, que son invisibles, siguen unos recorridos (los «meridianos») a lo largo de los cuales existen unos puntos, cada uno con una función muy determinada. Al pinchar algunos de estos puntos con agujas finas se intentan corregir los desequilibrios de las energías responsables del dolor. Durante el parto se colocan entre ocho y diez agujas estériles, de un solo uso, en los antebrazos, en las piernas y en la parte inferior de la espalda. Es un proceso indoloro, realizado por médicos o comadronas que poseen una formación especializada en esta práctica.

La anestesia general

Este tipo de anestesia, a veces indicada en caso de tener que practicar una cesárea o de utilizar fórceps, se practica cuando hay cierta urgencia, ya que su administración es rápida. Requiere una intubación (introducción de un tubo en la tráquea) y provoca la pérdida de la conciencia. Se mantiene durante todo el tiempo que dura la cesárea o el uso del fórceps. Su principal inconveniente es que la madre y el bebé están separados durante las primeras horas que siguen al parto. También puede comportar un despertar molesto, aunque en este sentido se han logrado grandes progresos. El niño puede estar dormido al nacer debido al efecto de los productos inyectados a la madre (de ahí que deba atenderlo el pediatra en caso necesario).

La analgesia autocontrolada

Cuando la epidural está contraindicada o no se puede aplicar, la madre puede utilizar una jeringa eléctrica que contiene analgésicos. La acciona ella misma mediante un botón conectado a la jeringa, la cual está conectada a la perfusión. Así, la mujer que se encuentra en el proceso del parto controla la administración de los analgésicos y recibe el producto en cuanto cree que lo necesita. Se establece una dosis máxima y, además, el médico vigila regularmente a la madre y al feto.

El desarrollo del parto

> *¿Cómo facilitar el proceso durante la dilatación del cuello?* •
> *Para la expulsión, el promedio es de media hora de esfuerzos* •
> *¿Duele la episiotomía?* • *La placenta y su expulsión* • *Si el bebé no se*
> *presenta de cabeza* • *Cuando el bebé nace de nalgas* • *¿Cuándo*
> *practica el médico una cesárea?*

Las tres etapas del parto

La expulsión, fase tras la cual el niño viene al mundo, es la más breve del parto. Es entonces cuando hay que «empujar» o «pujar» para ayudar al bebé a avanzar por la pelvis. Esta etapa no se produce hasta que el cuello del útero está totalmente dilatado, proceso que, salvo excepciones, dura varias largas horas. Y cuando por fin el niño nace, tiene lugar la expulsión de la placenta.

▶ La dilatación del cuello

Ahora se inicia la fase más larga del parto: la dilatación del cuello del útero. La duración del proceso depende de cuántos partos has tenido anteriormente, de la naturaleza de las contracciones (según sean más o menos eficaces), de las dimensiones de tu pelvis y de las del bebé, y también de la postura. En general, si se trata del primer nacimiento, el cuello se dilata a razón de 1 cm por hora, mientras que en los partos posteriores lo hace a 2 cm por hora. Para que el cuello se dilate por completo y alcance una abertura de 10 cm deben pasar 12 horas de promedio, por lo menos, si se trata del primer hijo. Sin embargo, en algunas mujeres es más rápido, mientras que en otras dura más tiempo (hasta 24 horas). Además, en un primer parto, el cuello se dilata antes de que baje la cabeza del bebé. En los partos siguientes la dilatación del cuello y el descenso del bebé se producen al mismo tiempo, de modo que es más rápido.

¡No estás sola! • Durante todo este tiempo y hasta el final del parto, estás vigilada y atendida por la comadrona. Únicamente pedirá que intervenga el ginecólogo si se presentan problemas y a la hora del parto. A cada hora practica un tacto vaginal. También te ayudan las enfermeras, te toman la temperatura y la tensión arterial de vez en cuando, para evitar cualquier malestar. El anestesista también está localizable, y si has optado por la epidural, también él controlará tu estado. Puede suceder que las contracciones disminuyan bajo el efecto de la epidural; entonces la comadrona te administrará oxitócicos, que reactivarán su intensidad.

¿Qué hay que hacer durante la dilatación? • Para que las contracciones uterinas sean eficaces y la dilatación se acelere, hay que estar

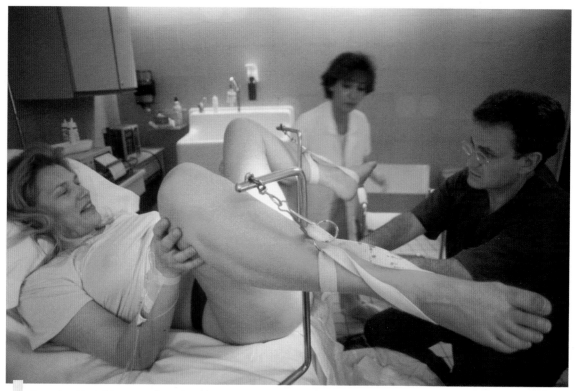

Cuando el bebé ha entrado en la pelvis y se acerca el momento del nacimiento, la madre suele estar tendida, con los pies apoyados en unos estribos. Ahora todo irá muy rápido.

atento a la posición del cuerpo durante el parto: estira la espalda, no la arquees. En la sala de partos, probablemente estarás tendida o recostada. Lo mejor es ponerse de lado, con la pierna de debajo estirada y la de encima flexionada. También podrás sentarte y cruzar las piernas o elevar los pies, de manera que queden apoyados sobre un estribo.

Para soportar las contracciones puedes utilizar las técnicas de respiración que se enseñan en la preparación clásica (ver p. 194) o en las sesiones de yoga. Si has optado por la preparación al parto mediante la sofrología, intentarás relajarte, lo cual también facilitará el parto... Por lo general, la contracción uterina produce un dolor horizontal en la parte inferior del vientre. No lo rehuyas, sino al contrario, «entra en él», e intenta incluso ir más allá para permanecer en contacto con tu bebé y acompañarle en su avance. Las contracciones uterinas no son únicamente un dolor. Gracias a ellas, vas a dar a luz y a ver finalmente a tu hijo.

Con cada contracción, el bebé avanza, milímetro a milímetro, hacia la salida. Hasta que el cuello del útero no esté completamente dilatado no hay que empujar, aunque tengas ganas de hacerlo.

▶ En el momento de la expulsión

Cuando el cuello esté totalmente dilatado y el bebé haya entrado en la pelvis, empezarás a empujar. En general, la expulsión sólo dura entre 20 y 30 minutos. En ese momento, probablemente estarás tendida, con las piernas separadas y las pantorrillas apoyadas sobre unos soportes ajustados. Te habrán rasurado parcialmente la zona alrededor de la vulva, si es preciso, y si has orinado de forma espontánea, te habrán vaciado la vejiga con una sonda. Ahora las contracciones son más largas y se suceden a un ritmo cada vez más rápido. Si consigues seguir correctamente las instrucciones del médico o de la comadrona, te cansarás menos.

Empujar durante las contracciones • El médico o la comadrona son, en cierto modo, quienes marcan el ritmo.

El avance del bebé

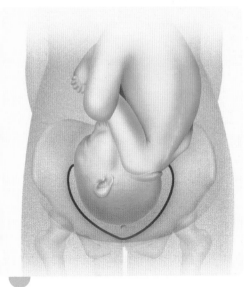

La entrada de la pelvis ósea, o «estrecho superior», es angosta, y el bebé debe ajustarse a la estrechez del paso. Debe orientar la cabeza oblicuamente, normalmente girándola 45°, para introducirse en la parte más grande de la pelvis. También debe ofrecer el diámetro menor de su cabeza para entrar en la pelvis: normalmente introduce la parte de atrás del cráneo, inclinando la cabeza (bajando el mentón hacia el pecho).

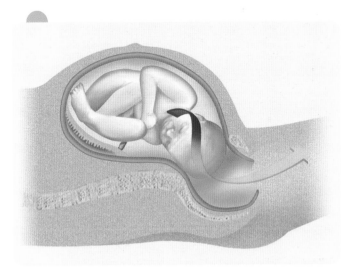

La entrada en la pelvis

La cabeza del feto entra en la pelvis ligamentosa al comienzo de la expulsión, o un poco antes. El médico lo constata con un tacto vaginal palpando el abdomen de la madre.

La salida de la cabeza y del resto del cuerpo

La cabeza sale: esta salida se produce gracias a la fuerza de expulsión de la madre y a la destreza del ginecólogo o de la comadrona, milímetro a milímetro, para evitar desgarros. A continuación, el médico ayudará a sacar los hombros. Luego, el resto del cuerpo saldrá sin ninguna dificultad.

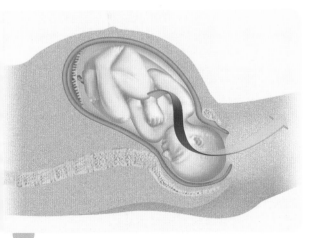

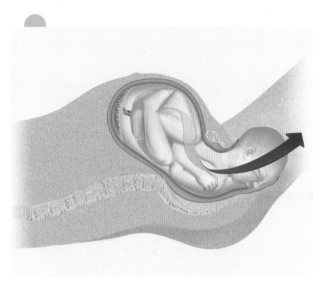

El descenso y la rotación dentro de la pelvis

El descenso del bebé se produce cuando la cabeza ha entrado en la pelvis. Por efecto de las contracciones, la cabeza avanza hacia abajo: entra en la pelvis en posición oblicua y efectúa otra rotación, normalmente de 45°, para salir en posición vertical. Después se queda bajo el pubis y se apoya en los músculos del perineo, que se relaja progresivamente gracias a su elasticidad. Cuando la cabeza está en la vulva, se eleva. La vulva se abre por la presión de la cabeza, y aparece la parte superior del cráneo.

Te pedirán que empujes dos o tres veces en cada contracción, y que descanses entre ellas. Ahora debes poner en práctica todo lo que te han explicado en las sesiones preparatorias. En cada contracción, empuja bloqueando el aire (después de una inspiración) o soplando (durante la espiración). Contrae con fuerza los abdominales, dejando el perineo relajado. El empuje debe ser lo más largo posible (ver p. 193) para permitir que el niño avance de forma continua.

Para facilitar la tarea y hacer que el esfuerzo sea más eficaz, puedes asirte a los agarradores que hay a ambos lados de la cama, o lo que es mejor para no contraer el perineo, levantar los muslos llevando las rodillas hacia la espalda. Al mismo tiempo, puedes separar los codos como un remero y acercar el mentón al pecho.

Cuando el cráneo del bebé asoma por la vulva ya sólo es cuestión de minutos. El médico te pedirá que te relajes para poder sacar la cabeza progresivamente. Tal vez deberás hacer un último esfuerzo para que salgan los hombros. Luego el cuerpo aparecerá muy rápido. Unos segundos después, te colocarán el bebé sobre el vientre y os conoceréis mutuamente.

◗ La episiotomía, ¿cómo y por qué?

En el momento en que la cabeza del bebé va a salir, tal vez el médico practique una incisión en el lado inferior de la vulva. Esta intervención, llamada *episiotomía*, es bastante frecuente. Se efectúa rápidamente, mientras estás empujando. Como estarás concentrada en el esfuerzo notarás muy poco el bisturí, o no lo notarás si te han puesto la epidural. Tiene como finalidad evitar que los músculos del perineo se desgarren. Es mejor realizar una incisión, que es más limpia, que un desgarro, que incluso puede llegar hasta el ano.

La episiotomía se practica cada vez que el perineo está demasiado tónico o es demasiado frágil, y se realiza también cuando la cabeza del bebé es demasiado grande respecto al tamaño de la vulva.

◗ ¿Dar a luz con fórceps?

Si te sientes agotada o el niño debe nacer sin demora, el ginecólogo puede ayudar al bebé a salir utilizando diversos instrumentos, los cuales se usan en un 15 % de los nacimientos. El más usado es el fórceps.

El fórceps • Está formado por dos brazos articulados en forma de cuchara. Éstos sujetan por ambos lados la cabeza del bebé y sirven para guiarle dentro de la pelvis mientras tú empujas. Después ayudan a sacar la cabeza. Este instrumento puede dejar marcas en las sienes, las mejillas o el cráneo del bebé, pero no son graves, y desaparecen al cabo de dos o tres días. Sólo se emplea el fórceps si la cabeza del bebé ya está introducida en la pelvis (en caso contrario se opta por la cesárea). Para evitar que el perineo se desgarre, el uso de fórceps casi siempre implica una episiotomía. Si no se ha administrado la epidural, puede ser necesario usar anestesia local. En caso de que la madre padezca miopía en un grado muy elevado, se utiliza el fórceps para evitar el desprendimiento de retina debido al esfuerzo.

La ventosa • Se trata de una ventosa de material flexible, que se coloca en la parte superior del cráneo del niño para guiarlo mientras baja por la pelvis. Se tira de ella con suavidad durante las contracciones para guiar la cabeza del bebé.

Las espátulas • Constan de dos brazos no articulados que también permiten guiar la cabeza del bebé en la pelvis.

◗ La expulsión de la placenta, o alumbramiento

Tu hijo ha nacido. Éste es el momento esperado… Agotada y al mismo tiempo muy emocionada,

¿Quién inventó el fórceps?

Peter Chamberlen, *hijo de hugonotes emigrados a Inglaterra, inventó el fórceps en el siglo XVII. Fue un gran progreso, que permitía salvar tanto al hijo como a la madre. Su uso estuvo reservado durante mucho tiempo a la familia real, y más adelante «se vendió» la patente (la de las dos cucharas). A principios del siglo XVIII, un descendiente suyo, Hugues Chamberlen, reveló íntegramente el método.*

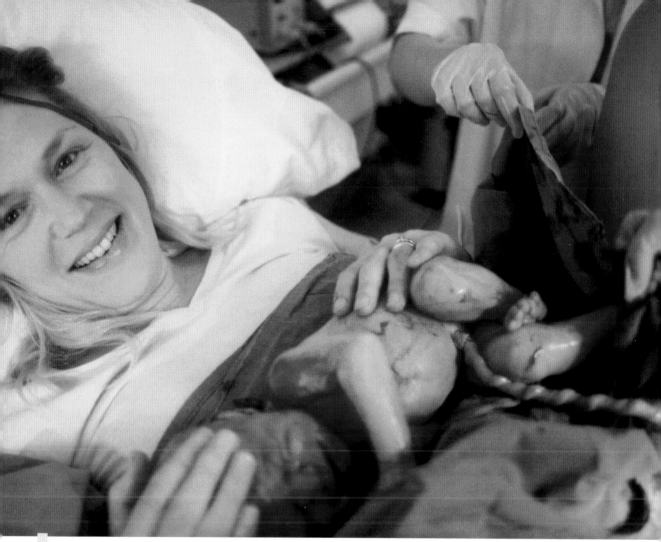

Por fin el bebé descansa sobre tu vientre, envuelto en un paño para que no tenga frío. Sin embargo, el parto no ha terminado del todo: aún falta la expulsión de la placenta.

por fin vives el primer encuentro cara a cara, por supuesto bajo la mirada del padre. Si el bebé no necesita atención inmediata, te puedes quedar con tu pareja y el bebé. Pero si ha hecho sus primeras deposiciones (el meconio), la comadrona se lo lleva enseguida para aspirar ese meconio y evitar que le llegue a los pulmones.

A continuación reaparecen las contracciones, que son las que provocarán, al cabo de 20 o 30 minutos, el desprendimiento de la placenta. Es lo que los médicos llaman *alumbramiento*. Esta última fase del parto normalmente es indolora.

El examen de la placenta • El equipo médico examina atentamente la placenta en cuanto sale. Es preciso comprobar que se haya expulsado por completo. Si hay alguna duda, el ginecólogo o la comadrona introducen la mano en el útero para

asegurarse de que está totalmente vacío, y al mismo tiempo comprueban que no haya ninguna anomalía (en términos médicos, es la «revisión uterina»).

El médico procederá del mismo modo si el cuerpo de la madre no expulsa la placenta de forma espontánea. Este acto, aunque resulta impresionante, no produce dolor, ya que se realiza bajo los efectos de la epidural o, en caso necesario, con anestesia general.

En caso de hemorragia fuerte • Puede suceder que la mujer pierda demasiada sangre después del parto. Esta «hemorragia del alumbramiento» no es en absoluto comparable con las escasas pérdidas de sangre habituales. También ahora, la única solución que tiene el ginecólogo es extraer rápidamente la placenta bajo anestesia.

La sutura de la episiotomía • En caso de que se haya practicado una episiotomía, el médico coserá los tejidos seccionados una vez expulsada la placenta. Ello se realiza bajo anestesia epidural o bajo anestesia local. Para la vagina y los músculos perineales se utilizan hilos que se reabsorben espontáneamente. Para la piel, a veces se usan hilos no reabsorbibles que deben quitarse unos cinco días después.

▶ Justo después del parto

Tras la expulsión de la placenta, permanecerás aproximadamente otras dos horas tendida en la sala de partos, y durante este periodo quizá puedas estar acompañada por el padre. Te devolverán a tu hijo en cuanto haya recibido las primeras atenciones y haya tomado su primer baño, si éste no se efectúa en la sala de partos.

A pesar de que el parto ha finalizado, permanecerás bajo vigilancia médica. Una enfermera te tomará regularmente la temperatura y la

Conocerse

Desde que nace, el niño es sensible a la voz, al contacto, a la mirada y a las caricias de quienes lo rodean. Necesita afecto. No te intimides: háblale en voz baja y puedes mecerle. Y no olvides que tú has notado al bebé durante nueve meses, pero el padre acaba de conocerlo. Quizá también tenga ganas de tenerlo en brazos. En la técnica de haptonomía, el padre sostiene al recién nacido, sosteniéndolo por debajo de las nalgas y girándolo hacia el exterior, abriéndolo así al mundo.

tensión arterial. La comadrona supervisa la evolución de la hemorragia, que debe ser poco abundante, y comprueba que tu útero se retraiga bien (ver p. 266). Finalmente, cuando estés preparada, podrás ser trasladada a tu habitación.

Cuando no viene de cabeza

E n ocasiones, el bebé no viene de cabeza, con lo cual el parto es más delicado. Ello no excluye, sin embargo, un nacimiento por la vía natural. Sólo cuando se presenta de forma transversal (hacia la espalda) o de frente es preciso hacer una cesárea. Pero ésta no se practica sistemáticamente si el niño llega de cara o de nalgas.

▶ ¿Por qué hay posiciones diferentes?

Hacia el séptimo mes, la mayoría de los bebés colocan la cabeza (que es la parte más voluminosa de su cuerpo) allí donde encuentran más espacio, en la parte superior del útero. Más tarde, cuando la cabeza se vuelve más pesada, hacia el octavo mes, el niño se gira y se queda con la cabeza abajo y las nalgas arriba. Entonces adopta la posición que normalmente tendrá el día del parto. Sin embargo, algunos bebés no realizan este giro, y en el momento de nacer se encuentran en posiciones diversas, que determinan el modo como se tendrá que efectuar el parto.

▶ Parto en presentación de nalgas

En el caso de que el bebé venga de nalgas, en el octavo mes se puede intentar girar al bebé para que se ponga «de cabeza». Para ello existen diversos métodos (ver p. 162), que serán aplicados por el ginecólogo, e incluso con la colaboración de la madre. Sin embargo, cuando este intento fracasa, se plantea el dilema de dar a luz por vía vaginal o por cesárea.

Satisfacer un conjunto de criterios • En los últimos años, el parto de nalgas se ha convertido en un tema delicado. Los equipos médicos se muestran prudentes y cada vez más exigentes.

Cuando el niño viene de nalgas, sólo autorizan el parto por la vía natural en ciertas condiciones. Es preciso cumplir ciertos criterios que garantizarán un parto seguro. En primer lugar, la pelvis debe ser bastante ancha; para saberlo, se realizará a la madre una radiografía llamada *radiopelvimetría*, que mide su pelvis. En segundo lugar, el niño no debe ser muy grande, debe tener la cabeza inclinada (el mentón sobre el pecho) y el ancho de ésta debe ser inferior a 10 cm.

Un entorno más seguro • Si tú y tu hijo cumplís estas condiciones, si se ha aceptado tu parto por la vía natural y la dilatación del cuello ha sido satisfactoria, darás a luz en el quirófano. Así, en caso necesario, el médico podrá hacerte una cesárea fácil y rápidamente (como en el caso de parto de gemelos). Tu cooperación es vital, dado que sólo tú puedes empujar. En la posición de nalgas, el ginecólogo no puede aplicar el fórceps. La episiotomía se efectúa sistemáticamente. Al nacer, la cabeza del niño tendrá una peculiar forma redonda, debido a su posición en el útero. Pero esta forma desaparecerá en unos días.

Cuando viene de cara

Sólo un niño de cada mil nace de cara. En este caso, la cabeza está echada hacia atrás y el mentón apunta hacia adelante. La boca y la nariz se encuentran en el centro de la pelvis. El parto por la vía natural es posible, pero el mentón del bebé debe apoyarse en el pubis de la madre, y debe flexionarse. Los niños que nacen así casi siempre tienen un hematoma en la zona de los labios. Es un moretón sin importancia, que desaparece en unos días. No se debe confundir que el bebé venga de cara con la presentación «de frente», que en todos los casos requiere practicar la cesárea.

La presentación transversal

Se habla de presentación «por el hombro» cuando el feto está tendido horizontalmente, cruzado en el útero (ver abajo), lo cual le impide seguir el camino habitual para bajar a la pelvis. Siempre implica una cesárea, salvo si el ginecólogo ha conseguido modificar la posición del niño al final del octavo mes.

Dos presentaciones posibles

Hacia el séptimo u octavo mes del embarazo, por lo general el feto adopta la posición definitiva que tendrá en el útero en el momento de nacer: la cabeza hacia abajo y las nalgas hacia arriba. A veces adopta posiciones menos habituales, y viene de nalgas, por el hombro o de cara. En esta última forma, muy excepcional, el niño tiene la cabeza echada hacia atrás. En la ecografía del tercer trimestre, el médico o la comadrona examina la posición en la que se encuentra el bebé.

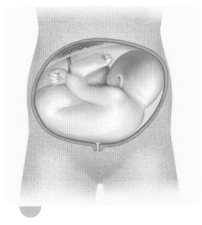

Posición transversal

El niño está sobre la espalda, cruzado en el útero; la cabeza no está arriba ni abajo, sino a un lado. Se trata de una presentación «por el hombro», también llamada *transversal*. A finales del octavo mes, el ginecólogo puede colocar al bebé con la cabeza hacia abajo, moviéndolo a través de la pared del abdomen. Pero esta maniobra externa no siempre logra su objetivo.

Nalgas completas y nalgas francas

El niño se presenta con las nalgas hacia abajo. Existen dos variantes de esta posición. En un tercio de los casos, el bebé está sentado con las piernas cruzadas. Es lo que se llama *nalgas completas*. En otros casos, el bebé tiene las nalgas abajo y las piernas hacia arriba, lo que se conoce como *nalgas francas*. Para un parto por vía vaginal, es preferible esta última posición.

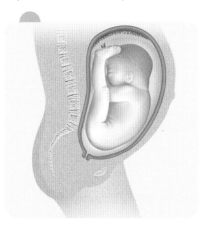

Dar a luz a gemelos

El parto de gemelos o bien de mellizos requiere un equipo médico al completo. Incluso cuando todo va bien, el entorno impresiona un poco. Si has hablado previamente con el ginecólogo para conocer todos los detalles, que pueden variar de una maternidad a otra, vivirás más plenamente este momento emotivo, pero agotador...

¿Por la vía natural o por cesárea?

Aunque tenga lugar en el entorno más seguro, el parto de gemelos o el de mellizos normalmente se desarrolla sin grandes problemas, es decir, por la vía natural. Básicamente, la posición de los dos bebés en el útero es lo que determina el tipo de parto. Cuando se requiere cesárea, el ginecólogo la suele programar de forma anticipada. En este caso, el parto se produce hacia las 38 semanas de amenorrea; antes que si se trae al mundo a un solo niño.

En el caso de que venga de cabeza • La mejor situación se da cuando el primer gemelo se presenta de cabeza. Entonces, la posición del segundo es poco importante. En este caso, la madre suele dar a luz por la vía natural.

En el caso en que venga sentado • Cuando los gemelos o mellizos vienen de nalgas, casi ninguna maternidad autoriza el parto por la vía natural. En cambio, si el primer gemelo viene de nalgas y el segundo de cabeza, la única opción posible es la cesárea. Al dar a luz de forma natural, podrían trabarse los dos mentones, lo cual detendría definitivamente el avance de los bebés. Es un accidente excepcional, pero que resulta fatal para ambos bebés.

Cuando hay una sola placenta y una sola bolsa • En un 3% de los casos, los gemelos se desarrollan en una bolsa y una placenta compartidas. Este tipo de embarazo de gemelos poco frecuente se llama *monocorial* y *monoamniótico*. En esta situación, se programa la cesárea de forma sistemática para evitar que los cordones se enreden al nacer.

Un entorno muy seguro

Para evitar cualquier incidente, el parto de gemelos o el de mellizos siempre tiene lugar en un entorno muy seguro y con la presencia de un ginecólogo. Aunque se prevea que todo va a ir bien, por la vía natural, tienes derecho a unas condiciones de parto algo particulares. No te sorprendas, pues, el día «D»: que te presten tantas atenciones no significa que haya algún problema...

La seguridad de un quirófano • Hasta que el cuello del útero esté totalmente dilatado, permanecerás en la sala de partos, pero la fase de expulsión siempre tendrá lugar en el quirófano. Te trasladarán allí justo antes de que empieces a

En general, los gemelos nacen con un intervalo de unos diez minutos. El primero es el mayor.

empujar. Esta precaución permite efectuar una cesárea de urgencia si fuese necesario. Puede suceder que, después del parto del primer bebé que nazca, el ginecólogo deba realizar una cesárea para el segundo. No obstante, es un caso excepcional. Si el parto se efectúa por la vía natural, tu marido o compañero podrá estar presente y continuar prestándote su apoyo.

¡Un equipo entero para ti! • Ahora tienes a muchas personas reunidas a tu alrededor: dos comadronas (para ti y para los dos bebés), un ginecólogo, una auxiliar de quirófano y un anestesista con su enfermera. No te dejes impresionar por esta especie de «colmena de abejas». Todas estas personas están ahí para velar por ti y por tus hijos. Puedes elegir un interlocutor principal para seguir las instrucciones, por ejemplo, la comadrona que te ha guiado hasta ese momento.

▶ Empujar el doble...

Desde un punto de vista puramente físico, dar a luz a gemelos o a mellizos es sin duda más agotador. Cuando empieza la fase de expulsión, los bebés realmente te necesitan. Asegúrate de que empujas dos veces más, a menos que el ginecó-

logo te ayude usando el fórceps. En un primer momento, empujarás para el primer bebé. En cuanto nazca, la comadrona responsable del alumbramiento te lo enseñará. Al mismo tiempo, otra comadrona te mantiene el vientre en posición vertical para que el segundo gemelo siga en la dirección correcta para salir a su vez, ya que el descanso es breve. El ginecólogo te examina para comprobar cómo se presenta el segundo bebé. Normalmente, rompe la bolsa de las aguas de este segundo bebé y te pide que vuelvas a empujar. ¡Y enseguida el otro gemelo empieza a llorar!

... hasta la expulsión de la placenta • Tras el nacimiento de tus hijos, como ocurre en cualquier otro parto, se produce la expulsión de la placenta. En estos partos múltipes, el ginecólogo puede decidir realizar una expulsión «artificial» para evitar hemorragias.

Mientras, se llevan los gemelos a la sala de neonatos para que los atiendan, acompañados por el padre.

También tú irás pronto a la sala de partos... Si te han practicado una episiotomía, sólo hay que esperar a que acaben de poner la sutura al perineo.

La cesárea, ¿en qué casos?

L̲a cesárea es una intervención que los ginecólogos dominan perfectamente, con unas técnicas actualmente muy simplificadas. Es una operación tan corriente que a veces olvidamos cuántas vidas ayuda a salvar. Gracias a ella, situaciones que antes se consideraban graves se solucionan ahora sin mayor dificultad.

▶ Las cesáreas programadas

En ciertas situaciones, el ginecólogo prevé durante el octavo o el noveno mes que el parto se hará por cesárea. Entonces la operación se programa para una fecha determinada. En general, ello se debe a una de las razones siguientes, aunque esta lista no es exhaustiva.

• El bebé presenta un retraso de crecimiento importante y parece demasiado frágil para nacer por la vía natural (ver p. 188).

• Cuando la madre espera trillizos o cuatrillizos,

el nacimiento sólo requiere cesárea en ciertos casos.

• El útero presenta una cicatriz que puede rasgarse a causa de las contracciones. Ésta puede deberse a la ablación de ciertos fibromas o a una cesárea anterior. No obstante, la mitad de las mujeres que han dado a luz por cesárea, posteriormente lo hacen por la vía natural.

• La placenta impide que la cabeza del bebé avance hacia la pelvis (*placenta previa* o envolvente) y la madre puede sufrir una hemorragia.

La toma de decisiones urgentes

A veces, debe decidirse practicar una cesárea de forma urgente, en el momento del parto. Normalmente, los médicos toman esta decisión si observan que el bebé está sufriendo o puede sufrir. Mediante la monitorización pueden detectar una anomalía en el ritmo cardiaco del feto: descensos fuertes del ritmo durante o después de las contracciones o incluso un descenso notable durante varios minutos. En ocasiones, el cuello del útero deja de dilatarse; o bien la cabeza del bebé no consigue cruzar la pelvis (la cabeza es demasiado grande o la pelvis demasiado pequeña), aunque el cuello esté bien dilatado y las contracciones sean «eficaces». Es una situación imprevisible, pese a las ecografías. En todo caso, el sufrimiento del feto normalmente obliga a realizar una cesárea. De este modo, el bebé no presentará ninguna secuela neurológica.

¿Qué tipo de anestesia?

Una cesárea siempre tiene lugar en un quirófano. Se pueden usar tres técnicas de anestesia: la epidural, la raquianestesia y la anestesia general (ver pp. 220 a 222).

En caso de intervención urgente • Cuando la operación se decide de forma urgente, los médicos tienden a elegir la anestesia general (salvo si ya se ha administrado una epidural). Ésta permite operar en un plazo más breve. Podrás ver a tu hijo un poco más tarde, en la sala de recuperación, después de la operación.

Si la cesárea está programada • Cuando la operación se programa de antemano, en general se practica una raquianestesia. Entonces estarás consciente y notarás cómo te tocan, ¡pero sin experimentar dolor, por supuesto! Sin embargo, no verás nada, porque la zona de la intervención estará oculta tras un lienzo que impide que veas lo que sucede al otro lado. Lo importante es que, si el niño está bien, lo pondrán sobre tu vientre en cuanto nazca. A menudo se permite que el padre permanezca a tu lado.

Una forma operatoria simplificada

Desde hace algunos años, la técnica operatoria de la cesárea se ha simplificado. Hoy en día se suele utilizar la técnica de Cohen (por el nombre del cirujano que la puso de moda). No obstante, cuando ya se ha dado a luz por cesárea en otra ocasión, también puede ser oportuna la técnica clásica.

La técnica de Cohen • En lugar de utilizar bisturí, tijeras y pinzas en las distintas etapas (para abrir las capas sucesivas), el cirujano usa básicamente los dedos. Emplea el bisturí sólo en dos ocasiones, para hacer «moteados» (agujeros pequeños) en diferentes tejidos que se superponen. Introduce los dedos en estos agujeros y aparta un poco los tejidos para hacer pasar la cabeza del bebé. Así, se abren sucesivamente la piel, la aponeurosis (que da solidez a la pared), el peritoneo (que envuelve las vísceras del abdomen) y el útero.

Esta nueva técnica ofrece varias ventajas: la intervención es rápida (no se prolonga más de tres cuartos de hora) y la parturienta pierde menos sangre y siente menos dolor después de la operación. Al día siguiente ya puede ponerse de pie y ocuparse del bebé.

La técnica clásica • Cuando ya se ha practicado una cesárea, los tejidos pueden ser más fibrosos, más duros y pueden estar pegados entre ellos. Entonces, el cirujano debe recurrir, aunque sea parcialmente, a la técnica clásica (con instrumentos). En general, realiza una incisión por encima del pubis para que la cicatriz quede disimulada por el vello púbico (como en la técnica de Cohen). La operación dura algo más de una hora, aunque cerrar los tejidos y coserlos lleva cierto tiempo. Los puntos (o grapas) se quitan seis días después de la intervención.

Una convalecencia bastante breve

Independientemente del método operatorio utilizado, verás al bebé en cuanto salgas del quirófano, o cuando despiertes de la anestesia general. Podrás amamantarlo, sonreírle, hablarle y tocarlo. Al día siguiente de la cesárea podrás levantarte y moverte bastante rápido si has sido operada con la técnica de Cohen; con la técnica clásica lo harás un poco más tarde. Tu temperamento también va a influir en la rapidez con que te recuperes.

Sin embargo, los primeros días sentirás dolor. Durante esos días recibirás diversos cuidados (ver p. 270), y te molestará no poder ir al servicio antes del tercer día, pero toda operación en el abdomen comporta estas molestias.

La llegada del bebé a la vida

Nacer, un gran trastorno • ¿Por qué llora el bebé al venir al mundo? • ¿Qué implica cortar el cordón umbilical? • El primer contacto de los padres con el hijo • ¿Qué cuidados médicos se ofrecen justo después del nacimiento?

La adaptación al aire libre

Ya nació el bebé... Para ti, el parto ha terminado. Para él, ese pequeñín que acaba de llegar al mundo, todo empieza... En apenas unos segundos, sus pulmones se adaptan al aire libre, respira por primera vez y su sangre pronto circulará por un circuito autónomo. Al salir de tu vientre protector y alimenticio, el recién nacido experimenta el primer gran trastorno de su vida.

▌ En cinco minutos... todo cambia

Bastan menos de cinco minutos para que el recién nacido se adapte a la vida autónoma al aire libre. Su sistema respiratorio y su circulación sanguínea muy pronto son eficientes, pese a que ello supone la puesta en marcha de unos mecanismos sumamente complejos. No debemos olvidar que justo antes de nacer el feto sigue viviendo de la sangre de su madre, a través del cordón umbilical. Sus pulmones aún no funcionan. No hay circulación sanguínea entre el corazón y los pulmones, y la placenta es la que garantiza el intercambio entre la sangre de la madre, rica en oxígeno, y la del bebé, cargada de gas carbónico. El nacimiento constituye, pues, un gran trastorno para el organismo del bebé. Para comprobar que evoluciona bien, los médicos emplean el test de Apgar.

El test de Apgar • Este test, que lleva el nombre del anestesista americano que lo ideó, se efectúa en dos fases: al cabo de un minuto y a los cinco minutos de nacer. Se hace en unos segundos

En cuanto nace, el bebé inspira. Sus pulmones empiezan a funcionar por primera vez.

y consiste en una simple observación. El médico observa el tono del recién nacido, su coloración, sus movimientos y su respiración, y le toma la frecuencia cardiaca palpándole el cordón umbilical. Así puede detectar cualquier anomalía. En caso necesario, se aspira el líquido y las flemas que pueda haber en los pulmones del bebé y se le insufla oxígeno. Con esta reanimación de urgencia se evitan posibles lesiones en el cerebro. Un niño cuyo test de Apgar es bajo al nacer (ver cuadro) tiene todas las posibilidades de gozar de buena salud. Los resultados, que se anotan en la cartilla sanitaria, no son indicativos, sin embargo, de la futura evolución del bebé.

El punto de vista del bebé

¡Qué impresión! ¡No hay nada a mi alrededor! Antes estaba en un medio elástico, caliente y sonoro, y ahora noto vacío y dureza. Tengo frío, me siento torpe y pesado. Me duelen los ojos si los abro, y los sonidos me molestan mucho. Mis manos ya no sienten esa suavidad que resbala y que late. Enseguida, debo encontrar calor, sentirme envuelto, sostenido, acunado, no sentir que voy a caer. Quiero volver a notar el olor de mamá, los latidos de su corazón y oír las voces que me tranquilizan.

▶ Primer grito, primera inspiración

En cuanto la cabeza del recién nacido sale al aire libre, éste empieza a llorar y a respirar. Es el primer grito de inspiración. Cuando abre la boca, el aire entra en sus pulmones. Los primeros movimientos de los músculos respiratorios del tórax impulsan este aire hacia los alvéolos pulmonares. Ahora están libres, ya que el líquido amniótico que los llenaba durante la vida uterina en gran parte ya se ha eliminado al pasar por las estrechas vías genitales de la madre. A veces, el recién nacido grita durante unos segundos antes de que la comadrona lo ponga sobre el vientre de su madre; a veces grita unos segundos después. Este grito de inspiración puede ser un sollozo leve, ya que en los pulmones del recién nacido todavía hay un poco de líquido amniótico y flemas. Pero ya está, todo va bien. ¡El bebé respira!

▶ ¿Por qué grita?

El primer grito que lanza el recién nacido se debe a su adaptación a la vida fuera del útero. En cuanto sale del vientre materno, el bebé nota muchas sensaciones: frío y contacto directo con lo que le rodea, lo cual, por un reflejo nervioso, le provoca una abertura de la glotis y una violenta contracción de los músculos responsables de la inspiración. Así, se crea una fuerte depresión en el tórax, que

El test de Apgar

Valor	0	1	2
Frecuencia cardiaca (latidos por minuto)	0	menos de 100	más de 100
Movimientos respiratorios	0	irregulares	regulares
Tono muscular	0	tono ligero en flexión	buen tono en flexión
Reactividad ante la estimulación cutánea	0	mueca o movimiento leve	grito
Coloración	tono azulado (cianosis)	extremidades azuladas (con cianosis) y cuerpo rosado	bebé totalmente rosado

El test de Apgar incluye cinco parámetros que son valorados de 0 a 2. Si está bien, el recién nacido tiene un total igual o superior a 8 en el primer minuto, y muy pronto alcanza el 10. Una puntuación claramente inferior indica que es preciso restablecer una «ventilación eficaz» y una buena circulación de la sangre. Si se hace de forma urgente, lo sucedido no tendrá ninguna incidencia en la vida futura del bebé.

La llegada al mundo es una gran conmoción para el recién nacido. Pero con el contacto con su madre recupera muy pronto un calor, un olor y una voz que reconoce y que le tranquilizarán.

provoca una entrada de aire: es la primera inspiración. A continuación viene la primera espiración, cuando la glotis está parcialmente cerrada: es el primer grito. La ausencia de este grito al nacer no es necesariamente anormal; puede indicar, por ejemplo, que el niño ha nacido dormido a causa de una anestesia general practicada a la madre. La mayoría de las veces, una estimulación manual o la ventilación con una mascarilla bastarán para provocar este primer grito.

▶ ¿Qué implica cortar el cordón?

El corte del cordón umbilical, efectuado por el ginecólogo o la comadrona, rompe el vínculo entre el niño y la placenta. Enseguida, la sangre procedente del corazón del recién nacido debe pasar a sus vasos pulmonares para encontrar el oxígeno que hasta entonces le ofrecía la sangre

Dulzura para el bebé

Gracias al doctor **Frédérick Leboyer** *y a su libro* Por un nacimiento sin violencia, *publicado en 1974, la manera de ver el nacimiento ha evolucionado, en el sentido de que se presta más atención a cómo es recibido el bebé, como una persona capaz de sentir. Así, desaparecen las luces tan intensas de las salas de partos, hay interés por los primeros contactos del niño con su madre y su padre (al que se permite dar un baño), se le envuelve con una manta para que no tenga frío... ¡Se ha terminado aquello de agarrar a los bebés por los pies y darles golpes en la espalda para despejarles mejor los pulmones!*

de su madre a través de la placenta. En ese momento, la arteria pulmonar se abre, provocando el cierre de diversos canales que permitían la circulación sanguínea en el feto sin pasar por los pulmones. De este modo, se establece la circulación entre el corazón y los pulmones en el recién nacido. Su color, que era azulado, se vuelve rosado. No te extrañes si su corazón late muy rápido (de 120 a 160 latidos por minuto de media), casi dos veces más rápido que el de un adulto. Asimismo, es normal que su respiración sea un poco irregular (unas veces profunda y otras superficial y más o menos rápida); se mantendrá así durante el primer año.

Primeros contactos, primeras atenciones

En cuanto nace, incluso antes de que le corten el cordón umbilical, el bebé es colocado sobre el vientre de la madre. Ya lo tienes, pues, a tu lado; y es muy distinto a la idea que te habías formado de él. Ahora lo miras, lo tocas; él tal vez ya busca tu pecho. Estos primeros contactos, mezclados con las emociones y el cansancio, preceden a las atenciones médicas y a la limpieza que efectuarán las enfermeras.

¡Por fin nos vemos!

Cuando todo va bien, como sucede en la mayoría de los casos, el personal médico presente en el parto deja que el bebé recién nacido se adapte tranquilamente a la vida al aire libre sobre el vientre de su madre. Allí encuentra su calor, su olor, el sonido de su corazón, su voz, y también la de su padre.

Primeros contactos • Por fin le conoces, ahora tienes tiempo para observarle y tocarle. Ciertamente, no se parece a los angelotes de los anuncios: tiene la piel violácea y a menudo arrugada, aunque paulatinamente se va poniendo rosada. No lo encontrarás necesariamente bonito. Pese a ello, no puedes dejar de mirarlo, sientes su cuerpo y «aspiras» su presencia. Él también te reconoce. Tal vez ya busca tu seno, desplazándose a su manera hacia la parte superior de tu vientre. Finalmente, mama unos mililitros de calostro, una secreción muy nutritiva que precede a la leche. Su boca conoce instintivamente el movimiento de succión.

¿Quién corta el cordón? • Mientras, el personal médico ha ligado el cordón con unas pequeñas pinzas. Quizás será el padre quien lo corte dentro de unos momentos. Una vez cortado este último vínculo físico, el recién nacido podrá apartarse de ti un momento para pasar a los brazos del padre. Ahora ya puede abrir los ojos. Estos primeros gestos, este primer encuentro, no duran mucho, pero no por ello son menos intensos.

Las primeras atenciones médicas

Después de dar a luz y de conocer a tu hijo, todavía permanecerás unas dos horas bajo estrecha vigilancia del equipo médico. Hasta más

Un primer baño más o menos precoz

El primer baño se realiza según distintas modalidades, dependiendo de las maternidades. En la mayoría de ellas se lava al bebé de pies a cabeza en cuanto nace. Sin embargo, algunas clínicas prefieren solamente secarle y esperar al día siguiente para limpiarle con calma. La madre también puede participar en el primer baño. Al bebé no le molesta esta espera: puede que incluso le tranquilice el hecho de sentir en su piel el olor del líquido en el que se ha bañado hasta ese momento. Además, durante unas horas permanece cubierto por el vérnix caseoso (una sustancia blanquecina) que tiene un efecto protector.

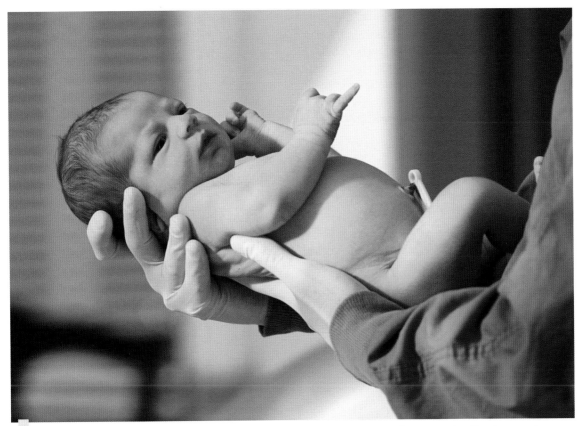

En la mayoría de las maternidades, la comadrona o la auxiliar de puericultura es quien limpia por primera vez al recién nacido. Si lo desea, el padre puede participar.

tarde no volverás a la habitación. Durante este tiempo, el bebé recibe las primeras atenciones indispensables para su comodidad y su seguridad. Las comadronas le limpian la nariz y la garganta (la faringe) con una pequeña sonda que aspira. Le introducen unas gotas de colirio en los ojos para desinfectarlos, y le dan una toma de vitamina K para evitar riesgos de hemorragia.

Pesar y medir • A continuación, van a pesar y medir al bebé. Un bebé nacido a los nueve meses pesa de promedio alrededor de 3,3 kg (los niños un poco más y las niñas un poco menos), pero las diferencias entre dos recién nacidos pueden ser considerables, oscilando de un peso entre 2,5 y más de 4 kg. En cambio, la altura no varía mucho de un bebé a otro: fluctúa, como mucho, de 3 a 4 cm respecto a la media general, que es de 50 cm.

Por último, el contorno de la cabeza, o perímetro del cráneo, en general es de 35 cm, con una variación de un centímetro. Por supuesto,

éstas no son más que indicaciones medias. La estatura y el peso al nacer no determinan por sí solos el futuro crecimiento del bebé y, más adelante, del niño.

▶ El primer aseo

Como estás bajo atención médica, no asistirás al primer aseo del bebé, efectuado por la comadrona, salvo si tiene lugar en la sala de partos, como sucede en ciertas maternidades. El padre tal vez participará en este primer baño. Ahora se elimina la capa blanquecina (vérnix caseoso) que cubre la piel del bebé al nacer. Esta capa, muy abundante en los repliegues, si no se baña al bebé, se seca y desaparece de forma natural al cabo de 24 horas.

Por último, ya limpio y vestido, el niño vendrá a tus brazos para disfrutar de un descanso bien merecido. Más tarde se despertará acuciado por el hambre, una sensación que hasta ahora desconocía. Será la primera vez que mamará o que

El nacimiento vivido por el padre

¿Cómo ofrecer apoyo a la mujer antes de ir a la maternidad? • Distintas maneras de esperar el nacimiento... o de asistir a él • Por qué el parto también es un trance agotador para el padre • Ver nacer al hijo o recibirlo después • ¿Cortar o no el cordón umbilical? • Participar en el primer baño

¿Participar o no?

Elegir entre participar o no participar en el parto no siempre es fácil, en especial cuando se ignora todo acerca de esta experiencia. ¿Podrá salir de la sala de partos cuando lo desee? ¿Dónde se deberá poner y cómo podrá reconfortar a su mujer? ¿Qué es lo que le puede impresionar?

▶ La espera en casa

Pasar las últimas horas juntos en casa es más tranquilizador y agradable para los futuros padres, aunque según la profesión que tenga el futuro padre es más o menos fácil para él disponer de tiempo, y ello exige cierta organización (hay que prever, por ejemplo, que tal vez tendrá que salir precipitadamente del trabajo en cualquier momento en los próximos días). Sin embargo, cuando se trata del primer hijo, entre el momento en que la mujer siente las primeras contracciones y el momento de ir a la maternidad, en general pasan varias horas. Hay tiempo, pues, para buscar un sustituto, si ello es posible, y volver a casa.

Si estás presente... • Cada hombre vive a su manera las últimas horas de espera en casa. Puedes comprobar que todo está a punto para salir hacia la maternidad y evitar que tu mujer se encargue de los últimos preparativos. Sin estas responsabilidades, estará más serena.

Por lo demás, todo depende de la sensibilidad de cada persona. Debes estar presente a tu manera y, sobre todo, ser tú mismo. No hay actitudes o gestos obligados en esos momentos: puedes ayudarla a relajarse con caricias, sentados o echados el uno junto al otro, o bien sin contacto físico, si lo que ella está viviendo te impresiona un poco. De todos modos, tu compañera sin duda está concentrada en su cuerpo y en el nacimiento que se acerca. No tiene ganas, necesariamente, de recibir atenciones en particular. Cuanto más atenta está a lo que siente, más favorecerá el parto. El simple hecho de tenerte cerca ya es de por sí reconfortante y le permite prepararse bien para el momento. En cambio, si está angustiada, podrás calmarla con ternura.

Saber infundir confianza • En la última visita, cuando están presentes, muchos hombres preguntan en qué momento hay que salir hacia la maternidad. Sin duda, las explicaciones de la comadrona te ayudarán, pero tu compañera es la que el día «D» lo sabrá, ya que lo notará en su cuerpo. Aunque no comprendas «cómo» lo sabrá, confía en ella. Los casos de parto durante el trayecto son rarísimos, aunque este temor sigue muy arraigado.

¿Asistir o no al parto?

Estar presente en la sala de partos es una decisión que debéis tomar los dos. Es posible que tu compañera no desee tu presencia, por pudor, porque teme sentirse menos libre de expresar su dolor, porque teme que más adelante te parecerá menos deseable o por muchas otras razones. Pero tal vez serás tú quien desee estar allí, algo del todo comprensible. Lo importante es, en los dos casos, que cada uno entienda la decisión del otro y que la respete.

¿Juntos de otra manera? • Por el hecho de no estar los dos en la sala de partos no dejaréis de estar juntos. A algunas mujeres les da mucha fuerza el hecho de saber que el padre del bebé está mentalmente cerca de ella y del niño que llega. No necesitan su presencia física. Por su parte, el hombre puede vivir un momento muy intenso aunque no asista al nacimiento en persona. Cuando se encuentra en la maternidad, oye a su mujer, presencia las idas y venidas del personal que la atiende y está a la espera. Y cuando la comadrona le anuncia que ha nacido su hijo, sentirá una emoción igual de intensa.

En cierto modo, más que el hecho de asistir al parto, el amor por la mujer y el hecho de pensar en el niño que está a punto de venir al mundo es lo esencial. Cada cual vive este momento a su manera, lo importante es compartir este deseo.

No obstante, si continúas ejerciendo tus actividades profesionales, puedes sentirte un poco turbado cuando llegue el bebé. No olvides que durante el parto tú también eres un padre que está «naciendo», y lo vives celebrándolo, hablando, sin hacer nada especial o estando junto a ella.

Diversas formas de estar presente

De hecho, «asistir al parto» engloba distintas formas posibles de acompañar. Puedes estar junto a tu compañera durante toda la fase de contracciones y de dilatación del cuello del útero (ver p. 223), que dura varias horas y se desarrolla en la sala de dilatación. Y puedes optar por no acompañarla después, en la sala de partos. También puedes estar con ella al principio y al final, y asistir también a la última fase del nacimiento, que dura alrededor de media hora; de este modo, verás como nace el bebé.

En todos los casos, eres libre de entrar y salir de la sala de partos cuando lo desees. Algunos hombres deciden participar, pero una vez dentro de la sala se sienten incómodos y prefieren esperar fuera. Estas idas y venidas se permiten libremente. Es mejor salir que quedarse y sentirse violento. Por otra parte, nadie puede estar totalmente disponible durante cerca de doce horas, que suele ser la duración media de un parto…

¿Quién está ahí para ofrecer apoyo al padre?

En la época en que los cónyuges no asistían al parto, a menudo esperaban acompañados por familiares, en la maternidad o fuera. Esta presencia junto al futuro padre tenía como objeto darle apoyo, acompañarle en su espera. También era una forma de ritual «de paso». Pero hoy en día, los hombres que asisten al parto con frecuencia se encuentran muy solos, y en ocasiones ver cómo la mujer da a luz les resulta muy duro. Cuando necesitan hablar, comunicar sus emociones, ni la madre, en pleno esfuerzo, ni el personal médico están disponibles. Por ello, algunos futuros padres piden a una persona próxima que vaya con ellos a la maternidad. De hecho, salir un momento de la sala de partos para hablar y tomar un café con un amigo o una hermana, sin duda le vendrá bien. Y si no se asiste al parto, es mejor esperar acompañado.

Saber qué nos espera

Para saber cómo se desarrolla el parto se puede asistir a las sesiones de preparación (ver pp. 207 y 208) junto a la compañera. Esta información permite estar menos impresionado el día del parto y aprender a darle apoyo; si bien ello no basta para prepararse completamente. En realidad, cuando asisten al parto, muchos futuros padres quedan mucho más impresionados de lo que imaginaban.

Ver el dolor desde fuera... • Lo más difícil del parto sin duda es ver que la mujer amada sufre y no poder hacer nada. Además, *sufrir* no es la palabra exacta. Las muecas, los gemidos y los gritos de una mujer que está dando a luz no siempre expresan un dolor intenso, sino que también son una manera de exteriorizar, lo cual ayuda a realizar el esfuerzo necesario y a que todo vaya mejor. Es cierto que la mujer siente dolor, pero está más allá de este dolor, ya que se halla concentrada en la progresión del nacimiento de su hijo, como un corredor que subiese una cuesta y reuniese todas sus fuerzas para llegar más pronto a la cima, sin pensar todo el rato en el esfuerzo que hace su cuerpo.

Seguramente te sorprenderás • Por supuesto, los gritos y gemidos no son sistemáticos. Cada mujer reacciona a su manera. Como escribe este padre a su amigo: «En los últimos momentos no paraba de repetir: "No puede ser, no puede ser, no puede ser", y "Voy a morir"; emitía muchos sonidos y decía frases sorprendentes». Otro, acostumbrado a que le tratasen de usted, incluso en familia, de pronto oyó cómo su mujer le tuteaba delante del personal médico. Un ter-cero quedó atónito por su violencia verbal cuando hizo un gesto cariñoso mientras ella estaba «empujando». Otros hombres que han asistido a un parto podrían contar muchas cosas al respecto...

Por lo general, el comportamiento en la sala de partos escapa a las reglas «habituales» de cortesía, y ésta desaparece cuando el niño está a punto de nacer. Cuando una mujer empuja para ayudar al bebé a venir al mundo, se trata de la vida en estado puro. También la fuerza de tu mujer y su energía sin duda te sorprenderán, y te sentirás orgulloso de ella. También tú estás trastornado, no te encuentras en tu estado habitual, tanto si lo demuestras como si no.

¿Dónde ponerse?

Normalmente, el hombre se pone al lado o detrás de su compañera. Cuando el bebé empieza a salir, a veces los médicos o las comadronas sugieren al padre que, si lo desea, se sitúe delante para presenciar cómo sale su hijo, pero algunas mujeres temen que su compañero las desee menos en el futuro si las ve en esa circunstancia. Si a tu mujer le incomoda, es mejor evitarlo. Además, las más púdicas pueden solicitar que se les coloque una tela sobre el vientre en el momento en que sale el niño. Desde luego, es muy importante que habléis de esta cuestión previamente.

Asimismo, debes saber admitir tus propios límites: presenciar un parto viéndolo de frente es más impresionante de lo que uno imagina. Si permaneces al lado de tu mujer, también verás cómo sale la cabeza del bebé y después el resto del cuerpo. Sobre todo, esta situación es menos agresiva y más reconfortante para la madre, que se sentirá respaldada, tanto en sentido literal como anímico. Estarás junto a tu compañera y podrás calmarla, animarla y reconfortarla hablándole al oído. Estarás junto a ella y mirarás en la misma dirección.

¿Cómo dar apoyo a la mujer?

No hay unas reglas estrictas sobre la conducta que se debe mostrar durante un parto. Tu simple presencia es un consuelo. Aunque con ciertos gestos tranquilizadores ayudes a tu compañera a relajarse, no olvides que no debes reemplazar a la comadrona. Habrá un momento en que tú y tu

---

¿Miedo a la sangre?

Algunos hombres temen ver sangre en el momento del parto. Pero esto no sucederá, salvo si el padre se coloca delante y el médico practica una episiotomía.

A veces, la mujer sangra cuando el niño ya ha nacido y expulsa la placenta. Pero en esta fase, normalmente, el padre ya no está en la sala de partos.

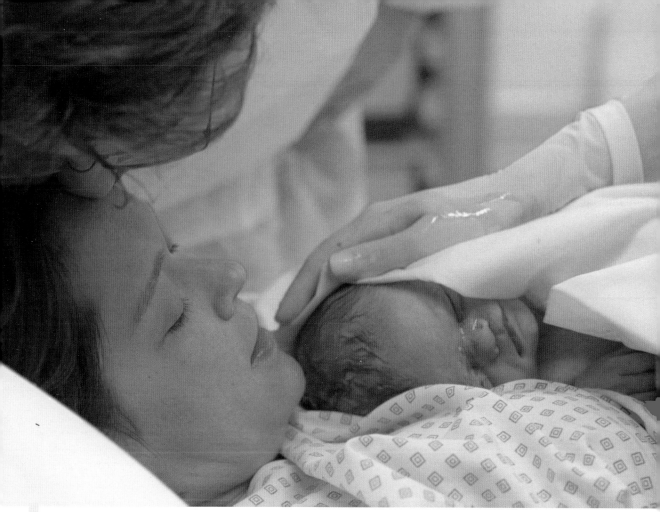

Si te encuentras en la maternidad, verás a tu hijo en los minutos que siguen al nacimiento, tanto si asistes al parto como si no... Serán los primeros instantes en que estáis los tres juntos.

compañera estaréis solos en la sala de dilatación, sobre todo durante las primeras horas. Pero si hay el menor problema, es preciso hacerse a un lado. En ningún caso estás ahí para ayudar en el parto. Ofrece apoyo a la mujer que amas y observa cómo nace tu hijo. Eso es más que suficiente.

¿Qué gestos hacer y en qué momento? • En algunos momentos puedes prestar apoyo a tu mujer con gestos que son habituales entre ambos: ponerle la mano sobre el hombro, acariciarle la mejilla... Pero, salvo que sea ella la que te lo pida, no la toques cuando siente dolor o está en pleno esfuerzo. Cualquier movimiento debe hacerse entre dos contracciones o después de empujar, en el momento en que su cuerpo se relaja. De otro modo, puedes molestarla e incluso sentirte rechazado.

Puedes ayudarla a relajarse si se resiste a las contracciones y mantiene la espalda arqueada (las sesiones de preparación previas al parto te habrán ayudado a distinguir las posiciones que son incorrectas). En casos como éste, puedes aconsejarle, por ejemplo, que se incline hacia delante... ¡o bien avisa a la comadrona!

¿Rodearla con los brazos? • También puedes rodear a tu mujer con los brazos, cuando esté relativamente relajada. Para ello, puedes sentarse detrás de ella sobre la mesa de dilatación, procurando que tenga la espalda en posición redondeada. Un consejo, sin embargo: colócate así cuando estéis a solas; si al volver a la sala de dilatación, la comadrona ve que la madre está bien y más relajada, no dirá nada. En cambio, si le pides permiso, tal vez te lo niegue.

De hecho, estos comportamientos aún siguen resultando un poco extraños en las maternidades, pese a que gestos como éste son ahora muy recomendados, por ejemplo, en las sesiones de preparación haptonómica.

Tras el nacimiento, recibir al hijo

Aunque no hayas participado en el parto, cuando tu hijo nazca te avisarán enseguida. Entonces verás a tu mujer sosteniendo con ternura en sus brazos al pequeño aún desnudo. Es difícil permanecer impasible… Cada padre vive estos instantes únicos a su manera, de forma muy expresiva o completamente interiorizada, con sus gestos, sus palabras o sus silencios, con ganas o no de tocar al bebé.

Unos instantes iniciales muy breves

Tanto si se ha asistido al parto como si no, los primeros instantes con el hijo siempre parecen muy breves. En cuanto nace, el niño es depositado sobre el vientre de la madre. Luego, el médico o el padre cortan el cordón umbilical. En general, después se deja un poco de tiempo al bebé con los padres para que empiecen a descubrirse. Más tarde, una puericultora se lleva al bebé para proporcionarle los primeros cuidados (ver p. 237) y, finalmente, darle un baño, en el que tal vez podrás participar. Estos primeros momentos son muy intensos.

¿Cortar el cordón o no? • Según los psicólogos, al cortar el cordón umbilical, el padre participa simbólicamente en la llegada del niño al mundo y ayuda a separarlo de la madre. Pero cada persona da a este gesto un valor u otro. Si no deseas cortar esa materia gelatinosa, basta con decirlo y dejar que el médico se ocupe de ello. Nadie te lo reprochará. Un gesto igualmente simbólico, que también marca la llegada al mundo del bebé, sería tomarlo del vientre de la madre para confiarlo a la comadrona que le dará los primeros cuidados.

Una emoción intensa, a veces contenida

Algunos hombres lloran cuando ven a su hijo por primera vez, un llanto en el que se mezcla la emoción que sienten y la tensión acumulada. Otros muestran una sonrisa beatífica… Cada uno manifiesta sus sentimientos a su manera, según su carácter y con más o menos libertad. Si en ese momento, caen un poco las barreras y los convencionalismos sociales, tanto mejor para quien lo vive: el nacimiento de un hijo es una de las grandes emociones de la vida. Puede suceder que uno no experimente nada. También les ocurre a algunas madres, cuando están demasiado agotadas. Sentir emoción es una cosa, y manifestarla es algo diferente. Cada uno se dará cuenta en su momento de que el niño está ahí, y que goza de buena salud. No todo el mundo vive la emoción del nacimiento del mismo modo.

Actuar según los sentimientos

Cada cual debe recibir al bebé como desee. No reprimas ciertos gestos o actitudes por el simple hecho de que esté presente el personal médico. Al igual que la madre, a veces el padre desea notar a su hijo junto a su piel. ¿Por qué no hacerlo? Los primeros gestos hacia el bebé, ese primer contacto, sea como sea, a menudo responden a una necesidad muy íntima. Y no afectan sólo al bebé, sino que pueden ser esen-

La declaración de nacimiento

La declaración de nacimiento es una formalidad obligatoria, si bien varía notablemente en función de la legislación de cada país. En la mayoría de los casos, el médico que atendió el parto extiende un certificado del nacimiento del bebé con el que el padre acudirá al registro civil para inscribirlo. Algunos hombres creen que realizar ese trámite uno mismo no es un acto trivial, sino que puede revestir un fuerte valor simbólico, dado que, a través de él, el padre afirma ante la sociedad: «Es mi hijo y lo reconozco». En el caso de parejas no casadas o de madres solteras, la declaración de nacimiento también varía en función de lo reglamentado en cada país, y en algunos casos ésta debe ir acompañada del reconocimiento del hijo, lo cual puede hacerse antes o después del nacimiento.

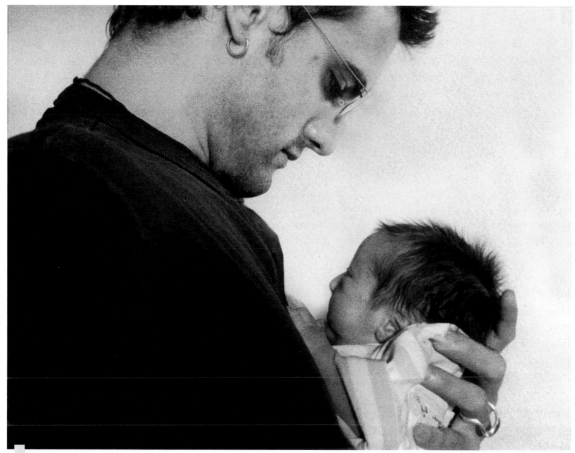

Enseguida, después del nacimiento, el recién nacido conocerá un poco mejor a su padre. Si te acercas a él, el bebé enseguida se sentirá reconfortado en tus brazos.

ciales para los dos. Sin embargo, en ocasiones uno no se atreve, por miedo a molestar o a parecer algo torpe. Pero no existe una forma «reglamentaria» de sostener a un bebé. Si sientes la necesidad de tenerlo en brazos, el personal te ayudará gustosamente. No dudes en pedirlo, ya que la comadrona no irá a ofrecérselo a un padre que parece mantenerse al margen. Por otro lado, tal vez en un primer momento no desees tener contacto con el niño, porque es demasiado pronto o porque ves con cierta aprensión a ese bebé cubierto de un líquido blancuzco y húmedo del cuerpo de la madre. En este caso, tú decides.

▶ ¿Participar en el primer baño?

El personal médico puede invitar al padre a participar en el primer baño y a vestir al bebé. Puedes aceptarlo o negarte, pero sin duda querrás salir de la sala de partos mientras la madre expulsa la placenta y recibe los primeros cuidados. Normalmente, durante el baño, el auxiliar efectúa esta operación delante de ti, pero no te confía el bebé.

Si deseas intervenir más, limpiar o vestir tú mismo al bebé, debes pedirlo, y quizás insistir un poco. Los padres deben imponerse en las maternidades, si no quieren ser unos simples espectadores, tanto después del parto como durante los días siguientes. Si te dejan intervenir, sin duda te darán algunos consejos. Tómalos como una ayuda, pero no consideres que esa forma de hacerlo es la única buena para el niño. Poco a poco encontrarás tus propios métodos, los cuales contribuirán también a forjar tu relación con el bebé. Y ello también es válido para la forma de sostenerlo, de vestirlo o de mimarlo...

La estancia
en la maternidad

- Alimentar al bebé
- Los primeros días del recién nacido
- La madre después del parto
- El padre, entre la casa y la maternidad

Alimentar al bebé

Dar el pecho por primera vez • Diferentes posiciones para dar el pecho • Cómo podemos saber si el bebé mama bien • La duración y la frecuencia de las tomas • Si has decidido alimentarle con biberón • La leche para niños de pecho

Las primeras tomas

Los días que pases en la maternidad serán propicios para aprender a dar el pecho, ya que dar de mamar requiere cierta técnica y, a ser posible, algo de práctica. Aprovecha tu estancia para exponer tus dudas y tus preocupaciones al personal médico, así podrás volver a casa con las menos dudas posibles.

▶ Calostro y leche materna

Antes de que suba la leche de verdad (alrededor del tercer día después del nacimiento), se produce el calostro, un líquido anaranjado denso y poco abundante, que es lo que, en un principio, alimentará a tu hijo.

El calostro • Es un auténtico concentrado de leche que resulta muy importante para las primeras necesidades de tu bebé. Como es muy laxante, facilita la eliminación del meconio (las primeras heces del recién nacido), limitando así el riesgo de que el bebé contraiga ictericia. Es muy rico en grasas, azúcares, sal y proteínas, y hace que el bebé no sufra hipoglucemia (nivel bajo de azúcar en la sangre) ni deshidratación. El calostro es extremadamente valioso para la salud del bebé, ya que constituye su primer medio de defensa contra los microbios. Contiene una concentración elevada de sustancias llamadas «IgA secretorios», que tienen efecto antiinfeccioso y, además, estimulan el desarrollo del sistema inmunitario. De este modo, tu hijo no sólo estará mejor protegido contra las infecciones, sino que producirá más pronto sus propias defensas inmunitarias.

La leche materna • La leche materna, perfectamente digerible, se adapta a las necesidades del bebé, tanto si ha nacido a los nueve meses como si es prematuro, día tras día y semana tras semana, durante todo el período de la lactancia.

Al principio de la toma, la leche es clara, rica en agua y lactosa; es entonces cuando es más hidratante (leche acuosa). Después se espesa para convertirse en una «leche cremosa» más alimenticia (en ese momento la cantidad de materia grasa se multiplica por cuatro). Por ello se aconseja dar primero un pecho y después el otro, alternativamente.

La composición de la leche cambia de una mujer a otra, varía de un día a otro e incluso a lo largo del día; así, el contenido en materia grasa sube entre las 6 y las 10 h de la mañana y es más elevado de día que de noche. La leche materna siempre está a la temperatura deseada, es aséptica y ofrece una gran diversidad de sabores al bebé, en función de la alimentación de la madre.

La lactancia: numerosas ventajas

La lactancia presenta numerosas ventajas, tanto para la madre como para el hijo. A corto plazo, al proporcionar al niño anticuerpos contra varias infecciones, la leche materna reduce considerablemente el riesgo de enfermedades grastrointestinales (diarrea) y respiratorias (asma), así como de otitis y de rinofaringitis. El hierro que contiene es fácilmente asimilable por el bebé. En la madre, la lactancia puede evitar hemorragias después del parto, y la retracción del útero es facilitada por las contracciones (llamadas *entuertos*), que aumentan bajo el efecto de las hormonas (oxitocina) que intervienen en la lactación. La lactancia también tiene efectos beneficiosos a largo plazo: reduce el riesgo de alergias, de obesidad y de diabetes juvenil en el bebé. En la madre, dar el pecho de forma prolongada reduce el riesgo de cáncer de mama.

Los inicios de la lactancia

Cuando empieza a dar el pecho, a menudo la madre recibe distintos avisos contradictorios que pueden ser muy desconcertantes; en ocasiones la mujer no sabe qué debe hacer ni cómo hacerlo. A continuación, se ofrecen algunos consejos prácticos para saber si el bebé mama bien, si se tiene suficiente leche y, en suma, para evaluar si todo marcha bien.

Un aprendizaje entre los dos • Nunca olvides que la lactancia es cosa de dos. Algunas mujeres se preparan muy bien para la lactancia, pero las primeras succiones no se producen como ellas desean. ¡El bebé también tiene su parte de responsabilidad! Puede costarle encontrar el pecho, ponerse nervioso, etc. La madre y el bebé están aprendiendo, y necesitarán varios días para estar a punto.

Las dos primeras horas • Lo ideal es que el primer «contacto-succión» tenga lugar dentro de las dos primeras horas después del nacimiento. Entonces, la madre está muy receptiva, todos los sentidos del bebé están alerta, y sus reflejos se encuentran particularmente desarrollados. Pero esta primera toma no siempre es fácil. La paciencia y la calma son imprescindibles. Deja

que tu bebé se acerque al pecho él solo, que descubra instintivamente la acción de mamar. Los intentos de ayudarle (muy habituales) suelen producir molestias al bebé, incluso provocan que se niegue a tomar el pecho. Si el bebé es acercado a la fuerza al seno, puede empezar a gritar. Entonces, la lengua se le pega al paladar y no forma un canal bajo el seno. En ese caso, le resulta fisiológicamente imposible mamar.

Si tu hijo al principio no mama correctamente, no te preocupes. Dale tiempo para que te descubra. Pronto dispondrás de muchas otras ocasiones para enseñarle a mamar con eficacia. No olvides que no tienes la obligación de conseguir «resultados» en esta primera toma, y que este momento de intimidad, de contacto con la piel, este instante en que descubres al niño y él te descubre a ti, es muy importante.

En las horas siguientes • Después de su llegada al mundo, durante unas veinte horas, tu bebé estará bastante cansado. Se duerme muy a menudo, ¡y tú también! Necesita recuperar fuerzas, ya que su nacimiento ha sido una dura prueba física y ha consumido muchas energías. Sin embargo, hay que estimular los pechos para favorecer la subida de la leche. Así, el número de

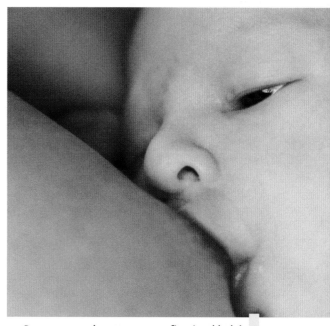

Para que pueda mamar con eficacia, el bebé debe tomar todo el pezón dentro de la boca y toda la parte de areola que pueda.

tomas y la eficacia de la estimulación durante los primeros días condicionan la producción de leche durante todo el período de la lactancia. No dudes, pues, en incitar suavemente al bebé a mamar mediante pequeños trucos.

• Mantenlo junto a tu pecho: tu olor y el contacto con tu piel pueden despertar en él ganas de mamar.

• Obsérvale para distinguir los primeros indicios de que está disponible para acercarlo al pecho. Unos movimientos rápidos con los ojos indican que está inmerso en un sueño ligero (si intentas que mame durante el sueño profundo, no lo conseguirás); el movimiento de los labios y de la lengua, el hecho de que se lleve las manos a la boca, los ruidos de succión y los movimientos de su cuerpo son otros tantos indicios a partir de los cuales deducirás que el niño está a punto para mamar. Sólo como último recurso, cuando esté de verdad hambriento, gritará. Entonces deberás calmarle para que mame correctamente.

• Cámbialo de pecho varias veces durante una toma, ponlo vertical sobre tu hombro (para que pueda eructar), acaríciale los pies y la cara, pero no lo abrigues mucho, y cámbiale los pañales.

▶ Acercarlo al pecho

Es esencial saber colocar correctamente el bebé en el pecho, ya que las grietas y otras irregularidades se deben mayoritariamente a una mala posición del pecho. Debes instalarte cómodamente (ver página de al lado), sin tensión muscular. Si fuera necesario, utiliza cojines o almohadas, y colócalos bajo tu codo o bajo el niño para que esté a la altura del pecho, y también podrás colocarlos detrás de tu espalda, para que no tengas que inclinarte sobre él. El cuerpo del bebé está junto al tuyo. Su oreja, su hombro y su cadera están en la misma alineación; es decir, no debe girarse para mamar. Su nariz y su mentón tocan tu seno, y su vientre está junto al tuyo (imagina que, si estuviérais desnudos, los dos ombligos se tocarían).

Para facilitar las cosas, puedes acercarle el pecho con la mano poniéndola en posición de «C», es decir, colocando el pulgar por encima del seno y los otros dedos juntos por debajo, fuera de la areola.

Ahora el bebé debería abrir la boca de par en par (como si bostezase). Puedes ayudarle diciendo *abre* (verás como muy pronto entiende esta señal), acariciándole el labio inferior con el pezón o bajándole el mentón con delicadeza con los dedos. En este momento, acerca enseguida el bebé a tu pecho ayudándote con el brazo que lo sostiene. Debe tomar todo el pezón y tanta parte de areola como le quepa dentro de la boca. Tu pezón debe tocar el fondo de su paladar.

Una mayor sensibilidad • Durante los primeros días, la lactancia puede dar cierta impresión de una mayor sensibilidad. Cuando mama, el bebé lo hace con mucha fuerza. No te extrañes de las sensaciones de estiramiento que puedas notar.

Biberones y tetinas • Si vas a dar de mamar a tu hijo, evita el uso del biberón (o mamadera) y de tetinas, que perturban la succión del bebé, así como los protege-pezones de silicona, ya que tapan los poros de los canales lactíferos, lo cual produce dolores en el pecho y en el pezón, además de que imponen al bebé una mala posición ante el seno, muy difícil de corregir más adelante.

▶ El buen desarrollo de la toma

Para asegurarte de que el bebé mama bien, comprueba que tenga los labios bien extendidos hacia el exterior del pecho. Debe tener la lengua hacia delante, en forma de canal bajo el pecho (recubriendo la encía inferior). La sien le palpita al ritmo de las succiones, y cuando engulle, se adivinan unos movimientos detrás de la oreja (alternancia regular de unas dos succiones por cada deglución).

No debería hacer ruidos como de chasquido ni se le deberían hundir las mejillas. Tampoco debes notar ningún dolor (sólo cierta sensibilidad los primeros días). El bebé está tranquilo durante la toma y parece saciado una vez ha terminado. Si tienes la impresión de que tú o el bebé estáis en mala posición, vuelve a empezar, tantas veces como sea necesario. Cuidado, no apartes al bebé echándolo hacia atrás: ¡tiene tanta fuerza de succión que puede hacerte daño! Introdúcele el dedo meñique en la comisura de los labios; instintivamente abrirá la boca y podrás volver a empezar tranquilamente.

▶ La subida de la leche

Entre el segundo y el tercer día después del parto se produce la subida de la leche gracias a una

Las posturas idóneas para dar el pecho

Tu posición y la del bebé son esenciales para el buen desarrollo de la lactancia. Desde las primeras tomas, no dudes en pedir consejo al personal médico. Si te encuentras acompañada y asesorada en estos primeros momentos, enseguida lo harás muy bien.

Tendida sobre un lado • Esta posición, particularmente descansada, se aconseja en caso de tener una cicatriz de episiotomía dolorosa o de cesárea; para la noche, si deseas quedarte en la cama, y para cuando quieras descansar. Tiéndete sobre un lado, con el muslo levantado y colocado sobre un cojín. Pon la cabeza sobre un cojín o una almohada, para tener la nuca bien relajada. Coloca el bebé sobre la cama, con la boca a la altura del pezón, la cara vuelta hacia tu pecho y con el vientre junto al tuyo. Puedes ponerle una almohada en la espalda para evitar que se desplace hacia atrás.

Sentada en un sofá • Si tienes la posibilidad, utiliza una almohada para lactancia (rellena de microgránulos), que te permitirá arrellanarte perfectamente con el bebé, o bien varios cojines. Siéntate al fondo del sofá, para que puedas llevar el busto hacia delante sin esfuerzo (si es necesario, colócate un cojín en la espalda), y con las piernas levantadas. Coloca el bebé sobre la almohada, sosteniéndolo con el brazo, con el cuerpo contra el tuyo y la cara frente a tu pecho.

Sentada en una silla • Acomódate en la silla elevando los pies con un pequeño taburete o un cojín grande, de modo que tus rodillas queden por encima de tus caderas. Si no tienes con qué elevar los pies, cruza las piernas. Si fuera necesario, coloca un cojín entre el respaldo y la parte superior de la espalda, para no tener que inclinarte hacia el bebé. A continuación, sostén el bebé con el brazo, sobre unos cojines, para que se encuentre a la altura del pecho, con todo su cuerpo contra el tuyo. El brazo del bebé que está en contacto contigo debe encontrarse bajo tu brazo.

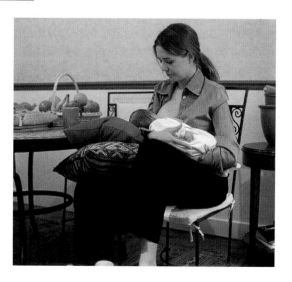

hormona, la prolactina. La producción de leche en ese momento es muy importante para adaptarse mejor a las necesidades del niño, que van en aumento (el volumen de su estómago, que podía contener de 5 a 7 mililitros de leche el día en que nació, ¡al cabo de tres días es cinco veces más grande!). Los pechos pueden estar muy tensos, hinchados, y a menudo duelen. No te pongas protege-pezones bajo el sostén, ya que sólo empeorarán la situación al estimular la producción de leche. Esta sensación de dolor no va a durar: las tomas equilibrarán tu producción de leche.

Para evitar las manchas debidas a los «escapes de leche», puedes ponerte discos para absorber la leche (de algodón, no plastificados, para evitar la maceración). Y si pese a ello tienes demasiada leche, infórmate en la maternidad por si pudieras donar leche para otro bebé que lo necesite.

▶ Encontrar el ritmo adecuado

Dar el pecho al hijo es un momento muy especial, ¡que no estás obligada a compartir con el resto del mundo! Necesitas estar tranquila, y la presencia de otras personas puede tener un efecto estresante. Tu bebé también necesita tranquilidad, sobre todo al principio.

Un momento íntimo • En la maternidad, no dudes en exigir estar sola en ese momento. Habla con el padre para que sea tu cómplice y explique amablemente a los visitantes que necesitas tranquilidad. Más adelante todo se hará de forma natural, según tus necesidades y la forma como se desarrolle la toma. Lo importante es que estés relajada y que notes al bebé tranquilo.

¿Cuánto rato? • Para llegar a entender al bebé y sus necesidades, olvídate del reloj y obsérvale. La toma no tiene una duración «normal». Puede oscilar entre 10 minutos (dos tomas de 5 minutos) y 40 minutos (dos tomas de 20 minutos), o incluso más... Todo depende de la «calidad» de la succión del bebé y de la del flujo de la madre. Hay que aprender a observar si la succión es eficaz: los pri-

meros movimientos serán rápidos, más amplios, y oirás como el bebé engulle regularmente después de uno o dos movimientos. Al final de la toma, las pausas entre las succiones serán cada vez más largas. Y tú, tal vez tengas muchas ganas de dormir o sensación de sed. Así pues, en cada toma, ten a mano un gran vaso de agua.

¿Con qué frecuencia? • El ritmo de las tomas tardará cierto tiempo en estabilizarse: al principio, el bebé puede dormirse sin estar totalmente saciado, con lo cual pedirá más al cabo de poco tiempo. Progresivamente la situación se estabiliza, en general, en unas 8 o 12 tomas diarias unos días después de volver a casa (una toma cada dos o tres horas). No te olvides de darle ambos pechos en cada toma, aunque tengas la sensación de que el bebé se recupera y está un poco adormecido. Cuanto más mame, más leche producirá tu cuerpo.

El punto de vista del bebé

Pero, ¿qué me ocurre? Nunca antes había notado algo así. Tengo molestias en el vientre, y me duele. Es como si necesitara algo, y para saciarme ahora tengo que mamar y tragar, mientras que antes bebía y me calmaba; ahora siento un vacío. Y cuando encuentro esa cosa que huele a mamá para llenarme la boca, a veces me cuesta atraparla. Resbala demasiado o me salpica y me ahogo. ¡Tengo que descubrir cómo hacerlo mejor! ¡Pero después es muy bueno! Es un líquido dulce y caliente que me calma y me relaja.

▶ ¿Un poco desanimada?

Una puede estar convencida de las ventajas de dar el pecho, haberse preparado durante semanas, abordarlo todo con serenidad y, sin embargo, tener momentos de desánimo. Todo esto es normal: el contexto en el que se dan las primeras tomas no es sencillo. La fatiga por el parto, las molestias de una posible episiotomía, al bebé le cuesta cogerse al pecho, se tiene melancolía y sentimientos confusos. En resumen, se dan todas las condiciones para que pongas en duda tu decisión de dar el pecho.

No dejes de compartir estos momentos de duda con alguien: el personal de la maternidad, el padre o una amiga, no importa. Lo fundamental es no tener vergüenza «por no conseguirlo». Y si tienes ganas de llorar en lugar de reír, no te sientas culpable. Habla con la comadrona o la enfermera sobre la posición que adoptas para dar el pecho, y haz todas las preguntas que se te ocurran. Poco a poco, todo volverá a la normalidad si lo comentas y si buscas ayuda.

Las respuestas a tus preguntas

"Tengo muy poco pecho. ¿Tendré bastante leche para alimentar al bebé dándole de mamar?"

Nunca hay que fiarse del tamaño de los pechos para formular un pronóstico sobre la capacidad de amamantar de una madre. El volumen del pecho se debe a la cantidad de tejido adiposo que contiene, y no influye en la producción o en la calidad de la leche. Unos pechos que ganan volumen durante el embarazo son indicio del buen funcionamiento de las glándulas mamarias. Contrariamente a lo que creen algunas mujeres, casi todas las madres pueden dar de mamar, con la condición de que estén bien informadas. ¡Se trata más de una cuestión de hormonas y de buena posición del pecho (tanto para la madre como para el bebé) que de volumen de pecho! ■

"Tengo miedo de que al dar de mamar se me deforme el pecho y la figura. ¿Es un temor justificado?"

Dar de mamar no tiene ninguna incidencia negativa en la estética de los pechos. Las variaciones bruscas de volumen y de peso sí pueden deformarte el pecho y provocar estrías (durante un destete demasiado brusco, por ejemplo). Así pues, no dudes en llevar sostenes de lactancia adaptados (sin varillas) de día, y también por la noche, si lo necesitas. Por lo que respecta a la figura, no olvides que la lactancia permite quemar entre 500 y 1 000 calorías de más al día, y que, por lo tanto, algunas veces ayuda a la mujer a perder rápidamente los kilos de más. ■

"¿Se puede dar de mamar después de haber dado a luz por cesárea?"

Si te han practicado la cesárea, pide al equipo médico que te ayude en la primera toma (como estarás en perfusión, ciertos movimientos te resultarán molestos). Si no puedes darle el pecho inmediatamente (en caso de anestesia general, por ejemplo) el padre es el que cuidará del bebé y le tranquilizará hasta que despiertes. Cuando estés a punto para la primera toma, podrás efectuarla en una posición adaptada para la cesárea, es decir, recostada sobre un lado (ver p. 249). Por otra parte, dar el pecho después de una cesárea facilita la involución del útero (disminución del volumen). En efecto, durante cada toma las contracciones uterinas generadas por la liberación de una hormona que interviene en la secreción de leche (la oxitocina) permiten que el útero recupere antes sus dimensiones iniciales, limitando así el aporte de medicamentos. ■

"¿Cómo se da el pecho cuando los pezones están umbilicados, retraídos o poco formados?"

Si tienes los pezones hundidos o poco salidos, al final del embarazo puedes llevar protegepezones bajo el sostén para favorecer que el pezón sobresalga. Más tarde, cuando haya nacido el niño, facilitarás las tomas estirando la punta de los pechos antes de cada toma. Procura que el bebé tome el máximo de areola en su boca al mamar, y no olvides que el niño mama del pecho y no del pezón, el cual no es más que el «extremo del tubo». Además, en general, después de algunas tomas la fuerza de la succión hace que el pezón sobresalga, y ya verás como las tomas se suceden sin problemas. ■

"He oído decir que la lactancia cansa a algunas mujeres. ¿Es eso cierto?"

Alimentar al bebé con el pecho no produce un gran cansancio, salvo en situaciones excepcionales, por ejemplo cuando la madre no se alimenta bien, o no dispone de tiempo para relajarse durante las tomas. Al contrario, cuando da de mamar, la madre segrega endorfinas, las llamadas «hormonas de la felicidad», que calman y relajan. En cuanto al cansancio que se siente durante las primeras semanas, a menudo se debe al parto, a sus secuelas y a los nuevos ritmos de vida asociados a las necesidades del bebé; es algo completamente normal y afecta a la mayoría de las mujeres, independientemente de cómo alimenten a su bebé. ■

Alimentar al bebé con biberón

Desde el momento del nacimiento, has decidido dar el biberón al bebé porque te resulta más conveniente. En la maternidad te proporcionarán biberones listos para usar, y te explicarán cómo debes prepararlos y dosificarlos una vez vuelvas a casa. Se aprende muy rápidamente a alimentar al bebé de este modo.

La leche para niños de pecho

La leche para niños de pecho constituye el alimento de los bebés que toman biberón hasta los 4 o 6 meses. Se elabora con una leche de vaca muy transformada, para adaptarla a la fisiología del recién nacido, y su composición está muy reglamentada. Sin embargo, no contiene, entre otros, los anticuerpos de la leche materna, que evitan las infecciones. Hay una gran variedad de tipos, la mayoría en forma de polvo. El pediatra de la maternidad te indicará cuál es mejor para tu hijo.

¿Qué es la leche de continuación? • Esta leche obedece a las mismas reglas de fabricación que la leche para niños de pecho, pero está enriquecida con ácidos grasos y, obligatoriamente, con hierro. Sólo está indicada a partir de los 4 meses.

Los primeros biberones

En la maternidad te prepararán los primeros biberones. Tú no deberás ocuparte de eso. Al volver a casa, sólo tienes que limitarte a preparar los biberones con las dosis que te hayan prescrito en la maternidad (30 ml de agua adaptada a los bebés por cada dosis de leche, poniendo siempre primero el agua y después la leche). Más adelante, el pediatra te indicará las dosis.

Al ritmo del bebé

Al principio, da los biberones cuando los pida el bebé, y en un horario determinado, respetando sin embargo un plazo de dos horas y media entre cada toma, el tiempo que dura la digestión. Los primeros biberones serán, pues, irregulares, tanto en la frecuencia como en la cantidad que tome.

Las posiciones correctas

Poner bien el biberón

Acerca la tetina despacio, sin esperar que mame enseguida. Necesita un poco de tiempo. Procura que esté siempre llena de leche, para que el niño no trague aire (las burbujas indican que mama bien).
En cada interrupción, hazle eructar incorporándole un poco. Si la tetina no deja pasar la leche, desenrosca el biberón para que entre algo de aire.

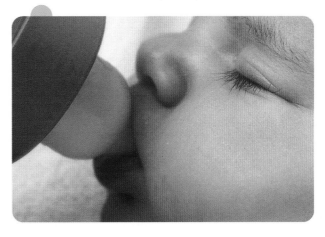

Acomodarse bien

Ponte cómoda, en posición recostada, y estate tranquila. El bebé debe notarte relajada. Luego coloca el bebé sobre tus rodillas, en posición casi vertical, ni demasiado acostado ni demasiado levantado, descansando sobre tu brazo, con la cara mirando hacia ti. Apoya el brazo que lo sostiene sobre un cojín o en el brazo de la butaca donde estés sentada.

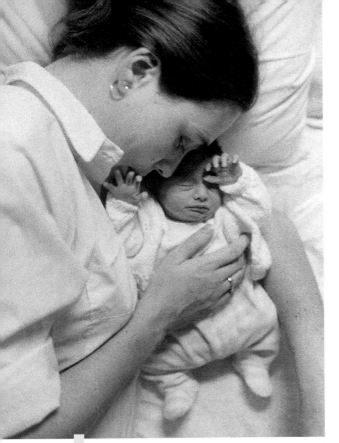

Durante los primeros días, la mujer descansa al mismo tiempo que el bebé, cuando éste ha comido.

¿Cómo se debe proceder?

Alimentar al bebé es siempre un momento muy especial, un placer compartido. Al principio te sentirás un poco torpe, pero el niño se dará perfecta cuenta de la atención que le prestas. Muy pronto, cuando tus gestos le resulten familiares, vivirás plenamente este intercambio comunicativo entre el bebé y tú. De ahí que la postura de los dos deba ser cómoda (ver «Las posiciones correctas», p. 253).

Los gestos básicos • Tómate tiempo para acomodarte bien, dejando los brazos del bebé libres, para que él mismo descubra el biberón. Comprueba que tiene la nariz despejada a fin de que respire cómodamente. Para que trague cuanto menos aire mejor, la tetina debe estar siempre llena de leche. Lo conseguirás simplemente inclinando un poco el biberón. Además, si sostienes el biberón con firmeza, para evitar que se mueva, facilitarás la succión del bebé.

¿Variar el volumen de entrada? • Cada niño bebe a su ritmo, con o sin pausa, y más o menos rápido. Si succiona muy deprisa, no dudes en retirarle el biberón suavemente para que no se atragante. Además, hay tetinas que permiten variar el volumen de entrada (graduado en 1, 2 o 3), según la manera como se lo des al bebé (girándolo).

Después del biberón, cambia de nuevo al bebé si se ha ensuciado y espera un cuarto de hora antes de ponerlo a dormir. A menos que se haya dormido con la tetina en la boca...

Algunos recién nacidos toman 10 g por biberón; otros toman 40. El bebé necesitará varios días de aprendizaje para encontrar su medida. Deberás darle una media de seis o siete biberones al día; las raciones aumentan poco a poco, según el apetito del niño.

Los eructos del bebé

Cuando se le da de mamar, el bebé casi no traga aire y, por tanto, no necesita eructar para expulsarlo. ¡En cambio, con el biberón no podrás escapar al ritual del eructo!

Puedes esperar a que el bebé haya terminado o hacer una pausa a mitad de la toma (o de las dos maneras), ayudarle a que haga un primer eructo y continuar hasta el final, antes de un segundo eructo. Este método ofrece más comodidad al bebé y puede atenuar los reflujos, si éstos son frecuentes. Un bebé que necesita eructar y no lo consigue se retuerce, hace muecas y manifiesta su «malestar», posiblemente con algunos gemidos. Algunos trucos por si no puede eructar:

• pon el vientre del bebé junto a tu hombro y dale unas palmaditas suaves en la espalda o hazle un masaje;

• prueba frotándole suave pero rápidamente en la parte inferior de la espalda (manteniéndole sentado, por ejemplo);

• si tarda en eructar y debes acostarle, el bebé acabará por llorar para indicarte que tiene molestias; entonces, bastará con cogerlo en brazos y hacerle eructar.

Los primeros días del recién nacido

¿Cómo percibe el bebé lo que le rodea? • Una capacidad de comunicarse sorprendente • Crear vínculos con el recién nacido, aunque esté en la incubadora • El examen completo del pediatra • Descubrir el cuerpo del bebé

Las «competencias del recién nacido»

Desde la década de 1970, los conocimientos acerca del recién nacido han dado un gran salto adelante. Ahora ya nadie duda de que se trata de una persona completa, sensible a lo que le rodea, capaz de percibir, de sentir y de intentar comunicarse. Intenta intercambiar emociones con su madre, a su manera. Son los primeros pasos de un encuentro entre los dos, que se enriquecerá con el paso de los meses.

▶ Con los sentidos alerta

El bebé nace con todos los sentidos. Su capacidad de percepción es mucho mayor de lo que se creía hace cincuenta años, pese a que no es la misma que en un niño de unos meses. Algunos sentidos están más desarrollados que otros. Por ejemplo, el bebé oye mejor de lo que ve, por ello reacciona más ante los sonidos que ante las personas que se le acercan. A continuación, un pequeño repaso para comprender las sorprendentes aptitudes de este recién nacido.

La sensibilidad táctil • El bebé es muy sensible al contacto físico, a las caricias, a la ternura o a la brusquedad de los gestos que le hacemos. También sabe tocar, aunque no sea con las manos. Al principio, el recién nacido tiene contacto con su madre a través de los labios, la lengua y las mejillas para mamar.

Un olfato y un gusto bien definidos • Parece que desde el momento de nacer sabe diferenciar los olores agradables y los desagradables. La dis-

tinción que hace entre los «buenos» y los «malos» olores, visible por sus gestos, es parecida a la que establecen una gran mayoría de adultos. También distingue claramente los sabores (dulce, salado, ácido y amargo). Se sabe que casi siempre tiene preferencia por el dulce.

Ya sabe de dónde procede un sonido • El bebé oye, hasta el punto de que sabe de dónde procede un ruido. Pero no es capaz de manifestarlo girando la cabeza. No lo hará hasta los 3 o 4 meses. Al parecer, prefiere los sonidos graves a los agudos. Sin embargo, su oído aún no le permite distinguir todas las propiedades de un sonido.

Una visión borrosa que evoluciona rápidamente • Al nacer ve las formas a una distancia de 20 a 30 cm, pero no percibe bien los colores. Se podría decir que ve en «blanco y negro». A distancias menores, o mayores, lo ve todo borroso. No distingue las caras igual que tú, sino que básicamente reacciona ante los contrastes, ante varia-

Cuando el bebé está calmado, tranquilo y bien despierto, puede intercambiar emociones de un modo sorprendente con la madre. Para comunicarte mejor con él, colócalo a 20 o 30 cm de tu cara y háblale en voz baja.

ciones luminosas, ante algo brillante o de color rojo. Aunque la visión del bebé mejora rápidamente, hasta la edad de un año no tiene la calidad de la de un adulto...

¿Qué ve en su entorno?

Sería falso decir que, ya desde los primeros días, el recién nacido reconoce literalmente la voz o el aspecto de su madre. No obstante, te reconoce... gracias a todo lo que percibe de ti, lo cual incluye también el olor, tu actitud y tus gestos hacia él, aunque sólo sea la forma única en que lo coges en brazos. Es una identificación basada en multitud de elementos.

Los investigadores en pediatría han estudiado a fondo algunas cuestiones. Según la opinión más extendida actualmente, parece que el recién nacido distingue el olor de su madre hacia el décimo día. El reconocimiento de su voz llegaría más tarde, pero las opiniones sobre este punto divergen mucho. Hay quien considera que el recién nacido reconoce esta voz entre otras voces femeninas a partir del tercer día, mientras que para otros eso sucede a partir del primer mes. En cambio, todos coinciden en que el reconocimiento visual de la cara se produce mucho más tarde.

Además de la madre, el bebé también puede reconocer bastante pronto al padre y, por supuesto, también a otras personas, si éstas le prodigan cuidados y afecto regularmente.

Primeros contactos con la madre

La madre a menudo pasa las 24 horas posteriores al nacimiento mirando atentamente a su bebé. Aún se encuentra cansada, y el bebé también. Pese a ello, ya están viviendo los primeros intercambios. La madre y el bebé empiezan a conocerse el uno al otro, tranquilamente, cada uno a su manera.

El pediatra estadounidense T. Berry Brazelton fue el primero en observar la sorprendente capacidad para los intercambios sensoriales y afectivos del recién nacido: ya percibe lo que procede de su madre, y siente el clima afectivo que le rodea. Procura responder a él y lo guarda en su memoria. Paulatinamente, aprende a controlarse a sí mismo, es decir, a abrirse y, sobre todo, a cerrarse, si es necesario, a los estímulos procedentes del exterior. No olvides que al recién nacido aún le cuesta mantener los ojos abiertos y, sobre todo, fijar la atención. No hay que pedirle demasiado, para no cansarle. Sin embargo, puede empezar a dialogar, a tejer vínculos, de una forma totalmente sensitiva y única, que sólo os pertenecerá a ti y a él.

La «motricidad liberada»

Posteriormente al doctor Brazelton, varios equipos de pediatras franceses (Albert Grenier, en Bayona, y Claudine Amiel-Tison, en París) confirmaron, a partir de la década de 1980, que en ciertas situaciones el recién nacido muestra mejor sus competencias motoras y sus capacidades para la comunicación. Denominan a este rasgo *estado de motricidad liberada*: la cabeza del bebé debe mantenerse de forma bien estable, y hay que tranquilizarle hablando y acariciándolo suavemente. El pediatra quizás no pueda dedicar mucho tiempo a esta relación, o bien es posible que tu bebé, si tiene sueño o hambre, esté poco predispuesto a ella. Sin embargo, cuando encuentres un momento propicio, puedes intentar comunicarte con él de la forma siguiente: toma el bebé frente a ti, muy cerca, sostenle la nuca con una mano y agárrale una mano con la que tienes libre, para calmarle. Luego intenta captar su atención hablándole. Él puede permanecer sentado, estirar las manos y enderezarse; algunos bebés esbozan una sonrisa, otros hacen una mueca, ¡y otros incluso sacan la lengua! Son unos momentos de comunicación realmente privilegiados y únicos...

«Tu hijo es único en el mundo»

T. Berry Brazelton *fundó la unidad de desarrollo del niño en el Children's Hospital de Boston. Este pediatra estadounidense creó en 1973 una escala del comportamiento neonatal para evaluar las aptitudes y el estado del sistema nervioso del recién nacido, en particular la diferencia de las reacciones en ausencia y en presencia de la madre. En sus trabajos sobre bebés, enseña a superar los problemas de relación entre padres e hijos pequeños. También ha estudiado con detalle las relaciones entre la madre y el bebé durante el embarazo. La repercusión de sus investigaciones en el desarrollo de los bebés sigue siendo muy importante.*

El examen pediátrico

Tras unas horas de reposo o el día siguiente al nacimiento, el pediatra de la maternidad efectúa un examen completo del recién nacido y comprueba el estado de sus reflejos. Si estás presente, será el momento de empezar a familiarizarte con el cuerpo de tu hijo y de descubrir algunas de sus capacidades.

De la cabeza a los pies

Para que este primer examen se realice en las mejores condiciones posibles, lo ideal sería efectuarlo en una sala silenciosa, a una temperatura agradable, iluminada con luz suave y en un momento en que el estado de vigilia del bebé le permita responder a los estímulos. Aunque no siempre coinciden todas estas circunstancias, puedes estar tranquila. Lo principal es que el pediatra no tenga prisa, que desnude al bebé sin gestos bruscos y le acaricie buscando su mirada y hablándole en voz baja para calmarle.

Un examen muy minucioso • En primer lugar, el médico va a examinar atentamente todo el cuerpo de tu hijo. En particular la piel, que puede presentar, entre otros, una erupción benigna, como un «eritema tóxico»: unos puntitos blancos sobre una base roja que desaparecen al cabo de unos días. Observa meticulosamente sus oídos, nariz, ojos, boca y ano, el cuello y la columna vertebral. Ausculta atentamente el corazón y los pulmones, palpa el abdomen y mira el estado del cordón umbilical. Observa el sexo y, si es niño, confirma que los testículos estén en la base del escroto.

Las extremidades • El pediatra también se interesa por las extremidades y sus ligamentos para descartar, por ejemplo, una posible fractura de clavícula. A veces se da este caso en bebés grandes, cuyo parto ha sido difícil, pero este tipo de fractura no es grave, ya que se cura espontánea y rápidamente.

A veces, las extremidades inferiores de los recién nacidos presentan asimismo una deformación debida a la posición de las piernas dentro del útero. Algunas manipulaciones suaves por parte de un masajista bastan normalmente para corregir estas pequeñas anomalías, como un pie vuelto hacia dentro (*metatarsus varus*) o la tibia curvada.

La luxación congénita de cadera • Puede afectar a algunos recién nacidos, de modo que si existen antecedentes familiares, no dejes de comunicarlo, dado que es mucho más fácil tratar al bebé al nacer que cuando tiene unos años. Esta anomalía también es frecuente cuando el niño ha nacido de nalgas. Para rectificar la malformación, habrá que poner los pañales al bebé con las piernas bien separadas (en abducción) a fin de colocar la cabeza del fémur en la articulación de la cadera. Es lo que se denomina *pañales de abducción*.

¿Y el sistema nervioso?

Después de examinar al recién nacido desde todos los aspectos físicos, el médico practica un examen neurológico, el cual dará una idea de la madurez de su sistema nervioso.

La evaluación tiene en cuenta la fecha del final del embarazo y el número de horas o de

El examen del recién nacido

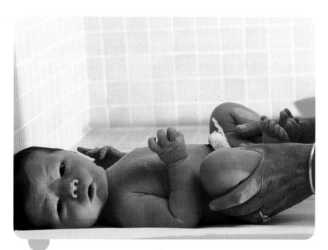

La observación de las caderas

Cuando la cabeza del hueso del muslo, el fémur, está mal colocada respecto a la cadera, se habla de luxación. Cuanto antes se detecte esta anomalía, más fácil será el tratamiento. Si existe la menor duda durante el examen clínico, el pediatra encarga una ecografía o, según los casos, a partir de los 4 meses, una radiografía de la cadera.

Reflejo de la marcha

Si se sostiene al niño por las axilas, un poco inclinado hacia delante, con los pies planos sobre la cama, por sí solo da unos pasos adelante. Se trata de uno de los reflejos primarios que se observan en un bebé nacido a los nueve meses de embarazo. Este reflejo espectacular normalmente desaparece al cabo de cinco o seis semanas.

días transcurridos desde el nacimiento. El pediatra evalúa, entre otras cosas, la tonicidad del recién nacido.

El tono pasivo • Se examina en reposo. Cuando el bebé está en posición «fetal», con los brazos y las piernas flexionados, la flexión de los segmentos de sus miembros, unos respecto a otros, da la medida del tono llamado pasivo.

El tono activo • Se mide con diversos estímulos. Cuando se pone el bebé de pie, sosteniéndole por debajo de los brazos, bien apoyado sobre la planta de los pies, el hecho de que se levante con fuerza sobre las piernas, elevando a continuación la cabeza y el cuello, es indicio de un buen tono activo. Denota lo mismo si consigue mantener la cabeza erguida unos segundos por sí solo cuando se pasa de la posición horizontal a la posición de sentado.

▶ Los reflejos primarios

Un cierto número de reacciones automáticas traducen asimismo el buen estado neurológico del recién nacido. Estos reflejos, calificados de

¿Qué son las fontanelas?

En el recién nacido, los diferentes huesos que constituyen el cráneo aún no están soldados entre sí. Se encuentran separados por unas membranas cartilaginosas llamadas *fontanelas*. Existen dos fontanelas, de aspecto distinto. Los médicos las utilizan como referencia para definir la posición de la cabeza del bebé dentro de la pelvis durante el parto. La fontanela pequeña, o fontanela posterior, se encuentra en la parte posterior del cráneo y no siempre es palpable. La fontanela grande, o fontanela anterior, se encuentra en la parte superior del cráneo, y se reconoce por su forma romboidal.
Notarás como late o se tensa cuando el bebé llora. Pero no temas, estas membranas son resistentes. Se osifican progresivamente a lo largo de un período que dura entre seis y veinticuatro meses.

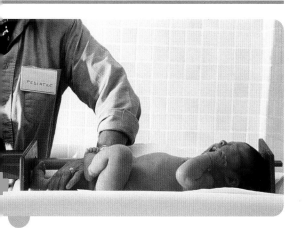

peso, la estatura y el perímetro del cráneo

las primeras horas después del nacimiento, se pesa y se ide al bebé. Se constatan diferencias notables de peso gún los bebés y según se trate de una niña o un niño (de 5 a más de 4 kg), pero la estatura varía menos de un recién acido a otro: entre 48 y 53 cm. Lo importante es que el peso a estatura del niño se sitúen dentro de la media tadística. Las otras mediciones efectuadas durante la rimera observación son, entre otras, el perímetro de la beza o perímetro craneal.

arcaicos o primarios, desaparecen a lo largo de los primeros meses que siguen al nacimiento.

El reflejo de prensión palmar (*grasping reflex*) • Si colocamos los dedos dentro de las palmas de un bebé, se agarra a ellos tan fuerte que lo podemos levantar unos instantes.

Los reflejos de succión y de deglución y el reflejo «de los puntos cardinales» • Son los diferentes reflejos que permitirán que el bebé se alimente. La capacidad de mamar del recién nacido se acompaña de un movimiento de la boca que busca el seno materno, y de una capacidad para orientar la boca a la derecha o a la izquierda, hacia arriba o hacia abajo. Si tocamos una de las comisuras de su boca, los labios se vuelven hacia ese lado.

El reflejo de Moro • Si se sostiene al bebé tendido y se suelta bruscamente su cabeza, éste separa los brazos y los dedos y empieza a gritar, y a continuación pone los brazos en posición de abrazar.

El reflejo de la marcha • Si mantenemos al recién nacido de pie sobre una superficie plana (ver página de al lado «La prueba de andar») se levanta y mueve las piernas, ¡poniéndolas una delante de la otra!

Si el niño es separado de la madre

En ocasiones, el bebé necesita cuidados médicos específicos desde el momento en que nace. Puede estar bajo vigilancia en un sector determinado de la maternidad, o incluso ser hospitalizado en un servicio de pediatría. Esta difícil prueba siempre parece demasiado prolongada, pero no implica, como antes, un alejamiento total.

En casi todas las situaciones y en la medida de lo posible, actualmente el personal médico procura, de distintas maneras, mantener los vínculos entre el recién nacido y sus padres cuando el bebé no puede permanecer junto a la madre por motivos médicos. Es el caso, concretamente, de los bebés prematuros...

¿Cuándo se decide poner a un recién nacido en la incubadora?

No todos los recién nacidos prematuros (nacidos antes de la 37ª semana cumplida) pasan a la incubadora. Un bebé nacido al final del octavo mes de embarazo, a veces permanece con la madre, si goza de buena salud. Por supuesto, se le mantendrá bajo una atenta vigilancia, e incluso podrás darle de mamar. En cambio, necesitará desarrollarse dentro de la incubadora en un primer momento si nace antes del final del octavo mes, si pesa menos de 2,5 kilos, si está desnutrido, si tiene dificultades para respirar o si ha sufrido un parto difícil.

Para respirar y alimentarse. Un bebé prematuro es un niño cuyas funciones esenciales no han alcanzado la madurez. Dentro de la incubadora permanece a una temperatura constante. Por lo general, está conectado a diversos aparatos. Algunos le ayudan a respirar, para que sus tejidos y su cerebro estén bien oxigenados; otros a alimentarse (a veces por perfusión, si no tolera la alimentación oral); y otros aparatos controlan su estado (la frecuencia cardiaca, el índice de oxígeno y la temperatura).

¿Durante cuánto tiempo? La duración de la hospitalización de un niño prematuro es extremadamente variable, y oscila entre algunos días y varias semanas. Todo depende del mes cumplido en que ha nacido, de la evolución de su peso, de la calidad de su respiración, de su tolerancia a los alimentos, de la posible aparición de infecciones, etc. La mayoría de las veces todo va bien, el bebé se desarrolla al principio en la incubadora y después en la cuna, hasta que alcanza la autonomía y el peso que le permitirán vivir en su casa.

¿Cómo mantener el vínculo con el bebé hospitalizado?

Siempre es posible visitar a un recién nacido que está en la incubadora u hospitalizado. Estos encuentros constituirán la ocasión para verle, para empezar a generar vínculos, para hacerle sentir tu afecto. Aunque estos intercambios te resulten frustrantes y te parezcan demasiado limitados, tu presencia y la del padre le harán un gran bien. Si la separación se ha producido en el momento del nacimiento, esa es la única manera de que la madre y el bebé se conozcan. Cuanto más a menudo puedas ver a tu bebé y estar junto a él, mucho mejor. Además, tendrás oportunidad de hablar con el equipo médico. Necesitarás respuestas claras, sinceras y concretas para todas tus preguntas.

El contacto con el bebé cuando está en la incubadora. En este caso, el personal médico propicia las visitas cotidianas, incluso varias al día. Podrás acercarte al bebé para que te vea, hablarle y tal vez le puedas tocar a través de las aberturas de la incubadora. A veces, si no depende totalmente de los aparatos, podrás cogerlo unos momentos en brazos. Además, los equipos médicos te animarán a estar ahí cuando le asean, y en cuanto sea posible, podrás ayudar. Si lo deseas, también puedes llevar tu leche al bebé (que te habrás extraído con sacaleches). También, un pañuelo impregnado con tu olor puede ayudar al bebé a mantener un vínculo contigo. Antes de volver a casa, no dudes en pedir indicaciones acerca de los cuidados necesarios, para no sentirte desamparada.

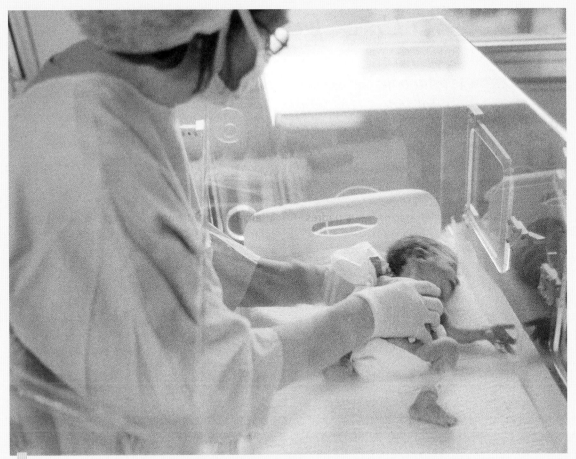

Cuando el bebé no está conectado de forma permanente a los aparatos para respirar o alimentarse, puede pasar un rato fuera de la incubadora. Entonces la madre tiene la posibilidad de cogerlo en brazos.

¿Es posible quedarse junto al niño en las unidades de neonatología?

Cuando el niño es prematuro o está enfermo existe, sin embargo, otra solución, aparte de su ingreso en una unidad de cuidados clásica. Son las unidades de neonatología. La madre está con el bebé en la misma habitación, participa en su aseo y ayuda en ciertas curas. Cada vez que lo desea, también puede practicar el contacto directo o «piel a piel» (traducción del inglés «skin to skin»).

Esta técnica, también llamada *método canguro*, consiste, a grandes rasgos, en mantener en contacto con la piel de la madre al recién nacido, en posición vertical y vestido sólo con los pañales. Tiene un interés básicamente psicológico y afectivo, aunque con este contacto la madre también transmite su calor. Este método requiere, por supuesto, que el bebé tenga la suficiente auto-

nomía para poder salir de la incubadora. En la unidad de neonatología se distingue la Unidad de Cuidados Mínimos o Básicos, dirigida a los recién nacidos con patologías leves o a aquellos que requieren un período de observación, y la Unidad de Cuidados Intensivos para los recién nacidos con patologías de mediana gravedad o prematuros.

Actualmente, en toda España existe un centenar de hospitales que se encuentran capacitados para atender recién nacidos con un peso inferior a 1,5 kilos.

¿Permanecer junto al bebé cuando está enfermo? Cuando un bebé nacido a los 9 meses, o prematuro, precisa atención quirúrgica neonatal, a veces la madre, si lo desea, puede quedarse día y noche a su lado. Esta solución, inspirada en las unidades de neonatología, la ofrecen algunos hospitales especializados.

" Tiene el cráneo un poco deformado... ¿Seguirá mucho tiempo así? "

La forma de la cabeza de los recién nacidos es variable: a veces es asimétrica, dado que los huesos del cráneo aún son muy dúctiles. Tras un parto clásico, con la cabeza por delante, tu bebé quizá tenga la cabeza un poco alargada y con un bulto serosanguíneo en la zona que asoma primero. Todo ello es debido a sus esfuerzos por franquear la pelvis durante el parto. Al cabo de unos días, el bulto se reabsorbe, y pasadas unas semanas el cráneo se redondea. Por otra parte, el cráneo es más redondo y simétrico en caso de nacer por cesárea o si el niño viene de nalgas, porque no ha sufrido una presión fuerte. Por último, no te extrañes de que la cabeza sea voluminosa en relación con el resto del cuerpo; es algo totalmente normal. ∎

" ¿Desaparecerán las manchas del cuerpo? "

Puede darse el caso de que la piel presente una o varias manchas rojas de origen vascular, llamadas *angiomas*. Las presenta un neonato de cada diez. En general, los angiomas con relieve, de color rojo vivo y granulados, aumentan de volumen durante los primeros meses y más adelante desaparecen por sí solos, al cabo de uno a tres años. Los angiomas lisos, o «manchas de vino», en lenguaje corriente, evolucionan de forma distinta. Se borran por sí solos en unos meses si se encuentran en el párpado, en la base de la nariz, en la parte media de la cara o en la nuca. En cambio, permanecen toda la vida si están situados en otras zonas de la cara o del cuerpo. En algunos bebés, a veces se aprecia una mancha azul pizarra llamada *mancha mongólica* en la parte inferior de la espalda, que desaparece en unos meses. ∎

" Me preocupa un poco el estado de su piel ¿Qué debo hacer? "

La piel de un recién nacido a menudo no tiene el aspecto que imaginábamos, pero no por ello precisa una cura particular. Sus pequeñas imperfecciones normalmente desaparecerán por sí solas.

Por ejemplo, es normal que tenga la piel muy roja, incluso un poco violácea y seca en las manos y los pies, y que las extremidades aún estén arrugadas debido a su larga permanencia dentro del líquido amniótico. Un día o dos después del nacimiento, se le descama la piel, pero vuelve a quedar suave cuando le aplicamos crema hidratante. Con frecuencia, los hombros, la espalda, las extremidades y las orejas están recubiertos por un fino vello negro más o menos denso, denominado lanugo. Empezará a desaparecer a partir de la segunda semana. En ocasiones, aparecen sobre el mentón unos granitos blancos, como la cabeza de un alfiler, llamados *milium*. Son cúmulos sebáceos que se reabsorben en unas semanas. Tampoco hay que preocuparse por eso. ∎

" El sexo de mi bebé parece enorme. ¿Es normal? "

Los órganos genitales externos siempre parecen desmesurados. Los primeros días, la niña tiene los labios menores y el clítoris muy hinchados; en cambio, los labios mayores están poco desarrollados y no cubren la vulva. El niño tiene el escroto hinchado y el prepucio (la piel que recubre el pene) a menudo tirante. Si resulta difícil tirar del prepucio para liberar el glande no se debe manipular, y menos si hay que forzarlo. Unas semanas después del nacimiento, los órganos sexuales del bebé ya muestran un aspecto más proporcionado. ∎

" ¿Por qué ella tiene pérdidas? ¿Por qué él tiene los senos hinchados? "

Al ser separados bruscamente de las hormonas sexuales de la madre, con frecuencia los recién nacidos sufren una «crisis genital». En el niño, ello se traduce en erecciones, y en la niña, en unas pérdidas vaginales blancuzcas, o incluso en la pérdida de unas gotas de sangre. No te extrañes si tu bebé, niño o niña, tiene los senos hinchados (ginecomastia) y, a veces, un flujo blanco. Probablemente todo desaparecerá en unos días. Esta hinchazón de los senos sólo debe preocuparte si parece que se forma un absceso (indicios de infección local y fiebre). ∎

El seguimiento médico de los primeros días

Durante tu estancia en la maternidad, médicos, comadronas y enfermeras te ayudarán a vivir mejor los días siguientes al nacimiento y a conocerte con tu bebé. También van a asegurarse de que el niño está bien. Él debe adaptarse a un nuevo entorno, a la vida al aire libre y a la alimentación por la boca. Por ello es objeto de una vigilancia muy atenta.

▌ Los aspectos controlados a diario

Durante la estancia en la maternidad, las puericultoras y el equipo médico observan en particular dos datos esenciales: ¿el bebé come bien?, y ¿funciona su aparato digestivo como es debido? Para confirmarlo, todos los días examinan la evolución de su peso, la consistencia y el aspecto de las heces, y también el color de su piel para detectar cualquier ictericia. Estas precauciones permiten asegurarse de que el bebé está sano.

La evolución del peso • De promedio, el recién nacido mide al nacer unos 50 cm, tiene un perímetro craneal de cerca de 35 cm y pesa unos 3,3 kg. A lo largo de los cinco primeros días, en general pierde hasta un 10 % de su peso al nacer (350 g, por ejemplo, en un bebé de 3,5 kg). Ello se debe a tres razones principales: elimina el exceso de agua (edemas) presente al nacer; sus riñones aún inmaduros no concentran bastante su orina, y sus necesidades energéticas aumentan de forma considerable, hasta el punto de que las calorías que aporta la leche materna (el calostro) o el biberón no bastan para hacerle engordar. Más tarde, hacia el 6º día, empieza a ganar unos 30 g de peso al día. Al cabo de diez días, normalmente ya ha recuperado el peso que tenía al nacer.

El aspecto de las heces • Las heces deben ser objeto de una atención particular, aunque sólo sea para verificar la ausencia de diarrea o, al contrario, de estreñimiento. Los dos primeros días son verdosas, casi negruzcas y pegajosas; es el meconio, compuesto por una mezcla de bilis y de mucosidad. A partir del tercer día ya son más claras, y si el bebé mama, amarillas doradas y grumosas, o a veces líquidas. El recién nacido normalmente expulsa las heces tras cada toma si le das el pecho, y de una a tres veces al día si lo alimentas con biberón.

La detección de una eventual ictericia • En los dos o tres primeros días después del nacimiento, la piel y las conjuntivas (el blanco de los ojos) están un poco amarillos. Es la ictericia fisiológica del recién nacido. Esta ictericia común afecta a entre un 20 y un 30 % de los bebés que nacen a los nueve meses y a entre un 70 y un 90 % de los prematuros. Después de desarrollarse hasta el cuarto o quinto día, disminuye progresivamente para desaparecer en una o dos semanas. Este problema se debe a un aumento en la sangre de uno de los pigmentos de la bilis (bilirrubina). El hígado del bebé aún no sabe fabricar la enzima que permite transformar la bilirrubina y evacuarla

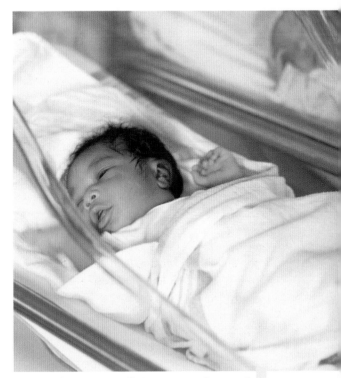

Durante los primeros días se comprueba que el aparato digestivo, entre otros, cumpla bien su función. De ahí que se examine al bebé atentamente.

a través de los orines. Sin embargo, bastan unos días para que el hígado del pequeño produzca este enzima y la bilirrubina deje de concentrarse en la sangre. Mientras, sólo hay que observar que el índice de bilirrubina no suba demasiado (ver cuadro inferior). Las complicaciones pueden ser graves, pero son infrecuentes, por lo menos en los niños nacidos a los 9 meses. La vigilancia en la maternidad contribuye a que todo vaya bien.

▶ El control de la glucemia

A veces se controla la glucemia (índice de azúcar en la sangre) del recién nacido. Ello se hace si el bebé es prematuro, si sufre un retraso de crecimiento intrauterino (ver p. 188) o, al contrario, si es algo grueso y su madre es diabética. El control de la glucemia puede repetirse varias veces, ya que en los primeros días al bebé no debe faltarle azúcar, un carburante indispensable para su desarrollo y, en caso de que padezca hipoglucemia (índice de azúcar insuficiente), se le prestarán unos cuidados especiales. Para efectuar este examen de control, la enfermera pincha al niño con una aguja y recoge una gota de sangre sobre una tira reactiva; el resultado aparece de manera inmediata.

▶ Las pruebas de detección

A todos los recién nacidos se les realizan unas pruebas de detección preventivas en la maternidad. El objetivo es detectar posibles enfermedades hereditarias, cuyos efectos serán menos graves si son tratadas lo antes posible. Cuando el bebé tiene cinco días, sistemáticamente se le practican las pruebas de la fenilcetonuria, que

afecta a un niño de cada 9 000 nacimientos, y del hipotiroidismo, que afecta a uno de cada 3 800. Se efectúan las pruebas de la mucoviscidosis o de las enfermedades hereditarias de la hemoglobina si existen antecedentes familiares. Todas estas pruebas requieren un análisis sanguíneo, que se practica del modo siguiente: la enfermera pincha al neonato con un estilete, en el talón o en la mano, y extrae unas gotas de sangre. Para la fenilcetonuria (test de Guthrie) y el hipotiroidismo, las recoge sobre un papel secante especial, que es enviado a un laboratorio para su análisis. Ante el menor problema, serás informada de los resultados, aunque ya estés de vuelta a casa.

La fenilcetonuria • Esta enfermedad se debe a la ausencia de un enzima que sirve para transformar la fenilalanina, un aminoácido presente en las proteínas animales (y, por lo tanto, en la leche). Debido a esta deficiencia, la fenilalanina no es asimilada por el organismo y se concentra demasiado en la sangre. Entonces pasa a ser tóxica, sobre todo para el cerebro, y provoca progresivamente un retraso mental. No obstante, un régimen alimentario adaptado previene esta evolución. Cuando sean adultas, las niñas fenilcetonúricas también deberán seguir un régimen adaptado durante su(s) embarazo(s).

El hipotiroidismo • Se debe a una falta de hormonas tiroideas. La glándula que las segrega, el tiroides, no existe o no funciona bien. Esta carencia hormonal provoca un retraso en el crecimiento y un retraso mental. Administrar hormonas tiroideas por vía oral permite que el niño se desarrolle normalmente en los planos físico e intelectual.

El tratamiento de la ictericia

Cuando el neonato presenta una ictericia fisiológica y se pone demasiado amarillo, se efectúa una medición de la bilirrubina (pigmento de la bilis) en la sangre. Si el índice se acerca al valor crítico (previsto para que el niño no corra ningún peligro), la ictericia es tratada mediante fototerapia. El neonato, desnudo, es colocado bajo unas lámparas que emiten una luz azul, lo que facilita la eliminación de la bilirrubina. Este tratamiento no presenta ningún peligro, siempre y cuando se protejan los ojos del bebé con una venda y se le dé de beber bastante agua. Actualmente, la mayoría de las maternidades disponen del material necesario y, en general, no tendrás que separarte del bebé. Como las sesiones de tratamiento sólo duran unas horas al día, dispones de todo el tiempo necesario para darle de mamar, tenerlo en brazos, lavarlo...

La madre después del parto

> *Los cambios de tu cuerpo en los primeros días • Una moral no siempre alta y estable • ¿Qué curas se hacen tras una episiotomía o una cesárea? • Reservarse tiempo para descansar • ¿Para qué puede ser útil el nido de la maternidad?*

Qué sucede dentro de tu cuerpo

Aunque se desarrolle en las mejores condiciones posibles, un parto siempre constituye un esfuerzo físico y un trastorno considerables. Tu cuerpo, que se transforma de nuevo, necesitará por lo menos entre seis y ocho semanas para encontrar un nuevo equilibrio. Son las «secuelas del parto», que desaparecerán cuando vuelva la menstruación. Los primeros días son un poco difíciles.

Un cansancio que viene de lejos

En las primeras horas que siguen al parto, la sensación de cansancio puede dominarte, aunque a veces, al principio, está velada por una cierta excitación asociada a la felicidad de ser madre y de ver a tu hijo. Es un estado completamente normal.

Antes del parto has acumulado cansancio durante semanas. Mucho antes del último mes, tus noches tal vez ya eran cortas: resultaba difícil encontrar la posición, el bebé se movía mucho y sentías cierta ansiedad por la aproximación del final del embarazo... En las últimas semanas también has agotado tus reservas nutricionales (antes del parto, la futura madre puede tener carencias de hierro, de calcio o de magnesio).

Pero, sobre todo, sientes un gran cansancio debido al parto en sí. Has gastado muchas energías, has dado mucho de ti. Todo tu cuerpo ha estado muy activo y los esfuerzos realizados han sido intensos y constantes. Los dolores que sientes durante los días siguientes son la consecuencia de ello. Incluso los partos más rápidos y los más fáciles dejan vestigios que no desaparecen de un día para otro. El cuerpo necesita un poco de tiempo para recuperarse, sobre todo porque ahora se está modificando de nuevo, lo cual repercute en tu estado general y, a veces, en tu ánimo.

Por último, se añade el cansancio de los días iniciales: la emoción, las visitas, el comienzo de la lactancia y las noches con tu bebé... Esta acumulación se nota.

El cuerpo se transforma de nuevo

Sea cual sea la forma como percibes tu estado físico al final del embarazo (con una sensación de plenitud o de cansancio), no te sentirás muy bien en tu cuerpo inmediatamente después del

Incluso los partos más rápidos dejan a la mujer sumamente agotada; para descansar, es esencial aprovechar los momentos en que el bebé está dormido.

parto. Ya no eres una mujer embarazada, pero no has recuperado tu forma física de antes. Todavía tienes el vientre hinchado, ya que el útero tarda varios días en retraerse. Si te han practicado la episiotomía, tal vez te duela la cicatriz (ver p. 270). A veces te cuesta sentarte (en este caso, no dudes en pedir a tu compañero que te procure un flotador). Además, no podrás hacer tus necesidades durante los dos o tres primeros días. Si temes pasarlo mal porque tienes hemorroides, coméntalo al médico, que podrá darte algún medicamento que te alivie.

De manera paulatina, desaparecerá la hinchazón de las piernas, ya que en unos días, como orinarás a menudo, irás perdiendo los edemas. Y por fin recuperarás el placer de moverte más fácilmente y de volver a verte los pies cuando estás de pie.

Un trastorno hormonal • Tras el parto, las modificaciones hormonales son particularmente importantes. Algunas hormonas, sobre todo los estrógenos y la progesterona, descienden de forma importante, mientras que otras registran un incremento, como la oxitocina, que actúa sobre el útero, y la prolactina, responsable de la subida de la leche.

El retorno del útero a la normalidad • Además, el útero empieza a disminuir de volumen muy pronto. La mucosa uterina se elimina poco a poco y empieza su cicatrización. Ello provoca unos flujos bastante abundantes, que se denominan *loquios*. Cesarán al cabo de unos quince días o un poco más.

Al retraerse para volver a su tamaño inicial, el útero comporta unas contracciones dolorosas denominadas *entuertos*. Duran alrededor de dos días y a veces son un poco más fuertes, en caso de que des el pecho y también a partir de un segundo parto.

Secuelas de los partos • Tu organismo necesitará entre seis y ocho semanas para recuperar un primer equilibrio (un poco más si das el pecho). Este período, llamado *secuelas del parto*, acaba cuando vuelve la menstruación. Mientras, tu cuerpo se va a recuperar paulatinamente.

El vaivén de los sentimientos

Algunas mujeres, de entrada, abordan la maternidad de forma natural y con serenidad. Para otras, pese a que el embarazo se haya desarrollado bien, el nacimiento puede marcar una especie de ruptura que se lleva más o menos bien, en que la alegría se mezcla con sentimientos más confusos, que una no siempre alcanza a entender.

▶ ¿Qué me sucede?

Una nueva realidad • El cansancio del embarazo y del parto y los trastornos hormonales no lo explican todo. La ansiedad ante el bebé puede dar lugar a pensamientos confusos y contradictorios que, por tanto, te debilitan.

Los psicólogos hablan de la dificultad de aceptar el nuevo estatus de madre y la pérdida del hijo ideal (tienes derecho a sentirte decepcionada por su sexo o por su aspecto). Además, al convertirte en madre cambias de estatus social. No siempre es una etapa fácil de franquear, no se improvisa de un día para otro, y puede generar interrogantes y dudas.

Ser madre se construye • Para muchas mujeres, el estado de felicidad es inmediato y trasciende al cansancio. Pese al agotamiento, muchas madres tienen ganas de tomar al bebé en sus brazos, mirarlo y ocuparse de él. Otras, durante estos primeros días oscilan entre las sonrisas y las lágrimas: la alegría ante una mirada del niño y los primeros momentos de descubrimiento mutuo y de admiración que se sienten pueden dejar paso bruscamente a un estado de desasosiego. Y en otras, la felicidad apenas puede aflorar de forma espontánea.

Esta etapa de «postnacimiento», sobre todo si se trata de un primer hijo, puede ser incluso un período vivido como una pérdida, incluso como un adiós. Así, el estado de plenitud del embarazo, en que la madre y el bebé eran uno solo, ahora pertenece al pasado. Y las atenciones dirigidas a la madre durante nueve meses a partir de ahora se centrarán en el recién nacido.

No obstante, este recién nacido sin duda es un bebé que llora, que tiene hambre, que se ensucia y del que es preciso ocuparse día y noche. Te imaginabas como una madre ideal, paciente, sonriente, sin dudas ni preocupaciones, y ahora te ves abrumada por esta súbita responsabilidad. Una puede dudar de sí misma, de su capacidad para ser madre ante un pequeño ser totalmente dependiente. Estos sentimientos te desestabilizan un poco, sobre todo porque tu estado general todavía es precario. Y crees, y también temes, que van a durar.

▶ El tiempo, un aliado valioso

Una vez más, todo esto es normal. Algunas mujeres necesitan un poco de tiempo para abordar su nuevo estado de madre. Aunque hayas llevado a este niño nueve meses, ¡es imposible entenderle enseguida, en unas horas o unos días! Para ti es una persona nueva, a la que vas a descubrir con el paso de los días. Poco a poco, distinguirás sus distintos llantos, conocerás mejor que nadie los ritmos de vida y adivinarás lo que él espera.

Este «gusto por ofrecer cuidados», muy femenino, está en ti y se irá confirmando con el tiempo. Simplemente es distinto en cada mujer. Así pues, da tiempo a tu hijo y, también, date tiempo a ti misma. Haz las cosas como las sientas, a tu manera, sin dejarte influir necesariamente por los consejos de tu entorno al pie de la letra... A su debido tiempo, esta alegría que esperabas llegará, y seguramente con más intensidad de lo que imaginabas.

El punto de vista del bebé

Ahora estoy bien, es casi como antes: tranquilo, suave y caliente, y estamos juntos. Pero en algunos momentos todo es distinto: todo está tirante, torcido, duele, quema, y yo grito. No coincide el hecho de que yo desee algo y que eso llegue. Además, está este baile de movimientos que me hace olvidar que somos dos. Tendré que aceptarlo. Noto demasiado el exterior, la diferencia con ella, que llora y se pone nerviosa. A veces nos cuesta ponernos de acuerdo. Pero con el tiempo todo llegará, confío en nosotros.

El *baby blues*, o tristeza puerperal, y el llanto incontrolado

No hay nada más desconcertante que lo que se denomina el *baby blues*. Se supone que estás viviendo el momento más bello de tu vida, todo ha ido bien, el bebé está en plena forma, el padre está radiante… y se te llenan los ojos de lágrimas sin ningún motivo aparente.

Este síndrome, que normalmente llega al tercer día después del parto, afecta a una gran mayoría de madres (pero no a todas). A menudo sólo dura unos días, y a veces no pasa de unas horas, como una especie de «crisis de tristeza». Para la madre, este período depresivo es difícil de aceptar porque le resulta inexplicable. Los médicos han observado que se produce en un momento particular, el de la bajada súbita de la concentración de hormonas progestativas, unas hormonas cuyo índice es muy elevado durante el embarazo. Algunos también hablan de una reacción debida a toda la angustia que ha precedido al parto.

Sobre todo, no consideres las lágrimas como una señal de debilidad. Llegan (¡o no!) sin que lo esperes, y el equipo de la maternidad, acostumbrado a estos momentos de melancolía, está ahí para ayudarte. Más tarde te reirás de ello, al ver a otras mujeres (a las que habías visto el día anterior sonrientes y alegres con sus bebés) por los pasillos de la maternidad andando como fantasmas y con los ojos hinchados.

Bien rodeada • Y si, como puede sucederte, aún estás en la maternidad cuando eso te ocurra, no dudes en comentarlo a la enfermera o a las puericultoras. Te calmará oírles decir que es algo normal, ¡y que muchas otras han pasado por lo mismo! Confía también en tu compañero: háblale de tu ansiedad, de tus dudas, de tu confusión. Aunque ello le perturbe un poco, apreciará poder prestarte apoyo. Si lo deseas, también puedes compartir ese momento con una amiga próxima, ya madre, que te contará su experiencia y te tranquilizará.

Esta pequeña «depre» pasajera no debe confundirse con la verdadera depresión posparto,

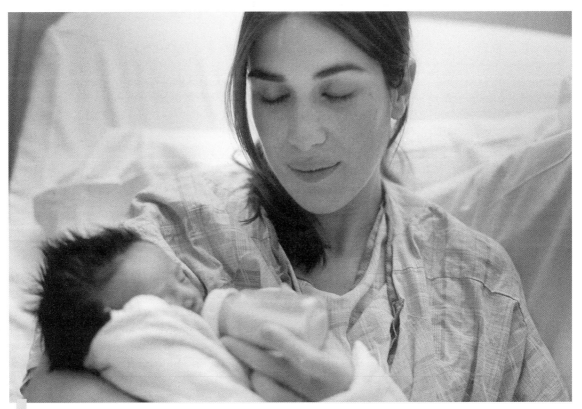

Una madre joven con frecuencia se encuentra fuera de la realidad y lo percibe todo de un modo muy emotivo.

que es mucho más rara y dura varios meses. Sin embargo, si tu ansiedad y tus crisis de llanto se prolongan, si te asalta un sentimiento de culpabilidad intenso o si estás convencida de que eres incapaz de ocuparte de tu hijo, no te encierres en ti misma. Háblalo enseguida con alguien para que te atienda pronto un especialista. Si se conocen y se siguen bien, estas depresiones posparto pueden tratarse.

El miedo al regreso a casa

Aún estás en la maternidad, en cierto modo segura de saber que si hay algún problema el equipo médico está ahí. Pero, ¿y después? ¿Cómo lo harás una vez sola en casa? Estas preguntas asaltan a muchas madres jóvenes, aterrorizadas por la idea de «no saber». Para empezar, no estás sola. Tu compañero estará contigo por la noche y los fines de semana, y durante su permiso de paternidad, tanto si lo toma cuando nace el niño como un poco más tarde. Entre los dos es más fácil. Por otra parte, el equipo que te ha acompañado seguramente estará disponible para responder a tus preguntas, por teléfono, por ejemplo. Te conoce y conoce a tu bebé, y podrá serte útil en los momentos de duda, o incluso para abordar aspectos prácticos. Antes de irte de la maternidad, pregunta si puedes llamarles. A menudo es reconfortante saber que puedes contar con su asesoramiento, pese a que en la mayoría de casos no se hace.

Si pese a todo no consigues calmarte y tus temores están demasiado presentes o son demasiado fuertes, puedes plantearte la posibilidad de tener compañía en tu domicilio (por ejemplo, una comadrona que trabaje por su cuenta) durante los primeros días, o también puedes pedir a una amiga que ya sea madre que pase a verte de vez en cuando.

Tu estancia en la maternidad

Los pocos días pasados en la maternidad tienen como misión que el bebé y la madre vuelvan sanos a casa. También será el momento de recibir consejos muy útiles, aunque sólo sea sobre los cuidados que debes dar a tu cuerpo. Para descansar bien y aprovechar el apoyo que ofrece el personal médico, es mejor, no obstante, limitar un poco las visitas.

¿Quién se ocupará de ti?

Durante tu estancia en la maternidad estarás en contacto con distintos profesionales de la salud. Las comadronas y las enfermeras (los equipos son distintos de día y de noche) serán tus principales interlocutores: te ayudarán a la hora de empezar a dar el pecho y en los cuidados y la limpieza del bebé. No dudes en hacerles todas las preguntas que desees. También harán el seguimiento de la episiotomía, de la cicatriz de la cesárea y de las eventuales prefusiones. El equipo de auxiliares de puericultura y de enfermeras está ahí para ocuparse de ti y del bebé. El ginecólogo que te ha asistido en el parto o que te ha hecho el seguimiento durante el embarazo tal vez también pase a verte, pero si todo va bien, lo volverás a ver en la visita postnatal, unas seis u ocho semanas más tarde.

La duración de la estancia • Será de tres días si has tenido un parto por vía vaginal. Se prolongará a cinco días si te han practicado la cesárea. En cualquier caso, es una recuperación rápida.

Los cuidados a la madre

Tras el parto, el médico o la enfermera te preguntarán regularmente por la intensidad de las hemorragias y comprobarán la involución del útero (su progresiva reducción). Te tomarán el pulso, la tensión arterial, la temperatura y, si te han practicado una episiotomía, comprobarán que cicatrice bien.

Las curas y la higiene íntima después de una episiotomía • En un primer momento, en general es la comadrona o la enfermera quienes se ocuparán de tu higiene íntima, a fin de examinar al mismo tiempo los puntos de sutura de la episiotomía. Más adelante lo harás tú misma lavándote con agua tibia y un jabón suave (te indicarán qué producto debes utilizar) dos veces al día.

Para secar la cicatriz, date unos suaves toques con una gasa o una toalla (el secador del pelo no te resultará útil). Por último, para evitar cualquier infección, no olvides lavarte las manos muy bien previamente y cambiarte a menudo la compresa.

Los primeros días es posible que te impresione la cicatriz, ya que los puntos presentan un aspecto hinchado. Usando un espejo pequeño puedes observarla y comprobar que es menos grande de lo que te parecía.

En general, al principio la episiotomía produce tirantez, escozor, o duele con el movimiento, y la posición tendida sobre un lado es la más cómoda. La situación mejora al cabo de unos días, y aún más tras la eliminación o la reabsorción de los puntos. Hasta entonces, cuando te sientes, puedes hacerlo sobre un flotador pequeño para evitar el contacto directo con el asiento, que puede resultar muy doloroso. Hacer correr sobre la cicatriz agua tibia o fría pude tener un efecto calmante (varía de una mujer a otra).

Después de una cesárea

Si has dado a luz por cesárea, te van a administrar unas curas particulares. Los primeros días, la enfermera te dará analgésicos (contra el dolor), al comienzo mediante perfusión, y en cuanto te sientas mejor y te duela menos, por vía oral.

Durante las primeras 24 horas tendrás puesta una sonda (en la vejiga) que te han colocado justo antes de la intervención a fin de que la orina no moleste al cirujano (ya que el útero se encuentra justo detrás de la vejiga). La sonda urinaria es necesaria durante el primer día, ya que el efecto de la epidural se mantiene y no sentirás ganas de orinar. Podrías encontrarte, pues, con la vejiga llena y no darte cuenta. En general, la sonda se retira al día siguiente de la intervención (no produce dolor). Ese mismo día, la enfermera te extrae una toma de sangre, para comprobar el índice de glóbulos rojos y detectar una posible anemia. En este caso, el médico te prescribirá un tratamiento con hierro y ácido fólico, que deberás seguir durante dos meses.

Las curas • Sobre la cicatriz se pone un apósito fino; se cambia al tercer día, y a partir de entonces, cada dos días. Probablemente te quitarán los puntos y las grapas el día que te vayas del hospital.

Para evitar una flebitis (un coágulo en las venas), sistemáticamente se administra un tratamiento anticoagulante subcutáneo. Te podrán una inyección a diario, y el tratamiento dura tres semanas.

Esta prevención es necesaria, dado que el período postparto y la cesárea suponen un mayor

Iniciarse en el cuidado del bebé

Al día siguiente del nacimiento, una puericultora dará el primer baño al bebé en tu presencia, y al mismo tiempo te enseñará y te explicará cómo hacerlo. Más adelante dejará que lo hagas tú, pero permanecerá a tu lado para ayudarte si la necesitas. Acuérdate de poner previamente todos los productos necesarios al alcance de la mano, para que no tengas que ir a buscarlos. Antes de tomar al bebé, deja correr el agua de la bañera (en realidad es un recipiente pequeño ideado para bañar a bebés) cuidando de mantener una temperatura de 37 °C. La limpieza del bebé suele realizarse sobre la mesa de poner los pañales, y la bañera sólo se utiliza para aclararle (pero con un poco de práctica, más adelante quizás prefieras enjabonar al bebé directamente en el agua). La puericultora te enseñará también a completar el aseo del bebé, a cambiarle y a vestirle. Una vez en casa, puedes seguir sus consejos, pero progresivamente irás viendo qué movimientos os resultan más cómodos, a ti y a tu bebé. Lo esencial es hacerlo con amor y convertir ese momento en una ocasión de intercambiar afecto y de descubrimiento mutuo.

Después de una cesárea, podrás dar el pecho al bebé si lo deseas.
En esa situación, colocarte tendida sobre un costado es una buena solución.

riesgo de sufrir una flebitis. El médico te entregará una receta para que puedas seguir el tratamiento cuando salgas de la maternidad.

¿Y después? • A partir del día siguiente puedes levantarte, pero imperativamente con la ayuda y en presencia de una enfermera. Tus primeros pasos pueden ser un poco vacilantes, a causa de la tirantez en la cicatriz y de una cierta aprensión. Se suele temer, sin motivo, que se suelten los puntos. Pero a partir del segundo o el tercer día ya estarás más cómoda. En cambio, sí debes tener cuidado al tomar una ducha. Tu tránsito intestinal tardará un poco más en volver a la normalidad. Podrás dar de mamar en cuanto vuelvas de la sala de partos, si así lo deseas.

Para recuperarse bien

Alimentarte bien • Una buena alimentación y descanso durante el día deberían ser suficientes para que, poco a poco, desaparezca el cansancio. Procura comer y beber de forma equilibrada. Si has adoptado hábitos sanos durante el emba-

razo, intenta mantenerlos. Para luchar contra el cansancio, y también para mantener una buena forma física en general, es importante que hagas tres comidas equilibradas al día. Y si las comidas de la maternidad no están a la altura, tu pareja podrá traerte algo para completar esos menús y darte un placer.

Dormir siempre que puedas • Esfuérzate por recuperar el sueño en cuanto te sea posible. Es indispensable que te concedas momentos de descanso durante el día. Sin duda, tendrás que seguir los ritmos del bebé. Por ello, aprovecha al máximo las siestas, tanto por la mañana como por la tarde. Deja el teléfono descolgado si es necesario, avisando antes a las enfermeras, ya que tal vez recibas muchas llamadas de tus familiares y amigos... Y si te cuesta conciliar el sueño, acuéstate y procura relajarte.

¿Dejar el bebé en el nido? • Algunas maternidades ofrecen la posibilidad de dejar el bebé en el nido para que la madre pueda disfrutar de algunas noches de sueño reparador (o incluso de momentos de calma durante el día). Esta elec-

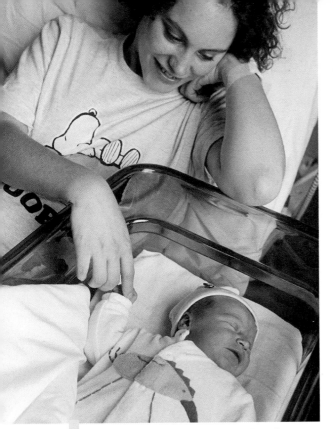

Para empezar a conocerte con tu hijo, los momentos de tranquilidad son esenciales.

ción es muy personal. Algunas madres prefieren tener al pequeño a su lado, mientras que otras no se ven capaces de pasar otra noche en vela para darle el pecho.

Después del parto, es posible que te sientas muy cansada y quizá tengas muchas ganas de descansar. Si decides dejar el bebé una o dos noches en el nido, no te sientas culpable. Es mejor que los primeros días con tu bebé se sucedan de la forma más tranquila, tanto para ti como para él (¡y no te dejes influir por ciertos pensamientos!).

Si le das de mamar, puedes pedir a las puericultoras que te traigan el bebé para cada toma de la noche (el hecho de no levantarte para ir a buscar al bebé en la cuna y no tener que cambiarle ya será un descanso para ti). Ya verás a tu hijo por la mañana. Según su comportamiento, del que te habrá informado el equipo de noche, podrás decidir qué quieres hacer la noche siguiente.

Sin embargo, ya en la maternidad, acostúmbrate a pasar por lo menos una noche con él antes de volver a casa. El equipo médico te será de gran ayuda para entender mejor sus necesidades y su comportamiento.

▶ Saber administrar bien las visitas

Por supuesto, sin duda tendrás ganas de enseñar esa pequeña maravilla a todo el mundo... Pero como después del parto estarás cansada, no estarás dispuesta a recibir visitas a todas horas, y la perspectiva de tener por delante un desfile incesante de familiares, amigos o compañeros no siempre será agradable. Tal vez no tengas energías o tiempo para prepararte a la hora de recibirles.

Ten en cuenta también que el hecho de una estancia en el ambiente del hospital (ocurre menos en las clínicas) ya supone un ritmo continuo de visitas un poco «impuestas»: enfermeras, comadronas, médicos, encargo y distribución de comidas, etc.

Comentarlo con el padre • En todo lo concerniente a anuncios y organización de las visitas, delega en tu pareja, dado que tú ya estarás bastante ocupada con el bebé (ver p. 276). Además, necesitas aprovechar al máximo estos días antes de descansar y volver a casa. Por ello, decide con él, qué familiares y amigos realmente quieres ver.

Elegir tus horarios • Lo ideal es esperar un poco antes de dar la buena noticia a todos aquellos amigos y familiares que probablemente vendrán sin avisar, olvidando que necesitas descansar. Si das a luz un sábado, por ejemplo, el domingo puede que se produzca un verdadero desfile de visitas.

Agradecerás enormemente estar unas horas en la intimidad, con tu compañero y el bebé; de este modo podrás disfrutar mejor esta felicidad totalmente nueva.

Antes de recibir visitas, tómate un poco de tiempo para comprobar cómo te encuentras y para ver cómo está el bebé. Si le das el pecho, aún necesitarás muchos más momentos de intimidad.

No dudes en pedir a los impacientes que vengan a verte más adelante, cuando ya estés en casa. En general, las tardes son más propicias para las visitas, dado que normalmente las mañanas se dedican a las curas y al seguimiento médico. También debes saber que al final del día el bebé estará cansado y a ti no te quedarán fuerzas...

El padre, entre la casa y la maternidad

Una agenda muy llena • Cuando al padre también le gustaría que se ocupasen de él... • ¿Cómo tener intimidad los tres en la maternidad? • Las necesidades afectivas de tu compañera • El descubrimiento de tu hijo

El «maratón» de los primeros días

Tanto si trabajas como si no, es probable que estés muy solicitado durante la estancia en la maternidad: formalidades, gestiones e idas y venidas a la maternidad. Probablemente te olvidarás de pensar en ti mismo. A veces los amigos o la familia te ayudan ocupándose de los asuntos de cada día.

Por qué es una «carrera»

Durante los primeros días que siguen al nacimiento, en general el padre tiene el tiempo muy ocupado. Muchos continúan trabajando y se toman unos días de permiso cuando la madre vuelve a casa (ver cuadro p. 275). Entonces deben conciliarlo todo: vida profesional, formalidades diversas, las ganas de ver a su mujer y a su bebé…

¡Es una «carrera»! Seguro que serán incontables los viajes entre la casa, la maternidad y el lugar de trabajo. Ir a buscar ropa, o este o aquel objeto que tu compañera necesita, acompañar a la maternidad a una bisabuela que no puede desplazarse sola… Tú serás el enlace con el mundo exterior, darás a conocer la noticia y a menudo te solicitarán unos y otros.

Sin embargo, sólo tienes ganas de una cosa: estar a lado de tu mujer y de tu hijo, a ser posible los tres solos. Para verles, multiplicas las idas y venidas, y los días siempre son demasiado cortos. También necesitas tiempo para ocuparte del o de los hermanos, si los hay, preparar la casa para la vuelta de la madre y del bebé, y pensar en ti…

Una situación un poco frustrante... • En este «maratón» cotidiano, algunos padres en ocasiones tienen la desagradable sensación de «olvidarse de algo». Los momentos de intimidad con tu mujer y tu hijo parecen demasiado breves. Esta sensación no siempre depende del número de horas que pasas con los tuyos, dado que los hombres que tienen permiso muchas veces también se sienten frustrados. El entorno poco íntimo de la maternidad y el hecho de no poder sentirse cómodo siempre influyen un poco en la calidad de los contactos. Sin embargo, ¡aunque vieras al bebé todos los días, es poco probable que no le «prestases atención»! Lo cierto es que tu sentimiento de insatisfacción no es nada extraño.

¿Momentos de soledad?

Después de la «jornada agotadora», muchos padres se encuentran solos, en casa. Algunos aprovechan para recordar los buenos momentos del día y saborearlos de nuevo; eso renueva sus fuerzas. Pero no a todo el mundo le gusta esta

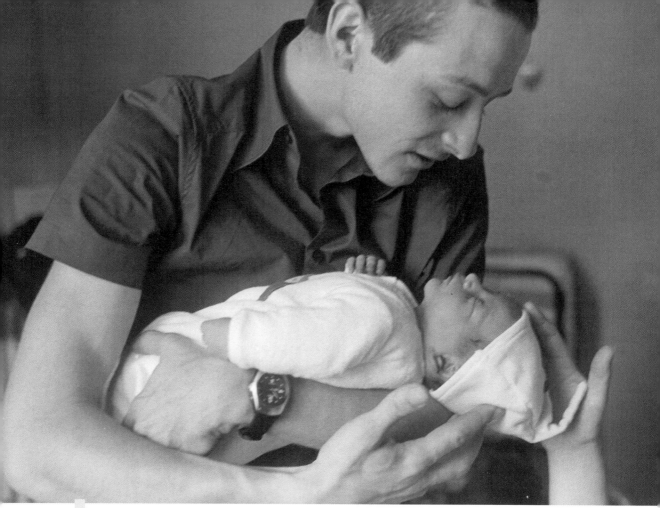

El bebé distingue muy pronto los brazos del padre de los de la madre, su forma de sostenerlo y de hablarle. Para tejer vínculos con el hijo también es importante este simple contacto físico.

soledad. Más de uno se siente desamparado al separarse de su mujer y su hijo por la noche, y lo pasa mal al volver a una casa vacía, como lo explica este joven padre: «Sentía ganas de estar con ellos, y me preguntaba qué pasaba, qué estarían haciendo allí, en la maternidad, y pese al cansancio, no dormía bien». En esos momentos, la angustia está asociada a la distancia, a la separación, pero a veces también tiene otras causas.

La falta de palabras • Esta soledad se hace difícil cuando el padre necesita hablar de lo que está viviendo o de lo que ha vivido. Aquellos que se han sentido muy impresionados por el parto, en particular, no encuentran a menudo un interlocutor que sepa escucharles o ayudarles. Más que un familiar, la comadrona o la enfermera son las personas más adecuadas para cumplir esta función. No dudes en pedir cita, no debe darte vergüenza. No eres el único a quien le sucede. Muchos padres, aunque sean poco habladores,

necesitan explayarse después del nacimiento. En ocasiones es fundamental para afrontar el futuro con serenidad. Si no quieres pedir una cita en la maternidad, por lo menos habla con los familiares, con los amigos; pero habla... Lo que tú sientes, aunque la sociedad no siempre lo reconoce, es tan importante como los sentimientos de tu compañera. No te resignes a quedarte solo con sentimientos no expresados.

¿En qué puede ayudar la familia?

Para algunos padres jóvenes, la familia o los amigos muy próximos constituyen un valioso apoyo. Estos últimos pueden ayudar en cosas sencillas: preparando las comidas, ofreciendo su casa o con su presencia puntual. En cierta manera, se ocupan de la «intendencia» y se ofrecen gustosamente a escucharte. El efecto más inmediato es limitar el cansancio del padre, que así estará más disponible para ver a su mujer y a su hijo en la maternidad. Pero esta eventual necesidad del hombre de hacerse mimar y servir también puede tener un significado más simbólico: sería como volver al nido, una especie de regresión temporal, para facilitar el paso del estatus de hijo al de padre. En el momento de recuperar fuerzas, te apoyas de nuevo en otra persona. Antes de asumir enteramente la responsabilidad de un hijo, vuelves al regazo familiar. Luego empieza la vida de los tres juntos, y aprendes la función de padre. Esto no es más que una interpretación, una posibilidad. Además, a algunos hombres no les apetece en absoluto orientarse hacia su familia, y no tienen amigos disponibles en ese momento. Sin embargo, y dicho de forma muy prosaica, prepararse para la nueva vida es más fácil si se tiene la posibilidad de apoyarse un poco en los demás...

Los inicios de una relación entre los tres

A pesar de que la maternidad no ofrece un entorno ideal, los primeros días te permitirán iniciarte en las relaciones entre los tres. Tu compañera te necesitará más que nunca. Tendrás que organizarte bien para aprovechar cada uno de los momentos de intimidad, aunque ello signifique limitar las visitas de tu entorno...

▌ Maternidad, instrucciones de uso

Cada maternidad tiene sus normas y su propio funcionamiento. Durante toda la mañana, el personal sanitario es omnipresente, dado que es el momento de las curas, de la limpieza y de los exámenes médicos. La tarde está reservada a las visitas. Queda la noche, más tranquila, pero la madre, como la despiertan muy pronto por la mañana, probablemente estará muy cansada... Para la pareja no será fácil. Tu compañera estará poco tiempo sola con el bebé. Vivirá al ritmo de la institución y de las visitas, sin poder seguir sus deseos. Para dejar tiempo para ella (y para ti), debes expresar tus necesidades cuando sea posible, fuera y dentro de la maternidad.

No tengas en cuenta los horarios de visita • Como padre del bebé, puedes entrar y salir cuando te parezca, estar presente las horas que te vaya bien, incluso tarde por la noche o pronto por la mañana. La única restricción es la necesidad de

¿Cuándo es mejor tomar el permiso de paternidad?

La duración de los permisos de paternidad (que se pueden sumar a los días específicos de permiso que se conceden por el nacimiento de un hijo) varía mucho en función de los distintos países. ¿Es mejor tomarlos enseguida o disfrutarlos un poco más adelante?

Muchos consideran que disfrutar el permiso durante la estancia en la maternidad es «desperdiciarlo». En general, se considera que es más interesante tomar el permiso durante los primeros días después de la vuelta de la madre y del bebé a casa. Recuperar la intimidad con la persona que amas, ocupar tu lugar junto al niño, construir juntos esa nueva vida... Todo se hará de forma más natural si estás en casa, a tiempo completo. Lo aprovecharás para respirar un poco y hacerte a la idea de lo que estás viviendo. Si es posible, resulta más provechoso tomarse un permiso de paternidad antes del mes después del nacimiento, ya que a medida que van pasando las semanas, es más difícil introducirse en la relación que se crea entre la madre y el bebé, si ésta tiene tendencia a ser muy excluyente.

descanso de tu mujer… o sus ganas de estar un rato sola con el niño.

Pídelo, si quieres participar en el baño • El aseo del bebé siempre se efectúa por la mañana. Pero si deseas participar en él y no estás disponible a esa hora, tu mujer puede pedir que se realice por la tarde o por la noche. Ello no supone ningún problema. Basta con avisar al personal o pedir una hora en concreto. No dudes en dar este paso: participando una vez en el baño, te sentirás más autónomo e incluso podrás dar consejos al volver a casa.

¿Limitar las visitas de los familiares?

Siempre es agradable que te feliciten y enseñar el bebé a tu entorno, pero a veces las visitas en la maternidad se convierten en una carga. No permiten que estés a solas y, por distintas razones, también son causa de fatiga para tu mujer. Encontrar el equilibrio que os conviene a los dos exige un poco de organización. Es más fácil si limitáis de entrada el número de personas a quienes queráis anunciar el nacimiento enseguida.

Anunciar el nacimiento con cuentagotas • Anunciarlo a ciertas personas es casi inevitable, pero otros pueden esperar un poco. Hay que desconfiar, sobre todo de los impulsivos que se entusiasman y vienen sin avisar, considerando la maternidad como un espacio público. A éstos, es mejor darles la noticia más tarde. Para los demás, intenta organizar las visitas tú mismo: propón un día, una hora y, si es posible, pide que esperen hasta que volváis a casa. A veces tendrás que mentir un poco, pero no te dé reparo, a tu mujer le molestará tener un desfile constante de visitas.

Tomar en consideración lo que siente la mujer • Las visitas a veces tienen un efecto negativo en su ánimo y la entristecen. Salvo excepciones, el neonato es el que más atrae la atención, y los sentimientos de la madre pasan a un segundo plano. Como mucho le preguntarán cómo ha ido el parto, e insistirán en detalles técnicos que a ella le importan muy poco. Puede que se sienta herida o muy sola, sobre todo cuando el nacimiento del bebé deja en ella una carencia y un vacío. Tus atenciones como marido o compañero serán, pues, esenciales.

Las atenciones hacia ella

Estos primeros días en la maternidad no son fáciles para la mujer. A veces está físicamente mal o no se siente bien con su cuerpo (ver p. 265). Como tú, tiene sentimientos contradictorios: querría ocuparse más de su hijo, pero se siente agotada; se alegra de ser madre, pero no quiere quedar encasillada en esa función… En ciertos momentos también teme «no estar a la altura». Si se está guardando sus temores, tú debes estar atento, ya que eres el más indicado para tranquilizarla con una mirada cariñosa o con gestos tiernos. Recordándole que la quieres la ayudarás, además, a no encerrarse en una relación exclusiva con el bebé, a estar abierta a sus necesidades y a vuestra propia relación. Tú sabes mejor que nadie qué es lo que le gusta. Cuando el padre se preocupa por hacer que la casa resulte acogedora cuando vuelve la mujer, también es para gustarle y seducirla.

Relaciones triangulares…

Tal vez compartirás la habitación con tu compañera y el bebé. Hablarás con ella, y el bebé, desde la cuna, oirá tu voz. En otros momentos ella dará el pecho al bebé y tú mirarás. O bien tú acunarás al bebé mientras ella duerme un

La reaseguración primaria

Durante los primeros días, quizás tengas la desagradable sensación de que el bebé está más tranquilo en brazos de su madre que en los tuyos. No saques la conclusión de que te rechaza. En los primeros momentos de su vida al aire libre, es decir, hasta el segundo o tercer día, el neonato necesita que le tranquilice su madre. Los pediatras lo denominan la «reaseguración primaria». Después de nueve meses en el vientre materno, el olor, la piel y la voz de la madre es lo que le proporciona una sensación de seguridad incomparable. Pero puedes estar tranquilo. Si te acercas a él, aunque sea en un lapso de tiempo muy breve, tu hijo te reconocerá enseguida.

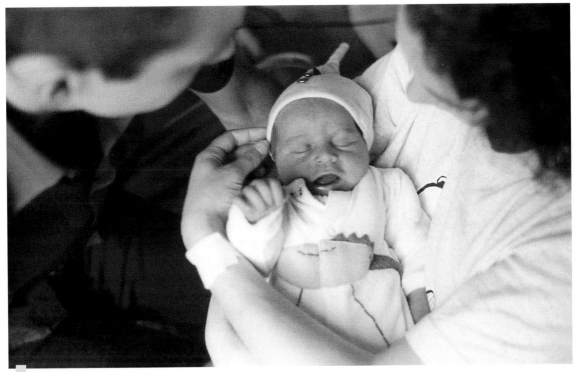

Tú también necesitas que estéis los tres a solas, aunque las visitas de los familiares y el entorno poco privado de la maternidad no siempre propician estos momentos de intimidad.

poco. Esquemáticamente, la relación triangular es tan sencilla como el marco de estas escenas cotidianas.

Cada uno está unido a los otros dos, pero no siempre están juntos la pareja y el bebé. Así como tú tienes cierta necesidad de intimidad con tu compañera, cada uno creará con el niño, y a su ritmo, una relación particular. El equilibrio de tu familia se basará también en esta alternancia de intercambios entre los tres y de relaciones entre dos.

Los tres a solas con el bebé • Acercándote a tu hijo, poco a poco descubrirás todas las maneras posibles de contactar con él (ver p. 255). Muy pronto tendrás el placer de verle sonreír, mirarte a los ojos, conseguirás consolarle y que deje de llorar…

No necesitas «hacer» algo en concreto para propiciar la creación de estos vínculos. Todo seguirá su curso normal si de vez en cuando tomas el bebé en brazos o, por ejemplo, le dejas dormir a tu lado.

Más allá del placer compartido, estos gestos ayudan al bebé a descubrirse. Cada vez que sor-

prendas a tu hijo por la manera como le sostienes o le acunas, en realidad le estás ayudando a mejorar la conciencia que tiene de su propio cuerpo. Además, un bebé que sólo ha estado en brazos de su madre carecerá, por otra parte, de cierta seguridad y le costará mucho más abrirse al mundo.

▶ Frente a los solícitos abuelos

A menos que vivan lejos, los abuelos suelen ser los primeros en ir a ver al niño. Sin duda querrán transmitirte su experiencia, pero cuidado con dejarte sumergir en sus consejos. También los abuelos deben encontrar su lugar. Si el bebé es su primer nieto, tal vez les costará entender que su función respecto a vosotros ha cambiado. Con amabilidad, tendréis que hacérselo entender. No siempre es fácil obligar a los padres o a los suegros a respetar una cierta distancia, a no inmiscuirse en vuestras decisiones, y cuanto antes lo hagáis, mejor evitaréis que cada uno se instale en una posición y una función que no son las adecuadas.

La vuelta

a casa

La vida en casa

"¿Cuándo es capaz un bebé de dormir toda la noche? • El ritmo de las tomas, vida sana... cómo dar el pecho con toda tranquilidad • Si le das el biberón • Los pequeños trastornos digestivos • ¿Hay que bañar al recién nacido todos los días? • Ocuparse de gemelos"

Los ritmos de sueño del bebé

Un bebé duerme muchísimo, y ello es esencial para su salud. Durante el primer mes, su sueño entrecortado perturba el de los padres, pero no hay más remedio que adaptarse. Más adelante, de manera progresiva, entre el primer y el cuarto mes, ya es capaz de dormir más tiempo durante la noche y menos durante el día.

▶ El bebé crece mientras duerme

Los períodos de vigilia de un recién nacido son breves, pero muy intensos, dado que todo, sin excepción, es nuevo para él. Ahora se alimenta y respira solo; además, del exterior le llega incontable información visual, sonora, táctil, afectiva... A cada instante aprende y crece, y se recupera de todos estos esfuerzos durmiendo. Pero el sueño no aporta tan sólo reposo al bebé, sino que también es un factor esencial de su desarrollo físico y mental. Cuando el bebé duerme, su cuerpo segrega una hormona del crecimiento. Los circuitos neuronales (nerviosos) también se forman en ese momento, y sus primeras experiencias se inscriben en él. En suma, el sueño es indispensable para él.

Así, durante los primeros días, la gran mayoría de los neonatos necesita dormir entre 20 y 23 horas al día; más adelante, de 16 a 20 horas, hasta la edad de un mes, y finalmente, de 16 a 18 horas entre el primer y el cuarto mes.

▶ Un ritmo guiado por el apetito

El recién nacido se despierta a menudo, entre otras cosas porque tiene hambre. Hasta que no alcance un peso suficiente, las tomas deben ser poco espaciadas. Paulatinamente, su organismo podrá aceptar ingestas menos frecuentes. En general, hacia los 4 meses el bebé duerme de noche y come por lo menos cuatro veces al día. Pero esta evolución seguirá el ritmo de tu bebé, no puedes imponérselo, sino que se producirá por sí solo. Únicamente puedes favorecerlo respetando dos consejos: no le des de comer cada vez que llora un poco y no le despiertes nunca para darle de comer.

El primer mes • Al principio, el recién nacido raramente duerme más de tres horas seguidas. Y cuando se despierta tiene hambre, tanto de día como de noche. A esta edad, necesita comer entre seis y ocho veces al día. Es él quien determinará el número de tomas. Sin embargo, deja que pasen por lo menos dos horas entre cada comida, el tiempo necesario para que digiera bien la leche de la última toma. Si llora antes de hora, procura calmarle sin darle de comer.

De 1 a 4 meses • Poco a poco, el bebé será capaz de dormir durante más tiempo sin despertarse, y el número de comidas disminuirá. Algunos niños no duermen una noche seguida hasta los 6 meses o incluso 1 año, mientras que otros ya duermen entre 6 u 8 horas seguidas cuando salen de la maternidad. Eso depende mucho más del bebé que de la actitud de los padres. Los pediatras consideran que cuando tiene un peso de 5 o 6 kilos, el bebé cuenta con reservas suficientes para pasar sin una toma o un biberón toda la noche. Pero en la práctica, eso varía mucho de un niño a otro, independientemente del peso y la edad.

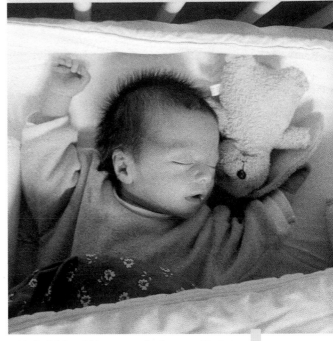

Un bebé también encuentra la seguridad que necesita en la presencia de objetos familiares.

▶ Distinguir el día y la noche

No puedes esperar que tu bebé sea capaz de distinguir entre el día y la noche antes del primer mes. A partir de entonces, empieza a diferenciarlos progresivamente; duerme más de noche y menos de día. Hacia los 4 meses, este aprendizaje ya suele haber terminado.

Ambientes distintos • Es posible diferenciar muy pronto las tomas del día de las de la noche rodeándolas de ritos distintos. De día, el bebé es estimulado por los ruidos cotidianos y el sonido de las voces. De noche todo está más calmado. Para evocar este ambiente, puedes encender una luz tenue, no intentes hacerle sonreír y procura que vuelva a dormirse en cuanto haya eructado.

Primeros rituales para irse a dormir • Cuando el bebé empieza a dormir más horas durante la noche, también puedes instaurar ciertos ritos después de la última toma del día. Por ejemplo, después de cambiarle, ponle la ropa de dormir, acuéstale, dile «buenas noches», cierra las cortinas y apaga la luz, y poco a poco entenderá la diferencia entre el día y la noche.

Los seis estados de vigilia del recién nacido

Del sueño a la vigilia, el recién nacido puede encontrarse en uno de los seis «estados de vigilia» siguientes.
• **Sueño tranquilo profundo (estadio 1):** duerme profundamente, sin la menor agitación visible, pero sus músculos están tónicos. Durante esta fase es cuando se segrega la hormona del crecimiento.
• **Sueño activo paradójico (estadio 2):** su rostro es expresivo, tiene los párpados entreabiertos, mueve los pies o las manos y su respiración es irregular. Parece que va a despertarse en cualquier momento.
• **Adormecimiento (estadio 3):** está en un estado provisional de semi-somnolencia. Si lo tomas en brazos o le hablas en ese momento, puede despertar.
• **Despierto tranquilo (estadio 4):** está tranquilo, atento a su entorno; se mueve poco, pero es capaz de «responder» imitando una sonrisa o un gesto.
• **Despierto activo (estadio 5):** mueve brazos y piernas y parece que puede ponerse nervioso fácilmente.
• **Despierto agitado (estadio 6):** se pone nervioso, llora y, pese a tus esfuerzos, no consigues calmarle.
Durante las primeras semanas, estas fases en que está despierto y agitado son más frecuentes y más largas que las de vigilia o de sueño tranquilo; más adelante se van reduciendo, para desaparecer hacia el tercer mes.

Un marco propicio

Ante todo, un clima afectivo sereno es lo que más favorece el sueño del bebé. Pero también encuentra una sensación de seguridad en los objetos familiares que le rodean. Disponer de una habitación o de un espacio reservado a sus horas de sueño también le ayudará gradualmente a dormirse sin ti.

¿Dormir con él? • De vez en cuando, quizás tengas ganas de dejar que tu bebé duerma contigo, en tu cama. Sin embargo, es mejor que eso no se convierta en un hábito, sobre todo después de los 3 meses. Tu bebé necesita una habitación o un espacio para él. Si lo tienes siempre contigo, si oye siempre hasta el menor de tus movimientos, le resultará más difícil organizar el sueño por sí mismo.

Una cama o una cuna cómoda • El bebé se pasa mucho tiempo durmiendo, y la preciosa canastilla pronto se queda pequeña. Dentro de su cama o de su cuna ya puedes disponer algunos elementos que para él se convertirán en un universo familiar y divertido, pero sin abusar, ya que un exceso de móviles, peluches o sonajeros podría estimularle demasiado y, por lo tanto, ponerle nervioso.

Para ayudarle a dormir

Pasadas las primeras semanas, en general el bebé se duerme mejor justo después de eructar. A menudo es el momento de los mimos. Ya sea tendido sobre ti, o acurrucado en brazos del padre, encuentra las voces, los olores y los gestos que le tranquilizan. Hay que diferenciar bien los momentos de contacto y de juegos de aquellos otros propicios para el sueño. Para que se duerma, no Hay que hablarle ni llamar su atención, sino permanecer en silencio.

A veces, el bebé se duerme en tus brazos. En la medida de lo posible, evita que eso suceda sistemáticamente. Es mejor que el bebé aprenda también a dormirse solo. Una vez en la cuna, si llora un poco, ponle la mano encima para calmarle susurrando unas palabras o una canción.

El punto de vista del bebé

Me gusta todo lo que se repite y me gusta observar aquello que me interesa. ¡Me produce saliva y me lo comería! Me da tranquilidad reconocer mis sensaciones, los olores, los ruidos, los ambientes de los diferentes momentos del día. Me encanta que me prevengan y que me hablen del mundo que me rodea, eso me ayuda a esperar cuando es necesario. ¡Pero lo que más me gusta es descubrir algo nuevo cada vez! Si no, me aburro, todo es demasiado parecido, y me duermo.

Quizás acabe por dormirse, pero intenta no volver a tomarlo en brazos enseguida. Por supuesto, asegúrate de que nada le molesta, de que no tiene calor y de que está limpio. Todos estos consejos se aplican aún con mayor motivo por la noche.

¡Ni somníferos ni jarabes! • No existen medicamentos adaptados para hacer dormir a un bebé. Los somníferos pueden afectar al desarrollo de su cerebro, en plena maduración. Y los jarabes, que contienen antihistamínicos (contra las manifestaciones alérgicas) o neurolépticos y benzodiacepinas (tranquilizantes), tampoco convienen a los bebés.

Respetar su sueño

Cuando el bebé duerme, necesita tranquilidad. Los pequeños ruidos no le molestan, pero un aspirador o un portazo sin duda le despertarán. A veces, los padres perturban el sueño del bebé al querer hacerlo demasiado bien o debido a la ansiedad. Se acercan con frecuencia a la cuna para comprobar que está bien y, sin querer, despiertan al niño y perturban sus ritmos.

No hay que confundir el estar despierto con el sueño paradójico • A veces, con la falta de experiencia, se puede confundir el sueño activo paradójico con un estado de vigilia (ver cuadro p. 281): el niño parece agitado, abre los ojos, sonríe o lloriquea estando dormido. Pero si lo tomas en brazos en ese momento, le costará mucho volver a dormirse. Es mejor que esperes a que despierte del todo. Pronto sabrás diferenciarlo. Un bebé bien despierto muestra dos actitudes posibles: o bien está tranquilo, y por ejemplo te mira con los ojos bien abiertos, o bien llora de forma enérgica.

Frente al llanto nocturno

Cuando aún es muy pequeño, antes del primer mes, tu bebé tiene una gran necesidad de que le tranquilices, y tus brazos a veces son la única manera de calmarle. Pero cuando crece, a partir de los 3 meses aproximadamente, enséñale que la noche está hecha para dormir. Y si llora des-

Durante las primeras semanas, el bebé a menudo se duerme después de comer. Más adelante empiezan a gustarle los mimos después de las comidas. Será el momento de ayudarle progresivamente a dormirse solo en su cama.

pués de comer y de cambiarle, tranquilízale con tu voz y explícale que es hora de dormir (los bebés entienden muy bien lo que se les dice, nunca les hablamos bastante). Si esto falla, siempre puedes tomarle en brazos. Y si, pese a todo, le ofreces la posibilidad de volver a dormirse de vez en cuando sin tu intervención, le ayudarás a conquistar poco a poco su autonomía.

La «crisis» del final del día

Entre la segunda y la décima semanas, con un pico hacia la sexta semana, a menudo entre las 17 y las 23 horas, el bebé se pone a llorar y hasta se retuerce, dando las primeras señales de un intenso malestar. Sin embargo, está limpio, ha bebido y no tiene calor...

Es la «ansiedad del anochecer» (los pediatras hablan de «disritmia de la noche»). Este estado frecuente y pasajero corresponde a una fase de vigilia agitada que desaparece hacia los 3 meses. Tu bebé,

que no tiene otra manera de descargar la tensión acumulada durante el día, se «desahoga». Ello forma parte de su adaptación a los ritmos del día y de la noche. Cuando estas crisis de llanto duran más de dos horas, lo cual no es imposible, tus nervios y los del padre se ven sometidos a una dura prueba. Hay que esforzarse por mantener la calma, si no el bebé notará la ansiedad y gritará aún más. Se le puede consolar acunándole, en un ambiente de luz tenue, pero sin hablarle. Y si no se calma, hay que tranquilizarse, porque por mucho amor que reciba puede sentirse desconsolado.

Posibles errores de interpretación • Los dolores abdominales que aparecen de forma más irregular durante el día no bastan para explicar por qué llora de noche. Otro error sería interpretar que llora porque tiene hambre. No intentes dar de comer al bebé para calmarle. Procura mantener la sangre fría y rodéale de un ambiente en calma hasta que encuentre su ritmo.

Dar el pecho en casa

Una vez en casa, poco a poco se establecerá un ritmo regular de tomas y podrás disfrutar plenamente estos valiosos instantes con tu bebé. No obstante, a veces pueden surgir pequeñas preocupaciones. Unos consejos prácticos te permitirán ponerles remedio fácilmente la mayoría de veces.

El ritmo de las tomas

Un bebé sano, con una succión eficaz, encontrará de forma natural un ritmo de tomas adecuado para él. El recién nacido mama una media de 8 a 12 veces al día. La cantidad de leche depende de la frecuencia de las tomas y de la eficacia de la succión del bebé. Las tomas cortas y frecuentes estimularán más tu producción de leche que unas tomas largas y poco numerosas.

Al cabo de unas semanas, tus senos estarán menos hinchados y menos tensos. Este ablandamiento significa que tu producción láctea se adapta a las necesidades del bebé. Para estar segura de que la succión del bebé es eficaz, asegúrate de que moja 5 o 6 pañales diarias y hace por lo menos de 2 a 5 deposiciones al día (la cantidad de heces puede disminuir a partir de las 6 semanas, es normal).

Una vida sana

La lactancia no produce cansancio, pero implica llevar una vida sana.

Alimentarse bien • La alimentación es tan importante para ti como para el bebé. Producir unos 800 ml de leche al día requiere energía. No es el momento de ponerse a régimen. Pero al principio de la lactancia también puede que tengas mucha hambre. Para no empezar a picar, procura preparar unas comidas realmente equilibradas. Ten cuidado en particular con:
• el calcio, para que el crecimiento de tu hijo no se produzca en detrimento de tus huesos; se aconseja tomar 3 o 4 productos lácteos al día;
• el hierro, para restituir tus reservas después del parto; toma carnes, pescado y huevos, verduras de hoja ancha;
• los lípidos, para el cerebro del bebé, que sigue desarrollándose; enriquece tu leche con ácidos grasos esenciales variando de materias grasas;
• las bebidas, para estar bien hidratada y favorecer la lactancia; bebe, por ejemplo, un vaso de agua antes de cada toma.

A tu bebé quizá no le gusten algunos alimentos si tienen un sabor fuerte, que él notará en la leche, o si son difíciles de digerir, porque provocan gases (es el caso, por ejemplo, de la cebolla, la col, los espárragos o ciertos platos con especias, si no los has tomado durante el embarazo). No abuses del café ni del té, ya que la cafeína y la teína pasan a la leche. Por último, evita los alimentos que pueden reducir la producción de leche, como el perejil, la menta, la salvia y el ruibarbo. En cambio, puedes tomar alimentos que estimulan su producción, como el anís verde, la alcaravea, el hinojo y la hierba limón.

Descansar • El cansancio puede ser causa de una producción insuficiente de leche. Pese a que suele ser más difícil en casa que en la maternidad, sobre todo si ya tienes otros hijos, intenta concederte unos momentos de descanso, al ritmo del bebé. Por ejemplo, duerme al mismo tiempo que él o dale de mamar tendida. Podrás adormecerte y recuperarte un poco.

Cuidado con los medicamentos y el alcohol • Procura no tomar medicamentos si no es por prescripción médica, ya que algunos pasan a la leche materna. Descarta toda bebida alcohólica, incluidos el vino y la cerveza (que, por lo que se sabe, ¡no aumentan la producción de leche!).

Trastornos y complicaciones

Aunque estés bien preparada para la lactancia, a veces surgen pequeños trastornos o complicaciones. Las pezoneras (o copas para pezones) pueden favorecer algunos problemas de la lactancia y agravar rápidamente la situación. Así pues, evita utilizarlas.

La hipersensibilidad de los pezones • A menudo te duele el extremo de los senos, sobre todo cuando empiezas a dar el pecho. Esta molestia puede deberse al bebé, que no agarra correctamente dentro de la boca el conjunto del pezón y la areola. Dedica tiempo a colocar bien al bebé en el pecho (ver p. 248). En general, esta hipersensibilidad disminuye a medida que la madre y el hijo van aprendiendo.

Las grietas • Pueden deberse a una posición incorrecta del bebé en el seno mientras mama, o bien a que la piel está demasiado húmeda (con saliva) o que se seca demasiado rápido (uso de secador del pelo), a ciertas cremas y jabones que sensibilizan la piel y también a una lactancia prolongada en exceso. Entonces el pezón está irritado y puede agrietarse e incluso sangrar.

Para remediarlo, comprueba tu posición al dar el pecho y la posición del bebé (ver pp. 248 y 249), sécate con cuidado las manos después de cada toma, sin frotar (dando unos toques suaves con papel absorbente o con una gasa) y evita otros factores irritantes. Puedes proteger el pezón con una crema con lanolina anhidra purificada y airear la grieta para favorecer su cicatrización. Para prevenir o limitar las grietas, es aconsejable: poner unas gotas de leche materna sobre el pezón después de secar la saliva del bebé o colocar compresas de agua helada.

La obstrucción mamaria • La obstrucción es un fenómeno transitorio debido a un aflujo excesivo de leche. Cuando se produce, en general empieza entre el tercer y el quinto día después de que suba la leche, cuando el ritmo de las tomas aún es anárquico. Si se trata rápidamente, dura entre 12 y 48 horas.

Para desobstruir los pechos hay que hacer mamar al bebé muy a menudo. Cuanto más frecuentes son las tomas, más rápido se resolverá el problema. Como los pechos están muy tensos, la leche no fluye con facilidad. Efectúa masajes muy suaves presionando el pecho hacia el pezón con movimientos circulares (insistiendo un poco, con suavidad, en los puntos con dolor) para drenar el pecho y estimular el reflejo de eyección. Si tienes las areolas firmes y el bebé no consigue coger bien el pecho, también puedes exprimir un poco de leche (a mano o con un sacaleches o tiraleches, ver p. 286) a fin de ablandar el pecho. Se recomienda tomar una ducha caliente y frotarse con algo caliente (como una manopla) antes del masaje; es muy eficaz y favorece el vaciado del seno. Una vez éste está blando, aplícale una tela fría para reducir el edema y el dolor.

Cuidado: no utilices pezoneras, ya que ello provocará una nueva obstrucción mamaria por «sobreestimulación». En caso de tener fiebre, consulta al médico, que podrá recetarte analgésicos. La continuación de la lactancia constituye la parte esencial en el tratamiento de la obstrucción y de sus complicaciones.

La linfangitis o mastitis • Es una inflamación de la glándula mamaria durante la lactancia. Aparece una zona roja y dolorosa en el pecho, que está tenso; va acompañada de fiebre, la cual puede subir a más de 39°. Se debe a una obstrucción de un conducto galactóforo. La madre

Pedir ayuda en casa

Una vez en casa, a veces se tiene la sensación de haber olvidado lo que se había aprendido en la maternidad, y cuesta encontrar el ritmo adecuado de las tomas. Si es tu caso, ¿por qué no recurrir a una comadrona que trabaje por cuenta propia? La presencia y los consejos de una profesional en un entorno más tranquilo que la maternidad suelen ser de gran ayuda. Infórmate hablando con las comadronas de la maternidad. También puedes acudir a uno de los grupos de apoyo a la lactancia materna de tu ciudad. La «Liga de la leche» es una organización internacional (La Leche League International, LLLI) reconocida por la Organización Mundial de la Salud (OMS) y por el Fondo Internacional de las Naciones Unidas para la Infancia (UNICEF), que trabaja con un comité médico de consulta. La «Liga de la leche» está representada por sus monitoras, madres que han dado el pecho al menos a un hijo y que han sido cuidadosamente preparadas para ayudar a otras madres a lactar a sus hijos. Infórmate durante tu estancia en la maternidad. Por último, es posible dirigirse a una asesora en lactancia, una nueva y creciente profesión, cuya misión es ayudar a las madres a dar el pecho basándose en las recomendaciones de la OMS, que postula una lactancia completa durante por lo menos seis meses.

nota los mismos síntomas que en una gripe. Es necesario guardar cama, beber mucho y dar de mamar al bebé, para favorecer la desobstrucción del canal. Si el dolor es demasiado fuerte, se puede calmar con un analgésico. Los factores que la favorecen son el cansancio y el estrés, de modo que para contribuir a la curación es necesario hacer reposo absoluto. No dudes en consultar a tu ginecólogo o a un especialista en lactancia, que te ayudará a identificar las causas de la mastitis, a fin de evitar una recaída.

Un absceso en un pecho • Una mastitis mal curada puede dar lugar a un absceso. Se trata de una mastitis muy fuerte, con flujo de pus. Por lo general, es necesaria una intervención quirúrgica rápida (drenaje del pecho), además de una antibioterapia y reposo, pero la lactancia puede proseguir con el pecho no afectado. El absceso del pecho es un problema serio pero poco frecuente.

◗ La lactancia, ¿durante cuánto tiempo?

No existe una «norma» por lo que respecta a la duración de la lactancia. La edad de destete suele ser una «cuestión cultural» y de las facilidades que ofrecen los poderes públicos a las madres (información, ayudas…). Pero la duración de la lactancia también es una cuestión personal, una decisión familiar. Coméntalo con el padre, que podrá darte el apoyo que necesitas. A menudo, la edad de destete viene determinada por la reincorporación al trabajo, pero debes saber que, si lo deseas, es perfectamente posible continuar dando de mamar al niño y plantearse un destete parcial. Puedes proseguir, por ejemplo, con las tomas de la mañana y de la noche, y que durante el día el niño tome biberones de leche artificial o bien puedes sacarte leche en el trabajo y guardarla (ver más adelante "Sacarse leche") para darla al niño más tarde. La solución del destete parcial con frecuencia permite a las madres vivir más fácilmente las primeras separaciones en el momento de volver a trabajar. La felicidad de contar con esos momentos de intimidad en la toma de la mañana y de la noche permite una vuelta más agradable a la vida social.

◗ El destete parcial

Si decides dar al bebé biberones de leche artificial cuando estás fuera, no sirve de nada que

El sacaleches o tiraleches

El sacaleches manual

El sacaleches manual es ligero y fácil de transportar. Es útil para extraer la leche de forma ocasional, si debes ausentarte unas horas, por ejemplo. En cambio, si quieres sacarte leche regularmente, es mejor utilizar un sacaleches eléctrico, que es más eficaz.

El sacaleches eléctrico

El sacaleches eléctrico es útil si quieres sacarte leche para darla al bebé durante tus ausencias, cuando éstas son regulares (por ejemplo, cuando vuelves a trabajar). También es esencial si el niño es prematuro o está hospitalizado. En este caso, a partir de los primeros días después del nacimiento, puedes estimular la subida de la leche usando el sacaleches cada 3 horas durante el día. Más adelante deberás adaptar el número de extracciones en función de las necesidades de tu bebé.

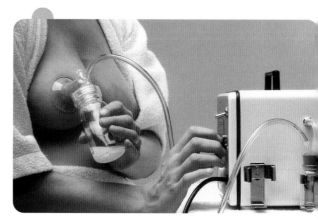

empieces a hacerlo mucho tiempo antes. Cuanto más tiempo des de mamar únicamente, sin recurrir a leches artificiales, más fácil será proseguir con la lactancia.

A veces, los bebés a los que se ha dado el pecho se niegan a tomar biberón. La succión de la tetina es muy distinta a la del pezón. Además, cuando su madre les enseña el biberón, en ocasiones no saben qué hacer. Si te encuentras en este caso, organízate, si es posible, para que cuando no estés, la persona que dé al niño su primer biberón no seas tú (mejor si es el padre o la asistente materna). De ese modo lo aceptará más fácilmente.

Infórmate también en el momento de comprar los biberones. Algunas marcas están más adaptadas que otras para los bebés que han mamado previamente. Sea como sea, puedes estar tranquila. Después de algunos intentos fallidos, los bebés siempre acaban por tomar el biberón. Para acertar con la elección de la leche artificial, pide consejo al pediatra que atiende a tu hijo.

Tus pechos tardarán unos días en adaptarse a este nuevo ritmo de las tomas; durante tres o cuatro días, al final del día tal vez tengas los pechos hinchados y tensos, e incluso algunas pérdidas de leche. Ponte de nuevo los discos absorbeleche bajo el sostén para no manchar la ropa. Pero enseguida tus pechos producirán sólo la cantidad de leche que necesita tu bebé. Los días que no trabajes, si te apetece, puedes continuar dándole biberón de día, o bien darle el pecho en cada toma.

Sacarse leche

Si decides sacarte leche, debes saber que la normativa laboral contiene distintas disposiciones para facilitar la lactancia.

Empieza a sacarte leche aproximadamente unos 15 días antes de empezar a trabajar, para entrenarte. Los mejores sacaleches son los eléctricos, de doble acción (se alquilan en farmacias o en empresas especializadas y siempre con prescripción médica).

Extráete leche regularmente (al menos cada 3 horas, adaptando el ritmo más adelante) con el fin de mantener una buena producción de leche. La leche materna se conserva: diez horas de 19 a 22°; ocho días en el frigorífico entre 0 y 4 °C; dos semanas en el congelador del frigorífico y hasta seis meses en un congelador a -19 °C.

Cuando no estás, la leche se puede dar en taza o con biberón. Siempre debe manipularse con las manos limpias y nunca hay que calentarla en el microondas o hervirla, para no destruir sus propiedades. Para calentarla a 37 °C hay que ponerla bajo el grifo de agua caliente. A menudo, la leche presenta un aspecto grumoso y su color puede variar del blanco al marrón. Comenta todas las posibilidades con la persona que se va a ocupar del bebé para poneros de acuerdo, lo cual es fundamental para tener éxito al continuar dando exclusivamente tu leche al bebé.

El destete total

Si decides cesar la lactancia, el destete debe ser lo más progresivo posible, a fin de facilitarlo tanto al bebé como a ti misma. Suprime una toma durante el día cada dos o tres días, y verás como tu producción de leche disminuirá gradualmente, sin que sufras molestias. La toma de la noche y la de la mañana, que podrán conservarse durante más tiempo, son las últimas que debes eliminar. Una vez que se ha producido un destete total, la glándula mamaria necesita unas tres semanas para recuperar su estado previo.

¿No tienes bastante leche?

Para aumentar la cantidad de leche, descansa más (guarda cama durante 24 horas), dale el pecho al bebé a menudo (cada 2 horas) y lleva copas para pezones continuamente. Dar alimentación complementaria con biberón presenta inconvenientes: vas a producir aún menos leche y, al mismo tiempo, el bebé deberá acostumbrarse a dos formas de mamar. Recuerda que todas las prácticas que impiden el «vaciado» del pecho son causa de disminución de la producción de leche; así pues, no dudes en pedir consejo al pediatra.

El biberón en casa

Apartir de ahora, eres tú o tu compañero quien prepara los biberones. Tal vez, como muchas madres, te preguntes si alimentas a tu hijo según sus necesidades. No olvides que el bebé sabe expresar perfectamente que ya no tiene hambre, o que quiere más. Y si tienes dudas, el pediatra puede aconsejarte.

▶ Preparar la leche

Una vez de vuelta a casa, continúa dando al bebé la misma leche que en la maternidad. Si al cabo de unos días te parece que el bebé no la tolera, consulta al pediatra, que te recomendará otra.

¿En polvo o líquida? • Algunas leches para bebés se presentan en forma líquida; basta verter la cantidad adecuada en un biberón esterilizado. El precio siempre es más elevado que el de la leche en polvo.

¿A qué temperatura? • Para preparar un biberón (ver página de al lado), es más fácil diluir el polvo de leche en agua tibia que en agua fría. Puedes calentarla en un calienta biberones, al baño maría o en el horno microondas (este último no es peligroso, pero puede calentarlo demasiado). Comprueba la temperatura de la leche vertiendo unas gotas sobre la piel de la cara interna de tu muñeca; si está demasiado caliente podría quemar al bebé.

No prepararlo nunca con antelación • El biberón debe tomarse recién preparado; no lo prepares de antemano, porque la leche podría convertirse en un caldo de cultivo. Para salir de paseo o durante la noche, puedes mantener el agua tibia en un biberón estéril, pero tienes que añadir el polvo de leche en el último momento. Y, sobre todo, nunca des de beber el resto del biberón anterior.

▶ ¿Cuántos biberones?

Si has decidido darle el biberón desde el nacimiento, te habrán aconsejado al respecto en la maternidad (ver p. 253). Una vez en casa, respeta las cantidades y las proporciones de agua y de polvo de leche.

Una media de seis tomas al día • No obligues nunca al bebé a terminarse un biberón si lo rechaza durante un cuarto de hora; sin duda no tiene hambre. En general, un bebé de un mes toma unos seis biberones al día, y a veces uno durante la noche. La cantidad que toma no es siempre la misma en todos los biberones, y éstos tampoco se distribuyen de forma igual a lo largo del día. Si tu hijo reclama un biberón durante la noche, puede ser que no tenga bastante. Normalmente, el mejor indicador es su actitud: si no termina el biberón es que la dosis es demasiado grande; en cambio, si bebe hasta la última gota, puedes darle más. Es mejor darle demasiada leche que poca.

El horario del biberón de la noche se irá desplazando progresivamente hasta que coincida con el primero de la mañana. Del mismo modo, el paso de seis a cinco o incluso a cuatro comidas al día se hará de forma gradual. El pediatra te indicará en qué proporciones debes aumentar las dosis en cada toma. El niño aguantará intervalos cada vez más prolongados.

▶ Para que digiera bien...

Después del biberón, sostén un momento al bebé de pie para ayudarle a eructar. Si tarda en hacerlo, puedes darle unas palmadas suaves en la espalda. Si durante la toma está intranquilo, quizás es que necesita eructar. Una vez aliviado, continuará comiendo. No te preocupes si regurgita un poco de leche después de la toma. Tan sólo significa que ha bebido demasiado y muy rápido. Debes saber que, por lo menos hasta el primer año, el bebé no puede tomar él solo el biberón (podría atragantarse).

▶ ¿Esterilizarlo o no?

En la maternidad, los biberones siempre estaban esterilizados, y también tú debes hacer lo mismo (ver p. 290). Sin embargo, la esterilización no es obligatoria, pero en su defecto, es imperativo seguir unas reglas de higiene rigurosas: tener las manos limpias cuando manipulas el biberón; lavar el biberón y la tetina en cuanto el bebé ha terminado de comer, sin esperar ni siquiera media hora; secarlo enseguida y cuidadosamente con una bayeta desechable, y no reutilizar un biberón en cuyo fondo ha habido leche durante un cierto tiempo.

reparar el biberón

nto para los biberones con leche como
ra los que empleas para dar de beber
bebé, utiliza agua natural en botella,
neral o de manantial, no fluorada,
co mineralizada y mejor si lleva la
dicación «adecuada para bebés».

ra preparar un biberón con leche en
lvo y agua, sigue las instrucciones del
oricante y reconstituye la leche
ntando una medida de polvo rasa, no
esionada, por cada 30 g o ml de agua.
el pediatra te recomienda hacer los
perones con 150 ml, pon 150 ml de
ua y añade cinco medidas de polvo.
ja que el niño tome la cantidad que
see.

básico mantener una higiene
gurosa. Manipula los biberones
empre con las manos limpias y evita
perficies que no estén completamente
mpias.

Verter el agua y la leche en polvo

Vierte la cantidad de agua necesaria,
témplala y añade la cantidad de leche
en polvo indicada utilizando la cucharilla
para medir.

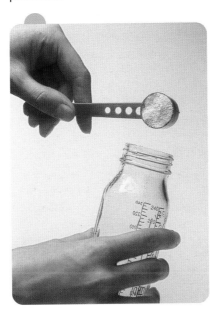

Agitar

Cierra el biberón con el tapón.
Agítalo para mezclarlo bien.
Si hay grumos, agítalo de nuevo.

Enroscar la tetina

Procura que la rosca de la tetina
que se adapta al cuello del biberón
no esté apretada al máximo.

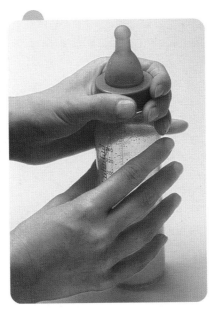

Quitar el tapón

na vez mezclada la leche, quita
l tapón para colocar la tetina y la rosca.
os grumos que hubiera se habrán
epositado en el tapón, no dentro
e la tetina.

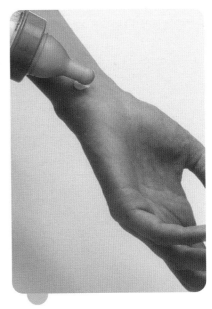

Comprobar la temperatura

Vierte un poco de leche sobre la cara
interna de tu muñeca (con la palma
de la mano hacia arriba) para comprobar
la temperatura.

Limpiar y esterilizar el biberón

No olvides que es imprescindible mantener una higiene rigurosa. Si no utilizas biberones desechables, e independientemente de la técnica de esterilización que uses, efectúa todas las operaciones de esterilizar, secar y guardar en una superficie de trabajo limpia. Manipula los biberones siempre con las manos limpias.

Limpiar la tetina

Con un limpiabotellas, limpia a fondo la tetina, la rosca y el protege-tetina. Si lavas el biberón y los distintos componentes en el lavavajillas, enjuágalos después con agua caliente para eliminar cualquier resto de productos de aclarado.

Limpiar el biberón

Lava el biberón con agua y jabón y enjuágalo con agua caliente. Una vez limpios y secos, el biberón y la tetina deben ser esterilizados.

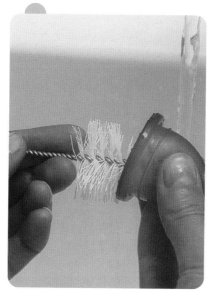

Secar con cuidado

Deja el biberón en un lugar bien limpio. Para secarlo, utiliza una bayeta desechable en lugar de un paño de cocina.

Esterilizar en caliente

Si no dispones de esterilizador eléctrico puedes utilizar una olla a presión. Deposita los biberones en el recipiente, coloca las tetinas, las roscas y las tapas encima y vierte dos vasos de agua. Cuenta siete minutos a partir de la rotación de la válvula, y espera otros siete minutos antes de abrir.

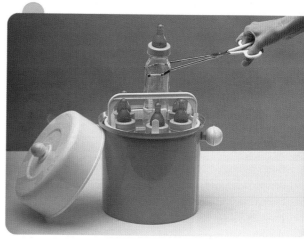

Esterilizar en frío

Añade al agua fría una dosis líquida o un comprimido de hipoclorito (componente de la lejía) y deja los biberones, las tetinas y las tapas sumergidos al menos durante una hora y media.

Los trastornos digestivos del bebé

Las primeras comidas de tu bebé, tanto si le das el pecho como el biberón, pondrán en funcionamiento un aparato digestivo completamente nuevo. Esta puesta en marcha conlleva a veces algunos problemas. Aunque sean insignificantes, son la causa de violentos llantos y de los movimientos que indican el «malestar» del niño.

▶ Los cólicos

Los cólicos, o dolor de vientre, son uno de los trastornos leves más frecuentes en el recién nacido, sobre todo cuando se le alimenta con biberón. Provocan fuertes llantos, que a menudo se calman en cuanto puede evacuar o expulsar los gases. Para mitigar estos dolores, puedes darle masajes en el vientre, de abajo hacia arriba y en el sentido de las agujas del reloj. El contacto con el calor de tu piel o con una bolsa de agua caliente también puede calmarle. Ponlo, por ejemplo, con el vientre en contacto con tu propia piel.

Los cólicos pueden tener diversas causas, pero cuando son frecuentes y el bebé es alimentado con biberón, un cambio de leche suele ser la mejor solución para mejorar la situación. Pide consejo al pediatra.

▶ Las diarreas

Si le das el pecho, tu hijo hará unas deposiciones de una consistencia y un color particulares: serán poco consistentes, granulosas y de un color amarillo dorado. Si le das el biberón, sus deposiciones serán poco consistentes y de color claro. Enseguida te darás cuenta de si el bebé tiene diarrea, ya que sus deposiciones serán diferentes, aún más líquidas y más frecuentes. En cualquier caso, tanto si le das el pecho como si le das biberón, debes consultar al médico enseguida, dado que en los neonatos el riesgo de deshidratación es importante; es imperativo iniciar un tratamiento de inmediato. Normalmente, las diarreas en el bebé tienen un origen infeccioso.

▶ Las regurgitaciones y los reflujos

Las regurgitaciones se producen al final de la toma: el bebé expulsa lo que ha tomado de más. Suelen producirse en el momento de eructar. Sólo se pueden evitar estando atento para valorar cuándo se ha saciado el bebé, para que no tome más de lo que necesita. Estas regurgitaciones no deben confundirse con los reflujos, que son eyec- ciones o vómitos, no siempre abundantes, que se producen al final de la toma y que están provocados por el menor movimiento. Por lo general, van asociados a una maduración incompleta del tubo digestivo del bebé. El reflujo suele desaparecer con la edad, pero puede ser útil un tratamiento médico adaptado para reducir los síntomas, evitar las complicaciones (esofagitis) y facilitar la maduración fisiológica del tubo digestivo del recién nacido.

▶ ¡Tiene hipo!

El hipo, que puede ser persistente y durar mucho, a veces preocupa a los padres, pero no perjudica al bebé. Normalmente llega sin una causa y desaparece espontáneamente. ¡Recuerda que el bebé ya tenía hipo estando dentro de tu vientre!

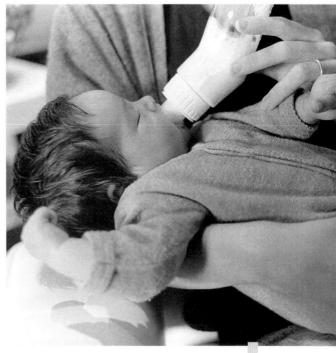

A medida que crece, al bebé cada vez le duele menos la barriga.

Primeros aseos, primeros baños

La limpieza y el cambio de pañales al principio pueden ser un poco estresantes. Pero una vez te hayas acostumbrado a este proceso, se convertirá en una ocasión de vivir momentos privilegiados de contacto, ternura y juegos. Por seguridad, procura tener siempre todos los productos necesarios al alcance de la mano, para no tener que moverte de su lado.

¿La limpieza debe ser cotidiana?

No es necesario llevar a cabo un aseo a fondo todos los días. El recién nacido no se ensucia mucho, a excepción de las nalgas. Sólo hay que ocuparse a diario del trasero, que debes lavar tras cada cambio de pañales; del cordón umbilical, que debes desinfectar, y del aseo de la cara, para evitar o tratar pequeñas irritaciones debidas a que el bebé tiene la piel sensible.

El baño es facultativo. Algunos días estás cansada o el bebé duerme profundamente, y dejarás para el día siguiente un aseo general. Algunas madres le dan un baño todos los días, mientras que otras lo hacen un día de cada dos, sin que ello tenga ninguna incidencia en particular. Está muy generalizada la idea de que a los recién nacidos les gusta el agua porque se han bañado en el líquido amniótico antes de nacer, pero esto no siempre es verdad. A algunos no les gusta que les bañen durante las primeras semanas de su vida. En ocasiones, con el tiempo, y debido a la voz y los gestos amables de la madre, el bebé aprende a disfrutar de ese momento.

Para que el baño sea un placer

Muy pronto, el baño se convertirá en un ritual para ti y para el bebé. Los dos disfrutaréis de él, si de verdad es una ocasión de relajación y propicia para el contacto. Durante las primeras semanas, el bebé duerme mucho y pasa poco

El baño

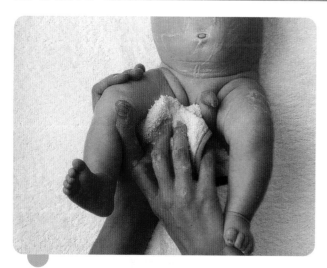

Primero, limpiar las nalgas

Una vez el bebé está desnudo sobre la mesa de cambiarle, procede en primer lugar a la limpieza de las nalgas, para no ensuciar el agua del baño. Límpiale con los extremos del pañal, y luego coge una manopla (o una toallita suave), que reservarás para este uso.
Mójala con agua tibia y utiliza un producto hipoalergénico.

Enjabonar todo el cuerpo

Enjabona todo el cuerpo del bebé con una toalla suave, una manopla o, aún mejor, con la mano. Empieza por el vientre, al bebé le resultará más agradable. Insiste en los pliegues del cuerpo y en los órganos genitales.
No olvides el cuero cabelludo. No te dé miedo enjabonarle la cabeza, ya que las fontanelas soportan perfectamente este masaje que evitará la formación de costras.

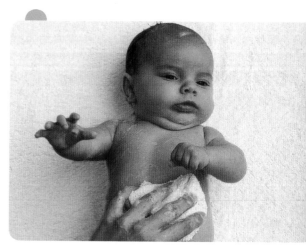

tiempo en estado de vigilia y tranquilo. El aseo y los cuidados serán ocasiones propicias para comunicarte con él.

Encontrar el momento propicio • Elige preferentemente un momento en que el bebé no tenga mucha hambre ni esté nervioso, y evita también bañarle poco después de comer, ya que podría devolver la leche. Si a tu bebé le cuesta dormirse por la noche, un baño al final del día tal vez pueda ayudarle a conciliar el sueño con más facilidad. Cada una (y cada uno) encontrará la franja horaria que le vaya mejor, en función de los ritmos del bebé. Lo importante es mantener cierta regularidad (mañana o noche), puesto que el niño necesita estas referencias que pautan su tiempo y le ayudan a estructurarse.

◗ ¿Qué necesitas?

Para el baño del bebé, existen muebles especiales o pequeñas tumbonas regulables que se adaptan al fondo de la bañera. Si aún no has encontrado los accesorios que necesitas, elige lo más cómodo, aquello que te evite tener que inclinarte

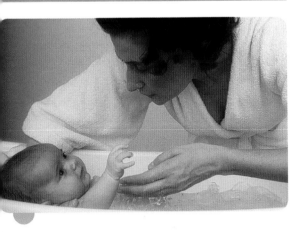

Enjuagarle de forma segura

Coloca una mano bajo su axila para sostener con el brazo la cabeza del bebé y sujétalo con firmeza por la espalda (ver p. 294). Sumérgele delicadamente en el agua. Con la otra mano, enjuágale mientras le hablas en voz baja para calmarle. En el agua, el bebé poco a poco se relaja. Al cabo de unas semanas, cuando se haya acostumbrado al baño, podrás ponerle como si fuera a nadar, sosteniéndole con un brazo bajo el pecho y con cuidado para que la cabeza quede siempre completamente fuera del agua.

demasiado. No olvides que repetirás estos movimientos todos los días durante meses.

Antes de sacar al bebé de la cuna, prepara todo el material necesario para el aseo. Nunca se debe dejar a un bebé solo, ni siquiera un segundo, sobre la mesa de cambiarle o sobre un mueble dedicado a este uso (por ejemplo, una mesa o una cómoda con un pequeño colchón especial cubierto con una toalla).

Para el aseo, necesitarás tener a mano:
– jabón o líquido limpiador antialergénico,
– una toalla de felpa o un albornoz,
– una manopla o una esponja suave,
– un cepillo de pelo para bebés,
– pañales,
– un body de algodón,
– ropa limpia (pijama).

Para su cuidado, no olvides:
– compresas,
– algodón,
– suero fisiológico,
– un antiséptico local,
– leche o crema hidratante,
– gasa, si fuera necesario.

◗ ¿Cómo proceder?

Asegúrate, en primer lugar, de que el cuarto de baño o el lugar donde le aseas está a una temperatura adecuada (de 22 °C a 25 °C), ya que los bebés se enfrían enseguida. Luego, abre el grifo y comprueba siempre la temperatura del agua con un termómetro de baño, con el dorso de la mano o con el codo. Debe estar tibia (37 °C). Ahora puedes poner el bebé sobre el cambiador y desvestirle por completo.

Limpiar las nalgas • Para empezar, limpia las nalgas antes de sumergirle en el agua, para no ensuciar la bañera. Lo mejor es usar una manopla reservada a este uso, agua tibia y jabón suave, o bien utilizar algodón y leche hidratante.

Enjabonar • Luego, debes enjabonar al bebé, ya sea sobre la mesa de cambiarle, ya sea directamente en el agua, si te resulta cómodo. Límpiale de la cabeza a los pies, con la mano o con una manopla, insistiendo en los pliegues (detrás de las orejas, el cuello y los espacios entre los dedos). Debes limpiar el cráneo y los órganos genitales con mucho cuidado (ver página siguiente).

Enjuagar • Para mantener al bebé en el agua, sostenle la cabeza con el brazo, poniendo la

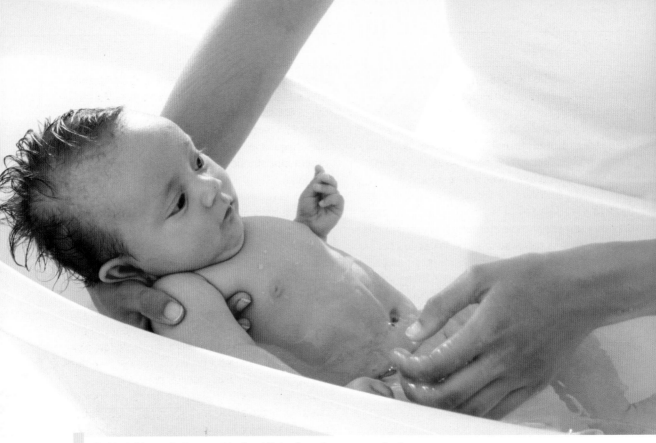

Si al bebé le gusta tomar el baño, déjale chapotear unos minutos.
Pero si no le gusta el agua y llora, enjuágale rápido, ya es más que suficiente.

mano bajo su axila. Cuando se sienta confiado en la bañera, puedes volverle sobre el vientre, sosteniéndole por debajo del pecho. Si lo ves relajado, déjale chapotear un poco, pero siempre vigilándole atentamente. No importa si suena el teléfono en ese momento o si alguien te llama desde el otro extremo de la casa. Nunca dejes al bebé solo en la bañera, aunque haya muy poca agua.

Si te parece que al niño no le gusta esta operación, de vez en cuando puedes tomar una ducha o un baño con él. Entonces el padre puede coger al niño una vez lavado, para secarle y vestirle.

Zonas que hay que cuidar en el aseo

Los órganos genitales • Los órganos genitales del bebé deben ser objeto de cuidados muy

El punto de vista del bebé

Al principio, no me gusta que me quiten mi «piel» de canastilla, pero cuando es para ir a ese envoltorio de líquido caliente, noto unas sensaciones que me calman. ¡Cómo me gusta volver a flotar, aunque antes de entrar tengo un poco de frío! Me relajo, me estiro, abro los ojos, mis dedos se extienden, y estoy tan bien que les sonrío, sobre todo si jugamos y si no tenemos prisas. También me acostumbro a los nuevos sonidos que oigo, y esto es muy agradable.

atentos, dado que están especialmente expuestos a las irritaciones.

• **En la niña:** la vulva es una zona de secreciones; debes enjabonarla y aclararla por delante y por detrás, abriendo los pliegues.

• **En el niño:** tirar con suavidad hacia atrás la piel que cubre el glande (el prepucio) y llevarlo de nuevo hacia delante después de enjabonarlo y enjuagarlo. Si no te sientes segura, puedes hacerlo antes o después del baño; pero no te preocupes, porque esto no es indispensable. Pide consejo al pediatra. Lo importante es estar atento, porque si está enrojecido, caliente o hinchado, es un indicio de una posible inflamación.

El cuero cabelludo • Para evitar la formación de costras lácteas debidas a la secreción de sebo (ver p. 297), durante los tres o cuatro primeros meses, da masajes al bebé en la cabeza cuando lo bañes, aplicando un jabón suave con la mano. Después enjuágalo con abundante agua. No tengas miedo de tocar las fontanelas, son flexibles pero sólidas (ver p. 259). Cuando el bebé sea un poco mayor, podrás utilizar un champú suave especial para bebés, dos o tres veces por semana.

▶ A la salida del baño

Cuando saques al bebé del agua, ponlo enseguida sobre una toalla seca o sobre su albornoz y envuélvelo para que no tenga frío. Ahora vas a secarle aplicándole la toalla, sin frotar. Empieza por la cabeza, sécale también detrás de las orejas y en los pliegues del cuello. Luego seca bien todos los pliegues del cuerpo, bajo los brazos, en las ingles, entre las nalgas y detrás de las rodillas.

Si lo deseas, puedes aplicar al bebé un poco de aceite de almendras dulces o leche hidratante. Su piel, que los primeros días puede tener cierta tendencia a ser algo seca, se mantendrá así perfectamente hidratada.

Cuando el bebé está bien seco y caliente y patalea sobre la mesa de cambiarle, ocúpate del cordón umbilical (hasta que se le caiga); después ponle los pañales y vístele. Ahora ya sólo falta aplicarle los cuidados de la cara y peinarle con un cepillo para bebés. A algunas madres les gusta terminar el aseo del bebé poniéndoles unas gotas de colonia sin alcohol, pero esto es totalmente opcional.

Las curas del cordón umbilical • Al nacer, el cordón umbilical ha sido cortado a unos centímetros del cuerpo. Gracias a tus cuidados (ver más arriba), el extremo que queda debe secarse y caer por sí solo antes del décimo día. Si no ha caído al cabo de quince días, o si se pone rojo, supura, desprende un olor desagradable o si aparece un bulto, consulta al pediatra. Después de la caída del cordón, a veces queda una pequeña hernia que hace sobresalir al ombligo, que desaparecerá progresivamente. No sirve de nada intentar reducirla comprimiendo el ombligo del bebé.

La cara • Para limpiar la cara del recién nacido, basta con un algodón impregnado en agua. Presta atención a los lugares ocultos: los pliegues del cuello y detrás de las orejas, donde a menudo aparecen pequeñas lesiones que supuran y

Curar el cordón umbilical

gunas madres sienten verdadera aprensión ante la idea de car ese pequeño bulto de carne. Piensa que tu bebé no nota da, salvo el contacto del producto con el que le limpias.

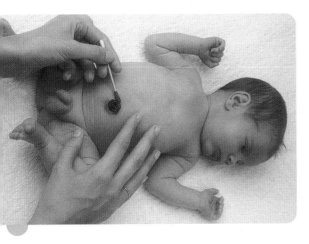

esinfectar el ombligo

dos los días, hasta que caiga el cordón, aplica alcohol l 60% con un bastoncillo de algodón o con una compresa. spués, aplica una solución antiséptica.

Poner y mantener la compresa

Cubre el extremo del cordón ya desinfectado con una compresa estéril. Si lo prefieres, cuando el ombligo está limpio y seco, también puedes poner el producto antiséptico sobre la compresa. Puedes sujetar la compresa simplemente con el pañal o, si lo prefieres, con una venda. Debes cambiarla dos veces al día, o si se ha ensuciado. No es necesario poner al bebé una faja umbilical.

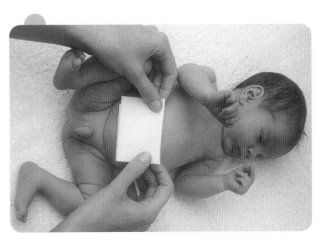

forman costras, que cicatrizan pronto con un antiséptico. Estas zonas deben lavarse y secarse regularmente y con cuidado.

Para limpiar las orejas, limpia sólo la entrada del conducto con un bastoncillo de algodón y suero fisiológico. Se aplica el mismo sistema para limpiar la nariz. Lo importante es no introducir el algodón demasiado adentro.

En cuanto a los ojos del bebé, hay que tener en cuenta que son particularmente delicados. Si los tiene sucios, límpialos con una compresa estéril impregnada de suero fisiológico, yendo del ángulo interno del ojo hacia el externo. Cambia de compresa y de algodón para cada ojo, igual que para cada oreja.

Si los ojos le lloran... • Si uno de los ojos le llora mucho o produce secreciones, probablemente se trata de una pequeña molestia habitual en los neonatos: el canal lacrimal está taponado por una pequeña membrana. Ante este problema, es mejor consultar al pediatra, que prescribirá un tratamiento adecuado en caso de que exista una infección local, y sin duda te enseñará a efectuar un suave masaje cotidiano para favorecer el retorno a la normalidad. Éste consiste en presionar el párpado inferior, bajo el ángulo interno del ojo, después de lavarte las manos y evitando tocar el ojo directamente. En general, todo está en orden al cabo de unas semanas; en caso contrario, el pediatra aconsejará si debes consultar al oftalmólogo.

▶ Soluciones para tratar los pequeños problemas de piel

La piel del bebé es muy sensible. No obstante, unas cuantas reglas de higiene ayudan a evitar las irritaciones y las infecciones: mantener siempre la piel limpia y bien hidratada, secar bien al bebé después del baño y evitar la ropa y los pañales demasiado ajustados. Pese a tus cuidados, el niño puede sufrir ciertas afecciones, que requerirán una consulta médica.

El eritema del pañal • Con frecuencia, en el recién nacido esta irritación se debe sobre todo a la agresión de la orina, a las deposiciones y a la flora bacteriana. Antes de consultar al pediatra, puedes aplicar una pomada cicatrizante, de venta en farmacias, y cuando le limpies las nalgas evita en particular el uso de productos alergénicos y de toallitas. Lo ideal es limpiarlas sólo con agua y algodón, y después secarlas bien con un pañuelo de papel bien limpio, antes de aplicar la pomada. En caso de que padezca una irritación intensa, deja las nalgas del bebé descubiertas el mayor tiempo posible.

Cambiar al bebé

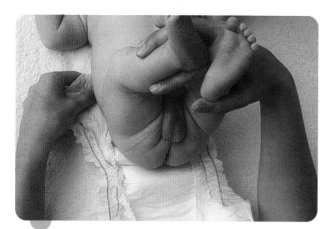

Poner un pañal limpio

Tras limpiar al bebé con una manopla húmeda o con algodón y crema hidratante, le secas bien la piel. Levanta las nalgas y desliza por debajo la parte del pañal donde están las pestañas adhesivas (la mitad del pañal debe quedar debajo de las nalgas).

Doblar

Haz pasar la otra mitad del pañal entre las piernas. Si el ombligo aún no está cicatrizado, ten la precaución de doblar la parte superior del pañal por debajo del ombligo.

Si pese a estos cuidados las lesiones supuran, es mejor que consultes al médico.

El acné del bebé • Esos puntitos blancos sobre fondo rojo aparecen con cierta frecuencia y a temporadas, en la cara y en el pecho, a partir de la cuarta semana. Pueden persistir durante varias semanas. No hay ningún tratamiento indicado, salvo el aseo habitual.

Laa costra láctea • Si en el cráneo del bebé se forman costras, por la noche puedes untarle el cuero cabelludo con vaselina, crema hidratante o glicerina líquida. Al día siguiente, le lavas y enjuagas. Las costras se habrán ablandado y saldrán fácilmente con un peine para bebés.

El eczema del lactante • Se manifiesta con manchas rojas en la piel y pequeñas lesiones secas. El bebé siente ganas de rascarse. Este eczema, muy raro antes del tercer mes, normalmente aparece en la cara (salvo en la nariz y el mentón), detrás de las orejas, y también puede hallarse en los pliegues de las articulaciones. Requiere una consulta al pediatra.

Cambiar al bebé

El bebé necesita que le cambies a menudo, de cuatro a seis veces al día, y preferentemente en las horas de las comidas y cada vez que exprese

errar
ne las dos partes del pañal con las pestañas adhesivas
ero sin ajustarlo demasiado.

malestar llorando. En cuanto percibas un olor sospechoso, no esperes para cambiarlo a que te avise con su llanto. Al cambiarle, debes secarle las nalgas con cuidado (ver en estas páginas "Cambiar al bebé").

Si el ombligo no está cicatrizado, procura no cubrirlo, tomando la precaución de doblar la parte superior del pañal por debajo del ombligo, antes de fijar las pestañas adhesivas a los lados. No lo ajustes más que lo necesario para evitar las fugas.

Los pañales • Los pañales desechables son el sistema más práctico. Por supuesto, el tamaño debe ser el adecuado para el peso del niño (respeta las indicaciones que aparecen a este efecto en los paquetes de pañales). Si tu bebé es alérgico a este tipo de pañales, puedes utilizar pañales especiales de algodón hidrófilo (de gasa o como pañal desechable), de venta en farmacias.

¿Qué ropa elegir?

La capacidad de regulación térmica del bebé aún es insuficiente para permitir que se adapte a oscilaciones bruscas de temperatura. Así pues, es muy importante que no tenga ni demasiado frío ni demasiado calor. La temperatura ambiente debe situarse alrededor de los 20 ºC.

Cuestiones de temperatura • Puedes abrigar algo más al bebé, sabiendo que pasa la mayor parte del tiempo durmiendo y que no se mueve. No obstante, dentro de la casa, un recién nacido no necesita estar abrigado. Procura, sobre todo, que tenga la barriga bien tapada y que la ropa interior no le sobresalga y asome sobre la ropa que lleva encima. Las prendas de una pieza, o bodys (llamados también *enteritos* o *camisetitas con broche*), que se cierran en la entrepierna, evitan este inconveniente. Además, permiten cambiar al bebé fácilmente, sin que pueda enfriarse. Si es invierno, puedes ponerle sobre la camiseta una prenda de un material cálido (lana, lana polar, seda…).

Costumbres prácticas para él • Como le gusta patalear a sus anchas, al bebé le molestan las prendas ajustadas. Así, el cuello y los puños deben ser anchos. Al principio, para su comodidad, evita las prendas que se ponen por la cabeza, las que se cierran con imperdibles y, obviamente, las prendas con cintas que se le puedan enrollar en el cuello.

¿Tienes gemelos?

La vida con gemelos o mellizos implica el doble de tomas, de pañales y de curas... y la mitad de horas de sueño. Aunque seas una madre muy bien organizada, sin duda, y en la medida de lo posible, necesitarás ayuda.

¿Cómo organizarse?

Con los gemelos o mellizos, y con el ritmo de las tomas de la noche, ¡a menudo parece que se hicieran los tres turnos de ocho horas! Las tomas, los pañales y el aseo se suceden sin dejar a los padres apenas descanso. Sin duda, habrá que organizarse de forma estricta, con unos horarios regulares, y olvidarse de las ganas que uno tiene de hacerlo todo lo mejor posible. Los cambios de pañales son inevitables, pero bastará un baño cada dos días. Si das el pecho, quizás quieras dárselo a los dos bebés al mismo tiempo. En general, debes encontrar cierto equilibrio entre tu propia organización y el respeto del ritmo natural de cada bebé. El resultado será necesariamente un compromiso, propio de cada uno. Por supuesto, será indispensable la participación activa del padre.

Las ayudas externas

La situación varía mucho en los diferentes países. Por ejemplo, si bien en algunos países de Europa, en función de tus ingresos y de la composición de tu familia, puedes tener derecho a una ayuda en tu domicilio u obtener una bonificación para la contratación de cuidadores en caso de familia numerosa, esta posibilidad, por ejemplo, no existe en América Latina. Infórmate al respecto con la asistenta social de la maternidad. Al margen de las ayudas institucionales, en muchos países existen asociaciones civiles creadas para apoyar a las familias en estas circunstancias, como Jumeaux et Plus, en Francia, la Asociación de Nacimientos múltiples A.C., en México, Multifamilias, en Argentina, etc. En todas ellas ofrecen orientación y asesoramiento.

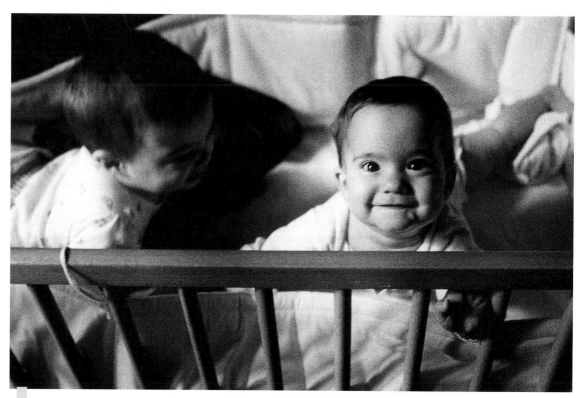

A veces es difícil arreglárselas cuando los dos bebés reclaman a la madre al mismo tiempo. Pero muy pronto los gemelos aprenderán que son dos y que de vez en cuando tienen que esperar.

La salud
de la madre

Desde el parto hasta que vuelve la menstruación • Posibles trastornos de salud • Cómo arreglárselas • La visita postnatal • Diferentes métodos para reeducar el perineo • Las formas de contracepción recomendadas • La reanudación de las relaciones íntimas

Aún estás delicada

A lo largo de los últimos meses, tu organismo ha sufrido cambios profundos. Ha llevado y dado la vida, y poco a poco va a restablecerse de estos trastornos. Durante las primeras semanas después del nacimiento debes poner una especial atención en el cuidado de tu cuerpo. Más adelante, te preocuparás por tu salud en mayor o menor medida, según tu estado.

▶ Un período de transición

Durante las semanas que siguen al parto, normalmente la mujer no se siente capaz en absoluto de realizar esfuerzos físicos. Ante todo desea descansar, respondiendo así a lo que necesita su cuerpo, que todavía está delicado. En muchas tradiciones populares se creía, no sin razón, que la mujer debía cuidar de su salud lo máximo posible durante el mes que sigue al nacimiento.

Se necesita una fase de transición de algunas semanas, llamada *puerperio,* para que los órganos recuperen completamente su posición. Durante este lapso de tiempo, el cuerpo de la mujer aún experimenta diversas transformaciones: el útero vuelve a su volumen anterior, las secreciones hormonales muestran un fuerte descenso y el ciclo menstrual se reanuda... En cierto modo, puedes considerar que tu cuerpo aún está convaleciente.

Un primer retorno al equilibrio se consigue con el regreso de la menstruación, señal de que la mujer vuelve a ovular. Se produce entre la sexta y la octava semana después del parto. Si das el pecho al bebé, la regla vuelve más tarde (entre cuatro y seis semanas después de dejar la lactancia), pero el período de recuperación del cuerpo es aproximadamente el mismo que si no dieses el pecho.

Pasada esta primera etapa, el organismo a veces aún necesitará varios meses para superar el cansancio producido por la maternidad. Algunas mujeres se sienten en forma enseguida. Ello varía mucho según la constitución física de cada persona y según los ritmos de sueño del bebé, entre otras cosas.

▶ Durante los quince primeros días

Durante las dos semanas que siguen al nacimiento, aún pueden molestarte las secuelas del parto y quizás experimentes dolores diversos.

Las curas después de una episiotomía • Si te han practicado la episiotomía, tal vez te duela un poco, sobre todo al estar sentada. Aplicar sobre la cicatriz una bolsita o un guante que contenga hielo, a veces puede aliviarte. En cualquier caso, toma las mismas precauciones que en la maternidad, sobre todo en cuanto a higiene (ver p. 270), y usa preferentemente ropa interior de algodón. Las molestias en la cicatriz deben atenuarse bastante pronto. Si el dolor persiste durante dos semanas después del nacimiento del bebé, debes consultar al médico.

Posibles pérdidas de sangre • Es posible que cada día pierdas un poco de sangre. Ello no es nada extraño, salvo si las pérdidas huelen mal o si tienes fiebre. En ese caso, coméntalo con un médico, ya que estos síntomas pueden ser indicio de una infección de la mucosa uterina (endometritis). También sería anormal tener hemorragias abundantes (más fuertes que durante la regla).

En cambio, dos semanas después del parto tal vez notes un flujo de sangre más abundante, que se puede confundir con la regla. Es lo que se llama *pequeño retorno de la menstruación*. Dura dos o tres días, y no debe preocuparte.

Estreñimiento y hemorroides • El tránsito intestinal normalmente se reanuda tres días después del parto. Pero si estás siempre estreñida, toma alimentos ricos en fibra (pan de salvado), verduras (espinacas, lechuga) y ciruelas (crudas o cocidas). Si evitas hacer tus necesidades a causa de la cicatriz del perineo o de las hemorroides, utiliza un supositorio de glicerina. Es mejor provocar la necesidad que esperar a tener que empujar, lo cual es particularmente desagradable cuando se siente dolor.

En cuanto a las hemorroides, a menudo asociadas al esfuerzo de empujar realizado durante el parto, su reabsorción es más lenta. En ciertos casos será necesario un tratamiento prescrito por el médico.

¿Hay riesgo de flebitis? • En la maternidad, el equipo médico va a estudiar si puedes sufrir o no una flebitis (obstrucción de una vena). En caso afirmativo, te darán un tratamiento adaptado. Los síntomas de este problema de circulación pueden ser un dolor persistente en la pantorrilla, en el muslo o en el bajo vientre. En este caso, es mejor preguntar al médico. Pero si no hay un riesgo específico, es raro que aparezca una flebitis tras cinco días después del parto.

Vértigo y malestar • Si sientes vértigo cuando te levantas desde una posición horizontal, evita levantarte deprisa y siéntate antes de ponerte de pie. Si esta molestia persiste, consulta al médico, que tal vez te prescribirá un suplemento de hierro en caso de anemia (ver p. 309).

▶ Cuidados del cuerpo

Durante el puerperio se aconseja descansar, pero cada mujer necesita más o menos descanso, y debe actuar en función de cómo se sienta. No obstante, algunas zonas del cuerpo requieren ciertos cuidados, ya que están débiles, aunque te encuentres completamente bien. Se trata, sobre todo, del perineo, o suelo muscular de la pelvis ligamentosa, el vientre y la espalda. En general, todos los músculos que han estado sometidos a una fuerte presión durante el embarazo aún están débiles.

Pero si respetas los consejos que damos a continuación y caminas un poco de vez en cuando, a tu ritmo y cuando te apetezca, progresivamente todo volverá a la normalidad, sin que el cuerpo se resienta.

¿Vendarse el vientre? • Después del parto, puede suceder que no sepas muy bien cómo ponerte y que tiendas a encorvarte. Si te ocurre

¿Qué curas se practican después de una cesárea?

Si has dado a luz mediante cesárea, la cicatriz puede supurar una vez que te hayan quitado los puntos o las grapas. Límpiate con agua y jabón de Marsella o jabón amarillo, y cubre la cicatriz con un apósito seco durante unos días.

Al principio, la cicatriz formará un bulto, que con el tiempo se ablandará. Frótalo cada día con aceite de almendras dulces para que desaparezca antes.

Quizás notarás una zona insensible a su alrededor, pero no te preocupes, la piel recuperará paulatinamente la sensibilidad o te acostumbrarás a esta diferencia. Algunas mujeres no consiguen «integrar» esta parte de su cuerpo que ha sido cortada. Se sienten incapaces de mirar y también de tocar la cicatriz. Si te ocurre a ti, coméntaselo a un médico.

esto, o te sientes débil, puedes probar un viejo método. Consiste en vendarte el vientre para «sostenerlo» durante dos o tres semanas. Para ello, puedes utilizar una simple venda de tela o procurarte una faja-postparto flexible.

Algunos movimientos y tareas que debes evitar • Para prevenir eventuales complicaciones, recuerda sobre todo que durante los primeros quince días después del parto se desaconseja subir escaleras y efectuar ciertas tareas domésticas (pasar el aspirador, llenar el lavavajillas, hacer la cama...). Tampoco debes correr ni llevar cargas pesadas (en general, todo lo que excede del peso del bebé), y ello por lo menos hasta la visita médica postnatal, dos meses después del nacimiento.

Cuidado con la espalda • Por último, todos los consejos para cuidar de la espalda son más válidos que nunca, y lo serán durante meses.

• No levantes nunca una carga inclinándote sin doblar las rodillas (¡apoya una rodilla en el suelo antes de coger a tu hijo mayor en brazos!).

• Si llevas a tu hijo dentro de una mochila portabebés (también llamada *arnés* o *canguro*), gradúala a la altura correcta: debes poder poner los brazos a la altura de su cabeza sin dificultad. Pero si te duele la espalda a menudo, es mejor optar por la sillita de paseo o el cochecito.

• Durante la lactancia, evita las posiciones que causan tensión en los hombros, los brazos o la nuca, o que te hacen encorvar la espalda; el uso de cojines te permitirá mantener una posición adecuada (ver p. 249).

¿Por qué cuidar el perineo?

El perineo es la zona del cuerpo más afectada durante el nacimiento de tu bebé. Según las modalidades de parto, los músculos del perineo quedan más o menos «afectados» y pueden presentar algunos «cardenales» o daños mayores (elongación, desgarros parciales o totales, etc.). Ello puede tener efectos en la vagina (le cuesta más encogerse) y en la vejiga (en particular, en los músculos que controlan la abertura y el cierre del orificio urinario).

¿Dificultades urinarias? • Por ello, sobre todo si has tenido un parto largo y difícil, puedes sufrir pequeñas pérdidas de orina incontroladas cuando haces esfuerzos (reír, toser, estornudar). En la maternidad, la comadrona te aconsejará ejercicios específicos para evitar este tipo de problema. Prepararás, por ejemplo, sesiones de educación del perineo. En cualquier caso, no dejes que prosiga la incontinencia, por pequeña que sea, y coméntaselo al médico.

Primeros ejercicios para tonificar el perineo • Podrás empezar en cuanto cesen las hemorragias o cuando la episiotomía haya cicatrizado y no te duela (en unas dos o tres semanas, de promedio). Tendida sobre la espalda, con las piernas flexionadas y separadas y los pies planos, haz como si intentases reprimir unas intensas ganas de orinar. Si no consigues localizar el perineo, puedes comprobar que se endurece poniendo tu dedo índice en esa zona o comprobar la eficacia de tu esfuerzo con un espejo. Relaja bien la zona abdominal durante estos

Para saber más sobre el perineo

En cierto modo, el perineo forma el suelo muscular de la pelvis ligamentosa. Se trata simplemente de los músculos de la vulva y de la vagina, que se presentan en dos capas «cruzadas»:

• La primera capa, situada bajo la piel en las zonas alrededor de la vulva y del ano, constituye el perineo superficial. Se tensa de adelante hacia atrás: desde la base del pubis hacia el coxis. Por delante de la vulva se encuentran también el meato urinario y el clítoris.

• La segunda capa, más profunda y más en contacto con la vagina, forma el perineo profundo. Se tensa de un lado al otro de la pelvis y está formada por una sucesión de músculos en forma de «peldaños de escalera» que se distienden y guían al niño durante el parto.

En los movimientos cotidianos del cuerpo, los músculos perineales se notan poco; sin embargo, los utilizamos durante las relaciones amorosas y, excepcionalmente... ¡en el parto! Para simplificar, en el primer caso se contraen, y en el segundo se relajan.

ejercicios. Debes contraer el perineo sin contraer al mismo tiempo el vientre, las nalgas o los muslos.

Acuérdate de practicar este ejercicio por lo menos tres o cuatro veces al día, a razón de veinte contracciones cada vez. Empieza con contracciones rápidas y repetidas; luego intenta mantener el ano y la vagina muy apretados durante por lo menos cinco segundos, dejando intervalos prolongados de relajación entre dos contracciones para evitar el cansancio muscular. En cuanto domines bien estos ejercicios, acostúmbrate a hacerlos de pie, sentada, andando o durante las actividades habituales de la vida cotidiana.

▶ Organizarse bien para minimizar el cansancio

De todas las incomodidades que siguen al parto, el cansancio es la principal molestia para la gran mayoría de las mujeres. No siempre es fácil mantener el reposo necesario cuando el bebé no duerme de noche y las tomas interrumpen el sueño. No existen las soluciones mágicas. Relajarte exigirá a la vez un esfuerzo de voluntad, una buena organización y... bajar el listón de tus exigencias.

Compensar la falta de sueño • Intenta recuperarte al máximo durante el día. Cuando el niño duerme, haz lo mismo y «adapta» tus horarios a los suyos, tanto de día como de noche. Si no consigues dormir la siesta, procura relajarte, no intentes realizar tareas domésticas que pueden esperar. Si la toma de la noche toca alrededor de las 2 de la madrugada, no te acuestes muy tarde, intenta completar un ciclo de sueño antes de que el bebé te despierte.

Reduce las visitas en casa • Para procurarte momentos de relajación, en ocasiones necesitarás espaciar las visitas, o bien posponerlas, si aún te sientes demasiado cansada. Es mejor que veas a tus familiares y amigos cuando te sientas bien y estés en situación de disfrutar de su compañía. Tu bebé también necesita tranquilidad y dispone de todo el tiempo para conocer, poco a poco, a tu familia y a tus amigos. En ocasiones, puedes aprovechar los momentos en que el padre está en casa para recibir a las visitas, sobre todo si necesitas aislarte para dar el pecho.

Deja que te ayuden • Aun poniendo todas tus energías y un mínimo de organización, a veces te sentirás desbordada. No dudes en pedir ayuda. Una comadrona puede aconsejarte a domicilio, y puedes contar con la ayuda de una asistenta. También puedes pedir ayuda en tu entorno. En lugar de hacer la compra, pide a tus visitas que te traigan aquello que necesites, o utiliza Internet (algunos comercios te llevan la compra a domicilio). Si hay un hermano mayor, de vez en cuando déjalo durante el día con alguien con quien se sienta bien.

Si tienes fiebre, visita al médico

En la mayoría de los casos, todo va bien y no surge ningún problema médico después del parto. Pese a ello, debes estar atenta durante unos quince días, el período durante el cual puede surgir alguna complicación. La señal de alerta más fácil de observar es la fiebre. Después del parto, debes tomarla siempre muy en serio, dado que puede ser síntoma de una infección. Si tienes pérdidas de sangre fuera de lo normal (más abundantes que la regla o con mal olor), dolores en el vientre, sobre todo en la pelvis, en las piernas o en los pechos, se aconseja encarecidamente tomarse la temperatura (por vía rectal).

Si, efectivamente, tienes fiebre, consulta a tu médico, que buscará la causa. Una temperatura elevada puede ser consecuencia de: una infección de la mucosa uterina, el endometrio (endometritis); una infección en los riñones (pielonefritis); una inflamación de la glándula mamaria o un absceso en un seno (mastitis) [ver p. 286]. También puede formarse un absceso en la zona de la cicatriz de la cesárea o de la episiotomía. En cualquier caso, el médico te prescribirá exámenes complementarios si es necesario, así como un tratamiento adecuado.

El seguimiento médico

La visita postnatal es obligatoria dos meses después del nacimiento. Permite hacer balance del embarazo y de la evolución del parto para prevenir cualquier complicación ulterior. Durante esta visita, el médico va a evaluar, entre otros, el estado de tu perineo, y seguramente te prescribirá sesiones de reeducación perineal. Por último, será el momento de tratar el tema de la anticoncepción.

La visita médica postnatal

El médico tomará nota sobre la evolución de tu embarazo, del parto y del puerperio, y sobre la salud de tu bebé. Si has tenido complicaciones durante el embarazo, hará un balance de ellas en esta consulta postnatal, solicitará exámenes complementarios si es necesario y, si fuera conveniente, te derivará a un especialista. Orientará sus preguntas y la revisión en función de tus antecedentes médicos. Algunas de las patologías que deben controlarse son la hipertensión arterial, la diabetes de gestación y las infecciones urinarias recurrentes. Por último, te pesará, te tomará la tensión arterial y verificará sistemáticamente que todo esté en orden...

Los pechos • Si no das el pecho, el examen de los pechos es comparable al que se practica durante cualquier visita ginecológica. Si das el pecho, el médico observa los pezones para asegurarse, por ejemplo, de que no presentan grietas. También te ayudará a resolver los posibles problemas asociados a la lactancia.

El abdomen • A menudo, la piel del vientre está un poco distendida y los músculos abdominales no han recuperado la tonicidad. Además, si has dado a luz mediante cesárea, el médico examina la cicatriz.

El aparato genital • Un examen con espéculo permite al médico visualizar el aspecto de la mucosa de la vagina y del cuello del útero. Practicará un frotis cérvico-vaginal de detección, si no te han efectuado ninguno en los últimos tres años.

El perineo • El médico observa la cicatriz de la episiotomía que tal vez habrás sufrido. Practica un tacto vaginal para comprobar la elasticidad de los músculos del perineo y, al mismo tiempo, se asegura de que tu útero ya ha recuperado su volumen normal y su posición correcta. Al término de esta observación, probablemente te prescribirá sesiones de reeducación perineal.

Hablar sin tabúes

Esta consulta constituirá para ti la ocasión de comentar todo aquello que no vaya bien. Por supuesto, el médico te hará preguntas, pero cuanto más cosas le expliques, mejor (por otra parte, es mejor que hagas una lista de todas tus molestias antes de la consulta). Una tristeza persistente, por ejemplo, merecerá su atención tanto como una sensación de pesadez en el bajo vientre.

A menudo, por pudor, las mujeres evitan hablar de ciertas molestias, esperando que «se pasen por sí solas»: pequeñas pérdidas de orina en un acceso de tos, al echarse a reír o al hacer un esfuerzo; dificultades para contenerse cuando se tienen unas ganas apremiantes, cuando hace frío o cuando se oye el agua que corre; una merma de las sensibilidad o dolores durante las relaciones sexuales; dificultades para retener los gases o incluso pérdida de heces... No debes ocultar ninguna de estas situaciones. En la mayoría de casos, estas incomodidades están asociadas al estado de tu perineo. Cuanto más informado esté tu médico, en mejor situación se encon-

El «stop-test»

Hasta la actualidad, para luchar contra la incontinencia urinaria, se recomendaba a las mujeres que practicasen a menudo la interrupción voluntaria de la micción. Ahora se sabe que este entrenamiento puede llegar a provocar ciertas disfunciones de la vejiga, por lo que resulta más indicado no llevarlo a cabo a modo de ejercicio, sino reservarlo únicamente a título de prueba, con el fin de evaluar el esfínter urinario, y hacerlo, además, siempre a petición del reeducador.

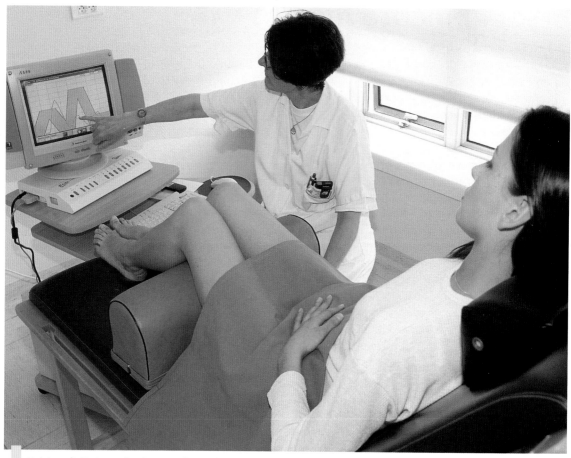

Existen distintos métodos para la reeducación del perineo.
Con el *biofeedback* se puede observar el nivel de contracción de los músculos por la pantalla de un ordenador.

trará para proponerte la solución más adecuada a tu situación. Además, las sesiones constituirán una nueva ocasión para hablar de las diversas molestias, de ahí la importancia de que te sientas cómoda con la persona que va a realizarte el seguimiento.

▶ ¿Reeducación o educación perineal?

Son pocas las mujeres que no necesitan reeducación perineal. Estas sesiones permiten, en primer lugar, reeducar la parte del cuerpo más afectada por el parto, y también reforzarla (lo cual limita el riesgo de incontinencia urinaria y, aunque pocas mujeres se atreven a admitirlo, puede aumentar el placer durante las relaciones sexuales).

Diferentes profesionales practican la reeducación perineal: masajistas, médicos y también comadronas. Existen diferentes métodos. Los médicos y profesionales en general proponen una reeducación

que aúna diferentes enfoques, y que puede combinar diversos métodos para obtener mayor eficacia.

El *biofeedback* • La mujer toma conciencia del perineo gracias a un aparato conectado a una sonda. Mientras tú contraes y relajas los músculos del perineo (como si evitaras orinar) siguiendo las indicaciones del especialista, una pantalla situada cerca de ti te permite, mediante un gráfico generado por computadora o mediante una banda luminosa, apreciar la intensidad de esta actividad muscular para aprender a controlarla. Ello constituye un medio excelente para hacer que tomes conciencia de la alternancia contracción-relajación de los músculos del perineo.

La electoestimulación • En este caso, es un aparato el que da órdenes a los músculos para que se contraigan y se relajen, por medio de una sonda que se introduce en la vagina. Esta sonda emite corrientes eléctricas de intensidad variable, pero totalmente indoloras. Contraen los músculos del suelo pelviano. Dicha técnica se recomienda al principio de la reeducación, ya que permite tomar conciencia más fácilmente de la musculatura perineal y, más adelante, aprender a contraer voluntariamente el perineo.

Los métodos llamados *educativos* • Enseñan ejercicios que te permiten reforzar por ti misma la musculatura de la vulva y de la vagina. Tienen la ventaja de ser naturales y evitan tener que recurrir a instrumentos invasivos. Uno de estos métodos, el CDP (ver cuadro inferior), permite tener un conocimiento muy preciso del propio perineo.

▶ Continuar con un método anticonceptivo

Durante la consulta antes de salir de la maternidad, el médico te ha propuesto un método anticonceptivo provisional, hasta que te vuelva la menstruación, tanto si das el pecho a tu hijo como si no. En efecto, si no le das el pecho, puedes volver a quedarte embarazada un mes después del nacimiento de tu hijo. Si le das el pecho, en teoría la ovulación se retrasa, pero no es imposible que pueda producirse un embarazo. Así pues, en ambos casos es indispensable la anticoncepción.

Por este motivo, en la consulta postnatal debes volver a hablar con el médico sobre la cuestión de la anticoncepción. Puedes continuar con el método de anticoncepción que te aconsejó al salir de la maternidad, continuar con tu método anticonceptivo anterior o plantearte un método distinto. Tu médico te propondrá el método más adaptado a tu situación personal.

El preservativo y los espermicidas • El preservativo masculino es uno de los métodos aconsejados para después del parto. También se pueden utilizar espermicidas locales (óvulos), cuyo efecto lubrificante facilita las relaciones. Deben colocarse en el fondo de la vagina diez minutos antes de la relación.

Las píldoras clásicas • Están compuestas de estrógenos y progesterona. Si no hay contraindicaciones, la toma de la píldora comienza unas tres semanas después del parto y antes de que vuelvas a tener la menstruación. Este método no está indicado si das el pecho.

Las minipíldoras • Están elaboradas a partir de progestágenos en dosis bajas y se autorizan en caso de lactancia. En mujeres que no están amamantando, la toma de la minipíldora puede iniciarse inmediatamente tras el parto, pero las mujeres que lactan a sus hijos deben esperar 6 semanas antes de iniciar su ingesta. La minipíldora se toma todos los días a la misma hora, sin descanso entre caja y caja.

El dispositivo intrauterino (DIU) • Puede ser un buen método para las mujeres que, a priori, ya tienen el número de hijos deseado, y con un compañero estable. Está contraindicado en caso de fibromas o de menstruaciones muy abundantes, pero se autoriza después de una cesárea. El DIU puede insertarse en el postparto inmediato (antes de 48 horas) pero el riesgo de expulsión es más elevado.

Conocimiento y dominio del perineo (CDP): un método educativo

El CDP fue ideado por una comadrona, Dominique Trinh Dinh, en colaboración con algunas mujeres. Los diferentes «problemas de las mujeres», como las sensaciones de pesadez o de abertura de la vulva o, aún más importante, la incontinencia y el descenso de los órganos, han sido estudiados a fondo para llegar a la programación de una serie de ejercicios. Se efectúan durante las sesiones de reeducación, y más adelante pueden integrarse en la vida cotidiana. En general, los enseña una comadrona, y son ejercicios personales y precisos, que ayudan a tomar conciencia de las distintas partes del perineo (vulva, vagina...), las cuales, trabajadas por separado, se perciben cada vez mejor. Así, se vuelven a tonificar los diferentes músculos de las doce zonas perineales definidas en el CDP. La percepción precisa de cada una de estas zonas puede aportar cambios en la vida íntima (mejora de las sensaciones durante las relaciones sexuales) y permite la prevención del descenso de órganos. La mujer es capaz de percibir un cambio desde el principio y ponerle remedio.

¿Esperar antes de volver a hacer el amor?

El deseo sexual, un ámbito íntimo por excelencia, vuelve más o menos rápido después del nacimiento de un hijo. Algunas parejas necesitan unas semanas; otras, unos meses. A veces es necesario reencontrarse empezando por gestos tiernos, sin penetración. Cada cual a su ritmo.

▶ Cuándo reanudar las relaciones íntimas

Es normal que después de haber dado a luz necesites un poco de tiempo (unas semanas o incluso unos meses) para reanudar las relaciones sexuales. El tiempo necesario para sentirte de nuevo a punto, con el cuerpo y, a la vez, con la mente...

Desde un punto de vista estrictamente físico, puedes volver a hacer el amor en cuanto lo desees, a partir del momento en que las heridas debidas a una posible episiotomía o a una cesárea estén bien cicatrizadas. En general, la mayoría de las mujeres esperan por lo menos dos semanas, hasta que las hemorragias han cesado. Pero dejando aparte los aspectos fisiológicos, sin duda hay otros factores que entran en juego: el grado de cansancio, la disponibilidad que exige el bebé, la forma como se mira nuestro cuerpo... Todo ello hace que el deseo vuelva más o menos pronto, en el caso de la mujer, y también en el hombre, cuya vida cotidiana se ve transformada.

En caso de dolores persistentes, ¡consulta al médico!

Si dos o tres meses después de dar a luz todavía sientes dolor cuando haces el amor, debes comentarlo sin falta con tu ginecólogo. Ello significa que hay algún problema, aunque sea menor, del que es preciso ocuparse. Esperar a que se pase solo no es la solución. Un dolor de verdad puede provocar cierto miedo a hacer el amor, y ese mismo miedo entorpece la relación, y así sucesivamente... Una vez dentro de esta dinámica, es más difícil recuperar una sexualidad plena. Si te duele, ¡consulta a tu médico sin demora!

▶ Recuperar el deseo

Las primeras semanas con un bebé y el cansancio que produce no favorecen un clima propicio para las relaciones íntimas. Muchos padres, cuando el bebé se ha dormido y han terminado las tareas domésticas, sólo aspiran a dormir. Pero, pese a todo, llega un momento en que reaparece el deseo de amarse.

A cada cual su ritmo... • Cerca de la mitad de las mujeres constatan una disminución del deseo durante los dos o tres meses después del parto, pero reanudan las relaciones más pronto de lo que querrían para no rechazar a su compañero. Imponerte una reanudación de las relaciones demasiado pronto para tu gusto no es útil. La vida de la pareja no es tan sencilla cuando hay que encontrar un nuevo equilibrio entre los tres. A veces se necesitan varios meses.

... pero no esperes un año • Sin embargo, no olvides que las atenciones recíprocas son uno de los elementos esenciales de la vida de la pareja, y que el deseo a veces debe ser estimulado. Abstenerse de los mimos durante meses no es lo adecuado. Y si consideras que las condiciones no son propicias, regálate alguna comida a solas o unos momentos de verdadera intimidad.

Cuando el deseo se hace esperar • En ocasiones puede resultar difícil recuperar las relaciones íntimas, sobre todo si la pareja no estaba satisfecha con su sexualidad antes del embarazo. A veces, el hombre considera que la mujer está «reservada al niño», y la mujer, por su parte, puede considerar que su cuerpo es menos deseable y pensar que su compañero piensa igual. Después de un parto largo y doloroso, algunas mujeres asocian vagina y dolor, y rechazan la penetración. El diálogo y unas relaciones consistentes al principio sólo en movimientos tiernos ayudarán a poner fin a estas situaciones delicadas. Ahora falta que uno de los dos tenga el valor de dar el primer paso. Si resulta demasiado difícil, no está de más comentarlo con un médico o con un psicólogo.

Según las huellas dejadas por el parto y según cómo funcione la relación de pareja, cada mujer deseará reanudar las relaciones íntimas con su compañero enseguida o no.

Pasados los primeros meses, un nuevo placer

Cuando se vuelve a hacer el amor por primera vez después de un parto, no siempre se obtiene placer: por el temor a que el bebé se despierte, por la constatación de que el sexo ha cambiado un poco, o por dolores que perturban la relación…

Si tu sexo aún está sensible • Antes de que vuelva la menstruación, con frecuencia toda la zona genital está sensible y le falta flexibilidad, y eso se agrava si has sufrido una episiotomía. También es normal que la penetración duela un poco, ya que todos los nervios situados en la entrada de la vagina han sufrido mucho. Ello requiere que tu compañero procure actuar con suavidad. Pero una vez esté en tu interior, este dolor debería desaparecer. Si persiste a lo largo del contacto, y semana tras semana, debes consultar con el médico.

Una cierta pérdida de sensaciones pasajera • Si sientes cierta sequedad vaginal temporalmente, puedes prolongar la duración de los preliminares. Pero eso no siempre basta para las mujeres que dan el pecho, y a veces hay que utilizar un gel lubrificante.

Por último, si no has realizado una reeducación del perineo, es posible que sientas menos placer que antes (y tu compañero también): la vagina, aún distendida, se contrae menos. Esta situación no durará, ya que una vez restablecido el perineo, volverás a sentir placer.

¿Incluso más placer que antes? • Por diversas razones, algunas parejas, después de las incomodidades de los primeros meses, sienten un placer renovado al hacer el amor. El hombre, que ha debido mostrarse más atento, sobre todo al final del embarazo, ha adquirido un mayor conocimiento del cuerpo de su mujer, y ésta domina mejor su propio placer. Además, la nueva felicidad de la pareja también puede estrechar los vínculos y, por tanto, enriquecer la relación amorosa…

Cuidar de tu cuerpo

Adelgazar poco a poco, a lo largo de varios meses • ¿Por qué tu vientre necesita reafirmarse? • Algunos consejos para muscular de nuevo los abdominales • Calendario para reanudar la práctica del deporte • Cuidar tus pechos • ¿Se puede atenuar la celulitis? • Soluciones frente a los problemas de piel

¿Recuperar la línea?

Como te dedicas por completo al placer de mimar a tu bebé, tal vez durante las primeras semanas, o incluso en los primeros meses, te has olvidado de ocuparte de ti misma. Una alimentación equilibrada y algunos ejercicios de gimnasia, después de la reeducación del perineo, te ayudarán a recuperarte poco a poco. Según el tiempo que puedas dedicarle, volverás a estar en forma enseguida o tardarás un poco más.

▶ Perder los kilos acumulados

Tu cuerpo ha cambiado, y nunca volverá a ser exactamente como era antes. Un embarazo, y más aún si han sido varios, modifican de forma más o menos visible la silueta del vientre y de las caderas, así como la forma de los pechos. Algunas mujeres se sienten embellecidas por estas señales de maternidad, mientras que a otras no les agradan... Sea como sea, estos pequeños cambios no impiden que recuperes la línea y vuelvas a sentirte bien con tu cuerpo. Para ello deberás seguir un programa destinado a volver a ponerte en forma. Pero deberías hacerlo poco a poco, respetando ciertos ritmos y sin olvidar que durante las semanas que siguen al parto tu organismo necesita, ante todo, descanso.

Adelgazar de forma inteligente • Has engordado durante nueve meses. Sin duda necesitarás el mismo tiempo para adelgazar. Pero tranquila, si no has ganado demasiado peso, no debería resultarte difícil perder los kilos de más. Durante el parto ya has perdido unos 6 kg, y durante los primeros días en la maternidad has eliminado bastante líquido. Además, cuando tu útero haya vuelto a su peso inicial, ya te habrás librado de otros 2 o 3 kg. Ahora quedan unos 4 o 5 kg «de más». Esos son un poco más difíciles de perder. No intentes quitártelos demasiado deprisa. Una alimentación variada y equilibrada, sin un exceso de calorías, te permitirá recuperar tu peso habitual a lo largo del primer año.

Piensa que tu cuerpo necesita fuerzas para afrontar el exceso de energía que exige la atención de un bebé. Y aún con más motivo si das el pecho. En este caso, a veces los kilos de más se resistirán durante más tiempo, dado que la estimulación hormonal asociada a la lactancia propicia la conservación de las reservas de grasa. Pero también es posible que la lactancia, proceso que requiere muchas energías, favorezca progresivamente, mes a mes, la pérdida de peso.

En cualquier caso, adelgazar lentamente supone comer de todo en cantidades razonables y respetar ciertas reglas, dictadas por el sentido común y confirmadas por los nutricionistas.

• Procura no saltarte ninguna comida, sobre todo el desayuno. Come sin prisas.

• Come y cena siempre a la misma hora, según tu ritmo de vida, y sentirás menos tentaciones de picar entre horas. Si puedes, toma algo para merendar por la tarde.

• Ten a punto en el frigorífico verduras peladas, lavadas y cortadas, listas para comer (zanahorias, rábanos, coliflor), por si tienes hambre.

• Come de todo (carne, pescado, huevos, productos lácteos, verduras, frutas, féculas, etc.), como durante el embarazo (ver p. 104).

• De vez en cuando, toma productos lácteos descremados (yogures, leche semidescremada y quesos).

• Emplea preferentemente la cocción al vapor.

• No te olvides de beber mucha agua, en particular entre comidas.

Si das el pecho, se desaconseja hacer régimen. Aunque, dar el pecho a veces ayuda a adelgazar.

Contra la anemia, alimentos amigos

¿Te sientes muy cansada desde que has vuelto a casa? Eso no debe preocuparte. La mayoría de mujeres se sienten fatigadas durante las semanas siguientes al nacimiento de su hijo. Tal vez también tengas anemia, lo cual es bastante frecuente después de un parto.

Este estado es resultado de una carencia de hierro y de ácido fólico (ver pp. 111 y 114). Para remediarlo, acuérdate de introducir en tu menú alimentos ricos en hierro (hígado, pescado y marisco, carne, huevos y frutos secos) y en ácido fólico (hígado, espinacas, almendras, coles, aguacate o palta, remolacha o betabel...).

En caso necesario, tu médico te prescribirá un tratamiento adaptado.

▶ Fortalecer los abdominales paulatinamente

¿Tu vientre es prominente y está un poco fláccido? Sin duda, esta constatación es bastante deprimente, pero es una situación que no va a durar. Piensa que tu útero pesaba alrededor de 50 g antes del embarazo, y que ocupaba casi todo el abdomen antes del parto. Para hacer frente a este imponente volumen, los músculos abdominales sufren un proceso de estiramiento en el que algunas fibras quedan distendidas. Estos músculos se tensarán espontáneamente a lo largo de las seis semanas que siguen al parto, y tú podrás reforzarlos con algunos ejercicios.

¿Cuándo empezar? • Atención, el refuerzo de los músculos abdominales debe efectuarse después de la reeducación del perineo, en ningún caso antes. Sigue los consejos de la comadrona o del médico en este aspecto. Si comparamos el vientre con una casa, el perineo sería el suelo (sostiene los aparatos urogenital y digestivo). Es importante, pues, empezar por consolidar la base, si no, todo «se desmorona», es decir, puedes sufrir el descenso de ciertos órganos en un plazo más o menos largo.

Los primeros movimientos • Antes de practicar la «verdadera» gimnasia, empieza con movimientos sencillos. Saca la barriga inspirando y métela espirando, tantas veces como puedas, procurando no arquear la espalda. Aprovecha los momentos de inactividad para contraer y relajar también los glúteos. Todo esto te preparará progresivamente para fortalecer los abdominales.

¿A qué ejercicios se da prioridad? • En general, evita los ejercicios abdominales clásicos (bicicleta, elevación de piernas y tronco...). Acercan los hombros y las caderas y, debido a ello, a su vez obligan a arquear la columna vertebral y perjudican la espalda. Aumentan la presión en el abdomen y, por tanto, en el perineo, y hacen sobresalir el vientre en lugar de alisarlo. Por último, empujan los órganos hacia abajo. En cambio, los «buenos» abdominales deben adelgazar y alisar el vientre, así como estirar la espalda. Hay que trabajar la franja abdominal, estirándola o en suspensión, y siempre en la fase de espiración.

Un ejemplo práctico... • Tiéndete con las piernas flexionadas y los pies planos y espira haciendo que la parte inferior de la espalda esté en contacto con el suelo; mantén la posición unos segundos, metiendo el vientre todo lo que puedas. Puedes efectuar varias series de unos minutos al

principio, e ir aumentando progresivamente la duración, hasta unos 20 minutos. Durante los ejercicios, coloca una mano sobre el vientre. Si notas un empuje bajo la mano y el vientre «sobresale», no lo estás haciendo bien. No sirve de nada contraer el perineo al mismo tiempo, sólo aumentarías la presión en el abdomen.

▶ Proseguir una actividad deportiva

Tres meses después del parto, salvo por contraindicación médica, puedes proseguir ciertas prácticas deportivas, como la natación y la gimnasia suave, que te permitirán desarrollar la musculatura poco a poco.

En cambio, evita los deportes que producen demasiada presión en el perineo, como el jogging o el tenis. También debes saber que los masajes y los *steps* no son útiles para recuperar un vientre plano. ¡Y los aparatos eléctricos que se anuncian en televisión aún menos!

▶ Reducir la celulitis

Si ya tenías tendencia a presentar celulitis, tal vez después del parto has constatado que ésta ha aumentado un poco, sobre todo si has ganado mucho peso durante el embarazo. Para luchar contra este tipo de superficie dérmica, frota las zonas afectadas aplicando cremas especiales, de venta en farmacias y en perfumerías. Así, también activarás la circulación sanguínea, lo cual contri-

Algunos consejos prácticos para recuperar la forma

Es peligroso iniciar demasiado pronto un programa deportivo, ya que los ligamentos del cuerpo no recuperan el tono hasta cinco o seis meses después del parto. A continuación, ofrecemos algunas indicaciones para reanudar cierta actividad de forma segura:

- En cuanto terminen las hemorragias: andar y natación suave.
- Al cabo de seis a ocho semanas: reeducación perineal (después de la visita médica postnatal).
- Una vez tonificado el perineo: abdominales, pero no de cualquier tipo (ver arriba).
- Pasados cuatro meses: ejercicios cardiovasculares al aire libre o en casa (natación deportiva, ciclismo...), salvo correr (no antes de un año).

Piensa que para obtener resultados «visibles» hay que practicar alguna actividad por lo menos dos veces por semana, a razón de una hora por sesión (más un cuarto de hora suplementario para el calentamiento antes de la sesión y estiramientos para acabar). ¡Esto es mucho para una madre joven desbordada! ¿Por qué no apuntarte con una amiga a un curso de gimnasia o en un club para compartir los gastos de una niñera y animarse mutuamente?

buye a atenuar la celulitis. Sigue asimismo un régimen alimentario rico en agua (1,5 l al día) y con poca sal. Si esto no fuese suficiente, puedes recurrir a una u otra de las técnicas siguientes, que se practican en institutos o en gabinetes médicos:

La mesoterapia • Este tratamiento consiste en aplicar microinyecciones (efectuadas simultáneamente con agujas de 4 a 6 mm, mediante un microinyector) en los muslos, el vientre y la cara interna de las rodillas y de los tobillos. Esta práctica no es legal en algunos países.

Ionizaciones y electroterapia • Estos tratamientos permiten efectuar un drenaje eléctrico con electrodos conectados a los pies, pantorrillas, rodillas y en la parte inferior y superior de los muslos.

La electrolipoforesis • Se trata de un drenaje de las células mediante dos agujas introducidas bajo la piel, a través de las que pasan corrientes eléctricas diferentes.

La endermología • Si has dado a luz por cesárea y si tu cicatriz es muy visible, o si no consigues perder los kilos de más pese a que llevas una vida sana, puedes probar con la endermología. Esta técnica, aplicada por los masajistas, asocia masajes y drenaje. Su precio es bastante elevado.

Reconquistar tu belleza

Borrar las marcas dejadas por el embarazo y cuidar de tu piel y tu pelo te ayudarán a reconciliarte con tu imagen. ¿Y por qué no una visita a la peluquera o a la esteticista? Aunque, en parte por el cansancio, te preocupes poco por tu aspecto, no olvides que cuidar de una misma es uno de los antídotos contra la «depre».

▶ «No tengo tiempo...»

La mayoría de las mujeres tienden a descuidar un poco su aspecto cuando acaban de tener un hijo. La razón aducida más a menudo es la falta de tiempo. En efecto, para pasar un poco de tiempo sola en el cuarto de baño, dedicar un cuarto de hora a maquillarse o a cuidar la piel, hay que permitirse pensar en una misma, lo cual no siempre es fácil. La cuestión no es sólo práctica (tu compañero puede ocuparse perfectamente un poco del bebé), sino que debes convencerte de que no estás castigando a tu hijo por preocuparte de ti misma. Pensar en tu feminidad no es banal, sino esencial... ¡Y no olvides que el bienestar es contagioso!

▶ Tonificar el busto

Tanto si das el pecho como si no lo haces, es importante que cuides tu pecho después del parto. Tal vez el exceso de peso debido al embarazo haya distendido los músculos que los sostenían, pero tus senos deberían recuperar su forma cuando el ciclo hormonal se restablezca. Para devolverles el tono, mójalos con agua fría

¿Cansada? ¿Estresada? Razón de más para pensar en ti y no descuidar tu aspecto, aunque te falte tiempo.

(o fresca) al terminar la ducha o el baño, y si tienes la posibilidad, acostúmbrate a aplicarte todos los días una crema de belleza especial para el busto (salvo si das el pecho, ya que su olor podría molestar al bebé). También puedes efectuar ciertos ejercicios (ver más abajo). Por último, en cuanto reanudes la actividad deportiva, la natación constituirá un excelente medio para fortalecer los pectorales.

Mientras das el pecho, lleva un buen sostén de lactancia y evita a cualquier precio las variaciones de volumen muy bruscas causadas por un régimen demasiado estricto. Un destete demasiado rápido y en plena subida de la leche (durante la semana después del parto) es nefasto.

▌ Cuidarte el cabello

Durante el embarazo te sentías especialmente orgullosa de tu abundante cabello. Pero de pronto, una mañana descubres un puñado de pelos en el cepillo o en el fondo de la bañera. No te preocupes: es un fenómeno completamente normal. En efecto, durante algunos meses, bajo el efecto de las alteraciones hormonales, la caída del cabello es constante. Pero unos tres meses después del parto, es como si recuperases el retraso: dejas de perderlos, como si su caída hubiese sido normal durante todo el embarazo. No obstante, nada te impide dar masajes al cuero cabelludo todos los días, durante unos minutos, para favorecer su irrigación, ir a la peluquería para hacerte un corte que los reforzará o pedir al farmacéutico un complejo vitaminado a base de cistina o comprimidos de levadura de cerveza. En cambio, si se continúa cayendo el pelo al cabo de varios meses, consulta a un dermatólogo.

▌ Mimarte la piel

Borrar las manchas oscuras... • Pese a todas las precauciones adoptadas, ¿tienes manchas oscuras o paños? Estas marcas desagradables deberían borrarse en unos meses. Si persisten, tu dermatólogo puede recetarte una crema para despigmentar que deberás aplicar sobre las manchas todas las noches, durante unos meses, como complemento de una protección solar para el día. Habitualmente se utilizan las cremas a base de hidroquinona asociada a un corticoide, la vitamina A ácida o los alfa hidroxiácidos (AHA).

La coloración excesiva de las areolas de los pechos, así como la línea oscura del abdomen se borrarán también unos meses después del nacimiento de tu hijo, cuando las hormonas particularmente activas durante el embarazo, poco a poco, dejen de actuar sobre tu organismo.

Reafirmar los senos

Para devolver a tu pecho el tono y la firmeza, este es un ejercicio sencillo, que se debe efectuar regularmente. Repítelo por lo menos diez veces seguidas, y si te atreves, después toma una ducha fría... o fresca.

Siéntate con las piernas cruzadas, las nalgas un poco elevadas, sobre un cojín, y la espalda recta. Respira tranquilamente.
Junta las manos entrecruzando los dedos y elévalas a la altura del esternón.
Aprieta las palmas una contra la otra durante tres segundos, y después reduce la presión. De nuevo, imprime presión en tus manos y luego redúcela.

En cualquier caso, si es posible, continúa nutriendo tu piel todos los días con cremas hidratantes, como durante el embarazo.

... y las blancas • La ruptura de las fibras elásticas de la piel que provoca estrías, desafortunadamente, es irreversible. A lo largo de los meses se vuelven tan finas y blancas que casi son invisibles. No obstante, si deseas atenuarlas, debes saber que el dermatólogo puede recetarte una crema con vitamina A ácida, regenerante para la piel, o recomendarte sesiones de microdermoabrasión con cristales de aluminio.

Olvidar las varices • Las varices, que a menudo son hereditarias, pueden aparecer durante o después del embarazo. Según su aspecto o importancia, un flebólogo podrá eliminarlas bien por esclerosis (aplicación mediante inyección de un producto esclerosante en la vena), si son pequeñas y finas, o bien mediante cirugía, si afectan a una de las venas principales de la red superficial del cuerpo. Las pequeñas venas varicosas y los pequeños vasos que forman un verdadero entrelazado de filamentos también pueden tratarse mediante electrocoagulación o bien con láser.

En todos los casos, espera por lo menos seis meses antes de plantearte estas soluciones, ya que a menudo las varices se reabsorben solas, aunque ello requiere tiempo.

Poco a poco conseguirás encontrar tiempo para dedicarlo a lo que te hace sentir bien.

Lo que proponen los centros de talasoterapia

Cada vez hay más centros de talasoterapia que ofrecen curas postnatales con tratamientos y actividades centrados en el bienestar de las madres jóvenes. Puedes ir sola o en pareja, e incluso acompañada de tu bebé. Muchos de estos centros disponen de un equipo de cuidadores y proponen atenciones en común para ti y para el bebé (bebés nadadores, cursos de masaje, etc.). Las curas se aconsejan a partir del tercer mes después del parto. No obstante, si das el pecho, tendrás que esperar a destetar al bebé, dado que el agua de mar utilizada en las curas se calienta a 34 °C, lo cual favorece las subidas de leche. Sin mencionar que los pezones, que debilitados por la lactancia, pueden resentirse del contacto con el agua salada... El objetivo de estas curas, por supuesto es relajarte y permitirte recuperar lo más rápido posible una buena forma física y moral. Puedes solicitar diferentes cuidados para el cuerpo (masajes, duchas de chorro a presión, tratamientos con algas...), conocer a otras madres con las que compartir tu experiencia y, sobre todo, dejar que te mimen tanto como desees.

Todos los centros de talasoterapia resultan caros, si bien los precios varían en función del alojamiento que elijas. Los centros con más antigüedad, por lo general, demuestran más experiencia que los establecimientos de reciente creación.

Las relaciones afectivas con el bebé

Un amor mutuo que se intensifica • El diálogo de una madre con su hijo • Entender el lenguaje del llanto • Cómo prepararte para reanudar tu vida profesional • Guardería o niñera, lo esencial es tener confianza

Un apego cada vez más intenso

Desde el nacimiento, el bebé reconoce a su madre y se vuelca completamente hacia ella. La madre, por su parte, a veces necesita un poco más de tiempo para crear vínculos más intensos con el niño. Pero muy pronto la relación de amor se intensifica: la madre y el bebé cada vez muestran una mayor armonía.

▶ Un amor materno que crece poco a poco

En algunas mujeres, desde el mismo momento del nacimiento el bebé, se suscita un fuerte impulso, casi una forma de admiración, por la manera como parece dispuesto a recibir y a dar todo el amor del mundo... Sienten un verdadero «flechazo» por su bebé.

En otras, el afecto llega de forma menos espontánea. Algunas pasan por una fase de desilusión o por una fuerte sensación de extrañeza respecto al bebé, normalmente temporal: no lo reconocen como propio y no le encuentran ningún parecido con sus rasgos o con los del padre. El bebé imaginado ahora es un bebé real, e inevitablemente la madre debe olvidar la imagen que se había formado de él. Cuanto más difusas han sido sus fantasías, menos peligro de desilusión existirá y más rápida será la aceptación del niño tal como es.

En general, la mayoría de las madres ven evolucionar sus sentimientos durante los tres días que siguen al parto, y sienten un afecto creciente. Cuanto más disponible y curiosa se muestra una madre hacia su hijo, más pronto se reforzarán los vínculos entre ellos.

En el bebé, la necesidad de contacto es vital • En cierta manera, el propio bebé va a empujarte a amarle intensamente. Es totalmente dependiente de ti, y va a manifestarte de todas las formas posibles hasta qué punto eres indispensable para su bienestar. Eres el centro de su vida, y te lo demuestra.

Los psicoanalistas, siguiendo las teorías del pediatra inglés John Bowlby, hablan de una «pulsión de apego», indispensable para la supervivencia del bebé (ver p. 316). Ésta va más allá de la satisfacción de las necesidades elementales, como comer, por ejemplo. Incluye una gran necesidad de contactos físicos y psíquicos: conocer a la madre, escuchar su voz, sentir su olor...

Un recién nacido vive en un mundo muy inquietante, ya que todo es nuevo para él: la luz, las sensaciones de frío y de calor, ¡incluso hacer

La mayoría de las madres sienten muy pronto un auténtico «flechazo» por el bebé,
y ello las hace particularmente receptivas a sus necesidades y a lo que pide.

las deposiciones y sentir hambre! Cuando le llevas en brazos, notas muy bien hasta qué punto tu presencia le tranquiliza. A menudo, entonces tú sientes una emoción intensa, un gran amor, pese a que el hecho de sentir su dependencia casi total en ocasiones puede darte miedo.

▶ Ser receptivos el uno con el otro

La «dulce locura» de las madres • Responder a las necesidades de un recién nacido en teoría es muy sencillo: tiene hambre, le duele, tiene frío, se siente solo… ¡Y quiere que esto acabe! Pero en la práctica es mucho menos fácil, ya que el llanto del bebé no va acompañado de una ficha explicativa. No obstante, todas las madres aprenden a descifrar el llanto más o menos pronto. Si lo piensas, esta capacidad tiene algo de sorprendente. El psicoanalista Donald Winnicott lo explica en parte de la forma siguiente. Describe el estado psíquico de la madre después del nacimiento como una «locura». La madre muestra una tolerancia increíble a las exigencias

del bebé y se contenta con muy poco a cambio: un eructo, una mirada, una deposición… Es obvio que se sitúa casi a su nivel, en ocasiones a costa de un alejamiento de la realidad. Pero este estado puede resultarle beneficioso, ya que le permite entrar en el universo de su hijo y responder de la mejor manera posible a sus necesidades.

Sentirse reconfortado en tus brazos • Por supuesto, no siempre entiendes lo que tu hijo te pide, aún te cuesta interpretar todas las señales que te envía. Pero lo esencial es que en sus momentos de angustia encuentra consuelo en tus brazos. Cada vez que respondes a las llamadas de tu bebé, no sólo satisfaces una necesidad inmediata, sino que también le haces descubrir que cuando grita tú estás ahí, que puede contar contigo, que su malestar no va a durar. Un bebé tiene una enorme necesidad de sentirse seguro. De este modo, más tarde, reforzado por la certeza de que le quieres y le proteges, encontrará en sí mismo la suficiente confianza para, paulatinamente, ser cada vez más autónomo.

La comunicación con el bebé

Desde que estaba en el vientre de su madre, el bebé es capaz de comunicarse. Desde su nacimiento posee una gama de emociones y de comportamientos interactivos que, a lo largo de las semanas, van a desarrollarse progresivamente. Se va a establecer un contacto muy fuerte entre tu hijo y tú, y vas a aprender a entenderte con él utilizando otros recursos diferentes de las palabras: los gestos, la mirada, la sonrisa...

El lenguaje del cuerpo

El bebé habla a su manera ya mucho antes de nacer. Lo sabes muy bien, puesto que durante el embarazo ya habías tejido con tu hijo un vínculo único. Se puede decir que el embarazo forma parte de la vida del futuro bebé. En efecto, el feto es sensible a todo lo que hace su madre: oye su voz y las canciones que ella escucha, siente sus movimientos y sabe muy bien cuándo baila ella, por ejemplo. El nacimiento no marca, pues, una ruptura tan radical. A partir de las primeras semanas de la vida del bebé, vas a continuar comunicándote con él, como ya sabías hacerlo cuando lo llevabas dentro.

Tu bebé es tan pequeño y parece tan frágil... Sin embargo, ¡sabe seducirte! Está dispuesto a comunicarse con sus padres, y sobre todo contigo, su madre. Es normal, ya conoce tu voz, tu olor y el sabor de tu leche, si le das el pecho. La voz de un adulto, preferentemente la tuya o la de su padre, calma su llanto, y le fascinan las caras que le rodean. Cuando miras a tu bebé, él fija la mirada en ti como en nadie más. Hay un verdadero intercambio entre vosotros. A menudo deja de llorar inmediatamente, cuando le coges en brazos. Para él, eres la fuente de bienestar.

El punto de vista del bebé

Si supieses cuánto (llevando el tierno olor a ti, cerca de tu corazón) me gusta descubrir la luz de tus ojos y seguir tu boca, que emite una música tan bonita, que me mece, me calma y me fascina. ¡Eso me gusta tanto que querría hacer lo mismo! Entonces «canto» a mi manera y eso te hace reír. Mueves la cabeza, mueves los ojos, haces una nueva música con palabras, y me sorprendes. Y volvemos a empezar, es delicioso. Al final, saciado de leche y de alegría, me duermo en tus brazos.

Aprovechar los buenos momentos

En el estado llamado «despierto tranquilo» (ver p. 285) puede surgir un diálogo de calidad entre los dos. Con los ojos brillantes y abiertos de par en par, el bebé se interesa por lo que le rodea. Su respiración es regular, y su rostro no hace muecas. Sólo pide establecer una comunicación. No dudes en responder a sus demandas. Si tienes la cara lo bastante cerca de la del bebé, te verá, te mirará hablar e intentará imitarte abriendo y cerrando la boca. Como no domina el lenguaje de las palabras, establece el diálogo afectivo por otros medios; su mirada, su llanto, su tono y, más tarde, en el instante supremo para ti, su sonrisa.

La teoría de Bowlby

El pediatra y psicoanalista inglés John Bowlby demostró que el apego es un «sistema primario específico», es decir, que está presente en el nacimiento y es tan natural como la respiración o la alimentación. Bowlby entiende por apego todo comportamiento que tenga como función y como consecuencia inducir y mantener la proximidad y el contacto con la madre (o con la persona que la sustituye). En resumen, durante los dos primeros años de su vida, van a sucederse cinco conductas innatas de vinculación, cada una de las cuales requiere cierta reacción de la madre: la succión, el abrazo, el grito, la sonrisa y, por último, la tendencia a ir hacia ella, a agarrarse.

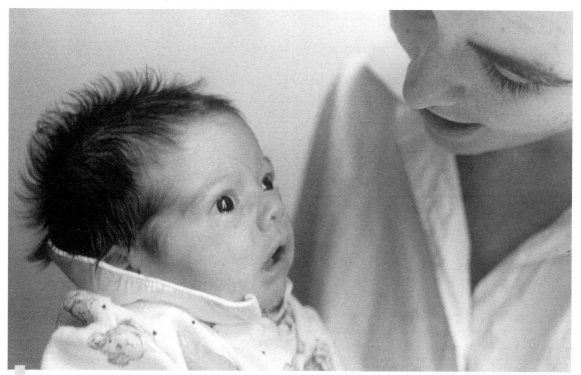

Cuando el bebé está tranquilo, con los ojos bien abiertos y atento a su entorno, es el momento en que está más predispuesto a recibir tus atenciones. Muy pronto intentará imitar las expresiones de tu cara.

¡Tal vez si le «tiras de la lengua» incluso te responderá!

Como un ballet sincronizado • Los psicoanalistas opinan que, desde el nacimiento, se manifiesta el vínculo mutuo de quienes se comunican gracias a la capacidad del bebé para adaptar, al igual que el adulto, el ritmo de sus movimientos a los de la persona que le habla. Así, se produce una especie de ballet sincronizado entre la madre y el niño, como si pudiese desarrollarse un verdadero baile entre los movimientos de retirada y de avance de la madre y del bebé cara a cara.

Esta «coreografía» se desarrolla a lo largo de semanas. A partir de la cuarta semana, el bebé puede jugar con señales como la mirada, la sonrisa y las expresiones faciales de alegría. Hacia la sexta u octava semana, aparecen las vocalizaciones, que poco a poco se transforman en gorjeo. Pero no es hasta mucho más tarde cuando aparece el balbuceo y el silabeo.

▶ Descifrar su llanto

El recién nacido no tiene más que un modo de expresar lo que quiere: llora y ríe. Ese es su lenguaje. Por consiguiente, es del todo normal que llore cuando tiene hambre o sed, demasiado calor o frío, o bien porque le duele la barriga. En ocasiones estarás cansada, o incluso agotada a causa de su llanto, lo cual es perfectamente comprensible. Pero mientras no consiga hacerte entender sus deseos esenciales, se expresara de este modo.

Si haces lo contrario de lo que tu hijo desea, por ejemplo, darle de comer cuando no tiene más hambre, llorará aún más. Lo cierto es que todavía es incapaz de entender ningún razonamiento. Sobre todo, no te enfades con él. Cuando se despierta por la noche, no puede evitar el llanto, ya que todavía no sabe distinguir entre el día y la noche.

Tomarse tiempo... • Para que se establezca un diálogo más armónico, necesitas tomarte tiempo para estar con tu bebé. Debes observarle. ¿Qué quiere mostrar? ¿Qué intenta decir? Ve conociéndolo poco a poco. Déjate guiar por lo que sientes y por tu experiencia, cada día mayor. Todas las mujeres que tienen varios hijos saben muy bien que no existe un método, ya que cada bebé reacciona a su manera, según su «temperamento».

Poco a poco aprenderás a reconocer las diferentes maneras de llorar de tu hijo, aunque a veces su llanto continúe siendo un misterio para ti. Sería ilusorio querer entender todo lo que siente el bebé. ¿No estás nunca tensa, nerviosa, cansada o te sientes infeliz? Él también tiene sus malestares, frente a los cuales sólo puedes ofrecerle tu presencia cariñosa.

A veces está más nervioso, cuesta más calmarle. Y por tu parte, no te sientes siempre totalmente disponible, estás cansada, tienes tus preocupaciones... Una madre y su hijo no están, ni mucho menos, todo el tiempo en perfecta armonía. Afortunadamente, pues toda relación afectiva incluye también tensiones. Ello formará parte también de vuestro descubrimiento mutuo.

Las primeras separaciones

La primera vez que confías a tu hijo a otra persona, siempre tienes el corazón encogido. No obstante, al volver a trabajar, ello es inevitable. Para que esta separación se produzca del mejor modo posible, lo esencial es que dediques tiempo a encontrar el centro o la persona en quien confiarás totalmente.

¿Cuándo volver al trabajo?

Lo ideal sería que vuelvas a trabajar cuando te sientas a punto, ya sean tres meses, seis o un año después del nacimiento de tu hijo. Pero no siempre es tan sencillo. Aunque no tengan muchas ganas, muchas mujeres vuelven a su actividad profesional cuando se termina el permiso legal por maternidad, alrededor de dieciséis semanas después del nacimiento. Y aunque se pueda prolongar este plazo durante unos días o unas semanas de vacaciones, la «separación» a menudo llega más pronto de lo que una desearía.

Sentimientos matizados • Los sentimientos que suscita la idea de volver al trabajo varían según el interés que se tenga en el mismo. Algunas mujeres están bastante contentas de volver a una actividad social que contribuye a su equilibrio y de la que no saben prescindir; otras se preguntan cómo van a poder pasar todo un día sin su bebé, teniendo una relación tan estrecha con él. Con frecuencia, las madres oscilan entre estos dos sentimientos.

Cuando te hagas reproches, no olvides que si estás alegre, transmites a tu bebé tu alegría de vivir. Los pediatras no determinan cuál es la edad ideal a partir de la cual confiar el niño a un tercero durante el día. Y es perfectamente posible hacer sentir al bebé que le quieres mucho aunque trabajes fuera; este hecho no se valora en número de horas de presencia.

¿Optar por la jornada reducida? • Por otra parte, quizá puedas encontrar una solución alternativa. En algunos países, muchas mujeres optan por trabajar a tiempo parcial hasta que el niño tiene tres años. No dejes de informarte sobre tus derechos acerca de esta cuestión.

Planificar enseguida dónde dejarás el bebé

Confiar a tu hijo a alguien por primera vez suele producir cierta aprensión. A veces la madre tiene miedo, de forma más o menos consciente, de que su bebé sienta más apego por la persona que lo cuida que por ella. Sin embargo, ya de muy pequeños, los bebés aprecian muy bien la diferencia entre su madre, su padre y las demás personas. Es muy importante que el bebé reciba afecto de todos aquellos que se ocupan de él. Debe estar bien cuidado, sentirse seguro y saber que confías en la persona con quien lo dejas. Así podrá estar alegre sin que ello merme en absoluto el amor inmenso que siente por sus padres.

Cuanto más aprecies a la persona o al equipo que va a ocuparse de tu bebé, más serena estarás, y tu hijo lo notará. De ahí el interés de tomarte tiempo para pensar en la forma de atenderle y para encontrar la estructura o la persona más

Aunque no siempre se vive con agrado, la vuelta al trabajo a veces ayuda a recuperar actividades que has dejado un poco de lado desde que tu hijo ha nacido: las salidas e ir de compras, entre otras cosas...

adecuada a tus expectativas y a tu personalidad (ver p. 147).

¿Qué forma de atención elegir? • Si eres una persona un poco inquieta y buscas las máximas condiciones de seguridad, tal vez te inclinarás por un entorno muy profesionalizado (guardería). Pero ello exige que puedas respetar unos horarios estrictos y que puedas acudir enseguida si tu bebé se pone enfermo. En cambio, si prefieres que alguien cuide sólo a tu hijo, o que esté en un grupo pequeño, y que cree lazos estrechos con la persona que lo cuida, sin duda optarás por una asistencia materna especializada.

En cualquier caso, es primordial que tengas confianza tanto en la persona como en el sistema de vigilancia. Pero es igualmente importante renunciar a la solución ideal... que no existe. Las ventajas de una u otra forma de vigilancia siempre van acompañadas de inconvenientes. Eres tú quien debe tener en cuenta el conjunto y hacer una lista de los puntos en los que no quieres transigir (seguridad, limpieza, lazos afectivos...) y aquellos en los que sí puedes (presencia de un animal doméstico, contacto con otros niños...).

▶ Para preparar el día «D»

En cuanto hayas encontrado la solución que más te convence, no dudes en visitar regularmente a la persona o al equipo que va a cuidar de tu bebé y en hablarles de él. Y, sobre todo, avisa a tu bebé de que es allí donde va a pasar muchas horas del día y que es esa la persona que va a ocuparse de él.

Una adaptación progresiva • Unos quince días antes de volver al trabajo, empieza a acostumbrar a tu hijo a su futura forma de vida. Al principio, quédate con él en la guardería o en casa de la niñera durante una hora, por ejemplo. Aprovecha para confiar a la persona que lo cuidará todos sus pequeños secretos: cómo prefiere que le lleven, sus costumbres, lo que le gusta... No dudes en darle toda la información posible, aunque alguna te parezca superflua. Más adelante, la madre y el bebé pueden estar juntos en ese lugar un poco más de tiempo, y luego ella podrá dejar al bebé durante una hora, por ejemplo. Por último, déjale con la persona que lo cuidará durante toda una mañana, y después una tarde, para que pueda tomar con ella la comida y echar la siesta. La asistenta materna o el equipo de la guardería te ayudarán a marcar este ritmo de adaptación.

▶ El día de la vuelta al trabajo

¡Bien! Hay que dar el paso. Hoy empieza una nueva etapa. La idea de volver al mundo laboral y a los ritmos de vida que éste impone, seguramente no te seduce demasiado. Y te sientes un poco culpable por dejar tantas horas a tu pequeño, por el que sientes tanto apego. Para los dos, es un gran reto.

Sin duda, no pasarás este primer día con el ánimo tranquilo. Pero si puedes empezar en viernes, tal vez te sea un poco más fácil. Entre que saludas a los compañeros, respondes a las preguntas sobre tu hijo, te pones al día de lo que te espera durante los días o las semanas siguientes, el día ya habrá terminado... y volverás a pasar dos días con tu bebé. En todo caso, intenta preparar una vuelta al trabajo tranquila para que todo se suceda con normalidad.

Para tranquilizar a tu bebé • El momento más difícil siempre es dejar al niño en la guardería o en casa de la asistenta materna por la mañana.

Con el fin de que tu hijo se sienta más seguro, puedes dejarle su peluche, por ejemplo, además de cualquier otro objeto impregnado con tu olor, que puede ser un pañuelo o una funda de almohada, los cuales introducirás en su camita.

A continuación háblale, explícale de nuevo por qué va a pasar el día sin ti.

Si se ha dormido durante el camino, despiértale con cuidado para evitar tener que irte sin avisarle. Si llora, puedes decirle que entiendes por qué lo hace y lo que le ocurre, pero que sabes que va a estar bien, que su niñera va a ocuparse muy bien de él. No temas decirle que también a ti te resulta difícil esta separación. Aunque procurases ocultarle tu tristeza, él la percibiría.

Cuéntale, por ejemplo, que te llevas su foto al trabajo y que vas a mirarla y a pensar mucho en él a lo largo del día.

En el momento de la «despedida» • La presencia del padre puede serte de gran ayuda en el momento de la «despedida». Sin duda, él sabrá mejor que nadie cuándo cruzar el umbral de la puerta, y también estará ahí para animarte justo después.

Por último, si es una asistenta materna quien va a cuidar de tu hijo, no dudes en preguntarle a qué hora puedes llamarla. Y cuando telefonees, pídele que le diga a tu hijo que has llamado y que le envías un beso. Tu hijo comprenderá que se trata de su madre. Pero, sobre todo, además de para el bebé, este contacto también resultará muy beneficioso para ti.

▶ Si le das el pecho, ¿es mejor continuar o destetar al bebé?

Si hasta este momento dabas el pecho a tu hijo, puedes decidir destetarle o continuar dándole el pecho por la mañana y por la noche (ver pp. 286-287). Para tomar esta decisión tan personal, puedes concederte un poco de tiempo. Después, sobre la marcha, ya verás si lo que quieres es conservar esos momentos de intimidad o si te resulta más cómodo cambiar el pecho por el biberón.

Si das el pecho cuando trabajas, cuando no estás el bebé puede tomar biberones de leche para bebés o bien biberones de leche materna; en este último caso, aprovechando la legislación vigente, podrás extraerte la leche con un sacaleches en tu lugar de trabajo (ver p. 286).

Tu bebé también necesita palabras

Aunque no entienda todas las palabras, tu hijo capta perfectamente las intenciones de la persona que le habla. En cuanto tiene que afrontar una situación nueva, por ejemplo, cuando tienes una cita concertada con el médico, necesita que le expliques lo que pasa. También debes avisarle de cualquier ausencia por tu parte, tanto el día antes como el mismo día y, sobre todo, no se te ocurra nunca irte a escondidas. Si llora, cálmale antes de irte.

En general, los pediatras aconsejan hablar lo máximo posible con los bebés, y poner palabras a todos los movimientos cotidianos. En todas las edades, el lenguaje es un elemento esencial de la comunicación entre los seres humanos.

Las respuestas a tus preguntas

❝ Mi mujer llora muy a menudo desde que ha nacido nuestro hijo, hace dos meses. ¿Dura tanto el denominado *baby blues*? ❞

En algunas mujeres, la depresión postparto o *baby blues* puede durar hasta tres meses (ver p. 268). Pero si estás preocupado por tu mujer, es mejor que la animes a consultar a un médico y que la acompañes a la cita. Puede darse el caso de que una «depre» pasajera se transforme en una depresión de verdad, denominada *postnatal*.
De forma esquemática, una mujer que padece esta alteración cada vez puede ocuparse menos de sí misma y del bebé. Se pasa todo el tiempo triste o irritada. Nunca tiene hambre o bien, al contrario, no para de comer. A diferencia de lo que ocurre en el *baby blues,* la depresión es permanente, cada vez más fuerte, y la madre no consigue superar por sí sola ese estado. En este caso, tú eres el único que puede dar la voz de alarma. Si es necesario, el médico que sigue su estado pedirá la opinión de un especialista y, tal vez, indicará a tu compañera que visite a un psiquiatra. ■

❝ He dado a luz por cesárea. ¿Debo efectuar una reeducación del perineo? ❞

Todas las mujeres deberían seguir una reeducación del perineo después del parto. Por supuesto, el perineo (suelo muscular de la pelvis ligamentosa) se ve afectado sobre todo en los partos por vía natural. Pero el simple hecho de estar embarazada afecta a los músculos y los somete a una fuerte presión. Incluso después de una cesárea, te será de gran ayuda asistir a sesiones de reeducación, en especial si tienes una pequeña incontinencia urinaria o una pérdida de ciertas sensaciones durante las relaciones sexuales. ■

❝ ¿Es absolutamente necesario hacer ejercicios para recuperar un vientre liso? ❞

Todo depende de tu constitución, del número de kilos que debes perder, de tu edad… Algunas mujeres vuelven a tener el vientre plano ya en los meses siguientes al parto, y se limitan a andar a menudo y a hacer un poco de natación. A partir del momento en que se reanuda la actividad, la musculatura de los abdominales se refuerza por sí sola. Pero para muchas otras mujeres no es tan sencillo, de ahí el interés de efectuar ciertos ejercicios después de la reeducación del perineo. ■

❝ Estoy agotada. ¿Cómo puedo recuperarme un poco? ❞

Muchas madres se olvidan de cuidarse durante las primeras semanas. Luego, el cansancio se acumula, hasta el punto de que hacia el segundo mes se quedan sin energías. Para no terminar agotada, no dudes en irte a dormir muy pronto y en echar alguna cabezada durante el día, cuando el bebé duerme. ¡Es más importante estar descansada que tener la casa impecable! También puedes planificar con tu compañero una organización para «llevar» las noches, aunque des el pecho. Por ejemplo, un día de cada dos, él puede encargarse de traerte el bebé a la cama y de hacerle dormir después de mamar. Relajarse tan a menudo como sea posible también es una forma de compensar la falta de horas de sueño. Permítete un paseo a solas, aunque al principio sólo sean 20 minutos. Por último, en cuanto a las compras, la casa y otros aspectos, delega tanto como te sea posible… ■

❝ Me gustaría tener un segundo hijo muy pronto. ¿Hay que esperar cierto tiempo después del nacimiento del primero? ❞

Desde un punto de vista estrictamente médico, puedes quedar embarazada cuando te vuelva la menstruación, en cuanto lo desees. No hay recomendaciones específicas en este sentido, ni siquiera tras un parto por cesárea. Sin embargo, tal vez en tu entorno oirás decir que hay que esperar un año antes de plantearse otro embarazo. Ello se debe a que muchas mujeres necesitan alrededor de un año después de un parto para sentirse completamente en forma. Por supuesto, este plazo es muy subjetivo, y sólo tú puedes responder a esta pregunta, teniendo en cuenta tu estado físico y tus ganas de ocuparte al mismo tiempo de dos niños muy pequeños… ■

La vida de familia según el padre

Una vida cotidiana más centrada en la familia • Algunas «trampas» que hay que evitar para mantener la satisfacción en pareja • ¿Cuándo podrá ella volver a hacer el amor? • Ocuparse juntos del niño • ¿Por qué llora? • El papel de un padre

Entre cansancio y satisfacción

El nacimiento de un hijo trastorna la vida cotidiana, pero estos cambios también son motivo de alegría. Cada padre se adapta a su manera y reencuentra más o menos pronto un nuevo equilibrio. Aunque evoluciona, la relación amorosa de la pareja continúa siendo el elemento principal de la vida entre los tres.

Una vida cotidiana distinta

La vida en el día a día no es igual con un recién nacido. Pese a que duerme la mayor parte del tiempo, tu hijo requiere mucha atención y cuidados. Estas nuevas obligaciones también proporcionan placer. Pero cada pareja puede aceptar con más o menos facilidad ver cómo cambia su vida. Dormir menos durante dos o tres meses, organizarse el tiempo de otra forma o dejar temporalmente de lado algunas actividades, para algunas personas son verdaderas concesiones, mientras que para otras no constituyen más que una reorganización.

Cada cual lo percibe de forma distinta y, obviamente, la situación varía mucho según si la pareja ya tiene más hijos o no. Cuando se trata del primero, este universo afectivo entre tres suscita reacciones distintas. Si aceptas plenamente esta vida en familia, las obligaciones cotidianas te pesarán algunos días, pero también irán acompañadas de grandes alegrías. Si te irrita aquello que perturba tu vida cotidiana, te será menos fácil aceptar estos cambios.

Recuperar tus referencias

A veces deben pasar varias semanas, o incluso más, para sentirse cómodo en esta nueva vida y encontrar el equilibrio que a cada uno le satisface. La primera explicación es que uno no se convierte en padre o madre en tan sólo un día. Las otras razones derivan de la necesidad que cada cual tiene de conciliar sus propios deseos, su vida de pareja y su papel para con el bebé. En cierto modo, tu universo se amplía, aunque a veces pienses lo contrario. Teniendo un bebé, y más tarde un niño, puedes continuar realizando muchas actividades. Pero no tengas prisa...

Estas primeras semanas son únicas, y merecen que te tomes tiempo para vivirlas plenamente. Las salidas, la vida social y las actividades personales tan sólo están en suspenso, hasta que el bebé crezca un poco y la pareja empiece a tejer sólidos lazos juntos. Poco a poco, crearás tus referencias y, llegado el momento, harás los reajustes necesarios; pero si dejas pasar de largo las emociones que te proporcionan estas primeras semanas, será imposible dar marcha atrás... Llegarán otras alegrías, pero serán distintas.

◗ ¿Disponible pese al cansancio?

Durante los tres primeros meses, el cansancio no desaparecerá, ya que por la noche te despertarás a la hora de dar el pecho o el biberón. Si has tomado el permiso de paternidad en este momento, puedes planificar momentos de descanso. Cuando vuelvas a trabajar, el asunto pasa a ser más delicado, sobre todo porque tu mujer aún necesita reposo después del parto. Al volver a casa, ella a menudo espera que tomes el relevo.

No obstante, algunas noches necesitarás respirar: caminar un poco antes de volver a casa, ir a tomar algo, concederte un momento de tranquilidad... ¿Por qué negártelo? De hecho, cuando estás con tu mujer y tu hijo, es difícil. Pero acepta también que tu compañera salga a tomar el aire...

Un exceso de cansancio por parte de uno y otro a menudo es causa de discusiones durante el primer año. Si ello sucede, no pasa nada. Algunas parejas necesitan más que otras relajarse sin el niño. En este caso, no dudéis en buscar a una persona que cuide del bebé durante unas horas. Pero debéis saber que el niño aún no está preparado para pasar una semana sin su madre, aunque ella no le dé el pecho.

◗ La vida en pareja

Evidentemente, la presencia de un recién nacido incide en la vida en pareja. Más allá de los cambios cotidianos, la pareja se redescubre bajo un aspecto distinto. Con su actitud hacia vuestro hijo, tu compañera revela nuevas facetas de su personalidad, al igual que tú. Salvo excepciones, este nuevo contexto puede enriquecer mucho la relación.

Con todo, debéis continuar estando atentos el uno con el otro... Algunas parejas tienen problemas después del nacimiento de un bebé porque dejan de lado esas pequeñas muestras de amor que constituían su vida en pareja. Tu compañera tiene la misma necesidad que antes, si no más, de tu mirada cariñosa, de tus gestos y de tus palabras. Y tú esperas de ella la misma ternura. Pensar que el niño colma todas las expectativas de la pareja sería una ilusión peligrosa. Es

La relación de la pareja a menudo se enriquece mucho con el nacimiento de un primer hijo.

cierto que tanto para ti como para ella es fácil sentirse desbordado y concentrarse en el bebé. Pero no olvides que la vida en pareja también requiere seducción, cada vez más, sobre todo después del nacimiento de un hijo. Si tienes la sensación de que tu pareja no te presta atención, no dudes en apartarla un poco de su relación con el bebé. Y ella se mostrará aún más sensible a tus sugerencias si la ayudas, de forma concreta, a encontrar tiempo para ella y para los dos.

◗ ¿Aprender de nuevo a hacer el amor?

Volver a hacer el amor después del nacimiento de un hijo siempre exige un poco de tiempo, por lo menos dos semanas. En primer lugar, es preciso que todas las heridas del cuerpo de tu mujer estén bien cicatrizadas, y también que los dos sintáis deseo. En general, una espera de hasta un mes pasa bastante rápidamente, ya que a causa del cansancio, tendrás tanta necesidad de dormir como ella. Después, quizás ya empieces a impacientarte. Si tu compañera no parece muy entusiasmada, quizás deberás hacer algunos esfuerzos para despertar su deseo, pero sin duda encontrarás la forma de volver a crear un clima propicio.

Si la penetración le duele • A menudo, las primeras relaciones sexuales no son del todo fáciles. Es posible que tu mujer sienta dolor en el momento de la penetración. Debes hacerlo con mucha suavidad. Una vez dentro, el dolor desaparecerá. Tal vez también te pida que evitéis ciertas posiciones en que se produce presión sobre zonas sensibles.

Si sientes menos placer... • Puede suceder que sientas menos sensaciones al hacer el amor con tu compañera, o incluso que te cueste eyacular. O, por el contrario, tal vez notes que ella siente menos placer. No te preocupes, porque todo pasará. La razón es mecánica y está asociada al hecho de que sus músculos están menos tónicos. Se recuperará el placer en toda su intensidad después de las sesiones de reeducación del perineo. No obstante, es mejor comentarlo para evitar malentendidos.

Propuesta de una reanudación pausada • En algunas parejas, el retorno a la sexualidad se realiza muy progresivamente. Si la mujer siente cierta aprensión a hacer el amor porque el parto fue muy doloroso, por ejemplo, los mimos y unas relaciones sin penetración pueden preceder durante un tiempo a una sexualidad más completa. Puede ser muy agradable rehacer el camino paso a paso, como si la pareja descubriese de nuevo.

En cambio, si pasan los meses sin que la pareja se acaricie, no se propiciará la vuelta a la vida sexual. Si la mujer accede a regañadientes a la penetración, hay que darle tiempo, pero hay que mantener otros contactos amorosos íntimos, basados en las caricias.

▶ Los padres también se deprimen...

Tras el nacimiento de un hijo, los hombres, al igual que las mujeres, a veces sufren depresiones pasajeras, más o menos intensas. No se sienten realmente padres, se ocupan de vez en cuando del bebé, pero ello no les produce ninguna alegría, como si fuese el hijo de otro. Algunos rehuyen en lo posible el hogar familiar, vuelven tarde y encuentran excusas para no estar allí. Otros están presentes, por lo menos físicamente, y hacen como si no pasase nada, pero se sienten infelices, solos, aislados de cuanto les rodea.

Para estos hombres, tal vez el nacimiento ha llegado demasiado rápido, quizá no se sentían preparados o no se habían hecho a la idea. En cualquier caso, esta angustia está asociada a menudo al hecho de que no se ven como padres y de que no consiguen crear verdaderos vínculos con el hijo.

¿Dónde encontrar ayuda? • Es delicado resolver uno mismo esta situación y encontrar la solución más adecuada sin ayuda. Con frecuencia, el primer impulso es el de marcharse, pero a largo plazo, la separación de la pareja también se puede lamentar. Desafortunadamente, no suele haber estructuras especializadas en la ayuda a los padres después del nacimiento. Sin embargo, siempre existe la posibilidad de optar por una terapia.

Una comadrona o un médico especialista en medicina general en quien tengas confianza pueden ser tus primeros interlocutores. Si hablar con ellos no es suficiente, sin duda podrán aconsejarte algún profesional. En cualquier caso, incluso aunque se muestre muy paciente, tu compañera no podrá darte la ayuda necesaria.

El poder tranquilizante de un padre

A menudo, los padres calman mejor que las madres el llanto del recién nacido. Cuando el niño lleva un rato llorando y la madre ya no sabe qué hacer, el padre lo intenta y consigue hacerle dormir. Esta capacidad derivaría de la relativa distancia del padre con el hijo, del hecho de que acepta más fácilmente no entender por qué llora. A los bebés les cuesta mucho calmarse cuando notan que el adulto espera o está angustiado. Cuando la madre teme que el bebé corra algún peligro, lo cual sucede más fácilmente que con el padre, transmite al bebé su ansiedad y le impide calmarse. El niño, deseoso de que le tranquilicen y, a la vez, de que le dejen tranquilo, se alegra de encontrar paz en los brazos de alguien más sereno, en este caso el padre...

Aprender a conocerse

Actualmente, los padres se ocupan de sus bebés más de lo que lo hacían sus padres. En esto son un poco pioneros. Muy pronto crean estrechos vínculos con su hijo, para gran felicidad de ambos. Que participes poco o mucho en los cuidados cotidianos no es muy relevante, pero sí lo es que pases tiempo con él; siendo tú mismo, muy pronto serás alguien muy importante para tu bebé.

Acercarte a tu hijo

Sólo si te acercas a tu hijo encontrarás placer en vivir con él. Si dejas que siempre sea la madre quien responda a sus peticiones, finalmente puede que sólo veas en él un ser que come y duerme, y pasarás por alto todo lo demás. Acercarte a él consiste en tomarlo en los brazos cuando llora, hacerle dormir después de mamar o del biberón, hablarle cuando le acunas..., instantes en que estáis juntos. Si le expresas tu amor y eres curioso con él, te mostrará reacciones igualmente afectuosas. No importa cuál sea tu presencia, desde el momento en que estás ahí para él.

Unos intercambios intensos pero breves • Los momentos en que intercambias sonrisas, miradas y gestos cariñosos a fin de cuentas son breves, ya que un bebé no puede fijar mucho tiempo la atención. Los pediatras estiman que un bebé puede interactuar con un adulto sólo durante un 30% del tiempo de vigilia. Cuando juegas con él, haciendo gestos, por ejemplo, al principio le encanta, porque lo necesita. Pero se cansa muy pronto. Si continúas buscando su mirada cuando gira la cabeza, pronto empezará a llorar. Estos intercambios no son menos importantes para él y para vuestra relación futura.

El llanto es su lenguaje

Progresivamente, también vas a comprender su llanto, aunque al principio te cueste entender qué quiere. En efecto, se trata de una forma de expresión. Unas veces dice «tengo hambre», otras «estoy solo» y otras «me duele...». Contrariamente a lo que se cree, el bebé no tiene caprichos. No sabe qué es, tan sólo expresa una necesidad. Hasta la edad de 3 meses no hay que dejar que llore solo, salvo si emite pequeños sollozos medio dormido (ver p. 282). Los brazos de sus padres aún son un consuelo indispensable. No tengas miedo de que adquiera «malas costumbres». Simplemente, su cerebro no está lo bastante desarrollado para que eso sea posible; hasta la edad de un año el niño no puede acostumbrarse a tal cosa o tal otra.

La respuesta «chupete» • El uso del chupete (o chupón) para calmar al bebé varía de una familia a otra. Pero de forma general, los hombres a menudo son más reticentes que las mujeres ante este objeto. No dudes, pues, en expresar tus dudas. Es cierto que el chupete puede tener efectos negativos. Si sustituye a las palabras y a los mimos, si sustituye a la búsqueda de contacto con el niño, a largo plazo puede frenar su capacidad para la comunicación. Tú decides en qué condiciones lo das al bebé... A veces, ofrecer tu dedo como respuesta a una necesidad de succión tiene el mismo efecto calmante.

¿Ocuparse de cambiarle y del baño?

Se puede tener una buena relación con un hijo aunque no se tenga ganas de cambiarle o de darle el biberón, siempre que uno pase tiempo con él cuando está despierto. Sin embargo, hoy en día el reparto de tareas cotidianas en la pareja, la implicación creciente de los hombres, hace que la mayor parte de cuidados sean prodigados tanto por el padre como por la madre. En esta cuestión, cada familia establece su propia organización, según las obligaciones profesionales de cada uno.

Si la madre te frena • Si deseas participar más, pero tu mujer es reticente, no dudes en insistir. Dile que estos contactos corporales son buenos para el bebé y para ti. La mayoría de los pediatras afirman que el neonato se desarrolla mejor en el ámbito psicomotor si le toman en brazos, le acunan y le cuidan de diversas maneras (atenciones de las que disfrutan todos los bebés que tienen contacto con el padre y la madre). Si

Un padre puede reconfortar perfectamente a su hijo y responder a sus demandas afectivas.

tu mujer actúa como si el bebé le perteneciese, es esencial que ocupes tu lugar junto al niño y que te encargues de él; así también ayudarás a la madre a establecer una relación más flexible, menos absorbente.

¡Sé tú mismo! • Cuando lo bañas o te ocupas de cambiarle (ver pp. 292 a 297), no intentes imitar los movimientos de tu compañera. Aunque te sientas incómodo de pie, no importa. Cuanto más seas tú mismo con el niño, mayor apertura al mundo le aportarás. A menudo, a las mujeres les dan muchos consejos, que para ellas son una traba, y a veces procuran hacerlo todo «como es debido», en lugar de actuar «como lo sienten». Los padres disfrutan de una mayor libertad en este sentido, y en cierto modo ello es una suerte.

▶ Si tu compañera da el pecho

El hecho de que la madre dé el pecho no implica que el hombre quede excluido. Pero al parecer, pocos padres lo perciben así. Cuando el bebé tiene hambre por la noche, a veces es el padre quien va a buscarle para llevarlo al seno de su compañera, y luego lo devuelve a la cuna. Otra forma de participar... Se podría pensar que el padre participa más cuando el bebé toma el biberón. Pero de hecho, son pocos los padres que se involucran en este papel, quizá porque no están siempre en casa en el momento adecuado.

Sin embargo, la lactancia puede provocar en la madre actitudes un poco exclusivas: por ejemplo, dar sistemáticamente el pecho en cuanto el niño se pone a llorar. En este caso, en ocasiones puedes sugerir que el niño quizá no tiene hambre, y que te gustaría intentar calmarlo antes de que ella le dé el pecho. Tú también tienes voz en este asunto. En cambio, no expreses ninguna duda sobre la calidad de su leche, ya que ella se sentiría dolida y, en realidad, no existe una leche materna «mala».

▶ Papeles siempre diferenciados

Actualmente, el reparto de tareas se efectúa de modo mucho menos estricto que antes. Se admite que el padre es igual de capaz que la madre de cuidar del niño y de satisfacer sus necesidades esenciales. Ya no existen los ámbitos reservados, pero ello no significa que el padre y la madre jueguen el mismo papel.

Por otra parte, el bebé distingue perfectamente las distintas actitudes de uno y otro: las de la madre, que es la primera en tranquilizarle, porque le ha llevado durante nueve meses; y las del padre, que le ayuda a abrirse al mundo y a descubrirlo. Aunque en determinadas parejas la distinción no es tan clara, se puede lograr conservar el equilibrio si el niño descubre por un lado consuelo y por el otro una cierta libertad y una confianza en él mismo, que más tarde le ayudarán a llegar a ser autónomo.

Los padres que en la actualidad rondan los treinta años de edad son, en cierto modo, pioneros.

En general, nunca han visto a su propio padre actuar como ellos lo hacen, es decir, involucrarse tanto en los primeros meses de la vida de un bebé. Sus hijos sin duda saldrán beneficiados al poseer unas pautas que ellos no han tenido. Pero esa ya es otra historia...

Diccionario médico

y dietario
del embarazo

- Diccionario médico
- Medicinas naturales y embarazo
- Dietario del embarazo

Diccionario médico

Este diccionario contiene los términos relacionados con el embarazo, el parto y el puerperio. En él encontrarás explicaciones sobre cualquier tema que puedas abordar con un médico durante este período: la fisiología de la madre y del bebé, la prevención y el tratamiento de diversas enfermedades, las diferentes pruebas...

Las palabras en negrita aparecen definidas en el diccionario, y los términos precedidos por *ver* reenvían a artículos que también puedes consultar.

[A]

Aborto espontáneo

Un aborto espontáneo, o natural, es una interrupción espontánea del embarazo que se produce antes de que el feto sea viable, aunque se le proporcione una atención específica. Teniendo en cuenta los progresos de la reanimación neonatal, la Organización Mundial de la Salud (OMS) define el aborto espontáneo como la expulsión espontánea de un feto de menos de 500 g o antes de los 4 meses y medio de embarazo (22 semanas de amenorrea).

▶ **Las señales de alerta.** Los primeros indicios de un aborto espontáneo a menudo son las metrorragias (hemorragias por la vagina fuera del período menstrual) o las contracciones que se sienten en la pelvis ligamentosa. Sin embargo, las hemorragias no siempre son un indicio de aborto espontáneo. Se trata de una alteración frecuente durante el primer trimestre (afecta a una mujer de cada cuatro) y, en muchos casos, el embarazo prosigue sin problemas.

▶ **En el primer trimestre.** Durante este período, los abortos espontáneos son muy frecuentes, del orden del 15 al 20%. En la gran mayoría de los casos la causa es una anomalía surgida durante la fecundación, la cual comporta una aberración en los cromosomas del feto, que lo hace inviable. Se trata, pues, de un mecanismo de selección natural no aso-

ciado a una anomalía genética de la madre ni del padre.

La actividad física tampoco es la causa. Por lo tanto, no hay que culpabilizarse por no haber guardado reposo, por ejemplo, ni sentirse en ningún modo responsable. Los abortos espontáneos que se producen en el primer trimestre del embarazo no precisan un examen ulterior particular, salvo en caso de que se produzcan dos o tres abortos espontáneos consecutivos.

▶ **En el segundo trimestre.** Entre las semanas 13 y 24 de amenorrea, los abortos espontáneos son mucho más raros (alrededor del 0,5%) y, por lo general, provocados por una infección o por una abertura anormal del cuello del útero. La prevención se efectúa mediante el cerclaje del cuello del útero, en caso de abertura del mismo, y en una posible administración de antibióticos, en caso de infección.

Aborto natural

VER ▶ ABORTO ESPONTÁNEO

Absceso en un pecho

Un absceso en un pecho es una infección que en general no reviste gravedad; suele aparecer cuando se empieza a dar de mamar. Se debe a la infección por una bacteria de uno de los conductos que conducen la leche hacia el pezón (conductos galactóforos); la infección se introduce por una grieta del pezón y a continuación se desarrolla, dando lugar a un absceso.

▶ El absceso en el pecho produce fiebre alta, que aparece progresivamen-

te, un estado de cansancio, malestar y un dolor localizado en el pecho afectado. Éste tiene un aspecto anormalmente rojo, está caliente y presenta una zona dura donde se halla el absceso. Esta infección constituye una contraindicación temporal para la lactancia. Al principio se puede intentar un tratamiento médico con antibióticos, pero normalmente el tratamiento es quirúrgico; consiste en hacer una incisión en el absceso.

Acupuntura

La acupuntura es una técnica de la medicina china tradicional. Consiste en estimular ciertos puntos energéticos mediante unas agujas muy finas colocadas en determinadas zonas del cuerpo. El objetivo es mantener o restablecer el equilibrio energético. La acupuntura puede utilizarse a lo largo de todo el embarazo, en el parto (para reducir el dolor) y durante el puerperio.

▶ A veces se proponen sesiones de acupuntura para la preparación para el parto. En general comienzan durante el tercer trimestre de embarazo. La acupuntura también puede emplearse para tratar diferentes dolencias: ciertos dolores, sobre todo el dolor de espalda; los trastornos digestivos, como las náuseas o el estreñimiento; las varices y otros problemas de circulación sanguínea.

Albuminuria

La presencia de albúmina en la orina, o albuminuria, es una situación anormal. Suele indicar que los riñones no efectúan correctamente su función de filtro. Puede ser indicio de una complicación del embarazo, la *preeclampsia,* o una infección urinaria.

No hay ninguna señal que indique la albuminuria, pero se puede detectar fácilmente gracias a unas tiras reactivas que deben ponerse en contacto con orina recién expulsada. El resultado es inmediato. En la mujer embarazada, este examen es obligatorio y se efectúa en cada visita médica. En caso de albuminuria, el médico examinará si se dan otros trastornos que puedan revelar una preeclampsia: hipertensión arterial y retención de agua en los tejidos (edemas).

VER ► ANÁLISIS DE ORINA

Alcohol y embarazo

Según distintos estudios, parece que los nefastos efectos del alcohol durante el embarazo son mucho más frecuentes que las malformaciones tan temidas por los padres, como la *trisomía 21.* El «no hablar» sobre este tema, acentuado por la culpabilidad, aún es la norma, mientras que los efectos negativos del tabaco se admiten abiertamente.

Los efectos en el feto. Durante el embarazo, el alcohol ingerido pasa rápidamente a la sangre de la madre. No es filtrado por la placenta, y pasa directamente a la sangre del feto, lo cual tiene consecuencias, independientemente de cuántos meses sea el embarazo. Durante la lactancia, el alcohol también pasa al niño. Por ello se aconseja no tomar alcohol durante el embarazo y la lactancia. No existe ningún umbral conocido por debajo del cual la salud del feto esté garantizada. Se ha demostrado que un vaso de alcohol al día tiene efectos negativos en el feto. El principio de precaución es, por lo tanto: «nada de alcohol durante todo el embarazo y la lactancia».

El síndrome de alcoholismo fetal. En caso de consumo excesivo de alcohol durante el embarazo, el niño puede verse afectado por el llamado síndrome *de alcoholismo fetal,* que agrupa un conjunto de anomalías: retraso del crecimiento intrauterino, bebé que presenta una facies peculiar (cabeza pequeña, mentón huidizo, curvatura de la nariz anormalmente marcada...) y un retraso mental (sistema nervioso central afectado por el alcohol).

El tratamiento del alcoholismo durante el embarazo es difícil: se debe lograr que la mujer comprenda los riesgos que corre su hijo, sin por ello culpabilizarla, sino intentar conducirla a un cese de la intoxicación. Será indispensable contar con una ayuda adaptada e interdisciplinaria (comadrona, médicos de distintas especialidades, psicólogos y asistentes sociales), designando a un interlocutor preferente. Al favorecer el acercamiento de la madre a su hijo, la lactancia puede ayudar a algunas mujeres a dejar de beber.

Altura uterina

Es uno de los exámenes clínicos más practicados en la mujer embarazada. Consiste en medir en centímetros, con una cinta métrica, la distancia que va del extremo superior del pubis hasta el fondo del útero. La altura uterina permite comprobar que el feto se desarrolla normalmente en peso y estatura.

El valor de la altura uterina crece a medida que avanza el embarazo. De forma esquemática, hasta el séptimo mes es igual al número de meses de embarazo multiplicado por cuatro, y más adelante aumenta 2 cm cada mes durante los dos últimos meses, hasta alcanzar los 32 cm.

Esta medida permite evaluar la altura del feto y la cantidad de *líquido amniótico.* No obstante, puede verse falseada por distintos factores, como la obesidad, la presencia de fibromas en el útero, un embarazo de gemelos, etc.

Alumbramiento

El alumbramiento es la expulsión de la placenta y de las membranas después del nacimiento del niño. Normalmente se produce durante la media hora posterior al parto.

El alumbramiento natural. Tras el nacimiento del bebé, prosiguen las contracciones uterinas. Bajo su influencia, la placenta se desprende del útero y es expulsada a través de la vagina, ya sea por el efecto de los esfuerzos de la madre, ya sea gracias a una presión ejercida en el fondo del útero por la comadrona o el ginecólogo. El médico comprueba cuidadosamente la integridad de la placenta y de las membranas, para asegurarse de que el útero vacío puede retraerse sin obstáculos. Los sangrados, que habían aumentado, se reducen al mínimo.

El alumbramiento artificial. En caso de sangrados importantes antes del alumbramiento o si la placenta no se despende media hora después del nacimiento del bebé, el médico practica un alumbramiento artificial. El riesgo de hemorragia puede hacer, además, que algunos ginecólogos no esperen más de 15 minutos después del parto.

El alumbramiento artificial tiene lugar bajo anestesia locorregional *(epidural)* o general. El ginecólogo introduce la mano en la vagina y luego en el útero para desprender la placenta y extraerla. Esta acción va seguida de una revisión uterina: el médico vuelve a explorar con una mano todas las caras del útero para comprobar que esté completamente vacío.

Amenorrea

Tener una amenorrea significa no tener la menstruación. Se habla de amenorrea primaria cuando una mujer nunca ha tenido la menstruación, y de amenorrea secundaria cuando la menstruación desaparece durante por lo menos tres meses.

Amenorrea primaria. Las causas pueden ser un simple retraso puberal (la desaparición de la menstruación se considera anormal a partir de los 18 años). Pero puede tratarse de una malformación congénita de los órganos genitales: ausencia de útero y de ovarios (síndrome de Turner), ausencia de vagina o de tabiques vaginales, o himen no perforado. También puede ser la causa una enfermedad de la hipófisis o de las glándulas suprarrenales. Según los casos, el tratamiento es médico o quirúrgico.

Amenorrea secundaria. Es mucho más frecuente que la amenorrea primaria y puede tener causas muy diversas. En general, en un primer momento se piensa en un inicio de embarazo, por lo cual el test de embarazo es una de las primeras pruebas que se prescriben en caso de ausencia de la menstruación.

Después de un parto (o un aborto espontáneo) y si no se da el pecho, el retorno de la menstruación se suele producir al cabo de 6 a 8 semanas. Cuando la mujer da el pecho, el plazo del retorno de la menstruación es más difícil de calcular; la amenorrea se considera anormal pasados 5 meses después del cese de la lactancia. En ese momento es importante consultar a un médico.

Si no hay embarazo, una amenorrea secundaria puede estar asociada a una afección del útero (sinequias uterinas), del hipotálamo o de la hipófisis, o también a ciertos tratamientos hormonales. Al cesar un método anticonceptivo oral, normalmente es pasajera. También puede ir asociada a una pérdida de peso importante.

La menopausia se asocia asimismo a una desaparición de la menstruación. Se considera que una mujer ha entrado en la menopausia cuando no tiene la menstruación durante 12 meses seguidos y no existen otras causas que lo expliquen.

Amniocentesis

La amniocentesis es un examen prenatal que tiene como objeto extraer una muestra del líquido amniótico en el que está inmerso el feto, a fin de analizarlo en laboratorio. Normalmente se efectúa para estudiar los cromosomas del feto y descubrir posibles anomalías, como una *trisomía 21,* una discapacidad cuyo riesgo aumenta con la edad de la madre.

¿Cómo se efectúa el examen? La amniocentesis se realiza por punción en la cavidad uterina de la mujer embarazada. El examen se efectúa a los 3 o 4 meses de embarazo (a partir de la decimocuarta semana de amenorrea). Se practica bajo control ecográfico, lo cual permite precisar la edad del feto, además de su posición y la de la placenta. La punción es más impresionante que dolorosa. A menudo se hace sin anestesia local, dado que esta última requeriría también una inyección, que sólo anestesiaría la piel.

El proceso debe practicarse con precauciones de asepsia (ausencia de gérmenes microbianos) para evitar cualquier riesgo de infección. El examen se realiza sin hospitalización y sólo dura unos minutos. A continuación requiere dos días de reposo, a causa de las pequeñas contracciones que puede provocar. El principal peligro de la amniocentesis es el aborto espontáneo por fisuración de las membranas. Aunque el proceso se efectúe correctamente, esta complicación se presenta entre el 0,5 y el 1% de los casos.

¿En qué circunstancias? Te aconsejarán la amniocentesis si tienes 35 años o más, si en la ecografía te han detectado alguna anomalía o si el resultado de un análisis de sangre (estudio de los *marcadores séricos*) puede señalar una posible trisomía; también se propone en caso de antecedentes de anomalías genéticas o cromosómicas en los padres o en un primer hijo trisómico.

Finalmente, pasado el cuarto mes de embarazo (semana 20 de amenorrea), se puede prescribir una amniocentesis para controlar la posible incompatibilidad de los grupos sanguíneos entre la madre y el feto (cuando hay riesgo de *enfermedad hemolítica* en el neonato): permite medir el índice de bilirrubina (que refleja la intensidad de la incompatibilidad) y decidir qué tratamiento se debe aplicar. En otros casos también permite evaluar la maduración pulmonar del feto o averiguar si sufre una infección.

¿Otra alternativa? Algunos equipos médicos proponen sustituir la amniocentesis sistemática después de los 35 años por un examen de detección a todas las mujeres embarazadas. Este examen incluye una medición de la nuca del feto durante la ecografía de 12-13 semanas de amenorrea y un análisis específico de la sangre de la madre (determinación de los indicadores séricos). En función de los resultados, a continuación, el médico practicará o no una amniocentesis. El objetivo es reducir el número de amniocentesis y, con ello, el número de accidentes provocados por esta extracción.

VER ▸ Diagnóstico prenatal, incompatibilidad Rh

Amnios

Este término griego designa la membrana que delimita la cavidad amniótica, la cual contiene el líquido en el que está inmerso el feto al final del primer trimestre de embarazo.

De forma imaginaria, el feto estaría en un globo de goma lleno de *líquido amniótico,* de ahí el término usado a veces de *bolsa de las aguas.* Para ser más exactos, esta bolsa de las aguas está formada por dos capas (o membranas): el *corion,* por el lado materno, y el amnios, por el lado fetal.

Numerosas palabras tienen su origen en el término *amnios: amniotomía,* o ruptura por parte de la comadrona o el médico de la bolsa de las aguas; *amniocentesis,* o punción del líquido contenido en esta bolsa; *amnioscopia,* o visualización del aspecto del líquido a través de la bolsa.

Amnioscopia

Es un examen prenatal realizado al final del embarazo para visualizar el color del *líquido amniótico* y detectar una posible emisión prematura de heces por parte del feto. Se realiza con un tubo que se desliza por el orificio del cuello del útero hasta que entra en contacto con las membranas.

▶ La amnioscopia puede utilizarse para el control del final del embarazo. Su objetivo es detectar la presencia de un líquido de color verde, llamado *meconio,* que señala una emisión prematura de las primeras heces del niño y constituye un indicio de estrés o de sufrimiento fetal. Como no es muy fiable y sólo puede practicarse si el cuello del útero de la mujer ya está dilatado, algunos ginecólogos lo han abandonado, optando por otros medios de control, como el cálculo de la cantidad de líquido amniótico mediante ecografía o el seguimiento del *ritmo cardíaco fetal*.

Análisis de orina

Durante el embarazo, en cada consulta la futura madre debe someterse obligatoriamente a análisis de orina. El examen consiste simplemente en poner en contacto orina recién extraída con unas tiras cromométricas.

▶ En la actualidad, sólo se aconseja la búsqueda sistemática de proteínas en la orina (proteinuria o *albuminuria*). La presencia de proteínas, sobre todo en el último trimestre, puede ser indicio de una complicación, la *preeclampsia.* Sin embargo, para señalar una anomalía, esta proteinuria debe ser patente, dado que unas simples trazas no constituyen indicio de ninguna dolencia en particular.

La búsqueda de azúcar en la orina (glucosuria) presenta un interés discutible, dado que la excreción de azúcar (glucosa) a la orina se ve modificada durante el embarazo. Por lo tanto, su presencia no revela necesariamente una anomalía. Por el contrario, si durante el embarazo surge intolerancia al azúcar *(diabetes gestacional),* ésta provoca picos de glucosuria variables en el tiempo: la ausencia de azúcar en la orina no permite, pues, eliminar un diagnóstico de diabetes.

Por otra parte, puede ser útil la detección sistemática de una infección urinaria *(cistitis)* mediante análisis de orina; se trata de una afección que afecta a menudo a las mujeres embarazadas, pero en ocasiones los síntomas son tan mínimos que pasan desapercibidos.

VER ▶ ENFERMEDADES INFECCIOSAS DURANTE EL EMBARAZO, PIELONEFRITIS

Anemia

La anemia es una disminución del índice de hemoglobina en la sangre, el principal constituyente de los glóbulos rojos, producidos por la médula ósea. La hemoglobina es un pigmento que contiene hierro, el cual transporta oxígeno desde los pulmones hasta los tejidos y da el color rojo a la sangre. En las mujeres embarazadas, la principal causa de anemia es una carencia de hierro.

▶ **Los principales síntomas.** En general, la anemia se traduce en un cansancio excesivo, palidez de la piel y las mucosas (particularmente visible en las membranas que cubren el interior de los párpados, las conjuntivas). También se manifiesta mediante ahogos y una aceleración del ritmo cardíaco. Se habla de anemia en la mujer cuando el índice de hemoglobina de la sangre es inferior a 12 g por decilitro, pero en una mujer embarazada el valor de referencia es de 10 a 11 g por decilitro. Durante el embarazo, el fenómeno llamado *hemodilución* comporta una reducción normal del índice de hemoglobina.

▶ **Causas durante el embarazo.** La causa de anemia más frecuente es un defecto de síntesis inducido por una carencia de hierro (o carencia marcial). En efecto, en la mujer, las reservas de hierro a menudo están bajas debido a las pérdidas de sangre mensuales. Durante la gestación, la necesidad de hierro aumenta. Así pues, un embarazo puede desestabilizar un equilibrio ya de por sí precario y poner de manifiesto una anemia latente. La prevención de este tipo de carencia se basa en una alimentación equilibrada (son alimentos ricos en hierro sobre todo la carne roja, pero también el pescado y, en menor medida, las espinacas y las lentejas). En caso de una carencia más acusada, el tratamiento consiste en un aporte de hierro continuado.

Una anemia también puede estar asociada a una carencia de ácido fólico, o vitamina B9 (vitamina presente en el hígado, productos lácteos, verduras...). El tratamiento consiste en un aporte medicamentoso suplementario de ácido fólico.

▶ **Después del parto.** En este caso, la anemia está asociada a una pérdida excesiva de sangre durante el alumbramiento (expulsión de la placenta). Si no es demasiado severa, se trata con una aportación suplementaria de hierro y de ácido fólico; la transfusión se realiza en caso de hemorragias importantes.

Anestesia

Es una suspensión parcial o total de la sensibilidad y, a veces, de la conciencia. La anestesia local está limitada a una zona del cuerpo; la anestesia locorregional, a una región, y la anestesia general afecta a todo el cuerpo.

▶ Durante el parto se pueden aplicar diferentes anestesias, si bien la más común es la *epidural.*

Cuando el parto evoluciona por vía natural y en ausencia de epidural, el especialista puede utilizar una anestesia local de los nervios que inervan el *perineo,* para aliviar a la parturienta en caso de *extracción instrumental.* También se puede aplicar una anestesia local de la piel y de las mucosas en caso de desgarro superficial del perineo o durante la sutura de una *episiotomía.*

Cuando una cesárea está programada antes de la dilatación o se decide sin que haya una urgencia extrema, se prefiere practicar la *raquianestesia,* parecida a la epidural, pero durante la cual la solución anestésica es inyectada en una sola vez en el líquido cefalorraquídeo, bajo la médula espinal. En caso de contraindicación o en caso de urgencia, el único recurso es la anestesia general.

Anexos

Los anexos designan el conjunto de las estructuras que aseguran las relaciones entre el futuro bebé y su madre durante el embarazo. Son el *amnios* y el *corion* (también llamados *membranas*), el *cordón umbilical* y la *placenta.* Los anexos se evacuan en el momento del *alumbramiento,* la última fase del parto.

Anticoagulantes

Estos productos farmacéuticos tienen por objeto disminuir la coagulación sanguínea. Se distinguen dos grandes clases: las antivitaminas K, contraindicadas durante el embarazo, y las heparinas (heparina y heparina de bajo peso molecular, o HBPM), autorizadas a las mujeres embarazadas (a partir del segundo trimestre en el caso de HBPM) y administradas en inyecciones intravenosas o subcutáneas.

▶ Debido a fenómenos hormonales y mecánicos, el embarazo y el período después del parto a veces favorecen las complicaciones venosas. Si se diagnostica una embolia pulmonar o una *flebitis,* se deben tomar anticoagulantes. Pero para evitar este tipo de problemas también se recetan estos medicamentos a título preventivo cuando existe un riesgo, sobre todo en las situaciones siguientes: lactancia prolongada, in-

movilización de un miembro, varices importantes, antecedentes de flebitis o de embolia pulmonar, anomalías en la coagulación, como el déficit en antitrombina III...

Después del parto y en estas situaciones de riesgo, en general el médico prescribe anticoagulantes de tipo HBPM, a razón de una inyección subcutánea al día, durante un período que puede alcanzar las seis semanas. Después de una cesárea, actualmente se prescribe sistemáticamente durante un período medio de quince días, salvo en caso de un riesgo particular.

Los tratamientos anticoagulantes requieren un control atento del índice de plaquetas en la sangre, para evitar posibles complicaciones graves.

Anticoncepción después del parto

Los ovarios pueden volver a producir *óvulos* veinticinco días después del parto; así pues, puede producirse un nuevo embarazo antes del *retorno de la menstruación.* Por tanto, debes decidir qué método anticonceptivo utilizar incluso antes de salir de la maternidad, aunque des el pecho. En teoría, la lactancia retrasa la ovulación, pero como método anticonceptivo no es fiable. Puedes optar entre varios métodos, en función de tus hábitos, de las contraindicaciones médicas y de si das el pecho o no. El momento de reanudar las relaciones sexuales varía mucho de una pareja a otra, y sobre todo depende del tipo de parto y del grado de cansancio durante el *puerperio.*

▶ **El preservativo masculino y los espermicidas.** El preservativo masculino es uno de los métodos que se aconsejan para después del parto. También se pueden usar espermicidas locales (óvulos), cuyo efecto lubrificante facilita las relaciones; se deben colocar en el fondo de la vagina, unos diez minutos antes de las relaciones, debiéndose evitar toda forma de higie-

ne íntima durante las dos horas que lo preceden o siguen (se podría anular el efecto de los espermicidas).

▶ **Los anticonceptivos orales.** También pueden utilizarse poco después del parto.

– Los anticonceptivos orales clásicos (píldoras compuestas de estrógenos y progesterona) están contraindicados si se da el pecho. Si no hay contraindicaciones, este tipo de tratamiento anticonceptivo debe iniciarse unas tres semanas después del parto (no antes, para no aumentar el riesgo de flebitis) y antes del retorno de la menstruación.

– Las minipíldoras (constituidas sólo por prostágenos de dosis bajas) están autorizadas en caso de lactancia materna, pues no afectan ni a la calidad ni a la cantidad de leche y tampoco afectan a la salud ni al crecimiento de los bebés amamantados. En mujeres que no estén amamantando, la toma de la minipíldora puede iniciarse inmediatamente después del parto, pero en el caso de las mujeres que lactan a sus hijos, éstas deben esperar 6 semanas antes de iniciar la toma. La minipíldora se toma todos los días a la misma hora, sin descanso entre caja y caja. Sin embargo, comporta dos inconvenientes: el olvido de una toma (si el período entre dos píldoras es superior a 12 horas, pierde eficacia) y la aparición de pequeños sangrados intermitentes.

▶ **El implante.** Se trata de un método anticonceptivo a largo plazo (su efecto dura 3 años). Consiste en la inserción debajo de la piel del brazo de la mujer, por parte de un médico, de una pequeña varilla de plástico flexible (de tamaño menor que una cerilla) que libera sólo progestágeno de forma constante. Por consiguiente, elimina el riesgo de que se produzcan olvidos en la toma. El implante se coloca después del parto, en función de si la mujer amamanta o no al bebé.

▶ **El parche.** Contiene una combinación de estrógenos y progestágenos de síntesis y presenta las mismas indicaciones que la píldora clásica. Tiene un inconveniente: la usuaria puede olvidar ponerse uno nuevo (hay que aplicar un parche a la semana durante tres semanas, y descansar una semana antes de proseguir). La ventaja es que sustituye la toma diaria de comprimidos.

▶ **El anillo (NuvaRing®).** Es un anillo de plástico transparente, flexible, de 5 cm de diámetro, que la propia mujer se coloca en el interior de la vagina como si fuera un tampón. El anillo anticonceptivo mensual libera durante tres semanas una dosis muy baja de hormonas que impiden que se produzca el embarazo. Es tan eficaz como la píldora clásica y cuenta con la ventaja añadida de que su aplicación es mensual (tres semanas seguidas de uso y una de descanso), lo cual disminuye la posibilidad de olvidos.

▶ **El dispositivo intrauterino (DIU).** El hecho de no haber tenido aún hijos no es motivo para contraindicar el DIU, aunque el uso de este método anticonceptivo de larga duración (3-5 años) es más conveniente cuando la mujer ya ha tenido un embarazo y tiene pareja estable (uno de los principales inconvenientes del DIU es el riesgo de infecciones que presenta, por lo que puede no ser el método más idóneo cuando se tiene más de una pareja). Está contraindicado en caso de tener fibromas o reglas muy abundantes, pero se autoriza después de una cesárea. El DIU puede insertarse en el *puerperio* inicial (antes de 48 horas) pero el riesgo de expulsión es más elevado que si se espera un mes para hacerlo.

▶ **Los métodos desaconsejados después del parto.** Son los diafragmas y otros preservativos femeninos, dado que la vagina y el cuello del útero, sobre los que se aplican, todavía no han recuperado su forma inicial. El control de la curva de temperatura (método Ogino), imposible de efectuar antes de la primera ovulación, también se desaconseja.

Por último, la esterilización por ligadura de trompas en España sólo puede realizarla una persona mayor de edad y debe hacer constar su petición por escrito. El médico informa a la mujer de los riesgos que comporta y del carácter definitivo de la intervención, que normalmente se efectúa por *laparoscopia pélvica,* y puede aconsejar un período de reflexión de unos meses antes de decidirse por esta opción.

VER ▶ DISPOSITIVO INTRAUTERINO (DIU)

Aorta

Es el tronco originario de todas las arterias del cuerpo. La aorta sale del ventrículo izquierdo del corazón, a nivel del orificio aórtico; cruza el tórax y el abdomen para dividirse en dos ramas: las dos arterias ilíacas primitivas y la arteria sacra media. Las dos arterias uterinas (que forman la principal vascularización del útero) nacen de una rama de la aorta.

▶ La aorta recorre la columna vertebral por la izquierda y su carácter rígido es responsable de la inclinación del útero hacia la derecha, llamada *dextro-rotación.* Ello comporta una compresión de la *vena cava* inferior que la recorre paralelamente por el lado derecho, lo cual puede producir malestar cuando la mujer está tendida sobre la espalda. Por ello, si se padece un malestar de este tipo, se aconseja tenderse preferentemente sobre el lado izquierdo, para minimizar el fenómeno de compresión mecánica.

Apgar (test de)

El test de Apgar permite evaluar de manera rápida la vitalidad y el estado de salud del neonato en los minutos siguientes a su nacimiento. Esta prueba lleva el nombre de Virginia Apgar, la pediatra estadounidense que lo ideó.

▶ La prueba de Apgar evalúa cinco datos: el ritmo del corazón, la capa-

cidad respiratoria, la coloración de la piel del bebé (azulada en caso de cianosis), su tono muscular y sus respuestas a los estímulos.

Cada información se puntúa de 0 a 2. Un total de 10 significa que el neonato goza de una salud excelente. Una nota por debajo de 7 indica una escasa adaptación a la vida al aire libre, que se debe tratar de inmediato: desobstrucción de las vías respiratorias, ventilación u oxigenación. El test de Apgar se evalúa de forma sistemática en el primer minuto de vida y luego a los 5 minutos. Permite juzgar si se precisa una reanimación más intensa o no.

VER ▶ INCUBADORA, PREMATURIDAD

Ardor de estómago

VER ▶ REFLUJO GASTROESOFÁGICO

Asesoramiento genético

VER ▶ GENÉTICA

[B]

Baby blues

Cerca del 60% de las parturientas atraviesan un estado de depresión leve entre el tercero y el noveno día después del parto. Es el *baby blues,* también denominado *síndrome del tercer día,* que puede ser de intensidad variable y, por lo general, afecta a las mujeres que acaban de dar a luz a su primer bebé.

▶ **Un estado pasajero.** El *baby blues* se manifiesta en forma de ansiedad, humor muy variable, cansancio intenso e impresión en la nueva madre de que no es una buena madre y que no conseguirá ocuparse bien de su hijo. El *baby blues* no es una enfermedad. Su origen reside, en parte, en factores físicos: el gran trastorno hormonal que se produce durante el *puerperio* y el cansancio real de los primeros días después del parto. Pero también deriva de factores psicológicos: la finalización del embarazo, la despedida del hijo «imaginario» y la tarea de identificación en el nuevo papel de madre frente al hijo.

Ante la aparición de estos síntomas, el entorno médico y la familia deben tranquilizar a la madre primeriza respecto a su capacidad como madre. No se precisa ningún tratamiento médico. En general, para hacer desaparecer la depresión antes del décimo día, es suficiente con cierta ayuda psicológica y práctica (otra persona que se haga cargo de las tareas de la vida cotidiana), que permita a la madre descansar.

▶ **Si la depresión se prolonga.** Hay motivo para preocuparse y consultar a un médico si los problemas persisten pasadas dos semanas y si aparecen ciertas perturbaciones del sueño (insomnio, pesadillas). En ciertos casos, el *baby blues* puede ir seguido de un estado depresivo más prolongado. La madre joven presenta cansancio persistente e irritabilidad; está ansiosa y se reprocha que no puede ocuparse bien de su bebé o de hacerlo con desgana. Este fenómeno es más frecuente entre las mujeres de menos de 20 años y en las de más de 40 años, si el embarazo no era deseado, si existen dificultades de relación entre la madre y su propia madre, o si el *baby blues* ha sido intenso. En este caso, el estado depresivo puede persistir insidiosamente; entonces habrá que tratar el problema.

VER ▶ DEPRESIÓN Y EMBARAZO

Bacterias

Las bacterias son seres vivos formados por una sola célula, únicamente visibles con el microscopio. Son autónomas y pueden desarrollarse en medios diversos, a diferencia de los virus, que necesitan invadir una célula para desarrollarse.

▶ Las bacterias provocan infecciones locales o generales, pero también pueden ser beneficiosas (por ejemplo, las bacterias que viven en el intestino y contribuyen a la digestión de los alimentos).

El organismo humano sano posee un sistema de defensa inmunitario compuesto por células y moléculas que le protegen contra las bacterias infecciosas. Los antibióticos ayudan al cuerpo a luchar contra la mayoría de estas bacterias, lo cual permite curar las infecciones si se realiza un diagnóstico a tiempo. Además, ciertas infecciones se pueden evitar gracias a las vacunas administradas con fines preventivos.

VER ▶ ENFERMEDADES INFECCIOSAS DURANTE EL EMBARAZO

Biometría

La biometría es el estudio estadístico de las dimensiones y del crecimiento de los seres vivos. Se utiliza, sobre todo, para evaluar el crecimiento del feto.

▶ La biometría fetal agrupa las diferentes dimensiones tomadas durante una ecografía fetal de detección: básicamente son el BIP, o diámetro biparietal, los perímetros cefálico y abdominal y la medida del *fémur*. Estos parámetros permiten evaluar el crecimiento y, en función de las fórmulas de cálculo elegidas, calcular el peso del feto. Estas mediciones a menudo se expresan en *percentiles*, por medio de curvas.

VER ▶ CÁLCULO DEL PESO FETAL

Biopsia de trofoblasto

Este examen consiste en extraer una muestra de *trofoblasto* (tejido que da lugar a la placenta), que se analizará en laboratorio. Junto con la *amniocentesis* y la punción de sangre fetal, es uno de los tres exámenes que permiten analizar los cromosomas del feto y así detectar una posible ano-

malía cromosómica. La biopsia de trofoblasto también sirve para detectar ciertas enfermedades genéticas y para determinar el sexo del bebé.

▶ Este examen se realiza con ecografía y puede practicarse a partir de los dos meses de embarazo (semanas 10-11 de amenorrea). Se aplica mediante dos técnicas: la extracción a través del abdomen, con una aguja de gran calibre, o por la vagina. La extracción sólo dura unos minutos. Como se trata de una extracción de tejido y no de líquido (a diferencia de la amniocentesis), puede ser necesario aplicar anestesia local en el lugar de la punción.

La biopsia de trofoblasto presenta una doble ventaja: se efectúa en un estadio precoz del embarazo y los resultados del análisis se conocen enseguida. Sin embargo, este examen comporta un riesgo no despreciable de aborto espontáneo (del orden del 1 al 2%), más elevado que con la amniocentesis (riesgo del 0,5 al 1%). Por ello, está reservado a ciertas situaciones particulares. Se practica cuando hay que extraer cierta cantidad de células para efectuar el análisis (como en la detección de determinadas enfermedades genéticas). Se recomienda también cuando una situación de alto riesgo precisa de una respuesta muy rápida (detección de una enfermedad hereditaria, por ejemplo, la miopatía de Duchenne, que puede afectar a los bebés de sexo masculino).

VER ▶ CARIOTIPO, ENFERMEDAD HEREDITARIA

BIP (o diámetro biparietal)

VER ▶ CÁLCULO DEL PESO FETAL

Bolsa de las aguas (o fuente)

Es el saco lleno de *líquido amniótico* en el que se encuentra el feto. La bolsa de las aguas (o membranas) o fuente juega un papel vital en la protección del feto contra los traumatismos.

La bolsa de las aguas se rompe espontáneamente durante la dilatación, o a veces antes de que se produzcan las contracciones o justo al principio de éstas. Esta ruptura constituye la señal para ir enseguida a la maternidad.

En general, la bolsa de las aguas se rompe por sí misma cuando la dilatación del cuello del útero alcanza de 2 a 5 cm. Esta ruptura es indolora y se manifiesta por un flujo de líquido por la vagina; el flujo puede ser lento o bien el líquido puede salir de golpe. No obstante, a veces la bolsa de las aguas no se ha roto del todo cuando la dilatación ya ha alcanzado los 5 cm y la cabeza del feto ha entrado en las vías maternas. En este caso, el ginecólogo o la comadrona utilizan un perforador de membrana durante una contracción.

Cuando la ruptura de la bolsa se produce antes del octavo mes de embarazo, la mujer es hospitalizada y controlada, debido a las posibles complicaciones (infección y riesgo de parto prematuro). A veces es necesario recurrir a un *parto provocado*.

Bulto serosanguíneo

En caso de parto en el que el bebé salga de cabeza, es posible que nazca con un bulto en la parte superior del cráneo, que le deforma el cuero cabelludo. Se trata de una afección frecuente, que desaparece espontáneamente al cabo de unos días.

Durante el parto, la cabeza del bebé se amolda al seno de los huesos de la pelvis de la madre. Esta presión produce la aparición de un bulto en la parte superior del cráneo. Está formado por sangre y serosidades, y da a la cabeza un aspecto oblongo, en forma de tiara faraónica.

El volumen de un bulto serosanguíneo a veces es impresionante, pero no tiene consecuencias. Este bulto desaparece por sí solo en un día o dos. No requiere ningún tratamiento. Por supuesto, no aparece en los partos de nalgas o por cesárea programada.

VER ▸ PARTO

[C]

Calambre

Es una contracción dolorosa, intensa y prolongada de un músculo. Entre un 15 y un 30% de las mujeres sufren calambres durante el embarazo.

En las mujeres embarazadas, los calambres están localizados sobre todo en la pantorrilla y suelen aparecer de noche. Normalmente, el calambre desaparece por sí solo cuando la mujer extiende la pierna y se frota la zona que le duele, pero en ocasiones puede persistir un dolor más o menos intenso durante varias horas.

La causa de los calambres todavía no se conoce bien; probablemente se deben a una carencia de magnesio y/o de calcio y a una insuficiencia venosa. Se puede indicar un tratamiento, pero no se ha demostrado su eficacia en todas las mujeres. Consiste en tomar magnesio y calcio según la prescripción médica. El tratamiento se prolongará en función del resultado.

Cálculo del peso fetal

Antes del nacimiento, el médico calcula el peso del feto a partir de la ecografía o del examen clínico.

Medidas que se toman en cuenta. En las ecografías, el cálculo del peso fetal se basa en varias fórmulas matemáticas que toman en consideración diferentes mediciones efectuadas durante el examen, básicamente:

– la longitud del fémur;

– el BIP, o diámetro biparietal, que corresponde a una medición del diámetro del cráneo del feto; esta medida se está sustituyendo por el perímetro cefálico, que se ve menos influido por la forma del cráneo, que es bastante variable;

– el perímetro cefálico, que mide el perímetro del cráneo fetal como una corona dibujada alrededor de la cabeza;

– el perímetro abdominal, que mide el perímetro del vientre del feto como un cinturón dibujado alrededor del vientre.

A continuación, todas estas medidas se trasladan a curvas para visualizarlas en *percentiles* y evaluar el crecimiento del feto.

El margen de error. El resultado es un cálculo, no el peso real del bebé, fuente de errores o de muchas angustias e incomprensiones a la hora del nacimiento.

En el mejor de los casos, el margen de error es de aproximadamente un 10%, lo cual puede parecer poco para tratarse de un peso reducido (200 g en un bebé de 2 kg); pero si el bebé pesa cerca de 4 kg, el margen de error alcanza una diferencia de 400 g, es decir, un resultado ecográfico que conduce a una estimación comprendida entre 3,6 y 4,4 kg.

Calostro

El calostro, un líquido denso y amarillento, es la primera leche que segregan las glándulas mamarias después del parto.

El calostro, que se produce en las horas que siguen al nacimiento del bebé, presenta un bajo contenido en azúcar y en lípidos; al igual que la leche materna, aporta al recién nacido unos factores de defensa insustituibles, que le protegen contra numerosas infecciones. Contiene inmunoglobulinas A, anticuerpos de protección de la mucosa digestiva y linfocitos B y T, que intervienen en la protección de la mucosa del intestino.

Otros elementos, como el *lactobacillus bifidus* (presente, sobre todo, en el tubo digestivo), favorecen la implantación de una flora intestinal favorable a una buena digestión (con las bacterias saprofitas), reduciendo así el riesgo de gastroenteritis en el bebé.

VER ▸ DESTETE

Candidiasis / candida

VER ► LEUCORREA

Cariotipo

El cariotipo es un examen que consiste en realizar la clasificación de los cromosomas de una persona, a partir de una extracción de células (sangre, tejido, líquido amniótico), mediante una técnica fotográfica. Este examen permite poner de relieve diferentes anomalías en la estructura o en el número de los cromosomas.

▶ Un cariotipo se propone, en el marco del control del embarazo, cuando se sospecha que el feto presenta una anomalía. Se aconseja de forma sistemática a las mujeres de más de 35 años para detectar una trisomía 21 (en la que hay no 2, sino 3 cromosomas en el par numerado 21), una minusvalía cuya frecuencia aumenta con la edad de la madre. También se recomienda si un miembro de la familia está afectado por una enfermedad relacionada con una anomalía cromosómica, dado que hay cierto riesgo de que la anomalía sea transmitida al feto. Las anomalías cromosómicas no se pueden curar, de ahí la importancia de saber si existen (y tomar una decisión) antes del nacimiento.

La extracción de células necesaria para el cariotipo puede realizarse mediante diferentes técnicas *(biopsia de trofoblasto, amniocentesis)*. La elección depende, entre otros, del estado del embarazo.

VER ► GENÉTICA, ENFERMEDAD HEREDITARIA, TRANSMISIÓN GENÉTICA

Cefalohematoma

Algunos bebés, sobre todo si el parto ha sido difícil, nacen con una acumulación de sangre en uno de los huesos de la bóveda craneal, lo cual se traduce en un bulto en el cráneo.

Es un cefalohematoma, una afección benigna en la gran mayoría de casos.

▶ El cefalohematoma, relativamente frecuente, también puede aparecer después de un parto normal, e incluso tras un nacimiento por cesárea. Se diagnostica unas horas después del nacimiento. La tumefacción se encuentra sobre la bóveda craneana, está bien limitada por las suturas óseas y crece progresivamente para alcanzar su máximo hacia el décimo día; normalmente se localiza en un lado del cráneo.

Si no es indicio de una lesión subyacente más importante (fractura del cráneo, hematoma intracerebral), un cefalohematoma es un accidente benigno, que se deshace progresivamente sin dejar secuelas. La resorción de la sangre contenida en el bulto puede, no obstante, provocar una *ictericia* que requiera una atención específica. En estos pocos casos, la protuberancia se calcifica y permanece en el cráneo de forma definitiva.

No es necesario ningún tratamiento, salvo calmantes si el bebé muestra malestar.

Celioscopia

VER ► LAPAROSCOPIA PÉLVICA

Cerclaje

Esta operación quirúrgica, practicada en la mujer embarazada, pretende evitar un posible parto prematuro. El cerclaje consiste en pasar un hilo (o una tira) alrededor del cuello del útero, después de anestesiar a la paciente, y en anudarlo bien para impedir que el cuello se abra.

▶ En general, el cerclaje se practica a los tres meses de embarazo (15 semanas de amenorrea), aunque también se puede realizar más tarde. La intervención se desarrolla bajo anestesia general, en el quirófano. Permite evitar una abertura del cuello uterino antes del *final del embarazo.*

El cerclaje se efectúa de modo preventivo en caso de antecedentes de parto muy prematuro, de tipo mecánico (es decir, sin ninguna causa infecciosa) o en caso de modificaciones anatómicas del cuello desde el inicio del embarazo (cuello corto, abierto...). Con frecuencia, el cerclaje preventivo también se practica en mujeres cuya madre fue tratada con dietilestilbestrol durante el embarazo.

En caso de cerclaje, el seguimiento del embarazo es igual al de un embarazo normal. No obstante, se aconseja cierto reposo adicional y el cese laboral antes de la baja normal por maternidad. Normalmente, la mujer embarazada no nota el hilo del cerclaje. Una vez descartado el riesgo de *prematuridad* (inicios del noveno mes de embarazo), se quita el hilo. Esta retirada se efectúa por la vagina, durante una simple visita, y no se precisa anestesia.

Cervicitis

Es una infección del cuello del útero. Se trata de una afección frecuente, por lo general benigna, que comporta pérdidas vaginales. Las cervicitis se tratan localmente mediante óvulos vaginales, salvo si están asociadas a una infección del útero *(endometritis)* o de las trompas (salpingitis).

VER ► LEUCORREA

Cesárea

Cuando el bebé no puede nacer por vía natural, se recurre a una cesárea. Esta intervención quirúrgica consiste en realizar una incisión en el abdomen, justo encima del pubis, para extraer al bebé del útero. La operación se practica bajo anestesia general, bajo *raquianestesia* o bajo la *epidural*. En los dos últimos casos, la mujer está consciente.

▶ Se aconseja el parto por cesárea, entre otros casos, si el útero está mal formado, es frágil o presenta cicatrices debidas a otras cesáreas; si la pelvis es demasiado estrecha para que pase el bebé, etc...

La decisión de practicar una cesárea también se puede tomar justo antes de la dilatación o durante la misma, por razones diversas:

– el niño va a nacer antes de los nueve meses (sufre un retraso del crecimiento o es prematuro) y, dada su debilidad, corre el peligro de sufrir un traumatismo si el parto es por vía vaginal;

– el parto se prolonga sin que la dilatación sea eficaz;

– el bebé se presenta de nalgas y la dilatación no avanza normalmente;

– mediante la monitorización se observa que el feto sufre antes de que el cuello esté completamente dilatado.

Actualmente, las técnicas operatorias ofrecen la posibilidad, si es necesario, de dar a luz varias veces por cesárea; es decir, permiten embarazos ulteriores. El principal avance es que ahora se abre el útero a nivel del segmento inferior (zona más fina que aparece en la unión del útero y del cuello uterino a partir del tercer trimestre, bajo el efecto de la distensión uterina y de las contracciones fisiológicas). La cesárea puede parecer la solución a numerosos problemas, pero no deja de ser una operación quirúrgica y no está libre de riesgos inmediatos y a largo plazo.

VER ▸ PARTO

Cianosis

La cianosis es una coloración gris azulada, más o menos intensa, de la piel y las mucosas. Se detecta al nacer gracias al test de Apgar. En el neonato, la cianosis puede revelar cierta dificultad al respirar o ser indicio de una malformación cardiaca que impide al organismo oxigenarse correctamente.

▸ Les bebés que tienen cianosis al nacer (antes se hablaba de «niños azules») son examinados de inmediato en la sala de partos y, en caso necesario, trasladados a una unidad de cuidados intensivos o de reanimación neonatal.

Si la cianosis se produce más adelante, normalmente se limita a las manos o a los pies; puede indicar un principio de infección o, simplemente, ser indicio de que el niño tiene frío. Hay que mencionar esta cianosis al médico o a la comadrona, que tomará la temperatura al bebé y examinará su estado general y su respiración.

Ciática

Se trata de un dolor provocado por la compresión del nervio ciático desde la parte superior de la nalga derecha o izquierda, que irradia la totalidad o una parte de la pierna a lo largo del trayecto de este nervio.

▸ **Principales causas.** Las ciáticas están provocadas ya sea por un movimiento del disco vertebral (hernia discal), ya sea por una alteración de la articulación entre la última vértebra lumbar y la primera vértebra sacra.

Estas modificaciones se ven favorecidas por el embarazo: por un lado, la impregnación hormonal hace que los ligamentos intervertebrales sean más «estirables»; por otro, existe un movimiento de la pelvis y un aumento del arqueamiento de la espalda asociados al desarrollo del útero hacia adelante.

Las ciáticas, más frecuentes al final del embarazo, se ven favorecidas por un aumento de peso importante y por antecedentes de ciáticas o de dolores lumbares. El dolor puede ser moderado (se ve avivado por los movimientos, las torsiones de la pelvis y los cambios de posición) o muy agudo, dificultando así cualquier movimiento e impidiendo incluso que la paciente pueda dormir.

▸ **Prevención y tratamiento.** El tratamiento es bastante limitado durante el embarazo, dado que los medicamentos antiinflamatorios están contraindicados. En primer lugar, se basa en la prevención: limitar el aumento de peso, no llevar cargas pesadas, levantar pesos siempre con las piernas bien flexionadas (sobre todo para levantar a un niño pequeño), practicar natación regularmente, sentarse en una posición correcta, con la espalda bien recta. En caso de ciática, en general es necesario descansar (en posición tendida sobre una superficie dura, poniendo una tabla bajo el colchón, por ejemplo) y, en ocasiones, un cese de la actividad laboral durante la fase más dolorosa. Se pueden recetar analgésicos para el dolor, así como infiltraciones locales de corticoides (únicamente en caso de ciática grave).

Una vez pasada la fase aguda, a veces son efectivas unas sesiones de quinesioterapia con masajes o un tratamiento posicional por un osteópata. Atención: la práctica de movimientos de manipulación (quiropráctica) se desaconseja. Las ciáticas no constituyen una contraindicación para la epidural.

VER ▸ DOLOR DE ESPALDA

Ciclo menstrual

Se trata del período comprendido entre el primer día de una menstruación y el primer día de la siguiente. Los ciclos menstruales se interrumpen durante el embarazo.

▸ El ciclo menstrual dura un promedio de 28 días, pero puede ser más corto o más largo (de 21 a 35 días, en general). En las niñas, al inicio de la pubertad los ciclos son muy irregulares, pero se van regularizando hasta la menopausia, en que vuelven a ser irregulares antes de desaparecer.

Para estudiar el ciclo menstrual, el primer examen requerido es el estudio de la temperatura. Consiste en tomarse la temperatura cada día, por la mañana antes de levantarse, y anotar el resultado en una hoja cuadriculada, durante dos o tres ciclos. La curva obtenida informa sobre la calidad del ciclo y sobre la existencia de ovulación, que normalmente se refleja en medio del ciclo por una elevación de la temperatura por encima de 37 °C.

Cistitis

La cistitis es una inflamación de la mucosa de la vejiga, en general debida a una infección por una bacteria. El embarazo favorece la aparición de la cistitis, a causa de un estancamiento de la orina en la vejiga, propiciado por la *progesterona.* Con fines preventivos, siempre se aconseja a las mujeres embarazadas beber mucha agua e ir a menudo al servicio.

▶ **Los síntomas posibles.** Es importante detectar una posible cistitis durante el embarazo, ya que esta afección puede provocar contracciones y favorecer un parto prematuro.

Normalmente, una cistitis se manifiesta por una mayor necesidad de orinar, ardor urinario y micciones de escaso volumen. Cuando estos síntomas van acompañados de fiebre o dolores en la parte inferior de la espalda, pueden señalar una complicación, la *pielonefritis.*

En cambio, una propensión a orinar de forma frecuente es completamente normal en una mujer embarazada y no evidencia ninguna enfermedad.

▶ **Diagnosis y tratamiento.** Para confirmar el diagnóstico de cistitis es necesario practicar un análisis citobacteriológico de la orina (ACBO) en laboratorio. Éste confirma la infección y pone de manifiesto la presencia de un germen patógeno en una cantidad significativa, además de glóbulos blancos, normalmente ausentes en la orina. Los gérmenes en cuestión suelen ser *Escherichia coli* y *Proteus mirabilis.*

Algunas infecciones urinarias apenas presentan síntomas, pero también son peligrosas. Para detectar estas posibles infecciones «silenciosas», el médico prescribe sistemáticamente un *análisis de orina* durante las visitas de seguimiento del embarazo. El examen consiste, simplemente, en poner orina en contacto con unas tiras reactivas.

El tratamiento de las cistitis se basa en la administración de ciertos antibióticos adaptados a los gérmenes, con demostrada inocuidad para el bebé. Cuarenta y ocho horas después del final del tratamiento se realiza un control de orina para comprobar la curación. En caso de cistitis recurrentes se puede prescribir un examen mensual sistemático de la orina.

Citomegalovirus (CMV)

El citomegalovirus pertenece a la familia de los herpesvirus. Da lugar a una infección latente que, en general, no produce ningún síntoma, pero que puede tener consecuencias graves para el feto. Se transmite por medio de las secreciones, sobre todo entre los niños de corta edad, al entrar en contacto con grupos. Al estar en contacto por primera vez con este virus son susceptibles de transmitirlo a su madre. Por ello, las mujeres embarazadas más expuestas son las que ya tienen hijos.

▶ **La prevención.** Algunos médicos proponen una toma de sangre a la madre al comienzo del embarazo para conocer su estado inmunitario, pero las precauciones habituales son las mismas tanto si se ha inmunizado como si no. El hecho de que la madre esté inmunizada no evita el riesgo al feto.

Por lo tanto, es mejor prevenir de forma sistemática el riesgo de transmisión evitando, mediante unas simples medidas higiénicas, el contacto con las secreciones de los niños potencialmente infectados: no lamer la cuchara del bebé después de que

la haya utilizado, no besarle en la boca, no tomar un baño con él, tener distintos utensilios para el aseo y lavarse bien las manos después de cambiarle o de curarle.

▶ **El control y los riesgos para el feto.** El control del CMV durante el embarazo se basa en la detección habitual mediante ecografía. Si durante este examen aparece algún indicio que lo señala, el médico buscará síntomas de una infección por el virus en la sangre de la madre. Si las dudas se confirman, comprobará si el virus se encuentra en el líquido amniótico (técnica de PCR [reacción en cadena de la polimerasa] por *amniocentesis*), después de asegurarse de la desaparición del virus de la sangre materna para no contaminar al feto durante la amniocentesis.

En la actualidad no existe tratamiento médico en caso de contaminación del feto. Cuando la ecografía muestra una anomalía, la única solución es la interrupción médica del embarazo.

Las afectaciones en el feto pueden dividirse en dos grupos: afectaciones detectables en la ecografía, como las anomalías cerebrales, hepáticas o los retrasos en el crecimiento, y las afectaciones no visualizables, como la sordera o el retraso mental, de ahí la dificultad que supone para el médico concretar el pronóstico. Pero todas estas anomalías son raras (4% en caso de primoinfección), y la gran mayoría de los bebés se encuentra perfectamente bien después del nacimiento, tras el cual se organiza el seguimiento pediátrico.

Cloasma

A lo largo del embarazo, a menudo aparecen en la piel unas manchas más o menos oscuras. Es el cloasma, también llamado *paño*, que aparece sobre todo en la frente, la nariz y los pómulos.

▶ Estas manchas aparecen bajo la influencia hormonal del embarazo, sobre todo en la cara, pero también en la línea media del vientre, las areolas o las cicatrices. Su tratamiento es preventivo: no exponerse al sol o protegerse del mismo utilizando una crema con pantalla solar total y evitar la aplicación de cosméticos, sobre todo en la cara.

Esta pigmentación desaparece progresivamente después del parto, pero puede presentarse en un parto posterior o si se utiliza una píldora anticonceptiva con un elevado contenido en estrógenos.

Cólicos uterinos

Los cólicos uterinos son unas contracciones uterinas dolorosas que aparecen después del parto.

▶ Los cólicos duran unos 2 o 3 días y se acompañan de un aumento de las pérdidas de sangre, a veces con coágulos. Las contracciones son la señal de que el útero está retrayéndose, para recuperar su tamaño previo al embarazo y para limitar la pérdida de sangre. Se ven intensificadas por la lactancia, que favorece la liberación de *oxitocina*. Son más dolorosas a medida que aumenta el número de partos.

El dolor de los cólicos se calma aplicando una bolsa de agua caliente sobre el útero en el momento de dar el pecho y tomando antálgicos simples (Paracetamol, antiespasmódicos o antiinflamatorios no esteroideos).

Concepción

VER ▶ FECUNDACIÓN

Congénita (enfermedad)

Se habla de enfermedad congénita para designar toda enfermedad que afecta al niño desde su nacimiento, sea cual sea la afección que padece.

▶ **Las malformaciones congénitas.** Son alteraciones de la morfología de un órgano, un tejido o un miembro, que derivan de una anomalía en su formación durante los dos o tres primeros meses de embarazo.

▶ **Las deformaciones congénitas.** Son alteraciones de una parte del cuerpo asociadas a la acción, durante el embarazo, de fuerzas mecánicas anormales sobre un tejido normal. Así, una mala posición del feto en el útero puede provocar una alteración de la morfología de su tórax o de sus pies.

▶ **Las afecciones congénitas genéticas.** Están vinculadas a un deterioro del patrimonio genético del feto durante las primeras divisiones celulares del huevo (por ejemplo, la trisomía 21) o a la transmisión de un gen mutado por uno o por ambos progenitores.

▶ **Las afecciones congénitas debidas al entorno del feto.** Se deben a las repercusiones en el feto de diversas enfermedades de la madre: infecciones (rubéola, toxoplasmosis) o intoxicación (alcohol, medicamentos antiepilépticos, anticoagulantes o anticancerosos). Algunas de estas afecciones dan lugar a malformaciones.

VER ▶ GENÉTICA, ENFERMEDAD HEREDITARIA

Consanguinidad

Cuando un lazo de consanguinidad une a personas que tienen por lo menos un familiar en común por parte del padre o de la madre.

▶ Un niño nacido de la unión entre un hombre y una mujer consanguíneos está más expuesto al riesgo de una malformación congénita. El lazo de parentesco entre el padre y la madre hace que aumente el índice de transmisión de las anomalías genéticas.

VER ▶ GENÉTICA, TRANSMISIÓN GENÉTICA

Contracción

Es la retracción involuntaria de las fibras musculares del útero. Esta retracción, que empieza en un punto variable y se propaga poco a poco, crea una fuerza motriz que permite la dilatación del cuello del útero después del parto.

▶ Existen dos tipos de contracciones: las indoloras, irregulares y escasas, que se dan a partir del séptimo mes de embarazo y prosiguen hasta el *final* del mismo, y las dolorosas, repetidas y regulares, que indican el inicio de la dilatación y la proximidad del parto. Es importante distinguirlas bien; las contracciones indoloras de los últimos meses son absolutamente normales y no indican una proximidad del parto.

▶ **Las contracciones de los últimos meses.** Estas contracciones, llamadas de Braxton-Hicks, aparecen con la distensión del útero; son simultáneas a una modificación del cuerpo del útero (formación en la parte inferior de una zona más fina llamada *segmento inferior*). Se caracterizan por un endurecimiento breve, indoloro e irregular de la pared uterina, que puede producirse hasta unas diez veces al día. Si las contracciones que tienen lugar antes del fin del embarazo no presentan estas características (contracciones dolorosas, por ejemplo), requieren la consulta a un ginecólogo, que evaluará el riesgo de un posible parto prematuro.

▶ **Las contracciones del parto.** Aparecen cuando se acerca el final del embarazo. Son contracciones dolorosas, reiteradas y regulares (cada 5 o 10 minutos); cada una dura de 2 a 3 minutos, y no desaparecen cuando la parturienta descansa. Ante este tipo de contracciones, la futura madre debe trasladarse a la maternidad.

Cordón umbilical

El cordón umbilical une el feto con la *placenta* y, por tanto, con la madre. Está formado por dos arterias y una vena rodeados de una gelatina, y mide entre 40 y 60 cm. Permite que el feto reciba los nutrientes y el oxígeno necesarios para su crecimiento y elimina los residuos y el gas carbónico.

▶ Cuando el niño nace, su cordón se sujeta con una pinza y luego se corta a 2 o 3 cm de la pared abdominal. El muñón se seca y cae entre cinco y diez días después, dejando a la vista el ombligo.

Si aparecen supuraciones o sangrados, hay que comunicarlo al médico. La persistencia de una supuración puede deberse a un granuloma de cicatrización (excrecencia carnosa), sobre el cual el médico aplicará nitrato de plata. En cuanto al sangrado, de forma excepcional está causado por la caída del cordón, y puede indicar un problema de coagulación sanguínea. Más a menudo, puede deberse a una infección (onfalitis). En este caso, el cordón no se seca y expulsa pus amarillento y maloliente. Entonces, el médico prescribirá un tratamiento antibiótico para evitar una infección a partir de las venas umbilicales (absceso o peritonitis).

Corion

El corion es la membrana externa del huevo; nace de la unión del *trofoblasto* y del mesoblasto al inicio del embarazo. El corion y el *amnios,* que protegen al feto, son expulsados con la placenta después del parto.

Crecimiento del feto

Ver ► CÁLCULO DEL PESO FETAL, RETRASO DEL CRECIMIENTO INTRAUTERINO

Cromosomas

Los cromosomas son los bastoncillos que aparecen en el núcleo de la célula durante la división celular. Contienen todo el código genético del individuo, presente en cada una de sus células.

▶ **Agrupados por pares.** Los cromosomas están formados por una doble cadena de ácido desoxirribonucleico (ADN), el soporte molecular de los genes. La especie humana posee cuarenta y seis, agrupados en pares. En el seno de los 23 pares de cromosomas, uno determina el sexo genético. Es el par 23, que está constituido por los cromosomas sexuales X e Y, o gonosomas XY en el niño y XX en la niña.

Los cromosomas pueden estudiarse en laboratorio a partir de una muestra de sangre. Se establece una clasificación llamada *cariotipo* por cada par y por tamaño (de 1 a 22), además de XX o XY.

▶ **Las anomalías cromosómicas.** Afectan al número y a la estructura de los cromosomas contenidos en las células de un individuo. Alrededor de dos tercios de los abortos espontáneos se explican por una anomalía de este tipo. Las anomalías cromosómicas de los niños viables (formas en anillo, bastoncillos rotos o demasiado largos) pueden tener repercusiones diversas en su desarrollo. En caso de cromosomas excesivos, el niño presenta trisomía; la más frecuente es la trisomía 21 (conocida también como *síndrome de Down* o *mongolismo*), que afecta al par número 21.

La *amniocentesis* practicada durante el embarazo permite detectar las anomalías cromosómicas del feto y adoptar las disposiciones necesarias.

Ver ► DIAGNÓSTICO PRENATAL, TRANSMISIÓN GENÉTICA

Cuello del útero

El cuello es la parte más baja del útero. Sobresale al fondo de la vagina y continúa por el istmo y el cuerpo uterino. Fuera de los períodos de embarazo, el cuello del útero mide de 3 a 4 cm y presenta dos orificios, el externo y el interno, que están cerrados; su consistencia es firme y elástica.

▶ Durante los dos primeros trimestres del embarazo, el cuello del útero es largo, está cerrado y su consistencia es tónica. Durante el último trimestre, puede empezar a acortarse y a entreabrirse. Ciertas modificaciones tempranas e importantes en el cuello pueden ser indicio de parto prematuro, lo cual requiere descanso y, a veces, un *cerclaje* o la hospitalización.

Al final del embarazo, el cuello del útero se acorta y el orificio interno se abre; esta modificación, asociada a unas *contracciones* uterinas dolorosas y regulares, indica que el parto ha empezado. Poco a poco, el cuello, bajo el efecto de las contracciones uterinas y del descenso de la cabeza del feto, pierde su longitud, prácticamente desaparece y su orificio interno se abre hasta medir 10 cm, permitiendo así el paso de la cabeza del niño.

Cuerpo lúteo (o cuerpo amarillo)

El cuerpo lúteo es una glándula endocrina que se desarrolla dentro del ovario de forma temporal y cíclica, tras la *ovulación,* y que segrega *progesterona.*

▶ Cuando cada mes, dentro de un ovario se rompe un folículo para liberar un óvulo, en la cavidad creada se desarrolla una glándula cuyas grandes células amarillas que contienen luteína segregan progesterona (hormona responsable, sobre todo, del aumento de la temperatura corporal en la segunda parte del ciclo).

Si el óvulo no está fecundado, el cuerpo lúteo se marchita y degenera, comportando una disminución de la secreción de progesterona y la aparición de la menstruación, que marca un nuevo ciclo. En cambio, si el óvulo es fecundado y se implanta en el útero, su capa periférica, o *trofoblasto,* segrega la hormona coriónica gonadotrófica (HCG), que favorece la persistencia del cuerpo lúteo durante los dos o tres primeros meses del embarazo.

En efecto, la progesterona es indispensable para el mantenimiento de la implantación del huevo en el útero. Cuando el trofoblasto, la futura placenta, por fin es capaz de segregar la progesterona necesaria para la supervivencia del embrión, el cuerpo lúteo se retrae y desaparece.

[D]

Depresión y embarazo

Una depresión se caracteriza por una tristeza anormal asociada a una infravaloración de uno mismo, una visión negativa del mundo exterior, cansancio intenso y desórdenes del sueño y del apetito.

▶ Entre un 11 y un 17% de las mujeres atraviesan episodios depresivos cuando esperan un hijo. En general, éstos se presentan durante los primeros meses y son pasajeros. Se caracterizan por angustias frecuentes en relación con el parto y el futuro del bebé. La mujer se siente muy cansada y experimenta numerosos malestares, lo cual a menudo la lleva a multiplicar las visitas al médico. La depresión es más frecuente en las mujeres de menos de 20 años, en caso de embarazo no deseado o poco aceptado por la mujer o por su pareja.

Una depresión fuerte que surja durante el embarazo puede corresponder a la evolución de una alteración psíquica preexistente (enfermedad maníaco-depresiva, por ejemplo) o ser la primera manifestación de este desorden. Pero hay que procurar no etiquetar de anormales todas las pequeñas alteraciones psicológicas que aparecen cuando se espera un hijo; estar embarazada implica un importante trastorno psíquico, social, familiar y psicológico, ante el cual la mujer reacciona de distintas maneras.

Por otra parte, justo después del parto, los estados depresivos pasajeros (como en el caso del *baby blues*) son frecuentes, pero no deben hacer que se reste importancia a un desorden más grave y profundo.

Desprendimiento prematuro de la placenta

VER ▶ HEMATOMA RETROPLACENTARIO

Destete

En un primer momento, el destete consiste en sustituir la lactancia con el pecho por la lactancia con biberón. En un segundo momento, este término también designa el paso progresivo de una alimentación sólo láctea a comidas más diversificadas. Esta segunda fase, en general, se produce entre los 3 y los 6 meses.

▶ Para cesar la lactancia en curso, basta con reducir progresivamente el número de tomas sustituyéndolas por un biberón de leche artificial (lactancia mixta). La secreción láctea entonces disminuye y cesa por sí misma. Esta etapa, en general, corresponde al final del permiso por maternidad y a la vuelta al trabajo. No obstante, la madre puede decidir practicar una lactancia mixta y dar el pecho, por ejemplo, por la mañana y por la noche.

Detección neonatal

El término *detección neonatal* agrupa todos los exámenes médicos que se practican al bebé a partir de su nacimiento para comprobar si sufre alguna enfermedad particular.

▶ Unos días después del nacimiento, se efectúan exámenes complementarios en el neonato a fin de detectar posibles afecciones *congénitas.*

– **La fenilcetonuria.** Hacia el quinto día se extrae una gota de sangre pinchando el talón o la mano del niño. El análisis (test de Guthrie) permite comprobar si el bebé está afectado o no por la enfermedad.

– **El hipotiroidismo.** Esta insuficiencia de la glándula tiroides también es detectada por el análisis de sangre. La gravedad de los síntomas varía en función de la importancia

del hipotiroidismo. Pero si no se trata la enfermedad, el niño hipotiroideo que la padece presentará retrasos de crecimiento, del desarrollo cerebral y más tarde de la maduración sexual.

Estos diagnósticos precoces de enfermedades congénitas permiten aplicar cuanto antes los tratamientos adaptados y, así, minimizar las alteraciones futuras. En España sólo se estudian estas dos enfermedades de forma sistemática, si bien otras afecciones congénitas son objeto de una detección del mismo tipo, sobre todo en caso de existir un factor de riesgo particular (mucoviscidosis, drepanocitosis). En México se llama «tamiz neonatal» y se aplica de forma rutinaria y obligatoria; hay dos tipos: el básico (fenilcetonuria, hipotiroidismo congénito y fibrosis quística) y el ampliado (para una decena de padecimientos).

VER ▶ APGAR (TEST DE)

Diabetes y embarazo

La diabetes, o *diabetes mellitus*, es una afección caracterizada por una elevación anormal del índice de azúcar en la sangre (hiperglucemia). Esta elevación es el resultado de una insuficiencia o de una secreción inadaptada de la insulina (hormona necesaria para la regulación del azúcar) por el páncreas. Hay dos situaciones posibles: la mujer ya tenía diabetes antes del embarazo, o la diabetes aparece durante el embarazo (diabetes gestacional).

▶ **Posibles efectos en el feto.** Ya sea preexistente o no al embarazo, una diabetes debe ser necesariamente tratada en una mujer embarazada. En efecto, la glucosa atraviesa la placenta, a diferencia de la insulina. Así pues, el feto se ve sometido a las fluctuaciones de la glucemia de su madre, lo cual le expone a distintas afecciones: un *hidramnios* (exceso de líquido amniótico) o un peso demasiado elevado, que podría comportar riesgo de un parto difícil (distocia), o incluso **cesárea.**

Cuando la diabetes de la madre no ha sido tratada correctamente, el niño, al nacer, se ve privado bruscamente de este exceso de azúcar y puede sufrir una hipoglucemia (notable bajada del índice de azúcar en la sangre), a veces grave. También puede resultar afectado por una ralentización de la maduración pulmonar, lo cual le expone a un riesgo respiratorio al nacer.

▶ **La diabetes preexistente al embarazo.** Tanto si se trata o no de una diabetes insulino-dependiente (es decir, que necesita o no la inyección diaria de insulina), las mujeres diabéticas siempre deben asegurarse de equilibrar su diabetes antes de concebir un hijo, ya que un índice materno de glucosa demasiado elevado en el momento de la concepción puede constituir un riesgo de malformaciones para el feto.

Además, durante todo el embarazo la mujer debe someterse a un control estricto. Los medicamentos hipoglucemiantes (que permiten bajar el índice de azúcar en la sangre) utilizados en el tratamiento de la diabetes no insulino-dependiente están contraindicados en las mujeres embarazadas; si es necesario, se sustituirán por la inyección regular de insulina.

▶ **La diabetes gestacional.** Sus principales factores de riesgo son: la obesidad, una edad materna superior a los 35 años, antecedentes familiares de diabetes y antecedentes de parto de bebés grandes (peso superior a los 4 kg al nacer).

La diabetes gestacional está asociada a las modificaciones psicológicas del embarazo e implica una regulación incorrecta del índice de azúcar en la sangre por la insulina materna. Se detecta mediante un examen de sangre efectuado entre el quinto y el sexto mes de embarazo (24 a 28 semanas de amenorrea). Se mide la glucemia en ayunas, y a continuación, tras la absorción de una cantidad determinada de azúcar.

Esta prueba es particularmente importante, porque es posible tratar la diabetes y así prevenir las complicaciones que derivan de ella. El tratamiento consiste en seguir un régimen alimentario adaptado (alimentación equilibrada y pobre en azúcar y comidas fraccionadas); temporalmente, puede ser necesario administrar insulina.

La diabetes gestacional puede reaparecer en un embarazo posterior. Además, expone a un mayor riesgo de desarrollar diabetes tras el embarazo.

Diagnóstico prenatal

El diagnóstico prenatal consiste en identificar anomalías congénitas antes del nacimiento de un niño. Así, el médico puede tratar al feto durante el embarazo o curarle conociendo bien el problema después del parto. Este diagnóstico prenatal también permite evitar el nacimiento de un niño afectado por una enfermedad incurable, dado que las posibilidades de tratarlo dentro del útero todavía son muy limitadas.

▶ **¿En qué casos?** Un diagnóstico prenatal puede proponerse en distintos casos: si los miembros de la familia (padres, hermanos y hermanas) ya han dado a luz a un hijo afectado por una anomalía genética grave o si la futura madre tiene más de 35 años, puesto que el riesgo de anomalías cromosómicas que impliquen deficiencias graves es mayor.

El médico también puede aplicar el diagnóstico prenatal durante el embarazo si constata que el desarrollo del feto no es normal. Así, podrá identificar ciertas afecciones, como una anomalía en el corazón o en los riñones, la **enfermedad hemolítica,** debida a una incompatibilidad sanguínea entre la madre y el feto. De este modo, el niño y la madre podrán ser tratados durante el embarazo.

▶ **Las técnicas empleadas.** Para efectuar el diagnóstico prenatal se utilizan diversas técnicas.

– La **biopsia de trofoblasto** (o extracción de vellosidades coriales), que se efectúa en la futura **placenta** a partir del segundo mes de embarazo (al cabo de 10 semanas de amenorrea) y permite estudiar el **cariotipo** del feto. Se aconseja cuando se intuye la existencia de una enfermedad fetal. El resultado es rápido.

– La amniocentesis es la extracción de **líquido amniótico** efectuada bajo ecografía entre el tercer y cuarto mes de embarazo (de 15 a 20 semanas de amenorrea). También permite estudiar el cariotipo del feto y detectar ciertas anomalías congénitas cuantificando ciertas sustancias químicas específicas.

– Se puede efectuar un análisis directo de la sangre del feto por punción directa del cordón umbilical en el útero mediante ecografía. Permite estudiar el cariotipo del niño y distintos factores de coagulación. Este examen también permite detectar algunos anticuerpos, cuya presencia puede ser prueba de una infección.

– Por último, hoy en día la **ecografía** es irreemplazable para controlar el desarrollo del feto y detectar posibles anomalías morfológicas.

▶ **En caso de anomalía.** En función de la gravedad de la anomalía y de las posibilidades terapéuticas actuales, los padres pueden tomar la decisión de proseguir o no el embarazo. No obstante, en ciertos casos esta decisión suscita problemas morales y éticos aún no resueltos.

VER ▶ CONSANGUINIDAD, GENÉTICA, TRANSMISIÓN GENÉTICA

Dietilstilbestrol

El dietilstilbestrol es un estrógeno de síntesis que se recetaba entre 1950 y 1975 a las mujeres embarazadas para evitar el riesgo de aborto espontáneo y para tratar las hemorragias del embarazo. En 1975, este medicamento fue retirado del mercado porque se constató que podía producir malformaciones irreversibles en el aparato genital del feto.

▶ **Los posibles efectos.** Las mujeres expuestas a dietilestilbestrol durante el embarazo de su madre pueden desarrollar cáncer de vagina (que se declara en mujeres jóvenes). También pueden sufrir malformaciones uterinas (cuello, cuerpo, trompas) que, cuando desean tener un hijo, a veces son responsables de esterilidad, abortos espontáneos precoces o tardíos, partos prematuros y embarazo extrauterino. En los niños, el riesgo es menor; sin embargo, existe una mayor frecuencia de esterilidad y anomalías en la posición de los testículos.

A veces, la mujer sabe que ha estado expuesta al dietilestilbestrol porque la madre le ha informado de ello. Durante una visita médica pueden evidenciarse ciertas malformaciones genitales típicas producidas por el dietilestilbestrol. En cualquier caso, es necesario un mayor control para detectar un posible cáncer de vagina o del cuello del útero.

▶ **El control médico.** Durante el embarazo son imprescindibles un control estricto y adoptar varias precauciones. El médico examinará muy pronto el estado del cuello del útero para efectuar, en caso necesario, un *cerclaje* preventivo. Una ecografía precoz, en un momento inicial, también permitirá eliminar el diagnóstico de embarazo extrauterino. Además, para prevenir un posible parto prematuro, en ocasiones la futura madre deberá obtener un permiso laboral para guardar reposo absoluto.

Los problemas asociados al dietilestilbestrol deberían desaparecer alrededor de 2010, cuando las mujeres potencialmente expuestas a este medicamento ya no estén en edad de procrear.

Dilatación

La dilatación es el período que precede al parto propiamente dicho y se corresponde con la abertura del cuello uterino durante el parto. La comadrona o el médico pueden valorar el grado de dilatación del cuello mediante un tacto vaginal. Ésta viene marcada por unas *contracciones* regulares y dolorosas del útero asociadas a una dilatación del cuello del útero. La percepción de estas contracciones indica a la futura madre que se acerca el momento del parto.

Las contracciones que caracterizan la dilatación son regulares y dolorosas, y no disminuyen al descansar. Como la evaluación del dolor varía de una mujer a otra, estos criterios pueden ser insuficientes. A veces, estas contracciones aparecen sin estar asociadas a una dilatación del cuello; entonces se habla de *falsa dilatación*. Su persistencia, pese a un control específico, puede decidir al médico a provocar el parto o a efectuar una cesárea.

▶ La dilatación del cuello se expresa en centímetros. Se gradúa de 1 a 10 cm. Cuando alcanza los 10 cm, se trata de una dilatación completa. Entonces, la abertura es suficiente para permitir el paso del bebé. En las pequeñas dilataciones de menos de 3 cm, el personal médico suele hablar, en forma figurada, en «dedos» de dilatación en vez de en centímetros.

Durante el tiempo que precede el parto, la abertura del cuello puede interrumpirse. Es un estancamiento de la dilatación. Si el fenómeno persiste pese a que las contracciones son correctas y el cuello impide el progreso del bebé (menos de 5 cm de dilatación), se trata de una distocia cervical, que puede implicar la realización de una *cesárea.*

La duración media de la dilatación es de 10 a 12 horas en el primer hijo, y a menudo menos en los embarazos siguientes. En las mujeres que han tenido más de cinco hijos, el fe-nómeno puede invertirse; entonces las contracciones pueden ser menos eficaces.

Dispositivo intrauterino (DIU)

Este dispositivo de plástico flexible (dispositivo intrauterino o DIU) se coloca dentro del útero con una finalidad anticonceptiva. Está formado por un hilo de cobre o por un receptáculo de *progesterona,* los cuales crean, en ambos casos, un clima desfavorable para la nidación de un huevo.

El DIU es más adecuado para la anticoncepción en mujeres que ya han tenido hijos, que no desean enseguida otro embarazo y que no presentan factores de riesgo ante enfermedades sexualmente transmisibles (relaciones sexuales sin preservativo con diversas parejas).

El DIU es colocado por el ginecólogo en la consulta, durante la menstruación o en los 10 días siguientes al inicio de la misma. Si este método anticonceptivo se adopta después del parto, se suele esperar unas 6 semanas después del nacimiento u 8 semanas después de una cesárea para colocarlo. El DIU no está contraindicado en caso de lactancia. Su eficacia tiene una duración de 3-5 años, pero requiere un control regular anual.

Distocia

VER ▶ PARTO

Dolor de espalda

Esta afección, muy frecuente en las mujeres embarazadas, sobre todo a partir del segundo trimestre, es producida por las modificaciones musculares y ligamentosas debidas al embarazo. Desaparece progresivamente después del parto.

▶ A partir de los primeros meses del embarazo, el aumento del volumen del útero provoca modificaciones en la estática del cuerpo (equilibrio de la pelvis y los hombros) y un cambio del centro de gravedad. Además, los trastornos hormonales comportan una hiperlaxitud de los ligamentos articulares de la pelvis y de la columna vertebral. Todos estos factores a menudo contribuyen a la aparición del dolor de espalda.

En las mujeres embarazadas, el dolor de espalda se deja sentir sobre todo al final del día si se ha estado de pie durante mucho rato. Afecta a la parte inferior de la espalda (sensación de «dolor de riñones») y puede aumentar al estar de pie o al estirarse. Estos dolores tienen un origen mecánico y desaparecen al descansar. En esto es en lo que se distingue básicamente de una posible afección de riñones (cólico nefrítico o *pielonefritis*), que también puede dar lugar a dolores en la parte inferior de la espalda, pero de carácter agudo.

Cuando el dolor se prolonga hacia las nalgas y las piernas, hasta los dedos del pie, normalmente es indicio de que se padece ciática.

En caso de que los dolores sean importantes y que no desaparezcan completamente con el descanso, el médico puede recetar antálgicos (los antiinflamatorios que en general se toman para este tipo de afección están contraindicados durante el embarazo). Unas sesiones de quinesioterapia con masaje en la espalda también podrán ayudar a superar los momentos difíciles, así como la osteopatía, mediante un tratamiento postural.

VER ► CIÁTICA

Doppler

Es un examen que, al igual que la *ecografía,* utiliza la propiedad de los ultrasonidos. Permite calcular la velocidad de los flujos (velocidad de la circulación de la sangre por el interior de un vaso sanguíneo, por ejemplo). A veces se utiliza como complemento de la ecografía en el seguimiento del embarazo. No es sistemático.

▶ Existen diferentes tipos de Doppler. Los Doppler de color o *energy* permiten visualizar los flujos rápidos, como la sangre en circulación, y también los flujos respiratorios o las micciones del feto. El Doppler continuo o pulsado permite cuantificar el caudal vascular.

Hacia el quinto mes de embarazo (24 semanas de amenorrea), el médico puede prescribir un Doppler de las arterias del útero para verificar que la vascularización de este órgano sea satisfactoria. Este examen se efectúa, sobre todo, a mujeres que sufren hipertensión o que ya han dado a luz a un hijo que presenta un *retraso del crecimiento intrauterino (RCIU).*

En ocasiones, también se efectúa un Doppler del cordón umbilical, a fin de buscar la causa de un retraso del crecimiento del feto. Además, en los últimos años se han desarrollado muchos otros Doppler (cerebral, del conducto venoso, atrio-ventriculares...), a fin de precisar más el riesgo que corre el feto en caso de retraso del crecimiento.

Duramadre

La duramadre es una membrana gruesa y fibrosa que rodea y protege el conjunto del sistema nervioso central (médula espinal y encéfalo). Al administrar una *epidural,* el producto anestésico es inyectado en el espacio comprendido entre el canal óseo raquídeo y la duramadre.

[E]

Eclampsia

Se trata de una complicación aguda de la *preeclampsia.* Da lugar a convulsiones recurrentes asociadas a un coma, y puede ser fatal para la madre y el hijo si no se les aplican cuidados intensivos.

▶ En general, la eclampsia va precedida por una preeclampsia, complicación del embarazo que asocia *hipertensión arterial, albuminuria* (presencia de albúmina en la orina) y edemas.

Los indicios de inminencia de una eclampsia son un fuerte dolor de cabeza rebelde al tratamiento habitual, una sensación de tener moscas volando ante los ojos, zumbidos en los oídos y dolor en la zona del estómago. La aparición de estos síntomas, generalmente, se asocia a un agravamiento de la hipertensión arterial y a distintos indicios biológicos. Tal situación debe hacer plantear un nacimiento muy rápido y la adopción de medidas preventivas de la eclampsia (administración de un tratamiento anticonvulsivo e hipotensor).

Ecografía (o ultrasonidos)

La ecografía es una técnica de diagnóstico por imágenes que permite explorar una zona del cuerpo mediante ultrasonidos de alta frecuencia. A diferencia de la *radiografía,* no presenta ningún riesgo para el feto, ni siquiera justo al comienzo del embarazo. Por tanto, es la técnica más apropiada para supervisar, entre otros, el desarrollo del futuro bebé.

▶ **Ecografías subpúbica y endovaginal.** En obstetricia se utilizan dos técnicas: la subpúbica (una sonda, utilizada por vía externa, se desplaza sobre el abdomen) y endovaginal (se introduce una sonda en la vagina).

La ecografía endovaginal, que ofrece una imagen más directa y precisa, se utiliza sobre todo en el control de la estimulación ovárica durante los tratamientos de la esterilidad, en el examen del primer trimestre del embarazo y para visualizar el cuello del útero. Salvo en estas indicaciones, se prefiere la ecografía subpúbica. Al principio del embarazo, este examen exige que la vejiga esté llena; antes de iniciar la observación, el ecografista recubre el abdomen con un gel acuoso o de aceite para crear una interficie entre la sonda y la piel.

▶ **Una ecografía por trimestre.** Para los embarazos sin complicaciones particulares, se recomiendan tres ecografías, una cada trimestre: entre 11 y 13 semanas de amenorrea; entre 18 y 20 semanas, y alrededor de las semanas 32 a 34. No tiene ninguna utilidad multiplicar los exámenes, salvo en situaciones particulares (embarazo múltiple, problemas surgidos en un embarazo anterior, detección de una anomalía...).

– La ecografía del primer trimestre permite, entre otras cosas, saber si el útero contiene uno o varios fetos, determinar el inicio del embarazo, visualizar de forma precoz su anatomía y también medir la nuca fetal (un factor que predice el riesgo de trisomía 21).

– La ecografía del segundo trimestre ofrece una visión mejor de la anatomía del feto y, sobre todo, del corazón y de las membranas. También puede informar a los padres que lo desean acerca del sexo del futuro bebé.

– La ecografía del tercer trimestre tiene como principal objetivo comprobar el crecimiento del feto y detectar de este modo un *retraso del crecimiento intrauterino;* Las mediciones efectuadas, las llamadas *biometrías,* se refieren sobre todo al perímetro abdominal, y también al diámetro del cráneo.

Este último examen permite, además, verificar la posición de la *placenta* y comprobar que no será un obstáculo para un parto por vía natural. Por último, aporta información sobre la cantidad de *líquido amniótico,* reflejo del bienestar del feto, dado que la disminución de la cantidad de líquido puede constituir una señal de alarma.

▶ **La ecografía del cerebro del neonato.** Los huesos del cráneo de un recién nacido aún no están soldados; por tanto, es posible explorar su cerebro mediante ecografía a través de las *fontanelas,* a fin de detectar una eventual malformación, como la hidrocefalia (una acumulación de líquido en el cráneo), o una patología vascular asociada a una falta de oxigenación del cerebro.

Embarazo extrauterino

Tras la fecundación, el huevo prosigue su migración antes de implantarse en el útero entre el séptimo y el noveno día. Pero la implantación puede ser anormal, y efectuarse fuera de la cavidad uterina, por ejemplo, en las trompas de Falopio (96% de los casos). Es un embarazo extrauterino o ectópico. La frecuencia de los embarazos extrauterinos es de cerca del 2%.

▶ **Los factores de riesgo.** Sobre todo son las infecciones de la trompa de Falopio (salpingitis), que multiplican el riesgo por seis; el tabaquismo (por 5); las intervenciones quirúrgicas en las trompas, la *reproducción médicamente asistida* (por 2); la exposición *in útero* al dietilestilbestrol y la endometriosis (presencia de fragmentos de la mucosa del útero fuera de su localización normal). Los embarazos extrauterinos van en aumento en los países industrializados, a causa del incremento de las enfermedades de transmisión sexual y por el uso cada vez más frecuente de la reproducción médicamente asistida.

▶ **¿Cuáles son los indicios de alerta?** Un embarazo extrauterino por lo general se manifiesta con dolores localizados en la pelvis y con *metrorragias* (hemorragias fuera del período menstrual). El diagnóstico se basa en el examen clínico, la medición del índice de hormonas del embarazo en la sangre y en la *ecografía.*

▶ **¿Cuáles son los tratamientos?** El embarazo extrauterino es un caso urgente que requiere un tratamiento adaptado. El peligro reside en el riesgo de hemorragia por ruptura de los vasos sanguíneos. El órgano en el que se desarrolla el embrión es inadaptado, inextensible y acaba por romperse, provocando una hemorragia interna de consecuencias tal vez fatales.

Según los casos, el tratamiento es quirúrgico o médico, El tratamiento quirúrgico (abertura de la trompa para retirar el huevo o, en los casos más graves, ablación de la trompa) normalmente se realiza durante una *laparoscopia pélvica.* El tratamiento médico, que es posible en ciertos casos, se basa en un medicamento quimicotóxico, el metotrexato. Este tratamiento, que actúa sobre las células de división rápida, permite la regresión y la desaparición del embarazo. Algunos embarazos extrauterinos desaparecen por aborto espontáneo.

Embarazo múltiple

Es el desarrollo simultáneo de varios embriones en el útero. El término *embarazo múltiple* designa gemelos, y también trillizos (3 fetos), cuatrillizos (4 fetos), etc. El número de estos embarazos, bastante frecuentes en Europa (1 embarazo de cada 89) se ha disparado, literalmente, como consecuencia de la *reproducción médicamente asistida.*

▶ Los factores que favorecen los embarazos múltiples son el uso de la estimulación ovárica (administración de medicamentos que favorecen la maduración de *óvulos* por los ovarios) y los antecedentes de embarazos múltiples en la familia.

Los embarazos múltiples comportan mayores riesgos que los otros: un mayor riesgo de aborto espontáneo, de *prematuridad,* de *eclampsia,* de bebés con un peso muy bajo al nacer, etc. Por otra parte, si hay más de dos fetos, socialmente surgen dificultades. Su alto riesgo y las dificultades que supone hacerse cargo de los bebés una vez han nacido, así como los conflictos sociales y familiares que surgen, hacen que en ciertos casos (cuatrillizos o más) se proponga a los padres al principio del embarazo la reducción médica del número de embriones.

Un embarazo múltiple exige una atención más temprana (posible gracias a la ecografía) y adaptada, un mayor control, descanso y un cese anticipado de la actividad física. En numerosos casos, y para evitar riesgos, se propone provocar el parto antes del *final del embarazo.* Los gemelos pueden nacer perfectamente por la vía natural.

VER ▸ PARTO PROVOCADO

Embolización

Esta técnica, basada en la radiología, consiste en obturar los vasos sanguíneos que irrigan el útero mediante una sonda introducida en el pliegue del ano. Ante todo, permite frenar una hemorragia después de un parto, pero conservando el útero. Sólo un equipo médico especializado puede realizar esta intervención.

Embrión

El futuro bebé se denomina *embrión* durante los dos primeros meses de su desarrollo en el interior del útero (o en probeta y más tarde en el útero, en caso de *fecundación in vitro*).

▸ El embrión corresponde al estadio de desarrollo del futuro bebé que va del huevo, es decir, del instante de la fecundación, hasta las 10 semanas de amenorrea. Terminada esta fase y hasta el final del embarazo, el futuro bebé toma el nombre de *feto.*

El embrión empieza a formarse a partir de la fecundación. El huevo fecundado sufre una serie de divisiones que, en primer lugar, dan unas células idénticas entre ellas y que, a continuación, se dividen en dos grupos. Unas forman el embrión, otras los *anexos* (la futura *placenta, cordón umbilical* y cavidad amniótica).

En la fase del embrión, y a lo largo de una serie de transformaciones complejas, se forman los órganos del futuro bebé. Al final del segundo mes de embarazo aún no son funcionales.

En esta fase, los miembros están bien formados, al igual que los dedos, aún palmeados, y unas leves hendiduras dibujan los futuros dedos de los pies. Los ojos se abren, los pabellones de los oídos se aprecian bien, se distingue el cuello y ya existen los órganos genitales externos. El futuro bebé mide entonces de 28 a 30 mm.

Endometritis

Esta enfermedad es una infección del endometrio, el tejido que recubre el interior del útero.

▸ En ocasiones, la endometritis se declara durante los días siguientes al parto. En este caso se ve favorecida por una dilatación larga, una infección con fiebre durante el parto, las manipulaciones ginecológicas, como la revisión uterina, y, por último, una hemorragia durante el nacimiento. Se manifiesta por fiebre moderada, pérdidas malolientes, dolores en el útero y una retracción deficiente del mismo. La búsqueda de estos indicios forma parte del examen cotidiano de la parturienta que realizan la comadrona o el médico. En general, la infección remite rápidamente con la toma de antibióticos y no deja secuelas.

Enfermedad hemolítica del recién nacido

La enfermedad hemolítica del recién nacido está provocada, durante la vida intrauterina, por la destrucción de sus glóbulos rojos a causa de una incompatibilidad sanguínea entre la madre y el feto. Se trata de una afección hoy en día muy rara, que se evita con los análisis de sangre realizados sistemáticamente en todas las mujeres embarazadas. Si se da el caso, se practica una transfusión al bebé cuando nace o durante el embarazo.

▸ **Un problema de incompatibilidad sanguínea.** La enfermedad hemolítica, normalmente, se da en caso de *incompatibilidad Rh.* Cuando la sangre materna es Rh– y la del feto

Rh+, la madre puede producir anticuerpos que destruyen los glóbulos rojos del futuro bebé. Pero los anticuerpos de otros grupos sanguíneos también pueden estar relacionados con esta enfermedad.

Si no se administra un tratamiento, el bebé nace con un exceso de bilirrubina libre (producto de degradación tóxico de sus glóbulos rojos) que se traduce en una ictericia y puede comportar lesiones irreversibles en el cerebro.

▸ **Un embarazo bajo control.** En general, una mujer que ya ha tenido una incompatibilidad Rh con uno de sus hijos suele ser objeto de medidas preventivas, con el fin de que no produzca anticuerpos anti-Rh+ (inyección de gammaglobulinas durante un parto anterior, por ejemplo). Pero si pese a todas esta precauciones se detectan anticuerpos anti-Rh+ en el cuerpo de una mujer embarazada, se efectúa un análisis de sangre para cuantificarlos y valorar el riesgo de complicaciones en función del final del embarazo.

Entonces, se controla el feto por medio de ecografías, a fin de detectar lo más pronto posible cualquier anomalía que pueda derivar de una anemia: derrame líquido alrededor del corazón, edema generalizado, etc. En ciertos casos, se practica una *amniocentesis* para determinar el riesgo midiendo el índice de bilirrubina en el líquido amniótico extraído mediante punción.

▸ **Transfusión dentro del útero o al nacer.** En función de estos diferentes elementos, se decide o no hacer una transfusión al bebé, al nacer o dentro del útero: la sustitución de gran parte de su sangre (en este caso se habla de *exsanguinotransfusión*) permite curarle corrigiendo la anemia y eliminando la bilirrubina de su sangre.

En caso de transfusión dentro del útero, la sangre introducida es Rh– (para evitar que los anticuerpos maternos destruyan los nuevos glóbulos rojos). La inyección se aplica en el cordón umbilical, bajo control ecográfico, y puede repetirse varias veces antes del parto.

Enfermedad hereditaria

El soporte de la herencia presente en cada una de nuestras células, el ADN, está formado por segmentos, los genes. Cada gen corresponde a un carácter hereditario (el color de los ojos, por ejemplo). A veces, un gen sufre una mutación, es decir, una alteración de la información que contiene, lo cual puede dar lugar a una enfermedad. No obstante, un gen mutado, al igual que cualquier otro gen, es transmisible de generación en generación. La enfermedad de la cual es responsable es, por lo tanto, hereditaria.

▶ La transmisión de las enfermedades hereditarias obedece a las leyes de la *genética.* Algunas enfermedades sólo se manifiestan en un niño si éste ha heredado el gen en cuestión de sus dos progenitores (enfermedades recesivas). Otras se declaran aunque un solo progenitor le haya transmitido el gen (enfermedades dominantes). Y otras están asociadas a los cromosomas sexuales (enfermedades asociadas al X).

Se han catalogado más de 5.000 enfermedades hereditarias.

VER ▶ TRANSMISIÓN GENÉTICA

Enfermedades infecciosas durante el embarazo

Las enfermedades infecciosas no deben tomarse a la ligera, y menos aún durante el embarazo, ya que algunas de ellas pueden influir en la salud del feto.

▶ Las infecciones urinarias *(cistitis),* renales *(pielonefritis)* y vaginales (sobre todo micosis) son favorecidas por los trastornos hormonales del embarazo. Algunas de ellas son benignas, pero otras introducen cierto riesgo de parto prematuro o de infección del recién nacido durante un parto por vía natural. Así pues, es importante tratarlas siempre.

Otras infecciones, como la *rubéola,* la *listeriosis,* el *citomegalovirus* y la *toxoplasmosis* deben evitarse mediante diversas medidas preventivas. En efecto, pueden tener consecuencias graves en el hijo (según los casos, riesgo de malformaciones, de infección grave, de muerte *in utero,* de aborto espontáneo o de prematuridad).

Por último, la *hepatitis B,* una infección vírica, implica una detección obligatoria. Si la madre está afectada por la enfermedad, se puede vacunar al bebé al nacer.

En cambio, aún no existe ninguna técnica que permita evitar en un 100% la contaminación del bebé si la madre está afectada por el virus del sida.

VER ▶ HERPES GENITAL, LEUCORREA, VIH

Epidural (o peridural)

Es una técnica de anestesia locorregional, es decir, localizada en una parte del cuerpo, destinada a disminuir los dolores del parto. Consiste en inyectar una solución anestésica en el espacio epidural (entre las vértebras y la duramadre, la más externa de las meninges); el producto inyectado impregna las raíces nerviosas, sobre todo las raíces sensitivas que transmiten el dolor. La epidural ha revolucionado la obstetricia moderna al permitir que las mujeres que lo desean den a luz sin dolor, pero participando en el nacimiento.

▶ **¿Qué ventajas tiene?** Antes de la epidural, ya existían técnicas para reducir los dolores del parto: administración de derivados de la morfina, inhalación de un gas, el protóxido de nitrógeno, anestesia local de los nervios pudendos o gestión del dolor por parte de la parturienta (sofrología). Pero estos métodos, aún utilizados, tienen una eficacia limitada. Sólo la epidural elimina el dolor durante todo el parto. Además, si es necesario, permite efectuar una cesárea sin ninguna otra anestesia o recurrir a una *extracción instrumental.* Ello tiene un doble interés: permanecer consciente y un riesgo menor que en caso de anestesia general aplicada de forma urgente.

▶ **¿Cómo se aplica?** Si optas por la epidural, en la primera consulta, tu ginecólogo te derivará a un anestesista para que compruebe que no haya contraindicaciones: problemas de coagulación de la sangre (asociados a una anomalía o a la toma de medicamentos), fiebre, infección, malformaciones de la columna vertebral...

La epidural puede aplicarse en cuanto la *dilatación* haya empezado realmente (contracciones regulares y modificación del cuello del útero). Según lo decida el anestesista, la parturienta está o bien sentada o bien tendida sobre un costado, con las piernas flexionadas para curvar al máximo la espalda. Después de desinfectar la zona donde se insertará la aguja, el anestesista desensibiliza la piel (con anestesia local), luego introduce la aguja de la epidural en la parte inferior de la espalda, entre dos vértebras, y por último inserta un catéter en el espacio epidural. Por medio de este catéter se inyectará regularmente la anestesia, lo cual permitirá mantener la anestesia durante el tiempo necesario.

▶ **Unos inconvenientes mínimos.** La epidural puede producir algunas molestias leves y pasajeras. Por ejemplo, dificultad para orinar (lo cual puede requerir el uso de una sonda para vaciar la orina de vejiga) y una caída de la presión arterial, que se evita con una perfusión. Esta caída de la tensión a menudo provoca, durante los diez minutos que siguen a la aplicación de la epidural, una anomalía pasajera y sin consecuencias del ritmo cardíaco del feto. Tras el parto, la epidural puede producir dolores de cabeza, a veces muy intensos.

VER ▶ ANESTESIA, RAQUIANESTESIA

Epilepsia y embarazo

La epilepsia es producto de alteraciones en la actividad eléctrica normal del cerebro; da lugar a «crisis», cuya naturaleza depende de la zona del cerebro que se vea afectada. Las crisis llamadas *generalizadas* son las más conocidas; pueden comportar una pérdida de conciencia y violentos espasmos en todo el cuerpo. Las «ausencias» son breves pérdidas de conciencia, que pueden confundirse con instantes de sueño. Las crisis llamadas *parciales* se manifiestan por movimientos involuntarios, alteraciones o pérdida del habla, gestos inapropiados y confusión.

▶ La epilepsia no es una enfermedad contagiosa, congénita o mental. El riesgo de que el futuro bebé también sea epiléptico es muy reducido.

Por supuesto, la epilepsia y los tratamientos médicos que requiere no dejan de suponer un riesgo para el feto. Pero ante todo, el niño necesita una madre sana, y la prevención de las crisis de epilepsia es la mayor prioridad. Se impone un tratamiento bien equilibrado, un seguimiento médico y un control por *ecografía* regular.

Preferentemente, la programación de un embarazo debe preverse de antemano con el médico para minimizar el riesgo. Es preciso modificar algunos tratamientos antes de quedar embarazada, además de tomar un suplemento vitamínico antes y/o durante el embarazo (por ejemplo, vitamina B9 o K).

La posibilidad de la lactancia debe discutirse en función del tratamiento que se siga.

Episiotomía

La episiotomía es una intervención quirúrgica que se practica durante el parto. Consiste en seccionar la mucosa de la vagina y los músculos superficiales del *perineo*. El objetivo es ampliar el orificio de la vulva, y facilitar así el nacimiento del bebé al tiempo que se evita el riesgo de desgarro del perineo.

▶ La episiotomía es una intervención habitual, que permite evitar desgarros graves del perineo y del esfínter del ano. Sus indicaciones más frecuentes son el nacimiento de un bebé grande, una presentación de nalgas y el uso de fórceps. También puede practicarse para facilitar la expulsión del niño en caso de que sea *prematuro* o de sufrimiento fetal, si exige un nacimiento rápido.

La episiotomía se cose después del *alumbramiento*, bajo anestesia local o bajo epidural. Si los hilos de sutura no son reabsorbibles, se retirarán unos 5 días después de la intervención; en caso contrario, la parte exterior de la sutura se eliminará por sí misma. Las episiotomías siguientes se practicarán siempre en el mismo lugar.

La cicatriz de la episiotomía puede producir dolor entre dos y siete días. Durante la cicatrización, las curas locales deben limitarse a una limpieza cuidadosa del perineo, procurando secar bien la zona de la cicatriz dándole unos suaves toques con una gasa estéril.

Es preferible que no se reanuden las relaciones sexuales con penetración hasta después de la cicatrización completa (30 días de promedio), y únicamente cuando se desean. Las primeras relaciones pueden ser un poco dolorosas; por ello es indispensable que haya deseo a fin de evitar una mala experiencia, la cual crearía en la mujer una aprensión a las relaciones y frenaría el retorno a una sexualidad plena en el seno de la pareja.

VER ▸ EXTRACCIÓN INSTRUMENTAL

Espátulas

VER ▸ EXTRACCIÓN INSTRUMENTAL

Espermatozoide

El espermatozoide, que está contenido en el esperma, es la célula sexual masculina responsable de la fecundación del óvulo.

▶ La producción de espermatozoides (espermatogénesis) comienza en la pubertad y no cesa hasta la muerte. Esta producción, que consta de varias etapas, se desarrolla en los túbulos seminíferos de los testículos bajo la acción de la testosterona, la hormona sexual masculina. Una vez producidos, los espermatozoides llegan a las vesículas seminales, de donde son expulsados durante la eyaculación, mezclados en el líquido seminal, en forma de esperma.

Cada eyaculación representa de 2 a 6 ml y contiene de 150 a 300 millones de espermatozoides, pero sólo uno de ellos será fecundador. Un espermatozoide sobrevive entre 24 y 48 horas (e incluso 4 o 5 días) en las vías genitales femeninas. Allí se desplaza a razón de 3 mm por minuto, avanzando hacia el óvulo, que fecundará en una de las trompas de Falopio.

Esterilidad

La esterilidad, o infertilidad, es la incapacidad de una pareja para concebir un hijo. Puede darse en una pareja que ya haya tenido uno o varios hijos (esterilidad calificada de «secundaria») o que nunca los haya tenido (esterilidad «primaria»).

▶ **Una definición un poco arbitraria.** No se habla de esterilidad hasta pasados 2 años de intentos regulares e infructuosos por concebir un hijo. No obstante, esta definición es un poco arbitraria, pero se basa en el hecho de que un 80% de los embarazos se producen espontáneamente en un plazo de 18 meses. Por ello, se considera que pasado el plazo de 2 años, las posibilidades de conseguir un embarazo espontáneo son escasas, lo cual justifica practicar un chequeo médico para averiguar la causa de la esterilidad.

Sin embargo, este plazo de 2 años es variable, y puede reducirse en función de la edad de la mujer o de los antecedentes de la pareja. En efecto, como el deseo de un embarazo cada vez es más tardío (edad materna más elevada), este plazo no debe penalizar a la pareja reduciendo las posibilidades de éxito de una *reproducción médicamente asistida,* ya que la disminución de la fecundidad se acelera con la edad de la mujer.

Las posibilidades de concepción son del 25% por ciclo menstrual. Son máximas durante el período que precede y sigue a la ovulación: desde 4 días antes hasta 2 días después; es decir, teóricamente, desde el décimo día hasta el decimosexto día de un ciclo de 28 días.

▶ **Causas y tratamiento.** La esterilidad tiene causas muy diversas. Puede tener su origen en una anomalía femenina (40% de los casos), masculina (40%), o incluso estar asociada al hombre y a la mujer, que se denomina *mixta* (20%); algunas situaciones no encuentran explicación en el estado actual de los conocimientos médicos.

Para buscar una causa de esterilidad, el médico estudia el esperma, la ovulación, las vías genitales femeninas y masculinas y una posible incompatibilidad entre el esperma y el medio genital femenino. En primer lugar, pregunta a la pareja y a continuación efectúa o prescribe diferentes exámenes.

El tratamiento de la esterilidad ha mejorado con los progresos recientes de la *laparoscopia pélvica,* de los medicamentos que inducen la ovulación y de la *reproducción médicamente asistida.*

VER ▶ FECUNDACIÓN *IN VITRO*

Estreñimiento

El estreñimiento leve es casi normal durante el embarazo. Puede provocar dolores abdominales pasajeros y comportar la aparición de *hemorroides* o agravar las hemorroides existentes.

▶ El estreñimiento da lugar a una disminución de la frecuencia de las deposiciones y a una modificación de su consistencia: son más duras y secas. No existe una norma respecto a la frecuencia de emisión de heces. Sólo una modificación respecto a la periodicidad habitual puede revelar que hay estreñimiento. El tratamiento del estreñimiento es ante todo preventivo: mantener una alimentación rica en fibras, fruta y verduras, beber por lo menos 1,5 l de agua al día y practicar habitualmente alguna actividad física (caminar, natación...).

En caso de estreñimiento persistente (o de lactancia prolongada), en particular si va asociado a hemorragias, el médico podrá prescribir un laxante a base de aceite de parafina, sin consecuencias para el bebé. Los tratamientos locales se deben utilizar con prudencia, dado que pueden irritar el ano y el recto.

El estreñimiento a menudo es motivo de malestar en las futuras madres, que temen emitir heces durante el parto. No obstante, se trata de un fenómeno corriente e inevitable durante la expulsión, que la comadrona y el ginecólogo conocen muy bien. Así pues, no es indispensable tomar laxantes antes de ir a la maternidad.

Estrías

Las estrías longitudinales en la piel, más o menos anchas, están provocadas por la ruptura de las fibras elásticas de la dermis. Aparecen en cerca de un 75% de las mujeres embarazadas, en general a partir del sexto mes de embarazo.

▶ En general, las grietas se encuentran en el abdomen, las nalgas, las caderas, los muslos y los pechos. Al principio son violáceas, y más adelante presentan un tono blanco nacarado. Son irreversibles, pero una vez han cicatrizado y se han vuelto blancas, son menos visibles. La aparición de estrías es más frecuente en las mujeres de menos de 20 años, en las mujeres de carnación rubia o rojiza, en caso de aumento de peso excesivo y en el primer embarazo. La eficacia de las cremas anti-estrías dista

mucho de estar demostrada. No existe ningún tratamiento curativo.

Estrógenos

Los estrógenos son unas hormonas segregadas sobre todo por el ovario, que afectan a la *ovulación*, cuando su índice aumenta en la sangre. Están presentes de forma natural en el organismo, y también son sintetizadas y utilizadas como medicamentos.

▶ Los estrógenos naturales corresponden a tres hormonas, el estradiol, o 17-beta-estradiol, la estrona y el estriol, el más activo en el organismo. Los estrógenos son segregados básicamente por el ovario (aislamiento en la primera mitad de cada ciclo menstrual, asociado a la *progesterona* en la segunda mitad), y por la placenta durante el embarazo. Las glándulas suprarrenales y los testículos también las producen en escasas cantidades. Una vez segregados, los estrógenos pasan a la sangre, circulan por el organismo y finalmente son eliminados con la orina.

Los estrógenos son responsables del desarrollo puberal y del mantenimiento ulterior de los caracteres físicos femeninos (órganos genitales internos y externos, pechos). Garantizan la proliferación de una nueva mucosa uterina durante la primera mitad del *ciclo* (la mucosa anterior ha sido eliminada con las reglas, en los primeros días del ciclo). Además, ejercen una acción general sobre el organismo: tienden a retener el sodio y el agua, favoreciendo la síntesis de proteínas. En particular, son necesarios para la constitución y la solidificación de los huesos, tanto en la niña como en el niño.

Expulsión

VER ▶ PARTO

Extracción de vellosidades coriales

VER ▶ BIOPSIA DE TROFOBLASTO

Extracción instrumental

Durante el parto pueden utilizarse diferentes instrumentos para facilitar la expulsión del feto. Son los fórceps, las espátulas o las ventosas.

▶ **¿En qué casos?** Recurrir a una extracción instrumental puede ser una decisión dictada por la necesidad de acortar el parto, facilitar el nacimiento e incluso proteger el cráneo del feto, sobre todo en los partos prematuros. El uso de estos instrumentos, en general, va acompañado de una *episiotomía*.

Los fórceps, espátulas y ventosas tienen una fama injustificada de provocar complicaciones y traumatismos. Esta falsa idea procede de un tiempo en que el uso de estos instrumentos era casi la única solución en caso de parto difícil. Hoy en día, este uso está muy pautado y en muchos casos permite evitar la práctica de una cesárea.

▶ **El fórceps.** Es un instrumento metálico, parecido a dos cucharas grandes con un extremo normalmente ahuecado, que se colocan a ambos lados de la cabeza del bebé. Sus extremos están unidos, permitiendo así una tracción que facilita el parto. Existen fórceps de brazos cruzados y de brazos paralelos.

▶ **Las espátulas.** Son instrumentos metálicos parecidos a dos cucharas grandes que no están unidas; esta especificidad permite un trabajo de orientación y de propulsión de la cabeza entre las cucharas y no una tracción, lo cual las distingue del fórceps.

▶ **Las ventosas.** Constan de una superficie cóncava que se fija sobre el cráneo del niño por succión, permitiendo la orientación y la tracción.

[F,G]

Fatiga

La fatiga es un estado de lasitud producido por el menor esfuerzo y caracterizado por una reducción de la actividad habitual. Es un estado bastante habitual en la mujer durante el embarazo.

▶ Para el médico, a menudo es difícil evaluar la fatiga, dado que cada persona la siente de forma distinta. La sensación de fatiga predomina, en general, al principio del embarazo y en el último trimestre, pero también aparece después del parto, período durante el cual el apoyo del entorno es indispensable.

Cuando la fatiga no tiene un motivo médico (fiebre, anemia, depresión...), suele ser pasajera. No obstante, el insomnio puede agravarla, en cuyo caso es preciso pedir consejo médico. A veces es necesario abandonar la actividad profesional, pero ello no debe comportar un aislamiento ni eternizar un estado que normalmente es pasajero. Cuando la fatiga persiste, puede ser útil una ayuda psicológica para superar un momento difícil.

VER ▶ **PUERPERIO**

Fecundación

La fecundación, o concepción, es la penetración de un espermatozoide en el óvulo, la cual da lugar a la formación de un huevo (también llamado *cigoto*), una célula única que reúne el patrimonio genético del padre y de la madre.

▶ La ovulación (es decir, la liberación de un óvulo por uno de los ovarios) en teoría tiene lugar el decimocuarto día después del inicio de la menstruación (en un *ciclo menstrual* de 28 días). El óvulo migra hacia el tercio externo de la trompa, donde encuentra al espermatozoide fecundante. El huevo así creado prosigue su avance hasta la cavidad uterina, dentro de la cual se implanta al cabo de 7 a 9 días (fenómeno llamado *nidación*).

Fecundación *in vitro* (FIV)

Este método de *reproducción médicamente asistida* consiste en extraer un óvulo de una mujer, fecundarlo artificialmente en laboratorio y, posteriormente, implantarlo en su útero.

▶ La fecundación *in vitro* es una técnica compleja para el tratamiento de la esterilidad, que sólo se practica en centros especializados y acreditados. En general, constituye el resultado de una intervención larga y delicada.

Consiste en estimular la ovulación mediante una serie de inyecciones de hormonas hasta obtener la maduración de varios folículos (cavidades del ovario en las que se desarrolla un *óvulo*); esta primera fase es controlada con hormonas, y se sigue mediante ecografía. Cuando la maduración es satisfactoria, se provoca artificialmente la ovulación con una inyección intramuscular de hormona coriónica gonadotrófica (HCG). Dos días después, los óvulos son extraídos por punción, normalmente por vía endovaginal y bajo control ecográfico. Por parte del hombre, el esperma se recoge mediante masturbación.

En el laboratorio, las células sexuales (óvulos y espermatozoides) son aisladas y fecundadas. Al cabo de 48 horas los embriones (en esta fase constituidos por entre 2 y 4 células) resultantes de la fecundación pueden ser implantados en el útero por vía vaginal. Para favorecer su implantación se administra progesterona a la paciente. Las posibilidades de embarazo aumentan con el número de embriones reimplantados, pero el riesgo de embarazo múltiple y las complicaciones que ello propicia hacen que la reimplantación se limite a dos o tres embriones. El índice de éxito de esta técnica se sitúa entre el 25 y el 30%. Los embriones que no se utilizan pueden congelarse para usarse en posibles reimplantaciones ulteriores.

Fémur

El fémur es el hueso del muslo. Su medición a menudo se realiza durante la ecografía fetal y a veces se usa en el cálculo del peso fetal. Aparece en pantalla en forma de un «bastón» blanco. La longitud femoral se traslada a las curvas de crecimiento y se calcula en percentiles.

VER ▸ CÁLCULO DEL PESO FETAL, PERCENTILES

Feto

Se llama así al futuro bebé a partir del tercer mes de embarazo (décima semana de amenorrea) hasta su nacimiento.

▶ Este estadio de desarrollo sigue al de *embrión*. Al principio del estadio fetal, todos los órganos del futuro bebé ya están presentes; los meses que van a pasar hasta el *final del embarazo* constituirán sobre todo un período de maduración y de crecimiento.

▶ **Tercer mes.** El hígado del futuro bebé se desarrolla mucho; su intestino se alarga, sus riñones funcionan y empieza a verter la orina en el líquido amniótico. Se modela la cara: se perfilan los labios y los ojos se ubican poco a poco en el centro de la cara. Se forman los primeros huesos. Al final del tercer mes el feto mide 12 cm y pesa 65 g.

▶ **Cuarto mes.** El feto abre y cierra los puños. Parece que se le desarrolla el gusto precozmente, ya que el feto engulle el líquido amniótico y percibe ciertos sabores. El tacto también se desarrolla, y el feto nota cuando le tocan a través del vientre materno. Esta percepción es estudiada por la *haptonomía.* Aparecen los primeros cabellos. Al final del cuarto mes, el feto pesa unos 250 g y mide 20 cm.

▶ **Quinto mes.** Se completa la multiplicación de las células nerviosas. La madre percibe los movimientos del feto, que empieza a estar cubierto por un vello llamado *lanugo.* Le crecen las uñas. Al final del quinto mes pesa 650 g y mide 30 cm.

▶ **Sexto mes.** El feto se mueve mucho y sus períodos de actividad se alternan con etapas de sueño; empieza a reaccionar ante los ruidos exteriores. Mide 36 cm y pesa 1 kg.

▶ **Séptimo mes.** Puede abrir los ojos; el feto potencialmente ve, dado que puede reaccionar ante una luz intensa dirigida hacia su cabeza a través del abdomen materno. Mide 42 cm y pesa 1 500 g.

▶ **Octavo mes.** A menudo el feto se coloca con la cabeza hacia abajo, en la posición que tendrá durante el parto. El lanugo le cae poco a poco y es sustituido por una sustancia protectora grasa y blancuzca, el vernix. Al final del octavo mes, el feto mide 47 cm y pesa 2,5 kg.

▶ **Noveno mes.** Sus pulmones ya están desarrollados. El vernix se desprende y flota en el líquido amniótico. Los huesos del cráneo aún no están soldados; los espacios que los separan, las fontanelas, se osificarán después del nacimiento. A los nueve meses, el feto mide 50 cm y pesa 3,2 kg de media. Aún no están maduros todos sus órganos, sobre todo el cerebro, que continuará desarrollándose durante varios años.

Fetoscopia

Este examen practicado en la mujer embarazada, mediante una fibra óptica introducida en el útero, permite visualizar el feto. En la gran mayoría de casos se ha sustituido por la *ecografía,* y hoy apenas se emplea.

▶ Las únicas indicaciones de la fetoscopia actualmente son ciertas intervenciones quirúrgicas, escasas, realizadas en el feto o en los *anexos* (láser para la coagulación del cordón o los vasos sanguíneos de la placenta), además del diagnóstico de enfermedades hereditarias de la piel que precisan una biopsia (extracción de este tejido) cutánea.

Siempre que es posible, se prefiere la ecografía, una técnica no invasiva que permite una visualización de las malformaciones congénitas de la cara y de las extremidades.

Fiebre

Se afirma que se tiene fiebre, o hipertermia, cuando la temperatura del cuerpo es superior a 38 °C.

▶ Para ser precisos, la medición de la temperatura del cuerpo debe medirse con un termómetro introducido en el recto, y no bajo la axila o en la boca. La fiebre no es una enfermedad en sí, sino el síntoma de una afección. Por ello, es preciso encontrar la causa.

En las mujeres embarazadas, en primer lugar se busca una infección urinaria o una *listeriosis,* dos afecciones susceptibles de tener consecuencias graves en el embarazo, pero que pueden combatirse con antibióticos.

Por otra parte, la fiebre puede tener repercusiones en el feto si persiste o es muy alta. En particular, puede provocar una taquicardia en el feto y aumenta el riesgo de un aborto espontáneo y de *prematuridad.* Por lo tanto, se aconseja a las mujeres embarazadas que, en caso de tener fiebre, consulten al médico o, por lo menos, se informen. Sólo un especialista sabrá evaluar el grado de urgencia y adoptar las medidas necesarias.

Final del embarazo

Antes del empleo de la ecografía, el final del embarazo se determinaba en función del primer día de la última menstruación y se contabilizaba en semanas de amenorrea, es decir, en semanas de ausencia de la menstruación. Esta costumbre se ha mantenido, y los ginecólogos de todos los países se expresan en semanas de amenorrea.

▶ **La forma de cálculo utilizada.** Antes del nacimiento, la fecha fijada para el parto es puramente teórica; se fija arbitrariamente en 41 semanas de amenorrea, es decir, 287 días después de la fecha de la última menstruación.

En un ciclo menstrual de 28 días, la fecundación tiene lugar 14 días después del inicio de la menstruación; por tanto, hay que restar dos semanas al número total de semanas de amenorrea para obtener la duración real del embarazo. Pero el cálculo se complica cuando el inicio del embarazo, determinado, por ejemplo, durante una ecografía, no se corresponde con la fecha de la última menstruación. En este caso, el ginecólogo añade arbitrariamente 14 días al número de semanas de embarazo para respetar la tradición de las semanas de amenorrea.

▶ **¿Qué es un nacimiento en el plazo señalado?** Los nacimientos considerados dentro del plazo se escalonan entre las 37 y las 42 semanas de amenorrea, con un pico de frecuencia situado en las 40,5 semanas de amenorrea. Antes se habla de *prematuridad*, y después, de *salida de cuentas* (normalmente se usa esta expresión, pero sería más preciso hablar de *embarazo prolongado*).

Sin embargo, este sistema no debe ocultar las múltiples imprecisiones que encierra: la duración media de un embarazo es de 287 días (más o menos 10), a los que se añaden, más o menos, de 4 a 7 días (precisión máxima de determinación de la fecha de fecundación por ecografía).

Por ello, no hay que confundir la fecha de parto «administrativa» y la fecha real del parto, que está sujeta a numerosas imprecisiones y varía en función de cada embarazo.

▶ **Si se sale de cuentas.** Cuando el embarazo se prolonga, el feto está expuesto a un mayor riesgo de sufrimiento. Para evaluar su estado, se le vigila examinando su *ritmo cardíaco* (RCF) por monitorización y evaluando la cantidad de *líquido amniótico* por medio de la ecografía. A veces, es necesario provocar el parto. El final de los embarazos prolongados siempre es objeto de un control más estricto, si bien las modalidades pueden variar en función de los equipos médicos.

Flebitis

Aparece una flebitis cuando en el interior de una vena se forma un coá-

gulo de sangre que obstruye el flujo sanguíneo. El embarazo y el puerperio favorecen la aparición de flebitis, sobre todo en caso de una estancia prolongada en cama, de cesárea, embarazo múltiple, hemorragia durante el embarazo y de antecedentes de flebitis. Es relativamente benigna en sí misma, pero esta afección puede comportar una embolia pulmonar.

▶ **Los síntomas.** En las mujeres embarazadas o durante el puerperio, la flebitis se localiza básicamente en una de las pantorrillas. Se manifiesta en forma de dolores en la pantorrilla afectada, que está tensa, y a veces roja. Por ello, una de las precauciones médicas habituales después de un parto consiste en examinar las pantorrillas.

Más raramente, la flebitis aparece en una de las venas situadas a uno de los lados del útero: la vena afectada forma un cordón duro que se puede detectar en un examen ginecológico. En ambos casos, estos signos locales, en un principio discretos, se acentúan progresivamente, acompañándose de una aceleración del ritmo cardíaco y, en ocasiones, de una fiebre leve.

▶ **Exámenes y tratamiento.** Si se sospecha que padeces flebitis, para confirmar el diagnóstico te van a realizar una ecografía Doppler de los miembros inferiores, y tal vez también una radiografía de las venas de la pelvis ligamentosa (flebocavografía). Si se verifica la flebitis, se realizará un control médico estrecho para detectar lo antes posible cualquier signo de embolia pulmonar (provocada por la migración del coágulo hacia la red venosa pulmonar): dolores en el tórax, dificultad para respirar, tos o ansiedad intensa.

El tratamiento consiste en administrar *anticoagulantes*, en primer lugar con inyecciones, y a continuación por vía oral, después del embarazo. Este tratamiento se receta ante la menor duda, aunque debe interrumpirse si se descarta el riesgo de

flebitis. Después del parto también se administran anticoagulantes preventivamente a las mujeres que han dado a luz por cesárea y a las mujeres a las que se considera propensas.

▶ **Prevención.** Para prevenir la flebitis hay que evitar guardar cama de forma prolongada; por ello se aconseja a las mujeres que han dado a luz que se levanten y caminen lo más pronto posible. Por otra parte, a todas las mujeres que tienen varices o antecedentes de flebitis se les recomienda que lleven medias «de contención» (medias para varices) durante los dos últimos trimestres del embarazo y en el mes posterior al parto.

Fontanelas

Son los espacios recubiertos por una membrana flexible situados en la junta de los diferentes huesos del cráneo del feto y del niño pequeño.

▶ Se distingue la fontanela anterior (o fontanela mayor, o bregmática), en forma de rombo, y la fontanela posterior (o fontanela menor o lamboidea), en forma de triángulo. Las fontanelas se osifican progresivamente después del nacimiento, y en general, a partir de un año de edad ya no se aprecian.

Gracias a las fontanelas, el ginecólogo o la comadrona pueden determinar la orientación de la cabeza del feto dentro de la pelvis durante el parto. Durante el tacto vaginal, el ginecólogo percibe una o dos fontanelas y las suturas que las unen, lo cual indica en qué sentido se encuentra la cabeza del bebé. En el caso más frecuente, la fontanela posterior se halla bajo el hueso del pubis de la parturienta justo antes de la expulsión; entonces se dice que el feto está en occípito púbico (OP), la posición más favorable para el parto.

Fórceps

VER▶ EXTRACCIÓN INSTRUMENTAL

Fototerapia

La fototerapia permite atenuar la intensidad de la ictericia del recién nacido al emitir sobre él rayos de luz blanca, azul o verde, con una longitud de onda bien definida.

▶ La ictericia del recién nacido da lugar a un exceso del índice de bilirrubina en la sangre. No obstante, la luz utilizada en fototerapia ejerce una acción química sobre la molécula de la bilirrubina presente en la piel. La energía que aporta esta radiación luminosa modifica la estructura de la molécula. Al hacerla soluble en el agua, permite su eliminación por vía urinaria.

A medida que avanza su exposición, la eficacia del tratamiento se mide evaluando el índice sanguíneo de bilirrubina del recién nacido. Según sea el origen de la enfermedad, podrán asociarse otras curas a esta terapia.

En general, el niño tolera perfectamente la fototerapia, que sin embargo requiere un seguimiento regular, dado que la exposición a la radiación es prolongada y las zonas expuestas deben variarse regularmente. El recién nacido a menudo es introducido en una incubadora para mantener su temperatura constante. Hay que protegerle los ojos de los rayos ultravioleta con una máscara opaca, lo cual puede ponerle nervioso al cabo de cierto tiempo de exposición.

VER ▶ ICTERICIA DEL RECIÉN NACIDO

Fuente

VER ▶ BOLSA DE LAS AGUAS

Gemelos

Los gemelos son dos niños nacidos de un mismo embarazo. En general, los embarazos de gemelos se dan en un caso de cada 80. Los gemelos pueden proceder de dos huevos distintos (falsos gemelos o mellizos) o del mismo huevo (gemelos idénticos).

▶ **Falsos gemelos.** En cerca del 75% de los casos de gemelos, los dos niños proceden de dos *óvulos* fecundados por dos espermatozoides distintos. Este fenómeno se puede dar de forma espontánea o ser el resultado de tratamientos de inducción de la ovulación propuestos en caso de *esterilidad* o de hipofertilidad. Estos dos huevos se desarrollan con dos *placentas,* en dos sacos amnióticos. El embarazo se denomina *dicigótico.* Los dos fetos pueden ser del mismo sexo o no, y no tienen más parecido genético que dos hermanos nacidos de dos embarazos sucesivos.

▶ **Gemelos idénticos.** En los otros casos de embarazos de gemelos, los dos niños provienen de un único huevo que se ha dividido en un estadio precoz del desarrollo. El embarazo se denomina *monocigótico.* Entonces, los dos niños son necesariamente del mismo sexo y tienen la misma dotación genética. En función de la precocidad de la división, pueden tener placentas separadas o en común, o incluso encontrarse en el mismo saco amniótico.

▶ **Gemelos falsos o idénticos, ¿cómo se sabe?** A menudo, esta pregunta es planteada a los médicos antes del nacimiento, pero no siempre es fácil dar una respuesta. La ecografía puede aportar certeza en dos situaciones: si los gemelos son de sexo diferente (sin duda son falsos gemelos); si pertenecen a una misma placenta y a un mismo saco amniótico (son necesariamente gemelos idénticos). Sin embargo, puede ser difícil distinguir la placenta, ya que las dos masas diferentes pueden fusionarse a lo largo del embarazo e inducir a un falso diagnóstico de placenta única; únicamente el examen de la placenta después del nacimiento permitirá corregir un posible error de estimación. Tras el nacimiento, un estudio efectuado a partir de una muestra de sangre de los dos niños (fenotipo) puede permitir, sin fiabilidad absoluta, orientar sobre si son gemelos idénticos o

falsos. Todo ello explica lo complejo que les resulta a los médicos responder a esta pregunta que, sin embargo, puede parecer elemental; normalmente, sólo el tiempo, por el parecido entre los dos niños, aportará la prueba de si se trata o no de gemelos idénticos.

VER ▶ EMBARAZO MÚLTIPLE

Genética

La genética, nacida a mediados del siglo XIX, es la ciencia de la herencia. Desde hace unos años ha experimentado un gran auge; sin embargo, aún quedan obstáculos que franquear para poder tratar con éxito las numerosas enfermedades genéticas.

▶ **ADN, cromosomas y genes.** Cada una de nuestras células contiene en su núcleo 46 *cromosomas,* que forman la molécula de ADN, y alrededor de 35 000 genes distintos, cada uno situado en un lugar específico de los cromosomas, llamado *locus.* El gen es lo que determina la expresión de un carácter (color del pelo o de los ojos, por ejemplo). Su función es la de determinar la síntesis de una o varias proteínas, es decir, la manifestación y la transmisión de un carácter hereditario determinado.

▶ **Las esperanzas que aporta la genética molecular.** Desde la década de 1970, el desarrollo de las técnicas de biología molecular permite estudiar en detalle la molécula de ADN. El conjunto de estas técnicas, llamado *genética molecular,* para ciertas enfermedades cuyo gen ha sido aislado, actualmente permite asegurar a las parejas afectadas la existencia de una anomalía genética en el feto *(diagnóstico prenatal).* Los progresos de la genética molecular permiten suponer que un día se aislará la totalidad de los genes responsables de las enfermedades genéticas. Entonces se podrá realizar el diagnóstico prenatal de todas estas enfermedades y, tal vez, prever su curación definitiva reemplazando en cada célula el gen alterado por su réplica sana.

▶ **Asesoramiento genético.** Una pareja que desee tener un hijo pero que tema o sepa que existe un riesgo de transmisión de una enfermedad genética, puede pedir asesoramiento genético, cuya misión es evaluar el riesgo de aparición de una enfermedad genética en un feto en gestación. El asesoramiento genético intenta proporcionar información lo más objetiva posible sobre los riesgos existentes. Según la complejidad del problema, recurre a una colaboración interdisciplinar entre médicos: genetistas, ginecólogos, ecografistas... Y también pediatras, e incluso cirujanos pediátricos, que darán una opinión bien fundamentada sobre el tratamiento del bebé después del nacimiento.

Se puede prescribir un examen de detección prenatal *(biopsia de trofoblasto, amniocentesis...)*. Además, el asesoramiento genético permite evaluar los riesgos de reaparición de la enfermedad genética en un embarazo posterior. En cualquier caso, son los padres los que deciden, en último término, acerca de tener un hijo, continuar el embarazo o efectuar una interrupción del mismo si se diera el caso de que el bebé fuera portador de una anomalía grave e incurable.

VER ▶ CARIOTIPO, INTERRUPCIÓN MÉDICA DEL EMBARAZO, ENFERMEDAD HEREDITARIA, TRANSMISIÓN GENÉTICA

Glucemia

La glucemia es el índice de azúcar (glucosa) en la sangre. Gracias el equilibrio entre diferentes hormonas, en general se mantiene a un nivel constante, pese a las variaciones de los aportes exteriores (alimentación) y de su consumo (esfuerzo físico). Uno de los factores principales de esta regulación es la insulina, una hormona que hace bajar la glucemia.

▶ Cuando el índice de glucosa cae, se habla de *hipoglucemia*, y en el caso contrario, de *hiperglucemia*. Ésta es característica de la *diabetes.* Durante el embarazo el médico prescribe un examen de sangre a fin de detectar una posible diabetes gestacional, que consiste en la medición de la glucemia, efectuada en laboratorio a partir de dos muestras de sangre, la primera extraída en ayunas y la segunda tras la ingestión de una cantidad determinada de azúcar. Los valores normales de este examen son inferiores a 1 g/l en ayunas y a 1,4 g/l dos horas más tarde.

En las mujeres embarazadas diabéticas se debe supervisar regularmente la glucemia. Este control, realizado por las propias interesadas, consiste en extraer una gota de sangre de la punta de un dedo y ponerla en contacto con una tira reactiva introducida en un lector que indica la glucemia. Este examen puede repetirse varias veces al día, si es necesario.

Grietas

Son unas erosiones del pezón que a menudo se producen durante la lactancia. Las grietas son afecciones benignas pero dolorosas, que se manifiestan a través de un dolor intenso cuando el bebé mama. A veces se acompañan de sangrados.

▶ Las grietas se deben a una posición incorrecta del bebé frente al seno y a una deficiente higiene del pezón. Un tratamiento local es suficiente para hacerlas desaparecer en unos días, con la limpieza cotidiana con agua y jabón, el secado de los pezones después de cada toma y la aplicación, si es necesario, de una crema grasa hidratante.

Grupos sanguíneos

La sangre está compuesta por una parte de líquido, el plasma, y por células. En la superficie de estas células hay unas sustancias llamadas *antígenos*. Su misión es reaccionar cuando algún elemento extraño se introduce en la sangre, formando anticuerpos (reacción inmune). Existen numerosas variedades de antígenos (unos veinte sólo en el caso de los glóbulos rojos). No obstante, no todas las personas tienen la misma sangre: estos antígenos son distintos de una persona a otra. Los diferentes antígenos que pertenecen a una misma variedad constituyen un grupo sanguíneo.

▶ Los grupos sanguíneos que deben respetarse imperativamente en caso de transfusión (de lo contrario la persona que recibe la transfusión puede sufrir daños graves) son el sistema ABO y, en menor medida, el sistema Rh.

El sistema ABO comprende 3 antígenos presentes en la superficie de los glóbulos rojos: A, B y AB. Algunas personas no son portadoras de ninguno de estos antígenos. Son las del grupo O. Las personas cuya sangre pertenece al grupo AB pueden recibir sangre de todos los otros grupos; reciben el nombre de *receptores universales*. En cambio, las personas del grupo O sólo pueden recibir sangre del mismo grupo, pero pueden dar sangre a personas de otros grupos. Son los *donantes universales*.

El sistema Rh comprende cinco antígenos principales: D, C y c, E y e. Los individuos que poseen el antígeno D se denominan de Rh positivo (Rh+); cuando este antígeno no existe se habla de Rh negativo (Rh–).

VER ▶ INCOMPATIBILIDAD RH, ENFERMEDAD HEMOLÍTICA DEL RECIÉN NACIDO

Haptonomía

Es una ciencia de la vida afectiva que estudia los fenómenos inherentes a los contactos (básicamente táctiles) en las relaciones humanas. La haptonomía, un enfoque concreto fundado por Frans Veldman, pone en práctica y desarrolla las facultades gracias a las que el ser humano puede desarrollarse plenamente y mantenerse sano. Se refiere a toda la curva de la vida, desde la concepción (acompañamiento perinatal) hasta la muerte (acompañamiento de los moribundos). Se aplica a la pedagogía, a la medicina e, incluso, a la psicoterapia; responde a enfermedades o a alteraciones físicas (haptosinesia). A lo largo de la cura emplea un tipo de contacto que invita a la persona, en su interacción con el terapeuta, a activar su psicomotricidad autónoma.

▶ En su aplicación más conocida, el acompañamiento pre y postnatal de los padres y de su(s) hijo(s), la haptonomía también permite aprehender mejor el dolor, manteniendo el contacto afectivo con el bebé. Requiere la participación del padre a lo largo de todo el embarazo. Las sesiones, que empiezan al cuarto mes de embarazo y tienen lugar cada tres semanas, están dirigidas por un médico o comadrona formados por el Centro Internacional de la Investigación y el Desarrollo de la Haptonomía (CIRDH).

Hematoma retroplacentario

Se trata de un desprendimiento brusco de la placenta por una acumulación de sangre, o hematoma. Este accidente grave, pero poco frecuente, afecta básicamente a las mujeres que sufren una enfermedad hipertensiva del embarazo, la *preeclampsia.* Se trata de una urgencia médica que pone en juego la vida del niño y puede comportar riesgo de complicaciones mayores para la madre.

▶ Además de la preeclampsia, ciertos factores de riesgo pueden ser causa de un hematoma retroplacentario, como un traumatismo ab-

dominal importante (accidente de coche...). A veces, el desprendimiento se da de forma inopinada, sin ningún indicio precursor.

Este accidente se produce sobre todo durante el tercer trimestre de embarazo o durante el parto. Da lugar a pérdidas de sangre negra, una contracción prolongada y dolorosa del útero y, en las formas más graves, una alteración rápida del estado general, con malestar, una bajada de tensión y ansiedad. Las complicaciones posibles son, para la madre, una hemorragia importante asociada a alteraciones de la coagulación de la sangre, lo cual puede requerir transfusiones masivas, o incluso una ablación del útero.

Por otra parte, el desprendimiento de la placenta por coágulo de sangre priva al feto de cualquier aporte de sangre, lo que pone su vida en peligro. Si vive, para salvarle se debe practicar una *cesárea* urgente. En el caso contrario, la expulsión del feto se realiza por la vía natural si el estado de la madre lo permite.

El riesgo de recidiva de este accidente es de cerca del 10%, lo cual justifica un mayor control durante un embarazo posterior: puede ser necesaria una hospitalización prolongada, así como provocar el parto en cuanto el feto ha llegado a un estadio suficiente de madurez.

Hemorroides

Las hemorroides, varices de venas situadas alrededor del ano, son una afección muy frecuente durante el embarazo y el puerperio. Son benignas, pero a veces muy molestas, o incluso dolorosas, pero pueden combatirse respetando unas simples normas de higiene alimentaria.

▶ **Causas y síntomas.** Varios factores intervienen en la aparición de hemorroides durante el embarazo: las modificaciones hormonales, responsables de una dilatación de las venas, estreñimiento muy frecuente durante este período y, por último,

la importante presión ejercida por el bebé en el interior del abdomen.

Las hemorroides pueden ser externas (aparecen en la zona del ano) o internas (están situadas dentro del canal anal). A menudo, los síntomas evolucionan de forma irregular. Van de un simple peso que se nota en la zona del ano, acompañado de picazón, hasta un dolor intenso provocado por la formación de un coágulo dentro de la vena (trombosis) o por la exteriorización de las hemorroides (prolapso). Las hemorroides también pueden ir acompañadas de hemorragias poco abundantes (hemorragias en el recto) durante la emisión de heces. En el parto es muy frecuente que aparezcan o se agraven las hemorroides preexistentes, y que se asocien a una trombosis en el puerperio.

▶ **Los tratamientos posibles.** Las curas locales (pomadas y supositorios) pueden mitigar el dolor; a veces se asocian a tónicos venosos administrados por vía oral. En el día a día, también se aconsejan ciertas reglas de higiene y de dietética: supresión de los alimentos con especias, bebidas alcohólicas e ingestión de alimentos que favorecen el tránsito intestinal para evitar un posible estreñimiento.

El tratamiento por esclerosis o la ablación quirúrgica de las hemorroides están contraindicados durante el embarazo. Este tipo de solución se puede plantear en caso de molestias persistentes pasado el tercer mes después del parto. En cambio, el tratamiento quirúrgico de una trombosis hemorroidal puede practicarse bajo anestesia local incluso durante un embarazo.

Hepatitis viral

Una hepatitis viral es una inflamación del hígado debida a un virus. Existen varios tipos, provocados por virus diferentes: virus de la hepatitis A, B, C, D y E; los tres primeros son los más extendidos. Existen vacunas contra las hepatitis A y B, que no están contraindicadas durante el embarazo.

▶ **Con o sin síntomas.** La enfermedad se presenta bajo la misma forma sea cual sea el virus que la cause. Puede pasar totalmente desapercibida o manifestarse mediante cansancio, náuseas, dolores articulares, comezón en el cuerpo, asociados o no a una ictericia (coloración amarilla de la piel y las mucosas).

▶ **La hepatitis A.** Es una enfermedad benigna, que se contrae ingiriendo agua o alimentos contaminados (verduras, marisco). No comporta ningún riesgo para el feto, aunque la madre la contraiga durante el embarazo.

▶ **La hepatitis B.** Es más grave que la anterior, y se contrae por vía sanguínea (uso de jeringas contaminadas, por ejemplo) o a través de las relaciones sexuales sin protección. En el 10% de los casos, aproximadamente, puede convertirse en crónica; no obstante, un 20% de los casos de hepatitis crónica derivan en una degeneración lenta pero grave del hígado, la cirrosis, que a su vez puede evolucionar hacia un cáncer de hígado.

Por otra parte, la mujer embarazada portadora del virus de la hepatitis B puede transmitirlo al bebé durante el parto o la lactancia. Por ello, el test de la hepatitis B es obligatorio en el sexto mes. Si el test da positivo, el bebé será vacunado al nacer, lo cual le protegerá de una posible contaminación; una vez vacunado, la madre podrá alimentar al bebé.

▶ **La hepatitis C.** Básicamente se transmite por vía sanguínea; tal vez exista cierto riesgo de transmisión por vía sexual y durante el embarazo, pero aún se desconoce. Esta forma de hepatitis comporta un riesgo importante de llegar a ser crónica, del orden del 50%. No existe vacuna ni medio de prevención que permita proteger al feto contra la enfermedad si la madre es portadora del virus.

En caso de exposición al virus durante el embarazo, al nacer el bebé, éste es sometido a un control médico estricto. La lactancia materna no parece contraindicada.

Herpes genital

El herpes genital es una enfermedad de transmisión sexual (ETS) debida al virus *Herpex simplex*, que afecta principalmente a los adultos y se manifiesta por una erupción dolorosa en los órganos genitales. Existe un riesgo de transmisión de esta enfermedad al neonato, sobre todo durante el parto.

▶ En el recién nacido, el herpes genital puede acarrear graves complicaciones. Por tanto, es importante indicar la menor molestia al ginecólogo (comezón o ardor que se siente en la zona de la vulva o de la vagina).

Las mujeres embarazadas que contraen este virus deben tener un buen control médico, dado que si aparece un herpes, existe un riesgo importante de contaminación de la madre al hijo por vía sanguínea, en caso de una primera infección, o por vía genital en caso de reactivación de la enfermedad durante el embarazo. En este caso, el bebé normalmente es contagiado durante el parto, pero también puede contagiarse antes del nacimiento. El feto está protegido por la **bolsa de las aguas** o **fuente,** que le aísla por completo, pero no es raro que ésta se fisure al final del embarazo, dejando de actuar como barrera protectora.

Cuando una mujer embarazada tiene un herpes genital, antes del parto el equipo ginecológico y pediátrico determina si se debe practicar una cesárea y el tratamiento que se administrará al recién nacido.

Hidramnios

Se denomina *hidramnios* al exceso de *líquido amniótico.* Su principal riesgo es que provoque un parto pre-

maturo. Se puede detectar durante un examen clínico o una ecografía, y exige un mayor control del embarazo.

▶ En general, el hidramnios se declara muy progresivamente durante la segunda mitad del embarazo. Se manifiesta por un exceso del volumen del útero, una tensión dolorosa en el abdomen y molestias respiratorias.

No siempre se encuentra la causa, que puede estar asociada a la madre (*diabetes gestacional*, embarazo múltiple) o al feto (deglución dificultada por una malformación, una hernia o un estrechamiento localizado en el aparato digestivo...).

Además de un mayor control del embarazo (medición regular de la **altura uterina** y del perímetro umbilical de la madre, ecografía), el tratamiento se basa en el descanso y, en ciertos casos, en punciones de líquido amniótico.

Hinchazón en el vientre

VER ▶ ESTREÑIMIENTO

Hipertensión arterial

La hipertensión arterial es una elevación anormal de la presión arterial, ya sea permanente o no. Durante el embarazo se considera anormal una presión arterial igual o superior a 14/9 en reposo.

▶ **Presente antes del embarazo.** En este caso, la hipertensión no presenta ninguna relación con el hecho de estar embarazada y evoluciona independientemente del embarazo. El médico procurará, ante todo, estabilizarla con medicamentos inocuos para el desarrollo del feto, sin intentar necesariamente que descienda por debajo de 14/9.

▶ **Inducida por el embarazo.** La hipertensión inducida por el embarazo, o hipertensión *gravídica*, está asociada a una anomalía de la **placenta,** que da lugar a un aporte de sangre insuficiente para el feto. En este caso, la hipertensión constituye un fenómeno compensatorio destinado a aumentar el caudal sanguíneo placentario.

Generalmente, la hipertensión gravídica se manifiesta en el tercer trimestre, en el marco de una *preeclampsia*. Se asocia a una *albuminuria* (presencia de albúmina en la orina) y a edemas en las extremidades inferiores (hinchazón de las piernas agravada por permanecer de pie y por un aumento de peso rápido).

El tratamiento no tiene por objeto hacer bajar la presión de forma notable, para evitar repercusiones en el feto, sino controlarla para evitar posibles complicaciones en la madre.

Hipo del feto

Son movimientos rítmicos de todo el cuerpo del feto. La futura madre los nota, y pueden tener una duración variable (entre un minuto y cerca de media hora).

◗ Estos movimientos se producen hacia finales del segundo trimestre y en el tercer trimestre del embarazo. No deben preocupar a la futura madre, ya que son perfectamente normales y se suelen producir porque el estómago del feto está temporalmente lleno de *líquido amniótico*.

Este hipo recurrente tiene tendencia a continuar después del nacimiento y hasta finales del primer mes, sobre todo después de los biberones (el bebé absorbe más aire si es alimentado con biberón que si mama). En general, desaparece cuando el niño vuelve a tomar el pecho o el biberón.

Hipotensión ortostática

Es una bajada muy intensa de la tensión arterial durante el paso de la posición tendida a la posición de pie. Este fenómeno, muy habitual durante el embarazo, no es grave y no precisa ningún tratamiento.

◗ Una hipotensión ortostática se traduce en una sensación pasajera de malestar, asociada a un breve oscurecimiento de la visión, a un aturdimiento y, eventualmente, a una breve pérdida de conocimiento (síncope).

La tensión arterial es más baja en las mujeres embarazadas, y las modificaciones hormonales del embarazo son responsables de una importante dilatación de los vasos sanguíneos en la parte inferior del cuerpo. De ahí la frecuencia del fenómeno de la hipotensión ortostática durante el embarazo.

Si se sufre repetidamente, tan sólo se aconseja tomar ciertas precauciones para evitar una caída: levantarse despacio y, si se tienen varices importantes, llevar medias para paliar este problema.

Hipotrofia

Ver ▸ RETRASO DEL CRECIMIENTO INTRAUTERINO

Homeopatía

La homeopatía tiene como objeto estimular las reacciones de defensa del organismo. El tratamiento consiste en administrar al enfermo, en forma muy diluida, una sustancia que se considera capaz de producir unas alteraciones idénticas a las que presenta el enfermo. Se va disminuyendo paulatinamente la cantidad hasta llegar a dosis infinitesimales.

◗ Los remedios homeopáticos se presentan ya sea en forma de soluciones, ya sea en forma de gránulos o de glóbulos, que deben disolverse bajo la lengua. Durante el embarazo pueden prescribirse algunas terapias homeopáticas para tratar pequeños males, como náuseas, alteraciones del sueño o ansiedad. En el momento del parto, algunos remedios pueden aportar flexibilidad al cuello del útero y facilitar la dilatación.

Hormona de embarazo

Cuando una mujer está embarazada, su organismo empieza inmediatamente a fabricar una hormona específica, llamada *hormona coriónica gonadotropina* (HCG). Esta hormona empieza a ser segregada unos diez días después de la fecundación, al principio por el *trofoblasto,* y más adelante por la *placenta.*

◗ Existen dos tipos de hormona gonadotropina, llamados, respectivamente, *alfa* y *beta*. La segunda (beta HCG) es la que se identifica en los tests de embarazo.

La beta HCG se puede detectar en la sangre a partir del noveno día después de la fecundación, por lo tanto, antes del retraso de la regla. También es excretada por la orina: en cuanto hay un retraso en la menstruación se puede efectuar un test urinario de embarazo (detecta esta hormona en la orina).

Su concentración aumenta rápidamente en la sangre y se duplica cada 48 horas, para alcanzar un pico entre la décima y la duodécima semana de embarazo. Más adelante, su índice se estabiliza hasta el nacimiento del bebé. Una semana después del parto desaparece totalmente de la sangre de la madre.

[I, L]

Ictericia del recién nacido

En los días que siguen al nacimiento, la piel o la córnea de los ojos del recién nacido pueden presentar un tono amarillo o anaranjado. En general, se trata de una ictericia simple, transitoria y sin ninguna gravedad.

◗ **La ictericia simple.** Normalmente, la ictericia simple se produce de forma aislada, sin fiebre ni problemas digestivos. Las heces son de un color normal. Esta ictericia simple del recién nacido se produce con frecuencia en los bebés prematuros.

El aumento del índice de bilirrubina en la sangre es lo que produce este color anaranjado de la piel. La bilirrubina es un pigmento biliario que procede de la degradación normal de la hemoglobina, debida a la renovación de los glóbulos rojos; sufre una transformación química en el hígado antes de ser eliminada en el tubo digestivo. A veces, esta transformación no es óptima en las horas siguientes al nacimiento; pero este defecto se corrige rápidamente, y la ictericia desaparece enseguida. Se puede tratar con unas sesiones de *fototerapia*, que disminuyen su intensidad.

▶ **La ictericia en la leche de la madre.** Cuando la ictericia persiste más de una semana, puede que existan otras afecciones. En caso de lactancia materna, es posible que la leche contenga una sustancia que hace disminuir la actividad de la enzima del hígado que permite la eliminación de la bilirrubina. Si el examen del bebé es normal y si calentar la leche a 57 °C durante unos diez minutos favorece una disminución de la ictericia, la lactancia materna puede continuar. Si no, habrá que buscar otras causas.

La ictericia del recién nacido también puede dar lugar a una incompatibilidad sanguínea entre el feto y la madre, o ser indicio de un problema más general. En este caso, el examen del niño y un análisis de sangre permitirán determinar su origen.

Incompatibilidad Rh

Cuando la sangre de la madre pertenece al grupo Rh negativo y la del hijo al grupo Rh positivo existe un antagonismo entre la sangre de la mujer embarazada y la del feto. Este problema puede producir en el bebé una forma de anemia grave, llamada *anemia hemolítica del recién nacido*. Hoy en día, gracias a los exámenes de sangre obligatorios a los que se someten las mujeres embarazadas, la incompatibilidad Rh raramente tiene consecuencias graves.

▶ Los *grupos sanguíneos* más importantes son el sistema ABO y el sistema Rh. Este último debe su

nombre a un mono de Asia, el *Macacus rhesus*, que sirvió de animal de laboratorio a finales de la década de 1930. Incluye cinco grandes antígenos, entre ellos el D. Las personas que tienen el antígeno D son Rh positivo (Rh+); si está ausente, son Rh negativo (Rh−).

Cuando una mujer Rh− está embarazada de un niño Rh+, el contacto de su sangre con la del niño provoca en ella la formación de anticuerpos anti-Rh (aglutininas irregulares). Este contacto normalmente no se produce hasta el parto. Pero si la mujer vuelve a quedar embarazada y el bebé es Rh+, sus anticuerpos anti-Rh pueden destruir los glóbulos rojos del feto, exponiéndole a la enfermedad hemolítica del recién nacido.

La prevención de esta afección se basa en ciertas precauciones: respetar la compatibilidad de los grupos sanguíneos donante-receptor, en caso de transfusión en una mujer en edad de procrear, e inyección a las mujeres Rh− de los anticuerpos llamados *gammaglobulinas* cada vez que pueda darse un contacto entre la sangre del feto y la sangre materna: parto, aborto espontáneo, amniocentesis, metrorragia…

En el control de las mujeres embarazadas es necesaria la confirmación de su grupo sanguíneo, así como el del padre del bebé. En efecto, para ser Rh+, el feto nacido de una madre Rh− necesariamente debe tener un padre Rh+. En las mujeres Rh−, la aparición de anticuerpos es controlada por un examen efectuado sobre una muestra de sangre, llamado *detección de aglutininas irregulares*. Este examen se practica obligatoriamente al principio del embarazo, a los seis meses (28 semanas de amenorrea) y, finalmente, durante el último trimestre una vez al mes.

Incontinencia urinaria

Las pérdidas de orina involuntarias se producen normalmente durante un esfuerzo (andar, toser, estornudar).

▶ La incontinencia urinaria es frecuente al final del embarazo y después del parto, y puede persistir después del nacimiento del bebé. Para tratarla y prevenirla, la mejor solución es efectuar la *reeducación del perineo* que se propone después del parto.

Algunas mujeres están particularmente expuestas a la incontinencia urinaria después del parto. Las que presentan ciertas especificidades anatómicas (mala calidad de los tejidos del perineo, por ejemplo), las que han dado a luz a un bebé muy grande (de más de 4 kg) y las que han tenido un parto difícil, con extracción instrumental o desgarro del perineo (el carácter preventivo de la episiotomía en el riesgo de incontinencia urinaria es muy controvertido).

Si después de 10 a 20 sesiones de reeducación del perineo la incontinencia urinaria persiste, y transcurridos seis meses, es preciso consultar con el ginecólogo y plantearse un tratamiento más especializado. En ciertos casos se precisa una intervención quirúrgica.

Incubadora

La incubadora es el aparato en el que son mantenidos los bebés prematuros, o que pesan poco, hasta que han crecido lo suficiente para vivir en casa con sus padres y ser alimentados normalmente con el pecho o con biberón.

▶ Este aparato es como una gran caja transparente de Plexiglas. Permite mantener constante la temperatura del bebé y controlarle. El aire se calienta según las necesidades del neonato (en general, a unos 30 °C) y se humidifica; la temperatura corporal del bebé se mide por una sonda térmica aplicada sobre su piel.

Si el bebé es prematuro, es trasladado a la incubadora, ya que su fragilidad le expone a las infecciones. Su respiración y su digestión, además de la regulación de su temperatura, aún no están del todo en condiciones de funcionar. Por consiguiente, es necesario oxigenarle mediante ventilación, alimentarle por perfusión y, en ocasiones, si presenta *ictericia*, proyectar sobre él luz azul mediante *fototerapia* (a fin de producir una degradación química de la bilirrubina).

Ver ► PREMATURIDAD

Infección urinaria

Ver ► CISTITIS, PIELONEFRITIS

Infección vaginal

Ver ► LEUCORREA

Inseminación artificial

Ver ► REPRODUCCIÓN MÉDICAMENTE ASISTIDA

Insomnio

Despertar durante la noche o las dificultades para dormir son alteraciones del sueño relativamente frecuentes y absolutamente normales cuando se está embarazada, sobre todo en el primer trimestre y al final del embarazo.

▶ Mientras que el insomnio de los primeros días está básicamente asociado a la ansiedad y al trastorno psicológico inducido por el embarazo, el del último trimestre a menudo es debido a causas más prosaicas: despertarse a causa de las ganas de orinar, por los movimientos del bebé, calambres nocturnos, dificultad para encontrar una posición cómoda...

Una siesta, para compensar la falta de sueño, o un poco de relajación para dormirse ayudarán a soportar mejor este insomnio pasajero. El médico puede ofrecer otros consejos y prescribir sedantes suaves. Pero los tranquilizantes o los somníferos están reservados a situaciones muy particulares, ya que no están exentos de riesgos, sobre todo cuando se

acerca el parto, y nunca deben tomarse como automedicación.

Interrupción médica del embarazo (IME)

Cuando el embarazo amenaza la salud de la madre o el feto sufre una afección grave e incurable, se puede provocar un aborto. Hoy en día, se prefiere hablar de *interrupción médica del embarazo*, denominación considerada más correcta que *interrupción terapéutica del embarazo*. Por supuesto, es imprescindible el consentimiento de la interesada, y así lo exige la ley.

La legislación relativa a la autorización del aborto y sus modalidades varía en función de los países. En España, está autorizado el aborto cuando sea necesario para evitar un grave peligro para la salud física o psíquica de la embarazada. Previamente a la intervención, se requiere un dictamen emitido por un médico de la especialidad correspondiente, distinto de aquel bajo cuya dirección se practique el aborto. En caso de urgencia por riesgo vital de la gestante, podrá prescindirse del dictamen y del consentimiento expreso.

▶ En España, un embarazo se puede interrumpir legalmente por los motivos indicados dentro de las veintidós primeras semanas de la gestación. Algo parecido ocurre en Cuba y Puerto Rico. En general, en el resto de países de América Latina sólo está permitido el aborto por razones médicas.

Interrupción terapéutica del embarazo (ITE)

Ver ► INTERRUPCIÓN MÉDICA DEL EMBARAZO

Laparoscopia pélvica (o celioscopia)

La laparoscopia pélvica o celioscopia, que se efectúa bajo anestesia gene-

ral, es una operación quirúrgica que permite a la vez explorar el interior del abdomen por medio de un endoscopio (un tubo provisto de un sistema óptico) y, en caso necesario, intervenir. Se utiliza, entre otras cosas, para tratar ciertas formas de esterilidad y de embarazo extrauterino.

▶ Una celioscopia se efectúa de este modo: se distiende la cavidad abdominal insuflando gas carbónico en su interior. Acto seguido, se introduce un endoscopio mediante una pequeña incisión practicada bajo el ombligo. El endoscopio permite que, con incisiones mínimas (de 5 a 12 mm), realizadas en general por encima del pubis, el cirujano pueda visualizar los órganos internos y operarlos, si fuera necesario.

La laparoscopia pélvica permite reducir las secuelas operatorias, ya que el enfermo se recupera más rápidamente. Evita las complicaciones infecciosas o de fragilidad en la pared abdominal y disminuye asimismo el riesgo de fusión de los tejidos (adherencias). Además, este tipo de intervención tiene un buen resultado estético, dado que las cicatrices que deja son muy pequeñas.

Leucorrea

La leucorrea es un flujo blanquecino que mana de la vagina y constituye un motivo frecuente de consulta médica. A veces es producto de una infección genital, pero también puede ser completamente normal.

▶ **La leucorrea normal (o fisiológica).** Es la evacuación de secreciones normales de la vagina y del cuello del útero. Éstas son de aspecto blanquecino e inodoras, y no se asocian a ningún síntoma. A lo largo del embarazo pueden ser muy abundantes a causa de las modificaciones hormonales, que hacen que la vagina sea más ácida. Si el examen clínico ha confirmado su carácter no patológico, esta leucorrea fisiológica no requiere un examen complementario ni un tratamiento.

La leucorrea por infección genital. En las mujeres embarazadas, la infección más frecuente se debe a un hongo, *Candida albicans*. Es una infección benigna, sin consecuencias para el bebé, pero a veces muy molesta, que tiende a presentarse de forma recurrente, dado que se ve favorecida por la modificación de la acidez de la vagina, normal en el embarazo. Da lugar a unas pérdidas blancuzcas que recuerdan la leche cortada, acompañadas de un picor intenso en la vulva y la vagina, y eventualmente, de ardor urinario.

La infección por *Candida albicans* o bien se contrae a través de la pareja o bien, con mayor frecuencia, por autoinfección, dado que en estado normal este hongo se encuentra en la flora genital. El tratamiento se basa en una buena higiene, una limpieza íntima simple con jabón y la aplicación de antimicóticos locales (óvulos vaginales o cremas).

También otros gérmenes pueden ser responsables de la leucorrea. A menudo, para determinar un tratamiento adaptado, es preciso efectuar una extracción de secreciones vaginales. Analizando estas muestras en laboratorio se determinará el origen de la infección. Es importante detectar y tratar toda infección vaginal durante el embarazo, dado que ciertas infecciones pueden provocar un debilitamiento de las membranas amnióticas, que pueden favorecer su ruptura. Algunos gérmenes, como el estreptococo B, deben ser tratados imperativamente por perfusión de antibióticos durante el parto para evitar que el bebé se contamine al pasar por la vagina.

VER ▶ VAGINITIS

Linfangitis

Cuando se da de mamar, en ocasiones se produce una inflamación de un canal linfático del pecho, que se denomina *linfangitis*.

Una linfangitis provoca fiebre alta (39 °C), que aparece de forma brusca, y un dolor en el pecho asociado a una mancha roja localizada. Es una afección benigna, que no constituye una contraindicación para la lactancia. Se trata mediante aplicación de cataplasmas locales, con duchas calientes sobre el pecho afectado y tomando aspirina. El reposo favorece la curación.

Líquido amniótico

Es el líquido de color claro en el que se baña el feto, dentro de la burbuja que constituyen las membranas *(bolsa de las aguas)* y la placenta.

El líquido amniótico proviene esencialmente de la orina y de las secreciones bronquiopulmonares del feto, así como de las membranas. Su cantidad respecto al volumen del feto aumenta poco a poco, y en el tercer trimestre disminuye. Por esta razón, la ecografía del segundo trimestre es la que mejor informa sobre la morfología del feto; en efecto, el líquido (que aparece como fondo negro en la pantalla) permite la visualización del futuro bebé mediante ultrasonidos. El líquido amniótico se renueva constantemente y el feto lo engulle y luego lo elimina durante la micción.

Se habla de *hidramnios* en caso de exceso de líquido amniótico, y de *oligoamnios* en el caso contrario.

La extracción de líquido amniótico *(amniocentesis)* informa sobre los cromosomas de las células del feto, y también proporciona datos sobre su estado biológico o su maduración pulmonar.

En caso de sufrimiento del feto, el líquido amniótico se tiñe de un tono verdoso a causa de la emisión prematura de *meconio* (primeras heces del niño). Si las membranas aún están intactas pero el cuello del útero se encuentra abierto, se puede comprobar esta coloración mediante un examen denominado *amnioscopia*.

Líquido meconial

VER ▶ MECONIO

Listeriosis

Esta enfermedad infecciosa es debida a un bacilo *(Listeria monocytogenes)*. Si se contrae fuera del embarazo, es benigna. Pero en la mujer embarazada puede provocar un aborto espontáneo o un parto prematuro. No obstante, es una enfermedad poco común, puesto que afecta aproximadamente a una mujer embarazada de cada cien mil, y se puede tratar con antibióticos.

Los síntomas. Son muy variables: fiebre moderada, síntomas de una gripe, infección urinaria o pulmonar, una afección abdominal y dolores de cabeza acompañados de fiebre. Durante el embarazo, una listeriosis es una de las posibles afecciones cuando aparece fiebre sin motivo aparente.

En este caso, el médico suele recetar antibióticos, aunque su origen aparentemente sea un virus. El diagnóstico será confirmado por el examen del germen en una muestra de sangre. Estas precauciones están justificadas por los graves efectos de esta enfermedad en el feto.

En caso de contaminación del feto. El contagio al feto se produce con el paso del germen a través de la placenta. Da lugar a contracciones y a la interrupción del embarazo, ya sea en forma de aborto espontáneo tardío, ya sea en forma de parto prematuro. El feto puede morir en el útero (una tercera parte de los casos) o nacer infectado, con riesgo de consecuencias graves (meningitis, septicemia), que pueden provocar la muerte en los primeros días de vida.

La prevención. Es esencial durante el embarazo, aunque la listeriosis sea una enfermedad poco común. La prevención se basa en observar ciertas reglas alimentarias, ya que el contagio se produce sobre todo a través de los alimentos. Hay que evitar tomar leche no tratada; consumir preferentemente embutidos envasados, no cortados en el momento; cocinar cuidadosamente los alimentos crudos de origen animal; lavar bien las verduras crudas y las hierbas aromáticas; recalentar los alimentos sobrantes y los platos cocinados antes de consumirlos; conservar por separado los alimentos crudos y los cocinados; lavarse bien las manos y lavar los utensilios de cocina después de manipular alimentos crudos, así como limpiar a menudo el frigorífico.

Loquios

Es el flujo por la vagina, que se produce durante el *puerperio*, de los restos de la mucosa uterina mezclados con coágulos de sangre.

▶ Los loquios duran unos quince días de promedio (más en caso de cesárea). Contienen sangre durante los tres primeros días, y después se aclaran progresivamente. A menudo su olor es fuerte, debido a la presencia de sangre vieja.

Durante la estancia en la maternidad, la comadrona se informa sobre su abundancia y su aspecto para detectar una infección uterina incipiente (*endometritis* del postparto).

A veces, hacia el vigésimo primer día, las pérdidas pueden aumentar de nuevo y contener más sangre durante 4 o 5 días. Este fenómeno perfectamente normal se llama el «pequeño retorno de la menstruación».

Malestar

Un malestar es un estado de incomodidad que puede ir desde una simple molestia hasta una pérdida de conocimiento prolongada. Los malestares son frecuentes en el cur-

so del embarazo y, en general, son benignos. Sin embargo, en el caso de malestares importantes o recurrentes, es imperativo consultar al médico para averiguar la causa.

▶ Al comienzo del embarazo, un malestar importante asociado a dolores en el abdomen puede ser indicio de un embarazo extrauterino o de un aborto espontáneo.

Posteriormente, puede ser indicio de afecciones benignas, las cuales son frecuentes: una *hipotensión ortostática* (en caso de paso brusco a la posición de pie), o también de una hipoglucemia (descenso del índice de azúcar en la sangre). Con menor frecuencia, puede tratarse de una anemia (en este caso, el malestar aparece durante un esfuerzo y se asocia al jadeo y a un aumento del ritmo cardíaco).

Al final del embarazo no es raro que se sienta malestar en posición tendida sobre la espalda. Este fenómeno es de origen anatómico: el útero, que ahora es voluminoso, comprime los vasos sanguíneos grandes (venas aorta y cava), lo cual dificulta el retorno de la sangre hacia el corazón. La prevención consiste en tenderse preferentemente sobre el lado izquierdo.

Aparte de estos problemas propios de las mujeres embarazadas, un malestar intenso puede estar asociado a distintas afecciones preexistentes (o no) al embarazo, como la epilepsia o una enfermedad cardíaca, por ejemplo.

Marcadores séricos (estudio de los)

La determinación de los marcadores séricos es uno de los exámenes que permite detectar si el feto puede tener la *trisomía 21*.

▶ **¿En qué consiste este test?** Este examen (conocido también como «triple prueba» o «triple test») corresponde a la determinación en la sangre materna de distintos marcadores (beta HCG y alfa-fetoproteína,

sobre todo), que son interpretados en función de la edad materna. Se efectúa entre la semana 14 y 18 de amenorrea, o incluso a las 21 semanas, en algunos laboratorios. Su resultado se envía al médico para que lo interprete. El examen evalúa el riesgo o la probabilidad de trisomía 21, lo cual no significa que el feto sea trisómico si el resultado es anormal, sino que sería prudente controlarle mediante amniocentesis.

El otro examen que permite detectar la probabilidad de que un feto sea trisómico es la medición de la nuca fetal en la *ecografía* de las 12-13 semanas de amenorrea, siendo este último examen el más pertinente.

▶ **¿Cuáles pueden ser las consecuencias?** La determinación de los marcadores séricos es objeto de cierta polémica. Una vez realizando este examen, si el resultado revela la existencia de cierto riesgo, se puede considerar necesario practicar una amniocentesis (prueba que puede provocar un aborto espontáneo, pero que pone fin a la incertidumbre de los padres). En efecto, la amniocentesis es el único examen que permite saber realmente lo que sucede. Se efectúa con el objeto de interrumpir el embarazo si el feto fuese trisómico (no existe ningún tratamiento para la trisomía 21).

En algunos países, previamente a la determinación de los marcadores séricos, la futura madre debe firmar unos formularios de información para hacer constar que ha comprendido bien los pormenores de esta extracción de sangre. La firma se exige para alertar y no minimizar la importancia del examen, no como una obligación. Sea cual sea el resultado, las decisiones que derivan del mismo sólo son de la incumbencia de los padres.

▶ **Combinar marcadores séricos y ecografía.** La detección por marcadores séricos conduce a efectuar una amniocentesis para detectar anomalías que pudiesen haber pasado por alto en la ecografía. De ahí la propuesta de asociar las dos pruebas para evaluar un riesgo combinado que tenga en cuenta el resultado de la ecografía. Muchos equipos médicos ya utilizan esta técnica de eficacia comprobada. Algunas mujeres de más de 35 años recurren a esta prueba combinada para evitar una amniocentesis sistemática y evitar así los riesgos inherentes a la punción. Estas pruebas, si son válidas, no ofrecen datos ciertos, sino una valoración del riesgo.

VER ► AMNIOCENTESIS

Meconio

Son materias fecales de color verdoso producidas por el feto y normalmente excretadas en las 12 horas siguientes a su nacimiento.

▶ A veces, el meconio es expulsado antes del parto y tiñe el *líquido amniótico* (normalmente de color claro). Este fenómeno es anormal y puede indicar un sufrimiento fetal. Existe el riesgo de que el feto inhale este líquido (llamado *líquido meconial*), con lo cual sus vías respiratorias se pueden obstruir e inflamar. Para prevenir este riesgo y evitar afecciones respiratorias, se desobstruyen por aspiración las vías aéreas del bebé nada más nacer.

En ciertos casos, durante el parto es preciso recurrir a una técnica llamada *amnioinfusión,* que consiste en diluir el líquido amniótico con un suero adaptado directamente en la cavidad uterina.

Por el contrario, un retraso en la emisión del meconio después del nacimiento puede ser indicio de una obstrucción de las vías digestivas del bebé, de parálisis intestinal o de malformación.

VER ► AMNIOSCOPIA

Membranas

VER ► BOLSA DE LAS AGUAS

Menstruación

La menstruación corresponde a la eliminación de fragmentos de mucosa del útero mezclados con sangre. Aparecen durante la bajada hormonal que se produce al final del *ciclo menstrual,* fuera de los períodos de embarazo, desde la pubertad hasta la menopausia.

▶ La primera menstruación, o menarquia, en España comienza, aproximadamente, a la edad de 13 años; su frecuencia media es de 28 días, con sangrados durante 4 o 5 días. Una ausencia prolongada de la menstruación se denomina *amenorrea.* Se trata de una de las primeras señales del embarazo.

En caso de menstruaciones dolorosas, menstruaciones abundantes y sangrados que aparecen fuera de las menstruaciones, se habla, respectivamente, de dismenorreas, menorragias y *metrorragias*.

Metrorragia

Cualquier sangrado por la vagina y fuera del período menstrual es una metrorragia. Fuera del embarazo, estos sangrados pueden ser indicio de un desarreglo hormonal, un fibroma o un pólipo en el útero. En cambio, durante el embarazo tienen otras causas, y pueden ser anodinos o bien indicar un problema importante.

▶ **En el primer trimestre.** A menudo, las metrorragias constituyen el primer indicio de un embarazo. Se trata de un fenómeno muy frecuente, dado que el 25% de las mujeres embarazadas tienen sangrados durante el primer trimestre. En un 13% de los casos se manifiestan durante un embarazo que, no obstante, evolucionará normalmente. Entonces sólo requieren reposo y un control ecográfico. No obstante, en un 11,9% de los casos es la manifestación de un aborto espontáneo precoz, y en un 0,1%, de un embarazo extrauterino, que debe tratarse urgentemente.

▶ **En el segundo y tercer trimestre.** En esta fase del embarazo la metrorragia requiere una visita urgente al médico. Puede revelar una anomalía de la placenta (*placenta previa* o **hematoma retroplacentario**) o del cuello del útero.

Cuando una mujer embarazada que presenta una *incompatibilidad Rh* con el feto (madre Rh–; feto Rh+) tiene una metrorragia, se le aplica una inyección de gammaglobulinas. El objetivo es prevenir una posible formación de anticuerpos en la sangre de la madre y evitar al mismo tiempo una *enfermedad hemolítica* del recién nacido.

Micosis

VER ► LEUCORREA

Mola hidatiforme

La mola hidatiforme se debe a una anomalía cromosómica que se produce durante la fecundación. Comporta una degeneración del *trofoblasto* (tejido que da origen a la placenta), lo cual produce un tumor, que es benigno en la mayoría de los casos. El embarazo (en este caso se habla de *embarazo molar*) no puede prosperar, ya que la mola hidatiforme impide el desarrollo del embrión y del saco amniótico.

▶ La frecuencia de los embarazos molares varía según las regiones del mundo: alrededor de un caso de cada 2 000 en España, y un caso de cada 85 en los países de Asia. Esta anomalía es más frecuente en caso de edad materna muy precoz o avanzada.

▶ **Los síntomas.** Normalmente se producen sangrados (metrorragias) y vómitos importantes reacios a los tratamientos. El examen médico muestra que el útero está blando y que es más grande de lo que correspondería al mes de embarazo. En caso de determinación en la sangre de la hormona del embarazo, el índice de ésta puede ser anormalmente elevado. Este diagnóstico se confirma mediante una ecografía, que muestra un aspecto vesicular.

▶ **El tratamiento.** Consiste en retirar el contenido del útero mediante un raspado y supervisar el retorno a la normalidad, controlando el nivel de la hormona del embarazo en la sangre. Se practica un análisis en laboratorio del contenido del útero para determinar la naturaleza del tumor. Si es maligno (coriocarcinoma) o en caso de mola persistente, es necesario aplicar un tratamiento de quimioterapia. Al ser el coriocarcinoma muy sensible a la quimioterapia, la tasa de curación es muy elevada.

▶ **Riesgo de recidiva.** Tras un embarazo molar, es posible tener embarazos normales. Sin embargo, el control de una mujer que ha tenido un embarazo molar debe mantenerse durante por lo menos un año, a fin de detectar una posible reaparición. Por lo tanto, durante este período se desaconseja tener un nuevo embarazo, ya que dificultaría este control.

Mongolismo

VER ▶ TRISOMÍA 21

Monitorización (o monitoreo)

Los progresos de la medicina y de la tecnología han permitido desarrollar toda una serie de sistemas de control de las principales funciones del organismo. El término *monitorización*, derivado del inglés *monitoring*, designa estos sistemas, algunos de los cuales se utilizan para controlar al bebé durante el parto, y más raramente durante el embarazo. La monitorización también es uno de los elementos clave de los centros de reanimación neonatal.

La monitorización sirve, entre otros usos, para supervisar el *ritmo cardíaco fetal*. Los datos se recogen por medio de una sonda de ultrasonidos colocada sobre el abdomen de la madre, a la altura del corazón del feto. Durante la dilatación y tras la ruptura de las membranas, el examen también puede practicarse por medio de un electrodo fijado sobre el cuero cabelludo del bebé.

Los datos obtenidos con el sensor se expresan en un gráfico. El aparato registra instantáneamente las variaciones del ritmo cardíaco del feto y las traduce en frecuencias (latidos por minuto).

▶ **Durante el embarazo.** La supervisión mediante monitores permite controlar el bienestar del bebé, en particular si se ha detectado un *retraso del crecimiento intrauterino* o si la madre sufre una enfermedad que pueda tener repercusiones en él (preeclampsia, enfermedad inmunológica, etc.). Interesa conocer de inmediato una posible ralentización del ritmo cardíaco del bebé y, si fuera necesario, actuar enseguida y acelerar su nacimiento, dado que esta ralentización puede ser indicio de sufrimiento fetal.

▶ **Durante el parto.** La monitorización del feto, que en esta etapa se utiliza de forma continua, permite verificar que el bebé tolera bien las contracciones y que avanza por la pelvis de la madre; se efectúa junto con una *tocografía* (registro de las contracciones del útero).

▶ **En el recién nacido.** En las unidades de reanimación neonatal, la monitorización requiere distintos sistemas de control. Éstos permiten, por ejemplo, tomar la temperatura del cuerpo del bebé y ajustar constantemente la temperatura de la incubadora a sus necesidades, controlar una correcta oxigenación de la sangre (oxímetro de pulso), tomar constantemente su presión arterial... Además de la seguridad que ofrecen estos aparatos, tanto en la detección como en la prevención, se distinguen por su carácter no invasivo: no precisan de ninguna abertura corporal y no producen dolor, aunque todos esos hilos y aparatos eléctricos a veces preocupen a los padres.

En algunos casos (en los bebés que padecen alteraciones del ritmo cardiaco o si existen antecedentes de muerte súbita del bebé) se puede efectuar un control a domicilio por monitorización utilizando aparatos menos voluminosos.

Mórula

Es el huevo fecundado dividido entre 12 y 16 células. El huevo alcanza el estadio de mórula el tercer o cuarto día después de la fecundación, cuando aún se encuentra en la trompa de Falopio, antes de desembocar en la cavidad uterina, donde va a implantarse. Entonces tiene el aspecto de una esfera llena, en forma de mora pequeña (*morula*, en latín), en la que al cabo de poco aparece una cavidad central. En este momento toma el nombre de *blastocito*.

Movimientos del feto

El feto efectúa los primeros movimientos a partir de la quinta semana de embarazo (7 semanas de amenorrea); en esta fase, la madre aún no puede notarlos, pero ya son apreciables en la ecografía.

▶ En general, cuando se trata del primer hijo, la madre no empieza a percibir los movimientos del feto hasta el final del cuarto mes (20 a 22 semanas de amenorrea) y un poco antes (hacia las 18 o 20 semanas de amenorrea) en los hijos siguientes. De hecho, sólo nota tres cuartas partes de los movimientos. También es a partir del cuarto mes cuando el feto puede moverse como reacción ante un estímulo táctil.

En el tercer trimestre, el feto se mueve aproximadamente cada 45 minutos, y sus movimientos a menudo aumentan por la noche. Una disminución inhabitual de los movimientos debe alertar a la madre y dar lugar a una consulta médica, sobre todo al final del embarazo; es falsa la idea tan extendida de que los movimientos del feto disminuyen cuando se acerca el parto.

Muerte súbita del lactante

La muerte súbita del lactante es actualmente la primera causa de mortalidad entre los niños de 1 mes a 1 año. Gracias a los esfuerzos preventivos, su frecuencia ha disminuido sensiblemente. Por lo general, se produce durante el sueño, en un momento en que el niño presenta una parada cardiorrespiratoria refleja. Hoy en día, la causa de la muerte súbita del bebé se puede determinar en cerca de dos tercios de los casos.

▶ **Las posibles explicaciones.** Se pueden adelantar muchas hipótesis, no excluyentes entre ellas, para explicar la muerte súbita del lactante. Puede tratarse de una apnea (parada respiratoria) que se produce durante el sueño, a veces en un bebé prematuro o portador de una anomalía neurológica, pero no siempre. Esta apnea también puede provenir de una hipertonía vagal asociada a un reflujo gastroesofágico. En los bebés de menos de 4 meses que aún no saben respirar por la boca, una obstrucción nasal asociada a una infección de las vías respiratorias superiores puede provocar una parada de la respiración (lo cual justifica el tratamiento local de cualquier rinitis).

Es importante averiguar la causa de la muerte del bebé, dado que ello permite orientar mejor el control de los posteriores embarazos y tomar medidas preventivas apropiadas durante el primer año de vida de los siguientes hijos (tratamiento sistemático del reflujo gastroesofágico y detección y tratamiento de una hipertonía vagal). Sin embargo, en una tercera parte de los casos, los médicos no consiguen encontrar la causa de una muerte súbita, ya que, aparentemente, el bebé estaba sano.

▶ **Apoyo psicológico.** La acogida y el tratamiento de una familia que acaba de sufrir el drama que supone la muerte súbita de un bebé requiere equipos médicos hospitalarios especializados. El apoyo psicológico es fundamental; ayudará a superar esta prueba dolorosa y culpabilizadora a los padres, y también a los hermanos y hermanas; intentará mitigar su desconcierto para permitirles enfrentarse al futuro.

▶ **Prevención.** Hay que aplicar varias reglas preventivas con todos los neonatos:

– acostar al bebé sobre la espalda, en un colchón firme; nunca hay que utilizar un colchón o una almohada demasiado blandos;

– no taparles demasiado, evitar las sábanas y mantas que puedan cubrirles la cabeza y las nanas o sacos de dormir con capucha, dentro de las cuales puede tener demasiado calor; son preferibles los sacos de dormir especiales para bebés;

– tratar sistemáticamente cualquier reflujo gatroesofágico;

– consultar siempre al médico en caso de malestar del bebé (pausa respiratoria, apnea, cambio del color de la tez). Éste intentará determinar la causa y buscará una hipertonía vagal que, en caso de diagnosticarse, será tratada;

– consultar siempre rápidamente al médico cuando un bebé tiene fiebre;

– no dar nunca calmantes ni jarabes sin prescripción médica antes de 1 año de edad. No se deben utilizar nunca los medicamentos que fueron recetados para una enfermedad anterior sin expresa indicación médica.

Multípara

Una mujer que ha dado a luz más de una vez se denomina *multípara*. Se habla de nulípara si no ha dado a luz, y de gran multípara si ha tenido numerosos partos (más de cuatro o cinco).

▶ Si los embarazos y partos precedentes se han desarrollado normalmente, la multiparidad es un elemento muy favorable para el desarrollo del embarazo y del parto en curso; se dice que la pelvis ya ha «pasado varias pruebas».

En cambio, en la gran multiparidad el riesgo de complicaciones durante el parto aumenta: dilatación a menudo más lenta, presentación anormal del feto o hemorragia después del parto por la relajación del útero.

[N, O]

Nalgas (presentación de)

Cuando el feto se presenta con las nalgas por delante, se habla de *presentación de nalgas*. Esta posición puede verse favorecida por un exceso de líquido amniótico, un obstáculo hacia la salida (**placenta previa**, por ejemplo), varios partos previos que hayan distendido la pared del útero...

▶ Si el feto está sentado con las piernas cruzadas hacia la salida del útero, se habla de *nalgas completas*. Si tiene las piernas estiradas y recogidas hacia el busto, se habla de *nalgas incompletas*. El parto de nalgas implica un proceso particular; la parte más voluminosa y que apenas se puede comprimir del bebé es la cabeza, que sale al final en caso de parto de nalgas. En cada caso, el equipo médico valora la posibilidad de que el parto sea por vía natural.

Al final del embarazo, el médico puede solicitar una radiografía llamada **radiopelvimetría** para comprobar que la pelvis de la madre no sea un obstáculo para el nacimiento, debido a su tamaño reducido o a una forma poco habitual. En esos casos, se propone practicar una cesárea de forma sistemática.

Náuseas

Las náuseas forman parte de los trastornos fisiológicos del inicio del embarazo y están asociadas a la impregnación hormonal que se produce en este período (sobre todo a la hormona del embarazo llamada HCG).

▶ A veces las náuseas van acompañadas de vómitos. Aparecen cuando se retrasa la menstruación, y generalmente persisten hasta finales del tercer mes, o incluso hasta el final del embarazo. Son más frecuentes en caso de embarazo múltiple.

En general, se trata de un problema benigno, contra el cual el médico puede recetar medicamentos antieméticos. Sin embargo, a algunas mujeres las náuseas pueden impedirles alimentarse normalmente, lo cual en ciertos casos requiere una hospitalización.

Es poco habitual que las náuseas sean muy fuertes o persistentes acompañadas de vómitos. Pueden ser la manifestación de una afección asociada o no al embarazo: mola hidatiforme, apendicitis, gastroenteritis...

Neonatología

La neonatología tiene por objeto el estudio del feto y del recién nacido antes, durante y después del nacimiento, hasta el 28º día de vida.

▶ Esta especialidad médica se interesa tanto por el bebé normal como por el bebé afectado por enfermedades más o menos graves (malformaciones, anomalías del desarrollo debidas a la *prematuridad* o a otras causas). Los neonatos afectados por estas enfermedades requieren atención hospitalaria en unidades especializadas, un control continuo y, en un porcentaje reducido, curas intensivas de reanimación.

Obstrucción mamaria

Es una complicación frecuente y benigna de la lactancia. La obstrucción mamaria se presenta preferentemente al comienzo de la lactancia, sobre todo durante la subida de la leche.

▶ Al comienzo de la lactancia, es posible que el neonato no succione con bastante fuerza los pechos de la madre. No los vacía por completo, de modo que éstos se mantienen duros y tensos, y duelen. En este caso, la madre puede presentar una fiebre moderada (38 °C). El tratamiento consiste en dar el pecho muy a menudo al bebé, aplicar cataplasmas locales y presionar los pechos alrededor de las areolas para vaciarlos.

Oligoamnios

Se habla de oligoamnios cuando la cantidad de *líquido amniótico* en el que se baña el feto es insuficiente respecto a lo avanzado del embarazo. No obstante, al final del embarazo la cantidad de líquido amniótico disminuye proporcionalmente al incremento de volumen del feto, lo cual es un proceso fisiológico.

▶ El oligoamnios puede levantar sospechas durante una consulta: cuando el útero es más pequeño de lo que correspondería al período teórico del embarazo y el feto tiene poco líquido. El diagnóstico se confirma mediante ecografía.

Un oligoamnios puede ser indicio de una malformación de los riñones o del sistema urinario del feto, que le impida orinar normalmente. A veces revela un sufrimiento fetal o está asociado a una ruptura prematura de las membranas.

El oligoamnios también puede producirse al *final del embarazo*. En este caso, no hay retraso del crecimiento, pero la anomalía puede revelar un inicio de sufrimiento fetal que obliga a provocar el parto. El cálculo de la disminución de líquido amniótico es, por lo tanto, un elemento muy importante en el seguimiento del final del embarazo.

La cantidad de líquido amniótico depende del estado de hidratación del feto y, por tanto, del de la madre. Por consiguiente, no es sorprendente, en caso de que el líquido sea poco abundante y sin anomalí-as, que el ecógrafo recomiende a la madre hidratarse bien antes de un examen.

Ovario

La mujer tiene dos ovarios, que son sus glándulas genitales. Junto con las trompas de Falopio y el útero constituyen el aparato genital femenino interno.

▶ Los ovarios se encuentran bajo las trompas de Falopio, a ambos lados del útero. Tienen dos funciones. En primer lugar, contienen los folículos, pequeñas vesículas donde los ovocitos se transforman en óvulo. El ovario libera un óvulo cada mes entre la pubertad y la menopausia. Además, producen las hormonas sexuales femeninas: los *estrógenos* y la *progesterona*.

Ovocito

VER ▶ ÓVULO

Ovulación

Es la liberación por el ovario de un ovocito (célula sexual femenina) que ha alcanzado la maduración. Entonces el ovocito adquiere el nombre de *óvulo.*

▶ La ovulación comienza en la pubertad y continúa hasta la menopausia; se produce durante cada *ciclo menstrual*. Por lo general, tiene lugar en el punto más bajo de la curva de temperatura, antes de la ascensión por encima de 37 °C, es decir, en el decimocuarto día (en un ciclo de 28 días).

Óvulo

Esta célula femenina de la reproducción es liberada por el ovario cada mes, en el decimocuarto día del ciclo menstrual (en un ciclo de 28 días).

▶ El óvulo es producto de la maduración de un ovocito. Los ovocitos se forman durante la vida fetal:

al nacer, los ovarios del bebé niña contienen cerca de 300 000 ovocitos. Sólo 300 o 400 de ellos llegarán a la madurez entre la pubertad y la menopausia, y se convertirán en óvulos susceptibles de ser fecundados. El óvulo se aloja en una especie de pequeño quiste de la pared del folículo ovárico (la cavidad del ovario donde se desarrolla). Éste se rompe en el 14° día del ciclo (en un ciclo de 28 días), y lleva a cabo la ovulación. Entonces, el óvulo es atrapado por los cilios del pabellón de la trompa uterina y, por el interior de la trompa, de dirige hacia el útero. En esta fase puede ser fecundado por un espermatozoide y convertirse en un huevo.

Oxitocina

La oxitocina es una hormona segregada por el hipotálamo y almacenada en una de las glándulas del cerebro, el lóbulo posterior de la hipófisis.

▶ Es un poderoso estimulante del músculo uterino. Interviene en el desencadenamiento del parto y durante la dilatación por medio de unos mecanismos aún no del todo explicados. También interviene en la lactación, y el hecho de mamar estimula su secreción. Ello explica la intensificación de las contracciones, o *cólicos uterinos*, después del parto, cuando el bebé está mamando.

La oxitocina de síntesis o Syntocinon®, se utiliza habitualmente en obstetricia en forma inyectable para provocar la dilatación en determinadas circunstancias. También se usa a menudo para regular las contracciones uterinas a fin de hacer avanzar la dilatación del cuello y permitir un parto por la vía natural. Por último, inyectada después del parto, permite asegurar una buena retracción del útero disminuyendo la abundancia de los sangrados. No obstante, debe utilizarse bajo un control estricto de las dosis y de su efecto, dado que una sobredosis o un control deficiente pueden comportar complicaciones.

VER ▶ PARTO PROVOCADO

Paño

VER ▶ CLOASMA

Parto

Es el conjunto de los fenómenos que conducen al nacimiento del niño y, acto seguido, a la expulsión de los anexos (placenta, cordón umbilical y membranas), los elementos que han unido el feto a la madre durante el embarazo. Consta de tres fases: la dilatación, la expulsión y el alumbramiento.

▶ **Las tres fases.** La dilatación es la primera fase del parto, y consiste en un período de contracciones asociadas a la dilatación del cuello del útero. Cuando éste ha alcanzado la dilatación completa (10 cm), el bebé entra en la pelvis ósea. Entonces se dice que el bebé está *encajado* en la pelvis. A partir de ahora, la *parturienta* siente ganas de empujar. Para que sus esfuerzos sean eficaces, deberá seguir los consejos de la comadrona o del ginecólogo; ello evitará, entre otras cosas, un desgarro del *perineo*. Cuando el bebé aparece, asoma por la vulva y es expulsado. Es el nacimiento propiamente dicho. A continuación viene un período breve de calma, seguido por la reanudación de las contracciones. Entonces la placenta se desprende del útero. La salida de los anexos, la tercera y última fase del parto, se denomina *alumbramiento*.

▶ **La presentación.** Es la posición en la que se presenta el feto durante el parto. En la gran mayoría de casos (95 a 96%), los bebés nacen de cabeza. Existen diversas variantes de presentación por la cabeza, en función de la posición: presentación de cráneo, de cara o de frente. La presentación de cráneo es la más frecuente; normalmente, el bebé nace con la cara hacia abajo (dirigida hacia el ano materno).

Las otras presentaciones posibles son *de nalgas* (3 a 4% de los nacimientos) y, con menor frecuencia, de hombro (presentación también llamada *transversal*). Una presentación de hombro siempre requiere un parto por *cesárea;* como el niño está en posición transversal, no puede franquear la pelvis ósea de la madre.

▶ **Parto difícil (o distocia).** Cuando el parto se desarrolla normalmente, se habla de *eutocia*. En el caso contrario, se trata de una *distocia*, sea cual sea la dificultad existente. Las causas de la distocia son diversas. La dificultad para dar a luz puede deberse a la madre y estar asociadas a la pelvis (entonces se habla de distocia ósea), a las contracciones uterinas (distocia dinámica) o a la dilatación del cuello del útero (distocia cervical). También puede derivar del feto: si es demasiado grande o su presentación complica la extracción. Cuando no puede afrontarse una dificultad con una extracción instrumental, la única solución es que el niño nazca por cesárea.

VER ▶ FINAL DEL EMBARAZO

Parto provocado

Se trata de un parto provocado por la intervención del médico. De hecho, el parto puede ser provocado artificialmente, ya sea por motivos médicos (a causa del estado de salud de la madre o del feto), ya sea a petición de la futura madre (provocado «por conveniencia»).

▶ Existen numerosas técnicas para la provocación, que van desde el uso de un globo que ocasiona una dilatación forzada del cuello del útero, hasta la toma de medicamentos.

En la actualidad, los tres métodos más utilizados son la amniotomía, que consiste en romper artificialmente el saco amniótico, la perfusión de oxitocina (hormona que induce las contracciones) y la aplicación local de prostaglandinas, que tienen un efecto de maduración en el cuello y pueden inducir el inicio de la dilatación. Estas distintas técnicas pueden asociarse.

El parto provocado «por conveniencia» sólo puede practicarse si no comporta más complicaciones que un parto espontáneo. Por tanto, deben cumplirse ciertas condiciones. Debe haberse llegado al *final del embarazo* para evitar cualquier complicación respiratoria en el neonato, y el cuello debe estar a punto para el parto (es decir, corto y abierto), para evitar un riesgo mayor de *cesárea*.

Parturienta

Una parturienta es una mujer que está dando a luz. Es un término poco utilizado, actualmente. Ahora los médicos prefieren la expresiones «mujer que está de parto» o «mujer en labor de parto», que se consideran más explícitas.

Pechos

Los pechos están constituidos por un tejido graso y glandular sostenido por la piel y por una red fibrosa. Su aumento de volumen es uno de los indicios del embarazo.

⬤ Los canales galactóforos procedentes de las glándulas que segregan la leche convergen en el pezón, que está rodeado por una zona pigmentada llamada *areola*.

Desde el inicio del embarazo, los pechos aumentan de volumen. Pueden llegar a doler; esta molestia, normalmente pasajera, desaparece al final del primer trimestre. Durante los dos últimos trimestres del embarazo continúan desarrollándose, y aumenta el relieve de los pezones;

la ausencia de relieve (se habla de pezones umbilicados) en algunos casos puede dificultar la lactancia.

Justo después del parto, o a veces antes, las glándulas del pecho producen un líquido seroso, el calostro, que precede a la subida de la leche. En general, ésta llega al tercer día, bajo la influencia de una hormona, la *prolactina.* En este caso, durante el embarazo puede ser útil preparar el pezón con un masaje o con un dispositivo de estiramiento.

Durante el embarazo, la *radiografía* de los pechos (mamografía) está contraindicada debido al peligro potencial que suponen los rayos X para el feto. Se prefiere la ecografía-Doppler mamaria.

Ver ► OBSTRUCCIÓN MAMARIA, LINFANGITIS, DESTETE

Pelvis

Ver ► PELVIS LIGAMENTOSA

Pelvis ligamentosa

Los órganos genitales femeninos internos están situados en el seno de la pelvis ósea, donde constituyen, junto con la vejiga y el recto, una zona llamada *pelvis ligamentosa* o *pelvis.*

⬤ En la mujer, los órganos de la pelvis ligamentosa son vejiga, el útero (situado entre la vejiga, por delante, y el recto, por detrás), los ovarios y las trompas de Falopio y la vagina, que se abre hacia el exterior, en una zona llamada *perineo* (esta abertura se encuentra bajo el orificio urinario, junto a la vulva).

Pelvis ósea

La pelvis ósea, situada debajo del abdomen, es una cintura ósea a la que están unidos los miembros inferiores. Sostiene la columna vertebral. Durante el embarazo, el feto se desarrolla en el útero, sobre la pelvis ósea.

⬤ La pelvis está formada por el sacro y el cóccix por detrás, y por los huesos ilíacos a los lados y por delante. Delimita una amplia cavidad en forma de embudo, en la que se distingue la pelvis mayor (debajo del abdomen) y la pelvis menor (que alberga la vejiga y los órganos genitales internos). La pelvis femenina, en general, es más ancha que la del hombre, lo que la hace más adaptada a la maternidad.

Ver ► RADIOPELVIMETRÍA

Percentiles

Los percentiles representan una centésima parte en concreto (porcentajes) de una población dividida en centésimas partes según un criterio dado, y son representados en una curva.

⬤ El sistema de cálculo estadístico de medidas efectuadas durante la ecografía, o biometría, permite su distribución en porcentajes. Así, un 90% de los fetos se sitúa entre el 10º y el 90º percentil, mientras que la media corresponde al 50º. Ello no significa que el bebé sea anormal por debajo del 10º o por encima del 90º percentil, sino que está en zona de vigilancia, que debe valorarse en función del contexto. De forma abusiva, a veces se utiliza la imagen de un bebé grande por encima del 90º percentil, lo cual no significa que se trate de un gigante o de un bebé enorme, sino de un cálculo estadístico de un bebé normal. Algunos equipos médicos fijan el umbral en el 3º o en el 97º percentil para aumentar la pertinencia.

Ver ► CÁLCULO DEL PESO FETAL

Peridural

Ver ► EPIDURAL

Perímetro abdominal

Ver ► CÁLCULO DEL PESO FETAL

Perímetro cefálico

VER ► CÁLCULO DEL PESO FETAL

Perímetro craneal del neonato

La medición del perímetro craneal (medida de la circunferencia de la cabeza) es una de las mediciones que se efectúan en el primer examen del neonato, unas horas después del nacimiento o al día siguiente.

▶ Al nacer, el perímetro craneal del bebé es de unos 35 cm. Pero no te preocupes si la medida que da tu bebé no es exactamente de 35 cm: ésta es sólo la media. Algunos bebés, al nacer, tienen la cabeza más grande o más pequeña, sin que ello constituya una anomalía.

Perineo (o periné)

Es la región del cuerpo que forma el suelo de la pelvis ligamentosa, donde se encuentran los órganos genitales externos y el ano.

▶ El orificio del perineo está casi totalmente obturado por músculos y aponeurosis, unas membranas resistentes formadas por fibras. En la mujer, el perineo (en posición ginecológica) se presenta como una zona triangular. Por delante está la vulva y por detrás, el borde del ano, separados por un puente cutáneo. Entre la vulva y el ano se encuentra la zona fibrosa que constituye un elemento de soporte esencial de los órganos genitales internos; la destrucción de esta zona propicia el desplazamiento de órganos (prolapso).

No es raro que el perineo se rasgue durante el parto. Esta rasgadura es más frecuente en caso de anomalía morfológica (distancia demasiado corta entre el ano y el pubis, mala calidad de los tejidos) y edema (retención de agua en los tejidos). Por ello, en muchos casos, durante el parto se efectúa un corte quirúrgico en el perineo *(episiotomía),* para prevenir el desgarro.

VER ► REEDUCACIÓN DEL PERINEO

Pielonefritis

La pielonefritis es una infección de la pelvis y del tejido intersticial de un riñón o, más raramente, de los dos. En las mujeres embarazadas, a menudo constituye una *cistitis* no tratada. La mejor prevención posible es detectar y curar lo antes posible cualquier infección de la vejiga.

▶ La pielonefritis es una complicación relativamente frecuente del embarazo, puesto que afecta a cerca del 9% de las mujeres embarazadas, normalmente durante el tercer trimestre. Se trata de una afección grave, que puede causar un aborto espontáneo o un parto prematuro.

Una pielonefritis se manifiesta en primer lugar mediante signos idénticos a los de la cistitis, a veces poco intensos: necesidad frecuente e imperiosa de orinar, ardor durante la micción y orina turbia. Después aparece una fiebre alta (38-39 °C) y escalofríos, asociados a un intenso cansancio y a dolores de intensidad variable, generalmente situados en la parte inferior de la espalda, en un solo lado.

Si presentas estos signos, tu médico te prescribirá un examen citobacteriológico de la orina (ECBU), que permitirá detectar la bacteria responsable de la infección. El tratamiento se basa en la prescripción de antibióticos, en general administrados por perfusión durante una hospitalización, y más adelante tomados por vía oral, durante 10 o 15 días. En caso de contracciones o de riesgo de parto prematuro, estas complicaciones también son tratadas.

VER ► ANÁLISIS DE ORINA

Placenta

En el seno de la placenta se efectúan los intercambios entre la madre y el hijo, gracias al contacto íntimo, pero no directo, entre la sangre de la madre y la del feto. Así se asegura el crecimiento del bebé.

▶ Junto al líquido amniótico, las membranas y el cordón umbilical que están unidos a ella, la placenta forma parte de los denominados *anexos* del feto.

Es un órgano que se produce al mismo tiempo que el embrión y que posee la misma identidad genética que él; se inserta en el útero a partir del sexto día después de la fecundación. Está formado por la unión de membranas de origen materno (caduca) y fetal *(trofoblasto).* Consta de una cara materna carnosa (en contacto con el útero) y una cara fetal lisa, donde se inserta el cordón; de todo el contorno de la placenta salen membranas, que forman una esfera, la cual contiene el feto y el líquido amniótico *(bolsa* o *fuente de las aguas).*

La placenta está completamente formada en el quinto mes de embarazo, momento a partir del cual crecerá, ya sin modificar su estructura. A los 9 meses, la placenta tiene la forma de un disco de 15 a 20 cm de diámetro y de 2 a 3 cm de grosor. Su peso es proporcional al del niño: cerca de una sexta parte de éste, es decir, una media de 500 a 600 g en el momento de la expulsión.

La placenta constituye una barrera protectora para el futuro bebé, al que protege filtrando ciertas bacterias, parásitos y medicamentos. Pero esta función de filtro es imperfecta, puesto que todos los virus la cruzan. Por último, la placenta segrega la hormona del embarazo, necesaria para una buena evolución de la gestación.

Después del nacimiento del hijo, prosiguen las contracciones. Ello permite la expulsión de la placenta de la cavidad uterina (proceso denominado *alumbramiento).* La comadrona la examina atentamente, para comprobar que ha sido expulsada toda entera.

Placenta *accreta*

Se habla de *placenta accreta* cuando la placenta se fusiona con la pared del útero. Este problema impide que la placenta se desprenda del útero durante el *alumbramiento,* y expone a la parturienta a un mayor riesgo de hemorragia. A menudo debe efectuarse una intervención urgente para que la madre quede fuera de peligro (embolización, cirugía), e incluso puede ser necesaria la ablación del útero (histerectomía).

▶ Se distinguen diferentes tipos de *placenta accreta,* según la importancia de la penetración de la placenta en el músculo uterino. En los casos más graves (llamada *placenta percreta*), se ve invadida la totalidad de la pared del útero e incluso los órganos contiguos.

Las causas de esta afección a menudo se desconocen. La *placenta accreta* es más frecuente en caso de placenta previa, otra anomalía placentaria, y en caso de antecedentes de cesárea y de sinequia (fusión de las paredes del útero). Por este motivo, debido al elevado número de cesáreas que se practican, esta afección poco común (0,5 a 1 embarazo de cada 1 000) va en aumento.

Placenta previa

Por lo general, la placenta se implanta en el fondo del útero. Pero si se sitúa cerca del orificio del cuello del útero, constituyendo un obstáculo para la salida del bebé durante el parto, se habla de *placenta previa.* Esta anomalía afecta a 1 embarazo de cada 200, aproximadamente, pero su frecuencia va en aumento debido al número creciente de cesáreas, que favorecen la implantación de la futura placenta en la cicatriz uterina y, por tanto, cerca del cuello del útero.

▶ **Una situación susceptible de evolucionar.** La situación de una placenta previa (denominada «de implantación baja» en ecografía) puede evolucionar durante el embarazo. Una placenta de implantación baja en la ecografía del segundo trimestre puede alejarse del orificio del cuello cuando el útero aumenta de volumen. Para determinar la situación de la placenta con mucha más precisión se practica una ecografía endovaginal (con la sonda directamente dentro de la vagina).

▶ **Riesgo de sangrados.** Si la placenta permanece implantada en la parte baja del útero, los riesgos de sangrado son importantes, sobre todo en el tercer trimestre. El ginecólogo puede prescribir medidas preventivas: descanso y reducción de actividades cotidianas, para evitar la aparición prematura de contracciones y hemorragias. Es imperativo consultar urgentemente ante la menor alerta (pérdida de sangre, contracciones), ya que las *metrorragias* a menudo son muy intensas e imprevisibles; pueden requerir hospitalización hasta el parto y un parto antes de los 9 meses.

▶ **Los efectos en el parto.** Cuando la placenta cubre totalmente el orificio de salida se habla de *placenta envolvente,* y el parto sólo puede producirse por cesárea. Cuando la placenta sólo está cerca de la salida (placenta previa marginal), a veces es posible el parto por vía natural, pero no se garantiza que evolucione correctamente.

Placenta envolvente

VER ▶ PLACENTA PREVIA

Postparto

VER ▶ PUERPERIO

Preeclampsia

Esta complicación del embarazo se manifiesta con *hipertensión arterial, albuminuria* y retención de agua en los tejidos (edemas), lo que conlleva un aumento de peso excesivo. A veces puede ser grave para la madre y para el hijo, lo cual justifica un control sistemático (en cada consulta prenatal) de la albuminuria (análisis de orina realizado con una tira reactiva) y de la tensión arterial.

▶ **Causas poco conocidas.** El origen de la preeclampsia, también llamada *toxemia gravídica,* aún es poco conocido y probablemente se asocia a factores inmunológicos. Se trata de una afección relativamente frecuente, dado que se produce aproximadamente en el 5% de los embarazos. Aparece más a menudo en caso de ser el primer embarazo, de embarazo múltiple, de *diabetes,* de obesidad, así como en las mujeres de menos de 18 años y de más de 40. La preeclampsia, en general, comienza durante el tercer trimestre de embarazo. En un primer momento puede ser moderada o grave.

▶ **Posibles riesgos.** Afectan tanto al feto como a la madre. En el feto, la preeclampsia puede ser responsable de un retraso del crecimiento intrauterino; también implica un mayor riesgo de muerte del feto en el útero. En la madre existe el riesgo de agravación de la hipertensión arterial, susceptible de afectar a los riñones, al hígado o al cerebro, provocando secuelas a veces irreversibles. Las complicaciones mayores son la aparición de una *eclampsia* o un *hematoma retroplacentario.*

Si tu médico detecta albuminuria, un aumento anormal de la tensión o la presencia de edemas, te prescribirá ciertos exámenes biológicos complementarios para confirmar el diagnóstico y evaluar la gravedad de la afección: medición del índice de ácido úrico en la sangre, estudio de la función renal, recuento de las plaquetas de la sangre, medición del índice de enzimas hepáticos, etc. La sensación como de tener moscas ante los ojos, el zumbido en los oídos, dolor en la zona del estómago..., todos ellos son síntomas graves, que apuntan a un empeoramiento de la afección.

▶ **Los tratamientos.** Una preeclampsia requiere un control médico estricto; puede ser necesaria la hospitalización. El tratamiento consiste en hacer bajar la tensión, por lo que se recomienda descanso y, tal vez, medicamentos hipotensores. En ciertos casos, la gravedad de la afección puede justificar una reanimación intensiva y practicar una cesárea urgente. Después del parto, la preeclampsia desaparece rápidamente y de forma espontánea. No reaparece sistemáticamente en un embarazo ulterior.

Prematuridad

Se dice que un niño es *prematuro* si nace antes del inicio del noveno mes de embarazo (37 semanas de amenorrea). En España, cerca del 8% de los niños nacen prematuros. Por otra parte, el número de bebés prematuros nacidos a las 32 semanas de amenorrea (o menos) ha aumentado, pero este fenómeno está asociado sobre todo a los progresos de la reanimación neonatal, que ahora permite mantener con vida a bebés nacidos muy pronto, a veces a partir de los 5 meses de embarazo (24 semanas de amenorrea).

▶ **Señales de alerta y posibles causas.** La amenaza de parto prematuro se traduce o bien en la abertura del cuello del útero, asociada o no a contracciones, o bien en una ruptura prematura de la bolsa de las aguas, con flujo del líquido amniótico.

Las causas de la prematuridad son múltiples. Puede tratarse de una anomalía asociada al contenido uterino (embarazo múltiple, placenta previa, *hidramnios*...). También puede ser una afección de la madre, ya sea local (malformación del útero, exposición al dietilestilbestrol, abertura del cuello del útero), ya sea general (infección, preeclampsia, diabetes, alteración del estado general, actividad física inadaptada...).

▶ **Prevención y tratamiento.** En caso de riesgo de parto prematuro, el médico recomienda reposo y, si es posible, trata la afección. Cuando el problema está asociado al cuello del útero (abertura del cuello, exposición al dietilestilbestrol), un *cerclaje* también puede prevenir un parto prematuro.

En caso de amenaza real, a veces se administra un tratamiento medicamentoso (betamiméticos, antiinflamatorios, inhibidores cálcicos, inhibidores de la oxitocina...). Pero el principal progreso de estos últimos años es la utilización médica de medicamentos glucocorticoides, que permiten acelerar la maduración pulmonar del feto. Si es necesario, se recetan a partir de las 24-25 semanas de amenorrea.

▶ **Después del nacimiento.** A partir del final del octavo mes de embarazo, los pulmones del feto están lo bastante desarrollados para que pueda respirar correctamente de forma autónoma. Pero el recién nacido que llega al mundo antes de esta fecha, en concreto antes de 34 semanas de amenorrea, puede estar afectado por la enfermedad de las membranas hialinas (afección broncopulmonar que puede provocar una asfixia progresiva). Cuanto más prematuro es el niño, menos elaboradas son sus funciones respiratoria, cardiovascular, neurológica y digestiva.

Actualmente, los progresos de la reanimación al nacer permiten garantizar la supervivencia del bebé cuando su vida apenas es viable, pero con un alto riesgo de mortalidad o de consecuencias muy graves.

El neonato debe ser tratado por un equipo especializado a fin de estar asistido las 24 horas del día. La larga separación que implican estos cuidados específicos constituye una dura prueba para los padres y para el propio niño. Por ello, el verdadero tratamiento de la prematuridad reside en la prevención de los factores de riesgo a lo largo de todo el embarazo.

Ver ▶ **MONITORIZACIÓN**

Primípara

Este término designa a una mujer que da a luz por primera vez. Cuando una mujer ha dado a luz más de una vez se dice que es *multípara*.

Progesterona

Esta hormona es segregada durante la segunda fase del *ciclo menstrual* y durante el embarazo. Su principal función es favorecer la nidación del *óvulo* fecundado en la pared del útero, además de la gestación.

▶ La progesterona es segregada por el *cuerpo lúteo* o *amarillo* (folículo ovárico que ha expulsado el óvulo) durante la segunda fase del ciclo menstrual, por la placenta durante el embarazo y, en menor grado, por las glándulas corticosuprarrenales y los ovarios.

Durante el embarazo, la progesterona ejerce un efecto relajante en el útero, aumenta las secreciones del cuello uterino, mantiene la vascularización de la mucosa uterina y prepara las glándulas mamarias para la lactancia.

Una insuficiencia en la secreción de progesterona puede ser responsable de una incapacidad para concebir (dificultad para obtener la nidación del huevo). Esta insuficiencia se trata mediante la administración de progesterona durante la segunda fase del ciclo menstrual.

Prolactina

La prolactina es una hormona segregada por la parte anterior de la hipófisis que permite el inicio y el mantenimiento de la lactancia (secreción de leche por los pechos de la madre).

▶ Si se desea alimentar al bebé con leche artificial, mediante biberón, el médico puede recetar un medicamento inhibidor de la producción de esta hormona. En caso de contraindicaciones (por ejemplo, si la madre sufre hipertensión), la prevención de la subida de la leche se llevará a cabo restringiendo las bebidas, con un vendaje y vaciando manualmente los pechos, evitando dar el pecho al bebé o usando un sacaleches, dado que la estimulación del pezón es lo que favorece la segregación de prolactina.

Prueba de embarazo

El principio de las pruebas de embarazo consiste en detectar, en la sangre o en la orina, la presencia de la *hormona del embarazo* (HCG). El organismo de la mujer la produce a partir del momento en que está embarazada.

▶ **Las pruebas realizadas con orina.** Se venden sin receta en farmacias. Se pueden hacer a partir del segundo o tercer día del retraso de la menstruación. Se trata de pruebas que efectúa la propia usuaria, poniendo orina reciente en contacto con una sustancia que adopta un color determinado en caso de embarazo. Estas pruebas no son fiables al 100%: los falsos resultados negativos se deben tanto a errores de manipulación, como a que el embarazo sea demasiado reciente para ser detectado; los falsos resultados positivos son menos frecuentes, y pueden deberse a una infección urinaria o al empleo de ciertos medicamentos.

▶ **Los tests efectuados con una muestra de sangre.** Se realizan en laboratorio, pueden efectuarse a partir del noveno día tras la fecundación; por tanto, antes de un retraso de la regla, y son fiables en un 100%. Estas pruebas son reembolsadas por la Seguridad Social si las prescribe un médico.

Puerperio

Este período, también denominado *postparto*, se extiende desde el día del parto hasta el *retorno de la menstruación*.

▶ El período del puerperio es muy agotador para la madre: descubrimiento del hijo, falta de sueño debida a las tomas, que son muy frecuentes, y la nueva modificación del organismo en los planos anatómico y hormonal. Durante este período, los órganos genitales recuperan progresivamente su estado anterior y, en caso de lactancia, comienza la lactación. En esta fase es muy importante el apoyo de la familia y amigos, tanto desde el punto de vista material como psicológico.

▶ **Modificaciones fisiológicas y cicatrizaciones.** El útero recupera sus dimensiones iniciales al cabo de unos dos meses; el cuello del útero se vuelve a cerrar hacia el vigésimo día. En caso de parto por cesárea, el útero necesita unos 30 días de media para cicatrizar.

La vagina se retracta y reanuda sus secreciones fisiológicas al cabo de 15 días (en caso de lactancia, más tarde). La vulva y el perineo recuperan su tono anterior de forma progresiva; la vuelta a la normalidad es facilitada por las sesiones de *reeducación del perineo*, alrededor de 6 a 8 semanas después del parto. Si se ha practicado una episiotomía, estará completamente cicatrizada al cabo de unos 15 o 20 días.

La lactancia, que se inicia tras la emisión del *calostro*, se produce con la subida de la leche, hacia el tercer día después del parto.

▶ **El control en la maternidad.** El período del puerperio es objeto de un control estricto. La comadrona o el ginecólogo comprueban la correcta involución (disminución del volumen) del útero, el aspecto y la abundancia de los *loquios* (pérdidas de sangre después del parto), la cicatrización en caso de episiotomía, y controlan la evolución de la lactancia. Por último, también se aseguran de que el estado psicológico de la madre sea bueno (detección de un posible estado depresivo).

VER ▶ *BABY BLUES,* RETORNO DE LA MENSTRUACIÓN, DESTETE

[R]

Radiografía y embarazo

La radiografía se basa en la utilización de rayos X y permite visualizar las estructuras calcificadas del organismo (huesos), así como determinados tejidos. Dado que la exposición de un embrión o de un feto a los rayos X puede dar lugar a malformaciones, durante todo el embarazo se opta por la *ecografía*.

▶ La exposición de un feto a los rayos X puede ocasionar una mutación en sus genes, sobre todo en caso de radioterapia (durante la cual se emite una cantidad importante de rayos X); en cambio, en caso de radiografía, el riesgo es excepcional. Sin embargo, por precaución, si se debe practicar imperativamente una radiografía en una mujer embarazada, se protege su abdomen con un tablero de plomo y se limita el número de clichés.

▶ **En el primer trimestre.** El período más peligroso para el futuro bebé es el inicio del embarazo: el período de la embriogénesis, a lo largo de la cual se forman sus órganos; en ese momento, el riesgo de mutación puede dar lugar a malformaciones. Por ello, si no se toman anticonceptivos, para mayor seguridad, la mayoría de exámenes radiológicos de fuerte potencial de irradiación de la zona del útero deben practicarse en los diez días después del primer día de la menstruación, y siempre antes de cualquier nueva posibilidad de fecundación.

En caso de irradiación del embrión en los primeros meses de embarazo (sobre todo cuando se ha realizado una radiografía justo al principio del embarazo, cuando la mujer aún no sabía que estaba embarazada), se intenta determinar la fecha de la radiografía en relación con la de fecundación y el número de clichés realizados, y se calcula la dosis de rayos

X que se ha administrado. Una ecografía permitirá descartar riesgos de malformación.

▶ **En el segundo y tercer trimestre.** El riesgo para el niño disminuye a medida que avanza la gestación. Entonces, es posible efectuar clichés de la pelvis ligamentosa (urografía intravenosa en caso de enfermedad de los riñones, por ejemplo), limitando el número de clichés. Por el mismo motivo, los clichés de pelvimetría, que sirven para tomar las medidas de la pelvis en previsión del parto, se efectúan después del octavo mes de embarazo.

Radiopelvimetría

Se trata de radiografías practicadas en la mujer embarazada al final del embarazo (finales del octavo mes e inicio del noveno). Permiten medir las dimensiones de su pelvis ósea y comprobar si el parto se puede efectuar por vía natural o si requerirá una cesárea.

Durante la radiopelvimetría, los diferentes diámetros por los que el niño debe pasar se miden mediante varios clichés; los resultados se comparan con normas y dimensiones del feto, que se han calculado a partir de la ecografía.

Este examen puede ser practicado por radiología convencional (rayos X) o por escáner y es totalmente indoloro. Se prescribe en caso de duda sobre las dimensiones y la forma de la pelvis, cuando hay antecedentes de cesárea, si el feto se presenta de nalgas y en ciertos casos de embarazo de gemelos.

Ver ▶ cálculo del peso fetal

Raquianestesia

Esta anestesia locorregional, es decir, limitada a una región del cuerpo, al igual que la *epidural*, permite permanecer consciente.

▶ Cuando se programa una cesárea antes del inicio del parto o se decide sin que exista una urgencia extrema, a menudo se recorre a una raquianestesia. Se trata de una técnica similar a la epidural y, en este caso, la madre también puede estar consciente durante el nacimiento de su bebé. Sin embargo, presentan ciertas diferencias: la simplicidad técnica (la anestesia es inyectada en una sola vez en el líquido cefalorraquídeo) y la duración de la analgesia que comporta (de 1 a 2 horas).

Las contraindicaciones son las mismas que en la epidural: no se puede aplicar, entre otros casos, si existen problemas de coagulación de la sangre.

Rayos ultravioleta

Ver ▶ FOTOTERAPIA

Reeducación del perineo

Durante el parto, se produce un estiramiento importante de los músculos del *perineo* y de la vagina, que puede dar lugar a *incontinencia urinaria* (pérdidas involuntarias de orina). La reeducación de los músculos del perineo tiene por objeto prevenir o tratar este problema.

▶ **¿Qué ventajas presenta?** Es importante efectuar una reeducación del perineo después de un parto, incluso si ha sido por cesárea, dado que el embarazo altera la tonicidad del perineo.

Si no se realiza la reeducación, se puede producir incontinencia urinaria. Si se acompaña de un prolapso (descenso de un órgano), puede requerir una intervención quirúrgica en el período de la menopausia.

▶ **Diferentes métodos.** Durante la visita médica postnatal, el ginecólogo o la comadrona efectúan un cálculo de la calidad de contracción de los músculos del perineo. En función del resultado, te orientarán hacia un tipo u otro de reeducación: quinesioterapia clásica o *biofeedback* (técnica que precisa de cierto instrumental, que registra y transcribe las funciones que se deberá controlar y modificar), electroestimulación mediante una sonda, el CDP (conocimiento y dominio del perineo...). Esta reeducación consta de diez sesiones a lo largo de 6 a 8 semanas después del parto; en este momento son más eficaces.

Si después de algunas sesiones tus músculos han recuperado el tono, la reeducación continúa con un trabajo de los abdominales. Pero nunca se debe empezar trabajando los abdominales, ya que ello podría empeorar el estado del perineo.

▶ **Casos particulares.** Algunas situaciones durante el embarazo y el parto constituyen un riesgo mayor de alteración del perineo y requieren una reeducación intensiva, a veces asociada a una preparación antes del parto: pérdidas de orina o aumento excesivo de peso durante el embarazo, antecedente de traumatismo del esfínter del ano; y después del parto: malformación del perineo, dar a luz a un bebé grande, extracción del bebé con fórceps, desgarro del perineo durante el parto, etc.

Reflujo gastroesofágico

En ocasiones, las secreciones ácidas del estómago suben por el esófago y la garganta, normalmente después de las comidas. Este reflujo gastroesofágico, que no es una afección grave, es muy frecuente en las mujeres embarazadas, sobre todo durante el último trimestre.

▶ El reflujo gastroesofágico, también llamado *pirosis*, produce una sensación de ardor que parte del estómago y sube por detrás del esternón hacia la boca. Puede ir acompañado de una sensación de sabor ácido en la boca. Se ve favorecido por los trastornos hormonales del embarazo, responsables de la abertura del esfínter inferior del esófago (cardias). La presión del bebé al final del embarazo acentúa esta abertura, favoreciendo el reflujo ácido. Éste también se ve intensificado por la posición tendida después de las comidas, la presión de un cinturón abdominal compresivo, la ingestión de sustancias ácidas o picantes, las comidas copiosas, las bebidas con gas, el té y el café.

Fuera de los casos en que va acompañado de vómitos importantes, un reflujo gastroesofágico no requiere ningún examen en particular. El problema disminuye cuando se eliminan los factores propiciatorios mencionados. Además, el médico puede recetar medicamentos antirreflujo, que se toman después de las comidas. Esta molestia suele desaparecer después del parto.

Reproducción médicamente asistida

En caso de esterilidad, diferentes técnicas de reproducción médicamente asistida permiten obtener un embarazo gracias a una intervención médica, en vez de una relación sexual. Se trata de la inseminación artificial, la fecundación in vitro y la inyección de intracitoplasmática del espermatozoide, o ICSI.

▶ **La inseminación artificial.** Consiste en depositar esperma en el útero, en el cuello del útero o directamente dentro del útero. El esperma utilizado es el del cónyuge o el de un donante.

La inseminación artificial con un donante se aconseja cuando la esterilidad es de origen masculino (ausencia o anomalía de los espermatozoides) o cuando el hombre puede transmitir una enfermedad hereditaria grave. La inseminación del esperma del cónyuge se utiliza en caso de calidad insuficiente del esperma; entonces, el esperma es recogido y mejorado.

La inseminación artificial también puede aconsejarse cuando la causa de la esterilidad radica en el cuello del útero; el hecho de depositar directamente el esperma en el útero permite resolver la causa de la infertilidad.

▶ **La fecundación in vitro y el ICSI.** La *fecundación in vitro* consiste, esquemáticamente, en extraer óvulos por punción y fecundarlos en laboratorio, poniéndolos en contacto con espermatozoides y, finalmente, implantándolos de nuevo en el útero de la paciente.

El ICSI (inyección intracitoplasmática de espermatozoides) obedece al mismo principio, pero en este caso el óvulo es fecundado por microinyección de un espermatozoide seleccionado. Estas técnicas permiten resolver diferentes causas de esterilidad, entre ellas, sobre todo, la esterilidad de origen tubario (afección incurable de las trompas de Falopio).

Hay que señalar que las técnicas de fecundación in vitro y del ICSI son complejas y onerosas. La pareja que las solicita debe aceptar previamente los requisitos. Los fracasos son relativamente frecuentes, y a menudo es preciso realizar varios intentos.

Retención placentaria

VER ▶ ALUMBRAMIENTO

Retorno de la menstruación

Es la reaparición de la menstruación después de un parto.

▶ Si la mujer no da el pecho, el retorno de la menstruación se produce entre 6 y 8 semanas, de promedio, después del parto. Si da el pecho, se produce alrededor de 4 a 6 semanas después de cesar la lactancia. Sin embargo, en caso de lactancia prolongada, la regla puede tardar en reaparecer 5 o 6 meses después del nacimiento del bebé, aunque la mujer continúe dando el pecho.

La abundancia y el aspecto de estas primeras reglas son muy variables y a menudo diferentes de las reglas habituales. Su aparición significa que existe una reanudación del fenómeno de la ovulación y, por tanto, que es posible un nuevo embarazo en ausencia de *anticoncepción*. No obstante, hay que tener en cuenta que la ovulación puede producirse antes del retorno de la menstruación.

Retraso del crecimiento intrauterino (RCIU)

Puede suceder que un feto no se desarrolle según la evolución normal. En este caso, el neonato viene al mundo con un peso inferior al normal (menos de 2,5 kg a los nueve meses). Ello revela un retraso del crecimiento intrauterino o hipotrofia.

▶ **Antes del nacimiento.** Un retraso del crecimiento intrauterino puede estar asociado a una anomalía del feto o a la incapacidad de la placenta para proporcionarle los nutrientes necesarios. La detección del retraso del crecimiento intrauterino se basa esencialmente en la medición de la *altura uterina* y en la ecografía del tercer trimestre, durante la cual se efectúan diferentes mediciones del abdomen y de la cabeza del futuro bebé. Durante los dos primeros trimestres el crecimiento del feto es bastante uniforme, y los retrasos del crecimiento son poco habituales.

Unos exámenes complementarios (*Doppler* del útero y Doppler umbilical) permiten determinar el origen del retraso del crecimiento y orientar el tratamiento en función de los resultados.

▶ **Después del nacimiento.** Un neonato de peso reducido es más frágil que otro de peso normal. Debe ser controlado por un equipo especializado, dado que puede presentar ciertas alteraciones metabólicas. El número de sus comidas es incrementado (siete u ocho al día) para evitar una hipoglucemia; y puede ser necesario utilizar una sonda gástrica para mantener la alimentación de forma continuada. Para evitar una posible hipocalcemia (índice demasiado bajo de calcio en la sangre) se administra vitamina D de forma preventiva. Por último, si su temperatura es demasiado baja, el neonato debe permanecer en una incubadora.

Sean cuales sean las causas del retraso del crecimiento intrauterino, el desarrollo de estos niños debe ser objeto de un estricto control médico, dado que algunos ganan peso bastante rápidamente y crecen normalmente, pero otros pueden presentar cierta fragilidad.

VER ► CÁLCULO DEL PESO FETAL

Revisión uterina

VER ► ALUMBRAMIENTO

Rh (factor)

VER ► GRUPOS SANGUÍNEOS, INCOMPATIBILIDAD Rh, ENFERMEDAD HEMOLÍTICA DEL RECIÉN NACIDO

Ritmo cardíaco fetal (RCF)

Es el gráfico que estudia la variabilidad del ritmo cardíaco del feto en el útero y que permite evaluar su bienestar. La toma de datos se lleva a cabo mediante un sensor externo colocado sobre el vientre de la madre, orientado hacia el corazón del feto, o con un electrodo situado sobre el cuero cabelludo del feto. Es uno de los elementos de valoración del bienestar del feto, pero siempre debe situarse en el contexto del embarazo y del parto e interpretarse junto con los demás elementos.

▶ **A lo largo del embarazo.** El ritmo cardíaco del feto se analiza si existe una anomalía en el feto o en la madre (retraso del crecimiento intrauterino, patología materna, estar fuera de cuentas...); el registro dura unos 30 minutos y se repite tantas veces como sea necesario. Antes de las 30 semanas de amenorrea, la interpretación del ritmo cardíaco fetal es muy discutida.

▶ **Durante el parto.** En general, el registro es continuo. Se asocia al trazado de las contracciones uterinas *(tocografía)*: es la *monitorización* del parto, que muestra la tolerancia del feto a la dilatación. Algunas anomalías del gráfico pueden llevar al equipo médico a provocar el parto, a recurrir al fórceps o a efectuar una cesárea.

A veces se asocian al RCF otras técnicas durante la dilatación para perfeccionar su valor diagnóstico, sobre todo en caso de sufrimiento fetal; por ejemplo, el análisis del pH sanguíneo del feto o de los lactatos, la oximetría fetal y el análisis del electrocardiograma fetal.

El ritmo cardíaco normal del feto varía entre 120 y 160 latidos por minuto. Se habla de bradicardia fetal si el ritmo de base desciende por debajo de los 100 latidos por minuto durante más de 10 minutos, y de taquicardia fetal si está por encima de los 160 latidos durante por lo menos 10 min. Asimismo, se observa el aspecto global del gráfico y la existencia de breves disminuciones del ritmo, también llamadas *deceleraciones* (o DIP), que, en función del contexto y de su importancia, son más o menos patológicas.

VER ► SUFRIMIENTO FETAL

Rubéola congénita

La rubéola es una enfermedad viral contagiosa. Se trata de una afección no grave en el niño y en el adulto, pero muy peligrosa para el feto. Si una mujer contrae la rubéola durante los primeros meses del embarazo, su hijo puede presentar malformaciones importantes.

▶ Antes del tercer mes de embarazo, la rubéola congénita provoca en el feto malformaciones cerebrales, cardíacas, oculares y auditivas. Después del tercer mes puede provocar un retraso del crecimiento intrauterino o una hepatitis, y también afectar a los pulmones o a los huesos...

Al principio del embarazo, el médico comprueba sistemáticamente si la mujer embarazada está inmunizada contra la rubéola. Si no lo está, deberá evitar cualquier contacto con personas susceptibles de presentar el virus.

Una mujer embarazada no inmunizada contra la rubéola y que haya estado en contacto con una persona que presenta rubéola debe hacerse un primer análisis de sangre en los 10 días siguientes; y será necesario un segundo examen 15 o 20 días más tarde. Este último permitirá saber si está contaminada o no, y en caso afirmativo se deberán efectuar otras pruebas.

El único tratamiento posible es preventivo, y se basa en la vacunación sistemática de los niños. Toda mujer en edad de tener hijos, que no esté segura de haber padecido la rubéola o de haber sido vacunada, debe comprobar su inmunidad. En ausencia de ésta, debe hacerse vacunar, salvo si toma anticonceptivos orales eficaces o justo después del parto. Está contraindicado vacunarse durante el embarazo, aunque no se haya detectado ninguna consecuencia.

[S]

Sangrados

VER ► METRORRAGIA

Sexo del futuro bebé

El sexo del bebé está determinado desde el momento de la fecundación, con la fusión del espermatozoide y del óvulo, cada uno de los cuales aporta un cromosoma sexual: el par de cromosomas sexuales de las niñas es XX, y el de los niños, XY.

▶ El sexo del futuro bebé puede conocerse mediante el estudio de su *cariotipo,* realizado tras una *biopsia de trofoblasto* o una *amniocentesis.* Pero estas extracciones en ningún caso se efectúan sólo para diagnosticar el sexo. También se puede conocer el sexo del futuro bebé a partir de la ecografía del primer trimestre (12-13 semanas de amenorrea) visualizando sus órganos genitales externos. Pero incluso en este momento, siempre es posible un error (un clítoris grande o un pene pequeño), y el médico prefiere evitar cualquier pronóstico. La ecografía del segundo trimestre permite un diagnóstico mucho más seguro... salvo si la postura del feto no permite ver su sexo (si tiene el cordón umbilical entre las piernas, por ejemplo).

Shock obstétrico

Un shock obstétrico es una insuficiencia circulatoria aguda que se presenta en la mujer embarazada, durante el embarazo o el puerperio. Se trata de una complicación grave, si bien poco frecuente gracias a la mejora del control y la atención al embarazo, y también a la menor duración del parto.

▶ Actualmente, los casos de shock obstétrico normalmente son resultado de una hemorragia aguda que se produce durante el alumbramiento, responsable, entre otras cosas, de una fuerte bajada de la tensión arterial. El shock también puede ser de origen infeccioso, aunque con el uso de los antibióticos esta causa va siendo menos frecuente. Antes, los abortos clandestinos eran una de las principales causas de shock infeccioso.

El tratamiento de un shock obstétrico consiste, en primer lugar, en eliminar la causa (hemorragia, foco infeccioso) y paliar urgentemente sus consecuencias: con reanimación, liberación de las vías respiratorias, administración de oxígeno, perfusión, *transfusión*...

Sida

El sida, o síndrome de inmunodeficiencia adquirida, se debe al virus de la inmunodeficiencia humana, el *VIH,* que tiene la particularidad de infectar las células del sistema inmunitario.

▶ **Seropositividad y enfermedad.** La presencia de anticuerpos en la sangre, detectados por técnicos en inmunología (Western Blot), significa que el virus está presente en el organismo (mientras que, en prácticamente todas las demás enfermedades infecciosas, esta presencia de anticuerpos significa que el agente patógeno ha sido eliminado y asegura una protección contra una nueva contaminación). Esto es lo que define la seropositividad hacia el VIH. Puede existir un período de latencia de varios años entre la contaminación y los primeros síntomas de la enfermedad.

Ésta se manifiesta por infecciones bacterianas, virales o parasitarias, cuyo carácter no habitual o recurrente y la multiplicidad de las infecciones (pulmones, tubo digestivo, cerebro) revela el déficit inmunitario. Actualmente, a falta de tratamiento curativo, el pronóstico de esta afección es tan grave en niños como en adultos.

Síndrome de alcoholismo fetal (SAF)

VER ▶ ALCOHOL Y EMBARAZO

Sinequias uterinas

Las sinequias uterinas consisten en la fusión de las paredes del útero mediante un tejido fibroso. Según su gravedad, pueden ser responsables de la disminución o de la ausencia de la menstruación, de menstruaciones dolorosas o de una esterilidad total, o pueden dar lugar a abortos espontáneos recurrentes. Su tratamiento requiere una intervención quirúrgica.

▶ Las sinequias uterinas se producen tras una abrasión de la mucosa del útero, producida a causa de un traumatismo (consecuencia de una interrupción del embarazo por raspado, por ejemplo) o de una infección (tuberculosis genital). Un antecedente de sinequias puede causar, durante el embarazo, un desprendimiento o una inserción anormal de la placenta (*placenta previa* o *placenta accreta*).

Esta anomalía se diagnostica por *radiografía* del útero. El tratamiento es quirúrgico y se realiza por histeroscopia (intervención bajo anestesia consistente en introducir un sistema óptico provisto de instrumentos operatorios en la cavidad uterina por el cuello del útero).

Sonda urinaria

Se trata de un fino tubo de plástico flexible que se introduce en la uretra (orificio de salida de la orina) para vaciar la vejiga.

▶ La comadrona, a menudo, pone una sonda urinaria antes del parto, para evitar la molestia que supone una vejiga llena para el paso de la cabeza del bebé. Durante los partos con *epidural* la sensación de vejiga llena desaparece.

La sonda también es mantenida en su sitio durante varias horas, por ejemplo en una cesárea. Entonces se habla de *sonda urinaria fija.*

Para evitar cualquier infección urinaria ulterior, la colocación de la sonda siempre se efectúa en unas condiciones estrictas de asepsia.

Sufrimiento fetal

Es la disminución de la oxigenación y de la alimentación del feto a lo largo del embarazo y del parto. El sufrimiento fetal puede ser agudo o crónico.

▶ **El sufrimiento fetal crónico.** Normalmente es secundario a un *retraso del crecimiento intrauterino.* Según los casos, la causa es de origen materno (desnutrición muy importante), debida a la placenta (falta de irrigación durante una *preeclampsia,* por ejemplo) o asociada al feto (malformaciones, anomalías funcionales, etc.). Un sufrimiento fetal crónico importante a veces justifica interrumpir el embarazo antes del *final del embarazo* para salvar al niño.

▶ **El sufrimiento fetal agudo.** Normalmente aparece durante el parto. Sus causas son múltiples: compresión del cordón (procidencia), desprendimiento de la placenta, hipertonía del útero... Se traduce en una disminución del *ritmo cardíaco fetal,* detectada por monitorización. A veces, el líquido amniótico se tiñe de verde debido a que el feto elimina demasiado pronto el meconio, una sustancia contenida en su intestino.

Pero la presencia de anomalías en el ritmo cardíaco del feto no significa obligatoriamente que exista un sufrimiento fetal. Por ello, en caso de anomalías, en ciertas ocasiones la monitorización puede completarse con otro examen: el del pH del cuero cabelludo (medición de la acidez de la sangre del feto; la sangre se extrae por vía vaginal, por medio de una pequeña incisión practicada en su cráneo) o la oximetría del pulso fetal (control de la oxigenación del feto con un sensor colocado en contacto con su piel).

La privación de oxígeno puede tener consecuencias graves en el funcionamiento cerebral del bebé. El sufrimiento fetal justifica, pues, acelerar el nacimiento, por cesárea o por la vía natural *(extracción instrumental)* cuando es posible.

VER▶ AMNIOSCOPIA

Tabaco y embarazo

El tabaquismo, activo o pasivo (inhalación del humo del entorno), es nocivo para la mujer embarazada y para su feto. El riesgo es proporcional al número de cigarrillos fumados. También tiene efectos negativos durante la lactancia, ya que la nicotina está hasta tres veces más concentrada en la leche materna que en la sangre de la madre.

▶ **¿Qué efectos tiene en el feto?** Las sustancias tóxicas del cigarrillo, como la nicotina o el óxido de carbono, pasan rápidamente a la sangre de la madre y después a la del feto. Durante el embarazo, la inhalación de humo provoca modificaciones en la circulación sanguínea del útero y del cordón umbilical y una disminución de los movimientos activos y respiratorios del feto. Estas modificaciones duran unos 30 minutos después del consumo del cigarrillo.

Los efectos crónicos del consumo de tabaco en el feto son más difíciles de comprobar. Actualmente, el tabaquismo materno es responsable de un retraso del crecimiento del niño, el cual influye en su peso (200 g menos de media), su estatura y su *perímetro craneal,* pero no comporta ninguna malformación. El consumo de tabaco también podría ser responsable del aumento del número de embarazos extrauterinos y de abortos espontáneos precoces, así como de la disminución de la fecundidad.

▶ **Los tratamientos sustitutivos.** Para algunas fumadoras es difícil plantearse dejar de fumar por completo, pero es indispensable reducir notablemente el consumo de tabaco. Puede ser útil la ayuda psicológica. Durante el embarazo, los tratamientos sustitutivos (parches de nicotina) no están contraindicados. De todas formas, son menos peligrosos que el tabaco, que aporta no tan sólo nicotina, sino también otros productos de degradación más tóxicos. Otro tratamiento sustitutivo sería recurrir, durante el embarazo, a la homeopatía, la acupuntura y la auriculoterapia.

Tapón mucoso

A lo largo del parto, las secreciones del cuello del útero se acumulan y acaban por formar un tapón que obtura el orificio del cuello, formando una barrera protectora entre las membranas y el exterior.

Cuando se acerca el final del embarazo, este tapón se expulsa por sí solo en forma de flemas, unas pérdidas vaginales densas, pegajosas y normalmente de un tono pardo.

▶ La expulsión del tapón mucoso es un hecho perfectamente normal, pero a menudo constituye causa de inquietud y de consultas de las futuras madres. De hecho, no requiere ningún cuidado particular y no significa necesariamente que el parto esté próximo, dado que el tapón puede ser expulsado hasta un mes antes del nacimiento. Sin embargo, en caso de tener una pérdida que te inquiete, no dudes en consultar al médico. Es importante diferenciar entre la expulsión de un tapón mucoso y la pérdida de sangre negruzca, de *líquido amniótico,* o una *leucorrea.*

Test de Guthrie

En muchos países, como en España o en México, se practica el test de Guthrie a todos los recién nacidos. Su objetivo es comprobar que el niño no sufra una *enfermedad hereditaria,* la fenilcetonuria, debida a la acumulación en el organismo de una sustancia llamada *fenilalanina,* que produce retraso mental si no es tratada.

▶ El test de Guthrie, en general, se practica el cuarto o quinto día de vida. Consiste en extraer unas gotas de sangre del bebé para ponerla en contacto con un cultivo de bacterias cuyo crecimiento es estimulado por la fenilalanina: la proliferación de las bacterias es proporcional a la concentración de fenilalanina en la sangre. En caso de resultado positivo, el diagnóstico es confirmado por otros exámenes más precisos.

Si el bebé presenta fenilcetonuria, se le somete a un régimen alimentario pobre en proteínas de origen animal, lo cual permite evitar la aparición de las señales de la enfermedad.

Las mujeres que padecen fenilcetonuria al quedar embarazadas deben seguir un régimen estricto y permanecer bajo un estricto control médico.

Test del embarazo

Ver ▶ PRUEBA DE EMBARAZO

Tocografía

Es el registro de las contracciones del útero. Este examen puede realizarse durante el embarazo o en el momento del parto. En este caso, a menudo va asociado a un registro del *ritmo cardíaco fetal.*

▶ La tocografía informa sobre la fuerza, la duración y la frecuencia de las contracciones y sobre la calidad de la distensión del útero entre dos contracciones. El examen consiste en colocar un sensor de presión sobre el abdomen. A veces, tras la ruptura de la bolsa de aguas y en caso de dificultades de registro, puede colocarse un sensor especial dentro del útero.

La tocografía se utiliza durante el embarazo en caso de que haya modificaciones en el cuello del útero, para detectar posibles contracciones si la mujer no las percibe. También permite controlar la eficacia de un tratamiento destinado a inhibir las contracciones en caso de posibilidad de parto prematuro. Por último, durante el parto, se utiliza de forma sistemática y permite detectar una insuficiencia o un exceso de contracciones; entonces se puede intervenir inmediatamente mediante la inyección de medicamentos apropiados.

Ver ▶ MONITORIZACIÓN

Tortícolis congénita

La tortícolis congénita, visible al nacer, se manifiesta por una desvia-ción lateral permanente de la cabeza. El recién nacido no presenta ninguna otra alteración.

▶ Esta tortícolis congénita corresponde a una mala posición del feto en el útero, que puede haber sido producida por un hematoma o por la retracción de un músculo del cuello, el esternocleidomastoideo. Esta retracción comporta una inclinación permanente de la cabeza, de forma que el mentón aparece orientado hacia el lado opuesto.

Unas sesiones de quinesioterapia permiten colocar la cabeza en una posición normal. Cuanto antes se realizan, mayor es su eficacia y durabilidad.

Toxemia gravídica

Ver ▶ PREECLAMPSIA

Toxicomanía y embarazo

Los efectos de las drogas en el embarazo y el feto todavía no se conocen bien. Prevalece el principio de precaución, y su uso se desaconseja totalmente. De forma general, el consumo de drogas por parte de una mujer embarazada es responsable en el momento del nacimiento de un estado muy grave de malestar en el niño, que de este modo manifiesta las señales de una carencia.

▶ **La heroína.** Comporta un aumento de los partos prematuros y de los *retrasos del crecimiento intrauterino.* El síndrome de destete de los niños hijos de madres heroinómanas en general es grave, y suele ser necesario recetar al niño drogas de sustitución.

▶ **La cocaína y el crack.** El consumo de estas drogas comportaría un aumento de los abortos espontáneos y de los *hematomas retroplacentarios*.

▶ **El hachís y la marihuana.** Al parecer, tiene efectos en el embarazo y en el hijo, similares a los del tabaco, aunque ello no está demostrado.

▶ **El LSD.** Sería responsable de un índice creciente de malformaciones de los miembros cuando la madre consume este producto durante los primeros meses de embarazo.

▶ **El éxtasis.** No se conocen bien los riesgos, pero serían parecidos a los de las anfetaminas, con riesgo de muerte fetal *in utero* y de anomalías congénitas (corazón, músculos y esqueleto).

▶ **Los medicamentos psicotrópicos.** Puede darse un síndrome de destete en caso de utilización importante de medicamentos que actúan sobre el psiquismo, empleados en el marco de un tratamiento o como automedicación. Al nacer, al principio el niño está soñoliento y más tarde presenta un intenso estado de agitación.

Además de estos diferentes efectos, el embarazo de las mujeres toxicómanas a menudo es de difícil control, dado que en algunos casos se niegan a visitar al médico. Además, pueden añadirse otras afecciones asociadas a la toxicomanía: *sida, hepatitis* B o C, o malnutrición. Un embarazo bien controlado, incluso en este contexto, evitaría muchas complicaciones para la madre y el hijo.

Toxoplasmosis congénita

La toxoplasmosis congénita es una enfermedad transmitida al feto a través de la placenta por una mujer que sufre toxoplasmosis.

▶ **Los efectos en la madre y el feto.** La toxoplasmosis es una enfermedad infecciosa provocada por un parásito presente, entre otros, en la carne poco cocinada; el parásito se multiplica en el intestino del gato. La infección puede pasar totalmente desapercibida o dar lugar a fiebre, cansancio, inflamación de los ganglios (adenopatías) y dolores musculares. La curación se produce sin tratamiento.

Si se transmite por vía placentaria es mucho más grave, dado que puede producir alteraciones neurológicas y sensoriales en el feto. Es preciso controlar la evolución de un neonato contaminado, en particular su capacidad visual. Ello justifica un control mensual de las mujeres embarazadas no inmunizadas contra la toxoplasmosis: se les receta un tratamiento (antibióticos y cortisona) si se detectan en su sangre anticuerpos que indiquen una infección.

▶ **Las medidas preventivas.** Para evitar esta enfermedad, se pueden aplicar diferentes medidas de higiene: mantener el frigorífico siempre limpio; lavar bien la verdura y la fruta; cocinar bien la carne, sobre todo la carne de vaca y de cordero; evitar cualquier contacto con gatos (y, sobre todo, con su cama) y lavarse bien las manos después de tocar tierra.

Transfusión de sangre

Gracias a los progresos de la obstetricia, el riesgo de hemorragia hoy en día es muy reducido. Pese a ello, la hemorragia es la primera causa de mortalidad materna. Una posibilidad sigue siendo la transfusión de productos sanguíneos, aunque es poco habitual.

▶ La decisión de efectuar una transfusión de sangre siempre debe ponderarse muy bien. Existen alternativas, como la aportación de hierro por vía oral, o también mediante perfusión. Pero cuando existe una necesidad urgente y vital, la transfusión es el método más adaptado.

Los riesgos inducidos por una transfusión sanguínea (*hepatitis,* sida...) han disminuido notablemente gracias a los numerosos progresos alcanzados. La transfusión sigue siendo una donación anónima y gratuita, y no se puede elegir el donante. La autotransfusión, es decir, la extracción de sangre de una persona para reinyectársela si fuera necesario, no parece adecuada para el caso del parto, en que la necesidad de transfusión es poco común y a menudo imprevisible; si bien es muy importante cuando se da el caso.

Transmisión genética

Algunas enfermedades congénitas se deben a la transmisión, durante la concepción, de una anomalía genética. Ésta puede afectar a un cromosoma entero, por exceso (trisomía) o por defecto (monosomía), a un grupo de genes, a un gen aislado o a una parte de un gen.

▶ **Transmisión autosómica dominante.** Si una anomalía es transmitida por un gen de un solo progenitor, éste es llamado *dominante.* El estudio del árbol genealógico permite encontrar cierto número de elementos que tienden a mostrar esta forma de transmisión: aparición del carácter en cada generación, transmisión por un abuelo afectado (aproximadamente a la mitad de su descendencia), ausencia de consanguinidad y transmisión independiente del sexo.

▶ **Transmisión autosómica recesiva.** En este caso, la anomalía sólo se expresa si el gen en cuestión ha sido transmitido por los dos progenitores. El estudio del árbol genealógico muestra que los padres están indemnes pero son portadores de la anomalía, una consanguinidad más frecuente, la transmisión por un abuelo afectado (a casi una cuarta parte de su descendencia) y la transmisión independiente del sexo.

▶ **Transmisión asociada al cromosoma X.** En este caso, la anomalía es transmitida por un gen situado en uno de los cromosomas sexuales, el cromosoma X. La hemofilia es un ejemplo de este tipo de enfermedad.

Triple test

VER ▶ MARCADORES SÉRICOS (ESTUDIO DE LOS)

Trisomía 21 (o Síndrome de Down)

La trisomía 21 (antiguamente llamada *mongolismo*) es una enfermedad congénita producida por una anomalía cromosómica (tres cromosomas en lugar de dos en el par 21). Un niño trisómico padece alguna discapacidad mental y presenta un aspecto físico muy característico.

▶ **El niño trisómico.** Se le reconoce por diversos rasgos físicos: cara redonda y achatada, manos anchas y cortas, con un único pliegue transversal, ojos oblicuos dirigidos hacia arriba y lengua grande.

Cerca del 25% de los niños trisómicos al nacer padecen una anomalía cardíaca; otros, una anomalía digestiva. Tienen un riesgo superior a la media de contraer infecciones y enfermedades de la sangre (leucemia). La trisomía 21 implica además un envejecimiento precoz. Pero la deficiencia más importante es su desarrollo intelectual (cociente intelectual que oscila entre 30 y 80). No obstante, esta capacidad puede aumentarse con un esfuerzo constante de educación y de estimulación. Estas dificultades a menudo requieren una atención especializada (instituto médico-pedagógico y, en la edad adulta, médico-profesional). En la mayoría de los casos no es posible una vida adulta autónoma.

▶ **La detección después de los 35 años o en caso de antecedentes.** El principal factor que favorece la aparición de la trisomía es la edad de la madre. Estadísticamente, el riesgo de tener un hijo trisómico es de 1/1 600 antes de la edad de 30 años, de 1/750 entre 31 y 34 años, de 1/250 entre 35 y 39 años, de 1/100 entre 40 y 44 años, y de más de 1/50 pasados los 45 años. Probablemente, ello es consecuencia del envejecimiento de los *óvulos,* que ya están presentes desde el nacimiento en los ovarios de las niñas. Por ello, en España, en el momento de la punción, a las mujeres de 35 años o más se les propone de forma sistemática una detección mediante un estudio del *cariotipo* fetal, tras extracción por *amniocentesis.*

También se recomienda este examen cuando una mujer ya ha tenido un feto afectado por la trisomía 21. Sin embargo, el riesgo en general es el mismo para una mujer de la misma edad sin antecedentes, dado que la mayor parte de las trisomías 21 se denominan *libres*, es decir, no presentan un mayor riesgo de reaparición durante un embarazo posterior. Pero la propuesta de detección es una respuesta posible a la ansiedad generada por este antecedente.

▶ **La detección antes de los 35 años.** Para evitar practicar en vano una amniocentesis, dado que este examen comporta riesgos de aborto espontáneo (0,5 a 1%), a las mujeres de menos de 35 años se les propone dos pruebas de detección cuyos resultados van a orientar la decisión de practicar o no una amniocentesis. Se trata de la medición de la nuca del feto (se efectúa con una ecografía a 11,5 y 13 semanas de amenorrea) y la cuantificación, en una muestra de sangre de la madre, de los *marcadores séricos*.

▶ **No es obligatorio.** Estas pruebas de detección (medición de la nuca fetal en la ecografía del primer trimestre, cuantificación de los marcadores séricos y amniocentesis) no son obligatorias; la decisión de una posible interrupción médica del embarazo que ello implicaría sólo corresponde a los padres. Los médicos se limitan a proponer la asistencia más adecuada.

Trofoblasto

Es una capa de células formada alrededor del huevo entre el quinto y el séptimo día después de la fecundación.

▶ El trofoblasto está presente en el mismo inicio del desarrollo del embrión. Está formado por pliegues huecos pequeños, las vellosidades coriales, y segrega enzimas que permiten a las células penetrar en la mucosa del útero y hacer posible la nidación del huevo.

A partir del octavo o noveno día de embarazo, el trofoblasto realiza una función alimenticia del embrión. Más tarde se distingue en dos capas, que forman la membrana externa del huevo, llamada *corion*. A partir del tercer mes de embarazo, el trofoblasto adquiere el nombre de *placenta*.

VER ▶ BIOPSIA DE TROFOBLASTO

Trombosis venosa

VER ▶ FLEBITIS

Trompas

VER ▶ ÚTERO

Ultrasonido

VER ▶ ECOGRAFÍA

Útero

El útero, alojado en la pelvis ligamentosa, entre la vejiga (por delante) y el recto (por detrás), es un órgano hueco, de paredes formadas por un grueso tejido muscular. En su interior se aloja el huevo en caso de fecundación y se desarrolla el futuro bebé hasta su nacimiento.

▶ **Características anatómicas.** El útero mide alrededor de 8 cm de largo. Está formado por una zona hinchada, el cuerpo, y una parte inferior abierta a la vagina, el cuello; la zona que los une se llama *istmo*. En los ángulos del útero (también llamados *cuernos*) desembocan las dos trompas de Falopio, en cuyos extremos se hallan los dos ovarios.

En general, el útero está inclinado hacia adelante o, más raramente, hacia atrás; se habla, respectivamente, de anteversión y de retroversión del útero. El útero retrovertido no es una anomalía, sino una simple particularidad anatómica.

La cavidad uterina está tapizada por una mucosa, el endometrio, que se desprende cada mes por influencia del ciclo hormonal, comportando el sangrado de las menstruaciones.

▶ **Durante el embarazo.** Al principio de todo embarazo, el huevo fecundado migra hasta la cavidad uterina, donde se implanta en la mucosa. A medida que pasan las semanas, el embarazo produce un aumento progresivo del volumen del útero: a los 9 meses, éste llega a la zona del hígado.

A partir del tercer trimestre, bajo efecto de la distensión uterina y de las *contracciones* fisiológicas (llamadas *de Braxton-Hicks*), la zona situada entre el útero y el cuello del útero se alarga y pierde grosor. En esta zona, llamada *segmento inferior*, es donde normalmente se practica la incisión quirúrgica en caso de *cesárea*.

Después del parto, el útero tarda por lo menos dos meses en recuperar su volumen inicial.

VER ▶ DILATACIÓN

Vagina

La vagina es un conducto que se extiende desde el útero hasta la vulva. Su pared es flexible y contráctil, y forma unos pliegues extensibles que permiten el paso del feto durante el parto.

▶ La vagina mide entre 8 y 12 cm de longitud. La parte superior de la cavidad vaginal está ocupada por el reborde del cuello del útero, que está rodeado de un pliegue llamado *fórnix vaginal*. El extremo inferior de la vagina está separado de la vulva por una membrana, el himen, que se rasga durante la primera relación sexual y que tras el primer parto, es sustituida por unas pequeñas excrecencias llamadas *carúnculas mir-tiformes*.

Vaginitis

La vaginitis es una infección aguda de la vagina. En general, está asociada a una infección de la vulva (vulvovaginitis) o del cuello del útero (cervicovaginitis). En la vagina existe una flora microbiana normal que crea un equilibrio e impide la proliferación de gérmenes patológicos.

◗ En caso de padecer vaginitis, la mujer tiene pérdidas vaginales anormales en cuanto a aspecto y/o olor, y siente irritación o picor. Los gérmenes que la producen con más frecuencia son: los hongos *(Candida albicans),* muy frecuentes durante el embarazo; los *Gardnarella vaginalis;* y los estreptococos, a menudo asintomáticos (sin síntomas).

El diagnóstico se basa en el examen clínico, a menudo asociado a una extracción vaginal analizada en laboratorio. El tratamiento consiste en tomar antimicóticos o antibióticos, prescritos para uso local (óvulos vaginales) o para un tratamiento general, en función del germen encontrado.

Varices

Es una dilatación anormal y permanente de las venas. El embarazo favorece su aparición, sobre todo en las piernas, y más raramente en los muslos o la vulva.

◗ **Las causas y los síntomas.** Las varices son una de las consecuencias de la dilatación venosa global que afecta a las mujeres embarazadas, y cuyo origen radicaría en un mecanismo hormonal que modifica la pared de las venas. La compresión de las venas por parte del útero agrava esta dilatación y la localiza preferentemente en la parte inferior del cuerpo.

Las varices son más frecuentes en caso de varios embarazos seguidos y si se permanece mucho rato de pie.

Por último, existe un factor hereditario que predispone a esta alteración. Las varices suelen aparecen muy pronto en el curso del embarazo, y pueden acentuarse en el tercer trimestre. Dan lugar a cordones venosos azulados, dilatados, en las pantorrillas, en la cara interna de los muslos o en la vulva; las *hemorroides* son una forma de variz localizada alrededor del ano.

Las varices pueden acompañarse de signos cutáneos: dilataciones venosas muy finas que forman una red violácea, edema en el tobillo o en el pie. En algunas mujeres sólo ocasionan molestias de carácter estético, mientras que en otras provocan sensación de piernas pesadas y calambres nocturnos.

◗ **Complicaciones posibles y tratamiento.** Las varices pueden complicarse durante el embarazo con una *flebitis* superficial. En general, basta con un tratamiento simple (aplicación de una crema antiinflamatoria bajo control ginecológico) para hacer desaparecer esta alteración. Un estado venoso deficiente anterior al embarazo favorece, además, el riesgo de flebitis profunda, lo cual justifica la prescripción de *anticoagulantes.*

El tratamiento de las varices es más bien limitado. Los médicos aconsejan llevar medias de contención (medias para varices), duchas frías en las pantorrillas y en la parte inferior de los muslos y mantener los pies elevados en la cama. Los medicamentos venotónicos tienen una eficacia limitada.

En general, después del nacimiento del bebé las varices desaparecen progresivamente.

Vena cava

La vena cava inferior es el tronco colector de toda la sangre venosa de la parte inferior del cuerpo (miembros inferiores, pelvis ligamentosa y abdomen). Cuando es comprimida por el útero, la futura madre puede sentir un malestar temporal.

◗ La vena cava recorre el lado derecho de la columna vertebral. Nace de la unión de las dos venas ilíacas primitivas, junto a la quinta vértebra lumbar, y termina en el corazón, a nivel de la aurícula derecha. Durante el embarazo, el útero está situado justo delante de este importante vaso sanguíneo. En caso de posición tendida sobre la espalda, el útero comprime las paredes venosas poco resistentes, dificultando el retorno venoso hacia el corazón y provocando una bajada de la tensión.

Ello produce malestar a la futura madre: náuseas, sudores fríos, sensación de velo negro delante de los ojos o malestar que desaparece en cuanto se gira sobre el lado izquierdo. Es el *síndrome de la cava,* que no reviste gravedad y se manifiesta sobre todo al final del embarazo. En caso de persistencia al volverse sobre el lado izquierdo, la elevación de las piernas favorecerá el retorno venoso.

Ventosas

VER► EXTRACCIÓN INSTRUMENTAL

Vérnix

El bebé llega al mundo cubierto por una sustancia blanquecina, densa y muy adherida a la piel. Es el vérnix. Esta cobertura le sirve de capa protectora para afrontar el nacimiento y el primer contacto con el aire.

◗ Esta sustancia, también llamada *vérnix caseoso,* es segregada por las glándulas sebáceas del feto durante el octavo mes. A medida que el embarazo avanza hacia su fin, el vérnix se reabsorbe progresivamente.

Después del nacimiento, el vérnix, normalmente más abundante en los pliegues de la piel, se resorbe espontáneamente a lo largo de las primeras 24 horas. No hay que eliminarlo artificialmente frotando la piel del recién nacido.

VIH

El VIH (virus de la inmunodeficiencia adquirida humana), responsable del sida, forma parte de un grupo específico de virus llamados *retrovirus*. Este virus es capaz de convertir la molécula de ARN, sobre la que está inscrito el material genético, en una molécula de ADN, que puede integrarse en el genoma humano.

▶ Los virus que actualmente están identificados con exactitud, el VIH_1 y el VIH_2, se transmiten por vía sexual, sanguínea y de la madre al hijo, al final del embarazo, durante el parto o la lactancia. Algunos protocolos terapéuticos basados en la cesárea sistemática y ciertos medicamentos antivirales administrados a la madre al final del embarazo o durante el parto, y posteriormente al recién nacido durante los primeros días de vida, permiten reducir el riesgo de transmisión del virus (3% de los casos). En caso de seropositividad, se desaconseja la lactancia materna, dado que el virus puede pasar a la leche.

El único medio para luchar contra la epidemia que provoca este virus es la prevención (uso de preservativo, entre otros), puesto que hoy en día aún no existe un tratamiento eficaz que permita eliminarlo en una persona contaminada.

▶ **La transmisión madre/feto.** El virus VIH puede ser transmitido al feto por una madre seropositiva, al final del embarazo o durante el parto. De no existir una atención médica, el riesgo es del orden del 20 al 30%, y varía en función del estado de la enfermedad. Se proponen algunos protocolos terapéuticos para reducir el riesgo de transmisión al feto; han resultado ser eficaces, pero no eliminan totalmente el riesgo (3%).

▶ **Después del nacimiento.** El neonato de madre seropositiva (portadora del virus) siempre es seropositivo, pero no necesariamente portador del virus. Todos los anticuerpos de la madre le han sido transmitidos, incluso los dirigidos contra el VIH. Por ello, al nacer siempre es seropositivo, hasta la edad de 6 meses, aproximadamente. El niño será controlado regularmente y, tal vez, tratado en centros especializados.

Cuando la madre es seropositiva, desde el momento del nacimiento se procede a realizar exámenes (detección de la presencia del virus en cultivo o búsqueda directa de su genoma) para determinar si el bebé ha sido contaminado o no por el virus y empezar rápidamente, si es necesario, un tratamiento antiviral.

▶ **VIH y lactancia.** Es posible una transmisión del VIH a través de la leche materna; por ello se desaconseja la lactancia materna.

VER ▶ SIDA

Vómitos

VER ▶ NÁUSEAS

Medicinas naturales y embarazo

En ningún caso se trata de prescindir del seguimiento ginecológico del médico que te asiste. Sin embargo, para aliviar algunas pequeñas dolencias inherentes al embarazo y para vivir lo mejor posible este momento privilegiado, ¿por qué no hacer uso de las medicinas naturales? Homeopatía, acupuntura, osteopatía, fitoterapia... Todas estas prácticas pueden resultar útiles junto a los tratamientos médicos clásicos.

▶ La homeopatía

La homeopatía es una medicina particular basada en una cierta visión de la salud y del estado de equilibrio que la acompaña. Determinados medicamentos homeopáticos pueden prevenir y tratar cierto número de trastornos leves del embarazo.

¿Cómo funciona?

La homeopatía no es tan reciente como podría creerse. A finales del siglo XVII, Samuel Hahnemann, un médico alemán decepcionado por la medicina de su tiempo, ideó esta nueva forma de tratamiento. Lo que inventó es una medicina global dirigida a curar al individuo en su conjunto y a permitirle recuperar el equilibrio. La homeopatía se basa en tres principios esenciales: la ley de la similitud, la individualización de los síntomas y la consideración de éstos en su globalidad.

La similitud: «lo mismo cura lo mismo» • En homeopatía, un remedio sólo es eficaz si produce en una persona sana unos síntomas idénticos a aquellos que caracterizan a la enfermedad que se desea curar, o aún mejor, unos síntomas idénticos a los que presenta el enfermo. En otras palabras, cuanto más se parece el tratamiento a la enfermedad que se va a curar, mayor es su eficacia.

La individualización: buscar los síntomas personales • Cada enfermo es diferente y presenta unos síntomas que le son propios. Por ello, el médico homeópata va a tratar de forma específica los males que siente el paciente y a ofrecerle un remedio perfectamente adaptado.

La globalidad: tomar en cuenta todos los síntomas • Es preciso detectar todos los síntomas que nota el paciente para curarle lo mejor posible. En homeopatía se procura curar al enfermo, más que la enfermedad.

¿En qué casos se puede recurrir a la homeopatía?

La homeopatía procura escuchar al paciente y acercarse lo máximo posible a las modificaciones de su cuerpo. En este sentido, el tratamiento homeopático está indicado, muy particularmente, para ayudar a la mujer embarazada a aliviar los pequeños trastornos inherentes al embarazo, al parto y a la lactancia. La gran ventaja de la homeopatía es que no comporta ningún riesgo tóxico para el feto.

El hecho de tomar remedios homeopáticos no debe reemplazar al control médico que lleva a cabo tu ginecólogo. Sin embargo, se puede utilizar esta forma de medicina en tres casos principales:

• para luchar contra las afecciones corrientes que no son propias del embarazo (un resfriado, por ejemplo). En este caso, los medicamentos homeopáticos permiten evitar, en la medida de lo posible, los medicamentos clásicos que pueden estar contraindicados en tu estado;

• para luchar contra los malestares típicos del embarazo (náuseas, calambres, ardor de estómago, piernas pesadas, etc.): la homeopatía puede ayudar a aliviar estas molestias a veces muy desagradables, de nuevo sin tener que recurrir a los medicamentos clásicos, que pueden tener contraindicaciones;

• para mejorar tu estado general: la homeopatía previene y limita los problemas asociados al embarazo y al parto y, gracias a ella, la madre se puede restablecer más pronto después del nacimiento del bebé. En este sentido, la homeopatía cumple su misión esencial de prevención.

La visita al homeópata

Si decides hacer uso de la homeopatía, no lo hagas nunca por tu cuenta, sin consultar antes a un médico. La automedicación se debe evitar

Homeopatía durante el embarazo

Molestia	Descripción de los síntomas	Remedio
Náuseas	• Náuseas intensas e incesantes, salivación abundante, lengua limpia (sin depósitos), eructos frecuentes y vómitos que no alivian. Agotamiento, tristeza y fuerte irritabilidad.	*Ipeca* 5 CH
	• Sensación de náuseas, asco por todos los alimentos, apetencia por los alimentos ácidos y amargos, pusilanimidad, transpiración, estreñimiento, tristeza, agotamiento y necesidad de soledad, en mujeres normalmente hiperactivas.	*Sepia* 5 CH
Piernas pesadas	• Varices dolorosas, inflamadas y sensibles al tacto.	*Hamamelis* 5 CH
	• Varices y mala circulación sanguínea en las piernas, que empeora con el frío y los ambientes cerrados. Molestias que se alivian con ejercicio físico.	*Sepia* 5 CH
Estreñimiento y hemorroides	• Estreñimiento y sensación de náuseas, agotamiento y tristeza en mujeres hiperactivas.	*Sepia* 5 CH
	• Deposiciones duras con hemorroides, con tendencia a sangrar.	*Collinsonnia* 5 CH
	• Estreñimiento, hemorroides dolorosas, que se alivian con baños de agua fría y empeoran estando de pie.	*Aesculus hippocastanum* 5 CH
Calambres	• Calambres musculares que se intensifican de noche y con un tiempo frío.	*Cuprum metallicum* 5 CH
Ardor de estómago	• Sensación de ardor de estómago que sube por el esófago, con reflujos de líquido ácido que quema.	*Iris versicolor* 5 CH
Trastornos urinarios	• Micción frecuente y dolorosa, con sensación de ardor, a veces seguida por un dolor en el pubis.	*Populus tremuloides* 5 CH
	• Pérdida involuntaria e intermitente de orina entre las micciones, provocada por la tos, la risa o los cambios de posición.	*Causticum* 5 CH
Dolores abdominales	• Contracciones que aparecen los últimos días de embarazo, con calambres y espasmos.	*Caulophyllum* 5 CH

por completo durante el embarazo, e incluso después del parto, si das el pecho. Por otra parte, si te atienden varios médicos, debes informar a todos sobre tus tratamientos en curso.

El proceso es igual tanto si la mujer visita al homeópata a causa del embarazo como si lo hace por cualquier otro motivo: sólo un cuestionario a fondo a la paciente permite determinar los síntomas más personales y elegir así un remedio eficaz. La única especificidad es que se pone énfasis particularmente en todas las modificaciones aparecidas desde el inicio del embarazo: los cambios en tu comportamiento, los antojos, los alimentos que te producen asco, etc.

Para determinar el remedio más apropiado, el médico homeópata necesita conocer todos los síntomas que has notado en ti. Exprésate de forma sencilla y dile lo que sientes: cómo es el dolor (retortijón, calambre, punzada en un costado...), dónde se localiza (vientre, piernas...); cuándo y cómo aparece (de forma progresiva o súbita...). No te extrañes si el médico te pregunta: «¿Qué más?», «¿Algo más?». Cuanto más clara y detalladamente describas cada síntoma, más indicaciones podrá darte. Abre tu corazón y no dudes en contarlo todo (incluso aquello que pueda parecerte ridículo o sin importancia). En cierto modo, una de las funciones de la homeopatía es enseñar al paciente a conocerse mejor a sí mismo.

Curar los pequeños trastornos del embarazo

La homeopatía puede aliviar fácilmente numerosos trastornos menores pero frecuentes: náuseas, fatiga, dolor de piernas, hemorroides, estreñimiento... Estos pequeños males son inocuos, pero pueden resultar sumamente difíciles de soportar, sobre todo porque para las mujeres embarazadas a menudo está contraindicado utilizar los medicamentos clásicos.

En el cuadro de la página anterior encontrarás una lista con los principales remedios utilizados durante el embarazo. Esta lista únicamente te permitirá entender mejor las prescripciones que formule tu médico, sin que en ningún caso pretenda sustituirlas. Sólo el médico homeópata podrá determinar qué medicamento elegir y qué posología es la adecuada.

Preparar el parto

Un tratamiento homeopático puede ayudarte a abordar el parto con serenidad. Lo ideal es que, a título preventivo, te receten un remedio específico para ti (apropiado a tu «similimum», como dicen los médicos homeópatas para designar el remedio correspondiente exactamente al modo de reacción de una persona determinada). Este tratamiento se puede tomar poco tiempo antes del parto y, si es necesario, durante el parto propiamente dicho. A título de ejemplo, se pueden citar algunos medicamentos para prepararse para el parto:

• *Actaea racemosa* 5 CH calma la agitación y la ansiedad de las mujeres en el mes anterior al parto, así como los dolores de vientre asociados a las curvaturas dorsales;
• *Arnica montana* 5 CH limita el traumatismo físico del parto;
• *Calophyllum* 5 CH alivia las contracciones de los últimos días.

El homeópata puede aliviar el dolor provocado por las contracciones y acelerar la dilatación natural. Los tratamientos pueden administrarse durante la dilatación (**ver tabla**).

Después del parto: recuperarse bien

La homeopatía puede acompañarte en el período a veces delicado del puerperio. En particular, te ayuda a superar el bache de un posible *baby blues* (depresión pasajera que las mujeres sufren a menudo después del nacimiento).

También existen numerosos remedios si surgen dificultades al dar el pecho. Algunos favorecen la secreción láctea (*Urtica urens* 5 CH), mientras que otros tratan diferentes incidentes, como las grietas en los pezones (*Castor equi* 5 CH) o los reflujos de leche dolorosos (*Phytolocca* 5 CH).

▶ La acupuntura

La acupuntura es una medicina china tradicional. Consiste en estimular unos puntos energéticos con unas agujas finas colocadas en diferentes zonas del cuerpo. El objetivo es mantener o restablecer un equilibrio energético. Esta medicina puede utilizarse a lo largo de todo el embarazo, y también durante el parto y en el puerperio.

Homeopatía durante la dilatación

Descripción de los síntomas	Remedio
Intenso nerviosismo que se manifiesta en un parloteo incesante, dolores ininterrumpidos descritos como «desgarradores», dolores en la parte inferior de la espalda y calambres.	*Actaea racemosa* 5 CH
Dolores ineficaces al comienzo de la dilatación, con náuseas y dolor de estómago. Sed y sensación de fiebre.	*Caulophyllum* 5 CH
Dolores en la espalda, que se propagan hacia las nalgas. La paciente necesita sentir presión en la espalda. Tiene la sensación de que su cuerpo está vacío. Eructos frecuentes.	*Kalium carbonicum* 7 CH
Facilita la dilatación si hay dolores reumáticos (sobre todo en las caderas y bajo el pecho izquierdo), al final del embarazo o durante las contracciones. Se aconseja en caso de contracciones acompañadas de calambres, escalofríos nerviosos y una fuerte excitación, con dilatación irregular del cuello uterino.	*Cimicifuga racemosa* 7 CH

Una medicina de las energías basada en una filosofía de vida

La acupuntura es una medicina ancestral cuyas leyes, que describen el lugar del hombre en el seno del universo, existen desde hace milenios. Una de las leyes principales es la de la dualidad expresada por el Yin y el Yang. El Yin y el Yang son opuestos y, sin embargo, están unidos por un principio de complementariedad, puesto que cada uno sólo existe en relación con el otro.

En la naturaleza todo está sometido a este par de contrarios y puede clasificarse como Yin y Yang: el frío y el calor, la noche y el día, lo inmóvil y lo móvil, el norte y el sur... La acupuntura es una medicina energética: para ella, todo es energía, más o menos Yin o más o menos Yang. La energía que es más Yin se materializa en la sangre (*Xue*), mientras que la energía más Yang es inmaterial y se asocia a los flujos (*Qi*). Los flujos recorren el cuerpo humano por unos canales inmateriales llamados *meridianos*. Estos recorridos se conocen de forma muy precisa y afloran en la piel en numerosas partes del cuerpo, que se denominan *puntos*.

El tratamiento por acupuntura consiste, pues, en estimular ciertos puntos mediante la aplicación de una aguja. La estimulación de uno o varios puntos permite mantener o reequilibrar la circulación de la energía, con el objeto de mantener o recuperar la armonía. Así pues, la acupuntura es una medicina curativa, pero para los chinos ante todo es una medicina preventiva. No van al médico acupuntor sólo para curarse, sino simplemente para mantenerse sanos.

¿Cómo se desarrolla una consulta?

Puedes sentir la necesidad de visitar a un acupuntor en diferentes etapas de tu embarazo: durante los primeros meses, para soportar mejor los malestares leves provocados por el cambio de estado y, a partir del octavo mes, para prepararte mejor para el parto. Pero también puedes recurrir a un acupuntor durante el parto, o incluso en el puerperio, para recuperarte mejor después del nacimiento de tu hijo. En todos estos casos, será un médico acupuntor quien te atenderá en cada sesión.

En la primera consulta, el acupuntor efectuará un diagnóstico energético. Para ello, realiza un cuestionario minucioso y continúa su observación con un examen clínico ginecológico clásico, seguido de un examen energético. En este último, el médico toma el pulso de la arteria radial y te observa la lengua. A partir de este diagnóstico energético, el acupuntor elige cuidadosamente los puntos en los que coloca las agujas. Utiliza agujas combinadas o no con *moxibustiones* (preparación de artemisa, *moxa*, que se quema a cierta distancia de la piel). Durante el tratamiento estarás acostada y relajada. No te preocupes, la aplicación de las agujas es casi indolora, incluso para las personas más sensibles, ya que las agujas de acupuntura son mucho más finas que las usadas para los análisis de sangre o las vacunas, y no dejan marca. Se retiran quince minutos después de su aplicación.

Recuperar un equilibrio alterado por el embarazo

Tu embarazo modifica todo tu equilibrio energético. La relación energía/sangre (*Qi/Xue*) se ve alterada. Los acupuntores dicen que a lo largo de los meses se asiste a una «yinización» de la pelvis, la cual se materializa en una plenitud de sangre respecto a la energía. La mujer puede soportar más o menos bien este nuevo equilibrio, el cual es susceptible de provocar distintos trastornos. Para el acupuntor, estas dolencias leves típicas del embarazo corresponden a estancamientos de la sangre en la pelvis: trastornos digestivos (náuseas, vómitos, gastralgias, estreñimiento…), problemas circulatorios (varices, hemorroides, edemas…) o incluso dolores (lumbalgias, ciáticas, dolores intercostales…). Por lo tanto, se tratará de armonizar la relación energía/sangre para recuperar el equilibrio perdido.

Pero la acupuntura es una medicina que se declara completa, y que pretende curar el cuerpo en su totalidad, en lugar de enfrentarse sólo a los síntomas más visibles. Por ello, la acupuntura

también se considera una medicina de la mente. Al regularizar la circulación de la energía, permite una mejora de los trastornos frecuentes durante el embarazo. Así pues, puedes consultar a un acupuntor si sientes ansiedad o si sufres insomnio.

La acupuntura puede ayudarte asimismo a prepararte mejor para el parto. Durante el octavo mes de embarazo, el bebé se dispone para el parto y, en general, se presenta con la cabeza hacia abajo. No obstante, algunos bebés permanecen en posición de nalgas. En este caso, un punto de acupuntura puede ayudar al feto a volverse sobre sí mismo y a colocarse en la posición correcta. Este punto se sitúa en el quinto dedo de los pies de la madre. La estimulación se efectúa mediante *moxa* (ver más arriba). La eficacia de este método está demostrada.

Sin embargo, si surgen complicaciones hay que consultar enseguida al ginecólogo. En cualquier caso, la acupuntura sólo puede contemplarse como un tratamiento complementario al seguimiento de la medicina clásica.

La acupuntura también se puede utilizar durante el parto

Al igual que la primavera sigue al invierno (es el ciclo inmutable de las estaciones), por analogía, a un apogeo del Yin (el embarazo) sigue un ascenso del Yang (el parto). El surgimiento del Yang da lugar a la aparición de las contracciones

La máxima seguridad

Si recurres a la acupuntura con un médico profesional y competente, puedes tener la seguridad de que sigues un tratamiento que no presenta ningún peligro. Las agujas utilizadas vienen envasadas individualmente y son de un solo uso. Después de tu sesión de tratamiento se desechan. Así pues, no suponen ningún riesgo de contagio y son perfectamente estériles. Por otra parte, la acupuntura no ocasiona ningún efecto secundario negativo y puede combinarse con un tratamiento más «clásico».

uterinas que, gracias a su intensidad y a su reiteración, permitirán que el cuello uterino se abra y, a continuación, que el bebé baje a la pelvis ligamentosa y nazca. También puedes utilizar la acupuntura a lo largo del noveno mes, para propiciar que el cuello del útero se abra. La acupuntura es igualmente eficaz si rebasas las cuentas, dado que su acción contribuye a provocar la dilatación. Por último, la acupuntura usada durante el propio parto ayuda a mitigar el dolor de las contracciones. Desafortunadamente, la acupuntura aún está poco desarrollada en las maternidades, de modo que pocas veces se ofrece este tratamiento.

¿Continuar con la acupuntura después del parto?

En el aspecto energético, el puerperio corresponde a un gran vacío que puede manifestarse con cansancio, ansiedad o dificultad para dar el pecho. En los meses que siguen al parto, la acupuntura puede combinarse con la reeducación del perineo, ya que la estimulación de la energía facilita una buena recuperación de las distintas funciones del perineo. En una perspectiva más global, la acupuntura ayuda a recuperar la forma más rápidamente.

▶ La osteopatía

Mediante una palpación respetuosa y atenta del paciente, la osteopatía responde a la necesidad creciente de un «acompañamiento» global de la mujer embarazada y del bebé. Se define como una forma de pensamiento y de curación; elabora su enfoque fundamental de la salud y de la patología a partir de la «teoría de los sistemas». La osteopatía actúa sobre son los diferentes sistemas del cuerpo humano: visceral, respiratorio, articular, circulatorio y craneal. El objetivo es permitir que la persona mantenga o recupere un estado de bienestar físico, mental y afectivo.

La manipulación osteopática recurre a los recursos naturales del cuerpo: el tratamiento manual se aplica siempre en el respeto a la fisiología. Reactiva el movimiento y el ritmo de los sistemas que se desea tratar. El movimiento técnico es suave y, a la vez, preciso, adaptado a las distintas disfunciones detectadas.

¿Por qué recurrir a la osteopatía?

En cada trimestre del embarazo, el cuerpo de la mujer deberá adaptarse a unos cambios osteoarticulares y hormonales. El marco óseo (pelvis y columna vertebral) debe ajustarse al volumen creciente del útero. Por ejemplo, se observa una modificación del centro de gravedad. Durante el embarazo, el seguimiento osteopático tiene como objetivo la armonización del cuerpo.

Los síntomas que cura la osteopatía

Si el tejido conjuntivo y osteoarticular (huesos, tendones, ligamentos y músculos) se resiste a este movimiento de transformación que vive la mujer embarazada, en diferentes etapas del embarazo pueden aparecer ciertos síntomas. Éstos pueden tratarse mediante la osteopatía siempre que no estén asociados a una complicación del embarazo. Por tanto, es importante consultar previamente al ginecólogo.

Antes del embarazo • Cuando la mujer prevé quedar embarazada, puede ser útil consultar a un osteópata a fin de preparar su cuerpo para acoger a una nueva vida y para prevenir los pequeños trastornos que a veces surgen a lo largo de este período.

Durante el primer trimestre • La osteopatía puede ayudar en caso de náuseas, de reflujo gas-

Después del parto

En las semanas que siguen al parto, la madre puede sufrir ciertas molestias: problemas urinarios, malas posturas, dolor de espalda, perineo relajado o *baby blues*. La osteopatía puede ayudar a curar estos síntomas. Además, se aconseja visitar al osteópata un tiempo después del nacimiento para asegurarse de que el cuerpo ha recuperado su equilibrio.

Esta medicina suave también puede ser útil para aliviar a los bebés, en particular en caso de padecer deformaciones craneanas asociadas al embarazo o al parto, alteraciones del sueño, regurgitaciones u obstrucciones del conducto lacrimal.

troesofágico, vómitos, vértigo y dolores abdominales. Los dolores a lo largo de la columna vertebral y los dolores de cabeza también son aliviados por esta medicina suave.

Durante el segundo y tercer trimestre • Los dolores de la columna vertebral, la ciática, el estreñimiento y las piernas pesadas son algunos de los síntomas que el osteópata puede tratar. Esta medicina es útil asimismo en caso de tener que guardar cama de forma prolongada.

La preparación para el parto • El trabajo en la pelvis y la pelvis ligamentosa tiene como objetivo favorecer un parto natural. Así, el osteópata comprueba que la pelvis sea móvil (movilidad de la articulación sacroilíaca) y que el bebé no tropezará con una estructura rígida; de este modo, se facilita su paso por la pelvis.

¿Cómo se desarrolla la consulta?

La consulta se desarrolla en varias etapas. En un primer momento, el osteópata formula numerosas preguntas a la paciente. Se informa de su historial ginecológico. De hecho, el tratamiento osteopático se efectúa siempre en colaboración con el seguimiento ginecológico clásico.

El osteópata procede a continuación al examen clínico, basado en unas pruebas de movilidad: observa cómo se mueve el cuerpo, articulación por articulación, y luego en su totalidad. Por lo general, el examen clínico se efectúa acostada. Tanto si la sesión osteopática se centra en el cráneo, el abdomen o el marco óseo, las técnicas utilizadas siempre se adaptan a la mujer embarazada y al bebé; los movimientos siempre son suaves y sin brusquedades. Durante la consulta, el médico también puede enseñar a la paciente algunos ejercicios que, practicados con regularidad, podrán servir de alivio.

Los osteópatas asignan un lugar preeminente al factor humano y se interesan particularmente por lo que la futura mamá siente y por sus necesidades. El número de sesiones varía según la evolución del embarazo, pero en general se precisan tres sesiones.

▌ La fitoterapia

A lo largo de los siglos, durante el embarazo siempre se han recetado plantas medicinales. Desde muy pronto, el hombre apreció que algunas especies vegetales poseían propiedades terapéuticas y contenían unos principios activos que ayudaban a la mujer embarazada a llevar mejor su embarazo. Todavía hoy, puedes tratar las dolencias leves del embarazo con remedios sencillos y naturales.

Algunas precauciones necesarias

Aunque te hayas procurado un buen manual de fitoterapia, no tomes ninguna iniciativa sin consultar antes a tu médico. Contrariamente a lo que se tiende a creer, algunas plantas, cuando se utilizan mal o en dosis no adecuadas, pueden suponer un peligro real. Así, ciertas plantas poseedoras de componentes que estimulan los músculos del útero, en dosis elevadas pueden provocar un aborto espontáneo.

Por norma general, se aconseja evitar cualquier tratamiento médico, incluidos los aceites esenciales, durante los tres primeros meses del embarazo. Algunas plantas incluso deben prohibirse durante todo el embarazo (ver cuadro). Procura, asimismo, no tomar ciertas plantas durante períodos demasiado prolongados. Algunas de ellas, como la manzanilla romana, la tila o el maíz son muy eficaces, pero pueden tener efectos secundarios si se utilizan durante más de tres semanas. Por tanto, hay que ser extremadamente prudente.

¿Cómo conseguir remedios a base de plantas?

Puedes consumir las plantas medicinales en diferentes formas (cápsulas o comprimidos) o bien preparar en casa infusiones o decocciones. En

¡Atención, peligro!

Se desaconseja por completo consumir las plantas siguientes durante el embarazo, ya que son peligrosas:

- caulófilo *(Calophyllum thalictroides)*
- cúrcuma canadiense *(Hydrastis canadensis)*
- enebro *(Juniperus communis)*
- poleo *(Mentha pulegium)*
- milenrama *(Achillea millefolium)*
- salvia *(Salvia officinalis)*.

todo caso, procura adquirirlas en una herboristería de competencia reconocida y evita las compras por correspondencia, salvo si el proveedor es de prestigio reconocido.

En la medida de lo posible, procura adquirir plantas y sus productos derivados con certificado de origen biológico.

Si compras plantas secas, asegúrate de que no han estado almacenadas en tarros transparentes expuestos a la luz (ya que este hecho provoca una rápida degradación de los principios activos) y que conserven su aroma y su color. No dudes en pedir consejo a tu farmacéutico y en comentarlo con el médico que realiza el seguimiento de tu embarazo.

Plantas que puedes consumir durante el embarazo

Puedes tomar algunos remedios sencillos, elaborados a base de plantas medicinales, con el fin de aliviar los pequeños trastornos que se van manifestando durante los meses que dura el embarazo.

Muchos de estos remedios deben tomarse en forma de infusión. La infusión se prepara exactamente como el té, y puede beberse caliente o fría. Asegúrate de que tapas bien la tetera o la taza, ya que las propiedades medicinales de la mayoría de las plantas se evaporan rápidamente por efecto del calor.

En la tabla siguiente se indican de forma no exhaustiva algunos remedios medicinales que pueden utilizarse para paliar los trastornos del embarazo.

Sean cuales sean las plantas, debes respetar atentamente las cantidades que se deben utilizar, así como la posología, puesto que una simple infusión puede provocar efectos secundarios si la dosis que se utiliza es incorrecta.

Fitoterapia durante el embarazo

Trastorno	Planta	Remedio y posología
Náuseas matinales	Manzanilla romana *(Chamomilla recutita)*	• Hacer una infusión en un recipiente cerrado. Beber cantidades pequeñas durante el día (no más de 5 tazas).
	Hinojo *(Foeniculum vulgare)*	• Beber una infusión con 1/2 cucharilla de semillas.
Estreñimiento	Semillas de zaragatona *(Plantago)*, semillas de lino *(Linum usitatissimum)*	• Verter 1 o 2 cucharillas de cada una de estas semillas en un vaso grande de agua o dejarlas macerar durante una noche en agua fría antes de tomarlo.
Migrañas y tensión nerviosa	Tila *(Tilia)*	• Beber 3 o 4 tazas de infusión al día.
Estrías	Aloe *(Aloe vera)*, aceite de oliva *(Olea europaea)*	• Aplicar gel de aloe o frotar la piel con aceite de oliva 1 o 2 veces al día.
Dificultad para dormir	Manzanilla romana *(Chamomilla recutita)*, tila *(Tilia)*, lavanda *(Lavandula angustifolia)*, pasiflora *(Passiflora incarnata)*	• Estas plantas aparecen por orden creciente de eficacia. Hay que empezar por la más suave: la manzanilla alemana; a falta de resultados concluyentes, pasar a la planta siguiente. Antes de irse a dormir, hay que tomar una infusión preparada con 1 o 2 cucharillas por cada taza de agua.

Dietario del embarazo

El embarazo es un periodo de espera que genera sensaciones únicas. Aquí puedes anotar esas vivencias y otros datos de interés, para que siempre recuerdes cómo fueron estos meses de ilusión y esperanza.

Mi última menstruación

Fecha de mi última menstruación:

Dia previsto para el parto:

Mis primeras semanas

Primera visita al ginecólogo:

Primer análisis:

Primera ecografía:

Semana n.º 7

Cambios alimentarios:

Semana n.º 8

Semana n.º 9

Mi Peso: ....

Semana n.º 10

Semana n.º 11

Semana n.º 12

Ecografía del 1er trimestre: ....

Semana n.º 13

Semana n.º 14

Visita control ginecólogo: ....

Semana n.º 15

Si hay otros niños en la familia, puede ser un buen momento para informar de la llegada de un nuevo hermano o hermanita.

Mi Peso: ....

Semana n.º 16

Semana n.º 17

Semana n.º 18

Ecografía del 2º trimestre:

Semana n.º 19

Semana n.º 20

Semana n.º 21

Comienzas a sentir los movimientos del bebé.

Mi Peso: ....

Semana n.º 22

Semana n.º 23

Semana n.º 24

Comienzan los preparativos para el bebé.
Necesitaré:

Semana n.º 25

Test de O'Sullivan: ....

Semana n.º 26

Semana n.º 27

Mi Peso: ....

Semana n.º 28

_____
_____
_____
_____
_____
_____
_____

Semana n.º 29

_____
_____
_____
_____
_____
_____
_____

Semana n.º 30

_____
_____
_____
_____
_____
_____
_____

Posibles nombres:

Semana n.º 31

Semana n.º 32

Ecografía del 3er trimestre: ....

Análisis completo: ....

Semana n.º 33

Mi Peso: ....

Semana n.º 34

Semana n.º 35

Semana n.º 36

La última ecografía: ....

Semana n.º 37

Comienzan las visitas quincenales.

Semana n.º 38

Semana n.º 39

Mi Peso:

Semana n.º 40

Fecha del nacimiento: ....

  Nació en ....

con un peso de ....

y una altura ....

Índice Apgar: ....

Grupo sanguíneo: .... **Rh:** ....

Nombre de los padrinos:

....

....

Mis primeros momentos contigo

Índice

Las páginas en negrita remiten a las entradas del diccionario médico.

Créditos fotográficos

P. 12 y 13: © Rick Gomez/Corbis – P. 15: © Steve Prezant/Corbis – P. 16: © Baptiste Lignel – P. 25: © Olivier Ploton/Archivos Larousse – P. 28: © Olivier Ploton/Archivos Larousse – P. 33: © Baptiste Lignel – P. 37: © LWA y Dann Tardif/Corbis – P. 39: © Olivier Ploton/Archivos Larousse – P. 41: © Baptiste Lignel – P. 43: © Baptiste Lignel – P. 45: © Charles Gupton/Corbis – P. 53: © Peggy Herbeau/Photographielavie.com – P. 56 y 57: © Phil Schermeister/Corbis – P. 58 a 60: © Claude Edelmann y Petit Format/Hoa Qui – P. 61: © Lennart Nilsson/Albert Bonnier Förlag – P. 63: © CSMP/BSIP – P. 64: © CSMP/BSIP – P. 65: © CSMP/BSIP – P. 66: © CSMP/BSIP – P. 67: © CSMP/BSIP – P. 68: © CSMP/BSIP – P. 69: © CSMP/BSIP – P. 70: © CSMP/BSIP – P. 71: © CSMP/BSIP – P. 74: © Baptiste Lignel – P. 77: © Baptiste Lignel – P. 78 y 79: © Jerry Tobias/Corbis – P. 81: © Baptiste Lignel – P. 82: © Hervé Gyssels/Archivos Larousse – P. 84: © Baptiste Lignel – P. 85: © Baptiste Lignel – P. 87: © Baptiste Lignel – P. 89 à 97: © Hervé Gyssels/Archivos Larousse – P. 99: © Baptiste Lignel – P. 102: © Baptiste Lignel – P. 105: © Baptiste Lignel – P. 107: © Baptiste Lignel – P. 108: © Archivos Larousse – P. 111: © Mother y Baby PL/BSIP– P. 113: © Baptiste Lignel – P. 114: © Archivos Larousse – P. 117: © Baptiste Lignel – P. 119: © Baptiste Lignel – P. 123: © Chassenet/BSIP – P. 124: © Simon Dearden/Corbis – P. 129: © Collet/BSIP – P. 132: © Baptiste Lignel – P. 135: © Peggy Herbeau/Photographielavie.com – P. 138: © Anthony Redpath/Corbis – P. 141: © LWA y Dann Tardif/Corbis – P. 145: © Baptiste Lignel – P. 149: © Derechos reservados – P. 151: © Owen Franken/Corbis – P. 154 y 155: © Anne W. Krause/Corbis – P. 157: © Baptiste Lignel – P. 159: © Owen Franken/Corbis – P. 161: © L. Monneret /Stone/Getty Images – P. 162 g: © Villareal/BSIP – P. 162 d: © Villareal/BSIP – P. 165: © Baptiste Lignel – P. 167: © Marc Althuser/DR – P. 171: © Astier/BSIP – P. 179: © Baptiste Lignel – P. 181: © Owen Franken/Corbis – P. 190: © Rob & Sas/Corbis – P. 193: © Hervé Gyssels/Archivos Larousse – P. 194: © Norbert Schaefer/Corbis – P. 196: © Ablestock/BSIP – P. 199: © Anna Palma/Corbis – P. 201 arriba: © Baptiste Lignel – P. 201 abajo: © Strauss y Curtis/Corbis – P. 202: © Villareal/BSIP – P. 206: © Baptiste Lignel – P. 210 y 211: © Owen Franken/Corbis – P. 214: © Hervé Gyssels/Archivos Larousse – P. 215: © Baptiste Lignel –P. 219: © Baptiste Lignel – P. 221: © Hervé Gyssels/Archivos Larousse – P. 224: © Owen Franken/Corbis – P. 227: © Owen Franken/Corbis – P. 230: © ER Productions/Corbis – P. 233: © Mendil/BSIP – P. 235: © Cameron/Corbis – P. 237: © Tom Galliher/Corbis – P. 241: © Vo Trung Dung/Corbis – P. 243: © Baptiste Lignel – P. 244 y 245: © Jenny Woodcock y Reflections Photolibrary/Corbis – P. 248: © Rob Goldman/Corbis – P. 249: © Baptiste Lignel – P. 250: © Owen Franken/Corbis – P. 253: © Hervé Gyssels/Archivos Larousse – P. 254: © Baptiste Lignel – P. 256: © Owen Franken/Corbis – P. 258 y 259: © Hervé Gyssels/Archivos Larousse – P. 261: © Baptiste Lignel – P. 263: © A. Skelley/Corbis – P. 266: © Owen Franken/Corbis – P. 268: © Baptiste Lignel – P. 271: © Baptiste Lignel – P. 272: © Baptiste Lignel – P. 274: © Baptiste Lignel – P. 278: © Baptiste Lignel – P. 278 y 279: © Peggy Herbeau/Photographielavie.com – P. 281: © Baptiste Lignel – P. 283: © Baptiste Lignel – P. 286, 289 y 290: © Hervé Gyssels/Archivos Larousse – P. 291: © Baptiste Lignel – P. 292 y 293: © Hervé Gyssels/Archivos Larousse – P. 294: © Peggy Herbeau/Photographielavie.com – P. 295 a 297: © Hervé Gyssels/Archivos Larousse – P. 298: © Baptiste Lignel – P. 307: © Baptiste Lignel – P. 309: © R. Jenkinson/MBPL/BSIP – P. 311: © Baptiste Lignel – P. 312: © Hervé Gyssels/Archivos Larousse – P. 313: © Baptiste Lignel – P. 315: © Owen Franken/Corbis – P. 318: © Baptiste Lignel – P. 319: © Baptiste Lignel – P. 323: © Baptiste Lignel – P. 325: © Baptiste Lignel – P. 327: © Baptiste Lignel – P. 328 y 329: © Jerry Tobias/Corbis

Agradecimientos

Émile Abinal, Laetitia Bally, Elsa Bennett, Claire Brault, Joséphine y Sébastien Brothier, Nathalie Cauchois, Anne Cresci, Coralie y Nicolas Delesalle, Cédric Forest, Guy Garcia, Sharon Jacobs, Olivia Leflaive, Daphné y Jean Lignel, Marlène Morel, y Charlotte Bourgeois.